U0102304
9787546106908

中國美術全集

書　法　一

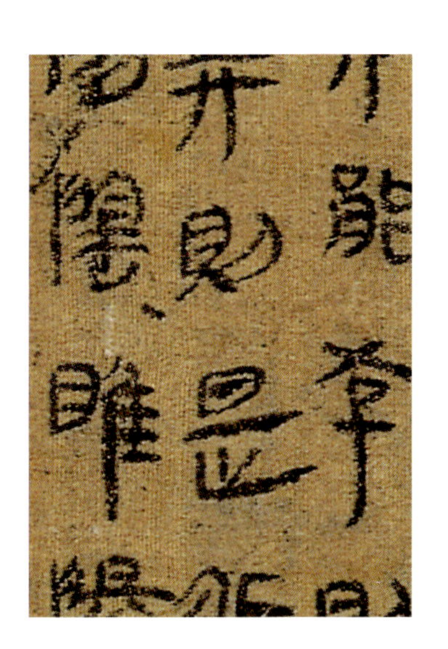

全國百佳圖书出版單位
APGTIME 時代出版
時代出版傳媒股份有限公司
黄　山　書　社

☆ 國家出版基金項目

圖書在版編目（CIP）數據

中國美術全集·書法/金維諾總主編；劉恒卷主編.—合肥：黃山書社，2009.10

ISBN 978-7-5461-0690-8

I.中… II.①金… ②劉… III.①美術—作品綜合集—中國—古代 ②漢字—書法—作品集—中國—古代 IV. J121 J292.21

中國版本圖書館CIP數據核字（2009）第155841號

中國美術全集·書法

總主編：金維諾　　卷主編：劉　恒　　責任印製：李曉明
責任編輯：左克誠　　封面設計：蠹魚閣　　責任校對：汪國梁

出版發行：時代出版傳媒股份有限公司(http://www.press-mart.com)
黃山書社(http://www.hsbook.cn)
(合肥市翡翠路1118號出版傳媒廣場7層　郵編：230071　電話：3533762)
經　　銷：新華書店
印　　刷：北京雅昌彩色印刷有限公司

開本：889×1194　1/16　　印張：56.5　　字數：156千字　　圖片：2059幅
版次：2010年6月第1版　　印次：2010年6月第1次印刷
書號：ISBN 978-7-5461-0690-8　　定價：1800圓（全二冊）

《中國美術全集》編纂委員會

《中國美術全集》出版編輯委員會

凡　例

一、編　排

1.本書所選作品範圍爲中國人創作的、反映中國文化的美術品，也收録了少量外國人創作的，在中外文化交流史上具有代表性的美術品，如唐代外來金銀器、清代傳教士郎世寧的繪畫作品等。

2.根據美術品的表現形式和質地，共分爲二十餘類，合爲卷軸畫、殿堂壁畫、墓室壁畫、石窟寺壁畫、畫像石畫像磚、年畫、岩畫版畫、竹木骨牙角雕珐琅器、石窟寺雕塑、宗教雕塑、墓葬及其他雕塑、書法、篆刻、青銅器、陶瓷器、漆器家具、玉器、金銀器玻璃器、紡織品、建築等二十卷，五十册。另有總目録一册。

3.各卷前均有綜述性的序言，使讀者對相應類别美術品的起源、發展、鼎盛和衰落過程有一個較爲全面、宏觀的瞭解。

4.作品按時代先後排列。卷軸畫、書法和篆刻卷中的署名作品，按作者生年先後排列，佚名的一律置于同時期署名作品之後。摹本所放位置隨原作時間。

5.一些作品可以歸屬不同的分類，需要根據其特點、規模等情況有所取捨和側重，一般不重複收録。如雕塑卷中不收録玉器、金銀器、瓷器。當然，青銅器、陶器中有少數作品，歷來被視爲古代雕塑中的精品（如青銅器中的象尊、陶器中的人形罐等），則酌予兼收。

6.爲便于讀者瞭解大型美術品的全貌，墓室壁畫、紡織品等類别中部分作品增加了反映全貌或局部的示意圖。

二、時間問題

7.所選美術品的時間跨度爲新石器時代至公元1911年清王朝滅亡（建築類適當下延）。

8.遼、北宋、西夏、金、南宋等幾個政權的存在時間有相互重叠的情況，排列順序依各政權建國時間的先後。

9.新疆、西藏、雲南等邊疆地區的美術品，不能確知所屬王朝的（如新疆早期石窟寺），以公元紀年表示，可以確知其所屬王朝（如麴氏高昌、回鶻高昌、南詔國、大理國、高句麗、渤海國等）的，則將其列入相應的時間段中。

10.對于存在時間很短的過渡性政權，如新莽、南明、太平天國等，其間産生的作品亦列入相應的時間段中，政權名作爲作品時間注明。

11.某些政權（如先周、蒙古汗國、後金等）建國前的本民族作品，則按時間先後置于所立國作品序列中，如蒙古汗國的美術品放在元朝。

三、圖版説明

12.文字采用規範的繁體字。

13.對所選美術作品一般衹作客觀性的介紹，不作主觀性較强的評述。

14.所介紹内容包括所屬年代、外觀尺寸、形制特徵、内容簡介、現藏地等項，出土的作品儘量注明出土地點。由于資料缺乏或難以考索，部分作品的上述各項無法全部注明，則暫付闕如，以待知者。

四、目録及附録

15.爲了方便讀者查閲，目録與索引合并排印，在每一行中依次提供頁碼、作品名稱、所屬時間、出土發現地/作者、現藏地等信息。

16.爲體現美術作品發展的時空概念，每卷附有時代年表，個别卷附有分布圖，如石窟寺分布圖、墓室壁畫分布圖等。

五、其　他

17.古代地名一般附注對應的當代地名。當代地名的録入，以中華人民共和國國務院批準的2008年底全國縣級以上行政區劃爲依據。

18.古代作者生卒年、籍貫、履歷等情況，或有不同的説法，本書擇善而從，不作考辨。

中國美術全集總目

總目録
卷軸畫
石窟寺壁畫
殿堂壁畫
墓室壁畫
岩畫　版畫
年畫
畫像石　畫像磚
書法
篆刻
石窟寺雕塑
宗教雕塑
墓葬及其他雕塑
青銅器
陶瓷器
玉器
漆器　家具
金銀器　玻璃器
竹木骨牙角雕　珐琅器
紡織品
建築

對古代書迹與書法藝術的再認識

世界上各個民族大都有自己的語言文字，然而没有哪個民族的文字像中國的漢字這樣奇妙，它不僅作爲記録語言表達思想的符號，而且在書寫使用的過程中又發展出一門獨特的書法藝術。儘管在拉丁文字和伊斯蘭文字中也有“書法”這一概念，但其所指向的意義或是偏重于筆迹鑒定，或是表現爲裝飾圖案，與漢字所承載的書法藝術有着顯著的差别。從這個意義上説，漢字及書法堪稱是中華民族聰明才智與審美心理的一個獨特展現，同時也是中國文化對人類文明的一個巨大貢獻！

作爲一門從漢字的實用性書寫活動中發展出來的藝術形式，書法的形成及其演變首先與漢字的形體結構密不可分。事實上，在書法藝術的整個演進過程中，漢字形體結構的發展變化始終是一個重要的基礎和依據。篆、隸、楷、行、草五種書體的先後通行與替代，各種用筆、結字技巧法則的確立，都離不開漢字結構及其在實用過程中的演變。因此，要瞭解并掌握書法的藝術特徵和實踐規律，熟悉漢字的結構特點及演變過程就成爲必不可少的條件。

漢字的起源最早可以追溯到六千年以前，考古學家認爲，距今五千至六千年前的岩畫符號、陶器刻畫符號等都可以説是漢字結構的原始形態。距今三千多年前的商代甲骨文是迄今已知最早的成熟漢字體系，不僅字形數量衆多，而且已經具備了穩定的結構規律。從那些古老而直觀的字形中可以看出，古人在對自然界的動物、植物、天象、地理、人類自身乃至生活用具等事物形象細緻觀察的基礎上，通過概括、歸納、提煉、聯想等加工手段，從而創造出獨具民族審美心理特徵的漢字形象。這一特點决定了漢字從誕生開始，便是自然物象與人類思維相結合的統一體，在作爲記録語言思想的符號的同時，漢字字形更是先民觀察、提煉、摹擬自然物象特徵的産物，體現出中華民族對事物形象的感知能力以及運用綫條結構表現物象的聰明才智。在甲骨文的字形結構中還保留着較多的象形——圖畫因素，具有一種樸素天真的美感。正因爲如此，在使用過程中，書寫行爲同時成爲一種造型能力的訓練及表現。值得指出的是，考古學家和古文字學家的研究證明：不同階段或出于不同作者之手的甲骨文，在書寫和刻畫上都存在着明顯的風格差异，説明當時人在使用文字時已經顯示出各自對字形結構的理解、把握、塑造以及技巧習慣的個性，這爲漢字的書寫能够從實用行爲轉化爲一門藝術形式奠定了基礎。

時至今日，儘管對于書法藝術的自覺或成熟時間，書學研究者尚未形成統一的意見，并且有相當一部分學者傾向于兩漢甚至魏晋時期才是書法藝術自覺的開始，不過從宏觀角度着眼，誰也無法否認書法與漢字的天然聯繫，所以人們在讀到書法的整個發展歷史時，通常都會追溯到漢字的産生，并且將甲骨文視爲最早的書法遺存。沿着這一認識，幾乎歷史上所有由個體手工書寫或鎸刻而成的字迹都被後人當作書法作品加以欣賞和學習，尤其是在書法的藝術價值進一步獨立、凸顯的今天，這種觀念正在更加擴展和普遍化。

漢字在數千年的發展過程中經歷了一些重要的變化，其内容主要分爲兩個方面：一是社會通行標準字體的替换，如秦漢之際隸書取代篆書和魏晋時期楷書取代隸書的轉换；二是在各個歷史時期正、草兩體的并行及其相互影響，如隸書草寫孕育出草書以及晋唐以來楷、行、草三體并行演進的現象。而這些情况對書法發展特别是書寫技巧與品評標準的變化，都起着至關重要的作用。至于書法作品的書體分類，在篆、隸、楷、行、草五個大類之中又包含着大篆、小篆、古隸、漢隸、章草、今草、魏碑、唐楷、小楷、榜書、行草等衆多名目，這一現象本身就是漢字形體結構不斷演變或適應不同使用功能的直接反映。

不同時期標準字體的各自特徵及其替换轉變，是導致書法變遷的一個重要原因。在印刷術被廣泛應用之前，所有文字的記録、傳播都衹能依靠手工書寫來完成。文字的社會功能要求文字必須具有統一穩定的結構規律，以便于傳達和記録信息，而不同個體的手工書寫又必然存在着習慣上的差异并且妨礙信息的交流，所謂通行標準字體便是調解和平衡這一矛盾的產物。從西周分裂爲諸侯各自爲政，再到秦始皇的“書同文”措施，正體現了標準字體的必要性。作爲標準字體的條件，除了統一的結構特徵，還必須具有統一的書寫規範。當衆多個體遵循統一的規範來從事書寫活動的時候，相應的技巧法則也就自然形成了。技巧法則是書法藝術最主要的組成部分之一，從這個意義上説，字體的演變對書法的發展影響巨大。

隸書在漢代取代篆書成爲通行的標準字體是漢字形體演變的一大轉折。此前的各種字體從甲骨文、金文、戰國古文直到小篆，在結構上都不同程度地保留着象形特徵和裝飾性成分，在形象上也是以莊重嚴謹爲主要特點。而隸書從日常實用書寫中發展而來，在字形結構上大幅度簡化，經過從戰國到西漢的長期應用，最終形成一套全新的形象特徵。如果從書寫技法上考察，隸書對篆書的顛覆就更加顯著和直觀了。篆書的筆畫以綿長伸展爲主要特點，而且圓弧筆畫占了很大比重，在書寫時對行筆的平穩和力量輕重的均匀都要求較高。按照這種法則寫出來的字迹雖然整齊美觀，但書寫速度較慢，不便于日益增加的實用日常書寫。而成熟的隸書則完全去掉圓弧筆畫，合并减少平行重複的筆畫，使字形結構基本由横向、垂直和斜綫三種直綫來構成，大大提高了書寫效率。隸書最初是在下層書手之間産生，經過約定俗成的實踐積累，最終由日常手寫體而成爲標準字體通行于世，并且形成了自己的一套書寫法則。

魏晋南北朝時期楷書取代隸書成爲標準字體的轉變，更明顯地體現出實用需求對文字與書法演變的推進作用。從字形結構上看，隸書在不斷擴大和普及的應用過程中被逐漸簡化，尤其是作爲隸書標志的波磔挑脚從削弱到略去，使書寫動作更加簡易。隸書中筆畫平行、字形平正的規律，也被更符合人類生理機能的長短參差、左低右高的體勢所替代。從書寫技巧上看，楷書的點畫主筆伸展，其他則相對短促，起止轉折都有提按輕重的節奏變化，毛筆柔軟而富有彈性的特點得到進一步發揮，大大加强了書寫過程中點畫之間的筆勢呼應及連續性。與隸書取代篆書的轉變相比較，楷書對隸書的取代更主要表現爲書寫技法的進步，文字結構上的改變則相對次要。

如果説標準字體的替换演進主要發生在漢字及書法發展的前期（隋朝以前）的話，正、草兩體并存及其相互影響在書法上的體現則貫穿于書法史的整個進程，而草體則是指正體在日常應用中的簡便書寫形態。事實上，不論是哪一種字體擔當標準字體時，對于該字體的簡便快速書寫便形成了相對應的草體存在于實際應用中。對于篆書而言，隸書最早便是草體；而當隸書成爲正體後，對它的簡便書寫便形成了草書（章草）；在楷書成爲正體後，行書和草書（今草）又以草體的形式并存于世。正是這種關係構成了漢字及書法在實用動力的促進下不斷向前發展，同時也爲書法藝術的多種書體和多種技巧風格提供了可能。

由此可以看出，書法與漢字的天然聯繫及其在漢字演變過程中所起的作用，都决定了書法藝術與實用性書寫密不可分。絶大部分在今天被視爲書法經典的杰作，在當初并不是爲了藝術價值而創作出來的，而是實實在在的實用書寫的産物。當然，隨着人們對書法認識的深入和實踐上的自覺，對于技巧、風格的關注與追求逐漸占據重要位置，但書法作品中文字的可識性和内容的可讀性一直是不可缺少的必要條件，并已成爲人們判斷書法作品的重要前提。

在任何一門藝術中，技巧法則都是不可缺少的一個組成部分。特别是對于兼有實用性與藝術性雙重功能的書法來説，技法的意義就更加重要了，離開了一定的技法規範便衹剩下實用書寫，其作爲藝術活動的價值也就失去了依據。在書法從實用書寫中逐漸生發出藝術功能直到發展成專門的藝術活動，各種技巧規律的形成及演變始終發揮着顯著的作用。

考察書法藝術的技巧法則，首先應當注意毛筆這種書寫工具所具有的特殊性能。數千年來，人們充分利用毛筆柔軟而有彈性的特點，在各種書體中運用發揮，創造出風格衆多，變化奇妙的藝術效果，對毛筆的控制及運用技術——筆法也成爲書法實踐中最基本的技法内容。從書法發展的過程來看，毛筆的性能及其使用技巧，也是隨着字體的發展在實用中不斷得到開拓認識并逐漸豐富完善起來的。在篆書作爲通行字體的時代，人們在書寫時運用毛筆的技巧主要是儘量做到平穩，以求寫出飽滿均匀的筆畫來。驗證于書迹材料，從甲骨文到金文再到小篆，便是沿着這樣的要求一步步向精確和細緻方向發展而來。

隨着隸書和楷書先後出現并走向成熟，用筆技巧也逐漸豐富起來。與篆書相比，隸書在點畫的起止轉折處筆鋒的運動方式都更複雜，除了平面移動外，提按頓挫的上下運動大量增加。到了楷書，不僅筆鋒的空間運動方式得到全面的利用，同時在時間性上也有所拓展，即行筆的疾徐變化與節奏感也成爲用筆技巧的組成部分。而在行草書中，毛筆的性能被發揮到了極致，輕重、虚實、疾徐、頓挫、提按、方圓、轉折……書寫過程中筆鋒的各種變化都被按照一定的規律組織在一起，從而構成了一曲由筆墨演奏出來的美妙旋律。古人云“惟筆軟則奇怪生焉”，可謂一語道破了書法藝術中用筆技巧的價值所在。

除了用筆外，結字是書法實踐中又一項重要技法。所謂結字，即是指書寫者在安排字形結構和塑造字形姿態方面的方法與技巧。説到結字技巧，其根源仍歸結到漢字字形的構成特徵。如前所述，儘管漢字從很早就開始擺脱圖畫性而演變成抽象的語言符號，但其由象形發展而來的結構特點使得書寫漢字始終帶有造型勞動的色彩。同樣一個字形，在不同的書寫者筆下會呈現出不同的姿態，從而體現出不同的風格特點。特别是當書法藝術進入自覺發展階段以後，書寫者在安排點畫部首、塑造字形姿態方面的用意及其規律，已經超越了自然習慣而成爲主動的、有目標的追求。結字特點與用筆技巧相互結合，構成書法作品中最直觀也是最顯著的視覺特徵，所有有成就的書法家，其獨特的藝術追求及其風格面貌也都是通過用筆、結字上的規律特徵而表現出來的。

此外，章法布局和墨色變化也是書法技法中的組成部分。不過在書法發展的大部分時期裏，章法和墨色都不是書法技巧主要内容，而是根據實用需要呈自然演進狀態。在甲骨文時代，書寫時文字的排列次序還比較自由，隨後便固定爲自上而下排列、從右向左延伸的習慣，除因特殊要求而變通外，直到上個世紀中期，漢字書寫一直延用這一規律。從書法藝術的角度看，倒是書寫幅式的發展對章法布局的影響作用更爲明顯。在紙張被普遍用作書寫載體之前，書寫的章法布局主要受材料的制約，大都根據載體的大小及形狀來安排。魏晋以後，紙張迅速普及并成爲最常見的書寫材料。然而由于早期紙張的尺幅有限，加上書寫用途以實用爲主，所以直到宋代以前，人們在書寫時一般都采用横式，基本上沿用了古代的簡册書卷制度。隨着造紙技術的進步，紙張尺幅加大，從宋元時期開始出現了竪式作品。到了明代，書法作品已經被廣泛用于居室裝飾欣賞，爲適應高大廳堂的需要，長條幅、對聯等幅式大行其道，同時扇面、册頁等小品形式也很活躍，使書法家在揮毫時有了更多的選擇和發揮餘地。

對墨色的運用也是如此。明代以前的書法一般都不刻意于墨色的變化，祇是呈現出書寫過程中自然的濃淡乾濕。從明代後期開始，受水墨寫意畫的影響，再加上生宣紙在書法上的應用，墨色變化才逐漸被書法家注意并加以發揮。特别是清代一些碑派書家爲了追求模擬古代石刻的斑駁蒼茫效果，往往利用生宣紙上水墨暈漲與乾筆飛白的對比效果，墨色變化在書法作品中的作用也越來越突出。

文字的書寫本來是爲了記録語言，保存或交流信息，而漢字的書寫之所以能够形成一門藝術，主要是因爲書寫者通過一定的技藝表達出自己的審美追求，并且反映出相應的文化内涵。作爲中華文化特有的現象，書法藝術的産生和發展，凝聚着中華民族的聰明智慧，體現出中國人善于從觀察生活中發現、提煉和創造審美價值的能力以及習慣傳統。

書法兼有實用性與藝術性雙重價值，其中特殊的工具材料和一定的技巧法則是其基礎條件，然而如果僅僅停留在技巧層面，書法也僅僅是一種技術勞動而難以稱爲藝術。關鍵在于歷代的書寫者在掌握和運用技巧的同時，將自己對自然的認識、對生活的體驗、對審美的追求貫注其中，使抽象的語言符號成爲了生動的形象，具備了靈動的韵律，從而在傳達語言信息的同時，又增添了欣賞的意義。事實上，考察古往今來各個時期的書迹，可以感覺到，它們不僅表達了書寫者個人的審美特點，而且更反映出各個時期社會共同的審美趨向。從甲骨文、金文再到小篆、隸書，每一種字體所具有的視覺感染力都與其各自的時代精神保持着高度的統一，體現了統治政權的威嚴、莊重以及秩序感。從漢代開始，人們對書寫者的個人風格越來越重視，雖然今天看到的漢代書迹絶大多數都没有留下書寫者的姓名，但後人仍然能够清楚地感受到每件作品所具有的獨特個性。從東漢末年到魏晋南北朝時期是書法藝術發展史上的一大轉折，在當時文人士大夫階層普遍注重文化修養并且熱衷于個性張揚發揮的氣氛下，書法與文學一樣成爲士族文人寄托情感，抒發胸懷的最理想方式。由此，書法藝術進入了主動和自覺的嶄新階段，涌現出一大批成就卓著、影響深遠的杰出書法家。以張芝、鍾繇及王羲之、王獻之父子等人爲代表的文人書家群體，在新興的楷書、行書和草書領域傾注了各自超衆的才華，在書法技巧和審美原則上爲後世樹立了楷模。在隨後的唐宋時期，書法藝術繼續呈現出繁榮的局面并且發展到頂峰。唐代書家一方面將楷書的嚴謹均衡推向極致，而且在這種法度精細、準確度要求極高的書體中創造出歐、褚、顔、柳等個性突出、争奇鬥勝的風格面目，另一方面，唐代的草書藝術也取得超越前人的突破，張旭、懷素等人在前人基礎上將草書的靈活變化和自由發揮更向前推進，形成了奇肆奔放的狂草，使書法藝術的魅力又得到一次拓展。宋代書家則更加廣泛和充分地把書法與生活結合起來，在日常應用最普遍的行草領域，通過各種形式的運用，將宋代文人淡泊適意，善于品味生活、陶冶性情的心態自然地表達出來，使書法的實用性與藝術功能結合無間，相得益彰，蘇軾、黄庭堅、米芾等人便是這一時期引領風氣的標志性人物。此後明清以至近現代的書法便是沿着這樣的脉絡不斷向前演進，書法家們將大量的精力心血傾注在揣摩學習前代名家技巧風格的過程中，并從中尋求個人面目和突破性建樹，書法藝術的發展也由此形成穩定漸進的局面。

從書法藝術的整個發展過程可以看出，在書法史前期，書法的發展主要依托于漢字字體的演變，在實用性實踐中逐步形成和積累技巧法則。魏晋以後則主要表現爲風格的轉换出新，杰出的代表人物及其風格對書法的推進作用越來越明顯，許多技法準則的突破和新準則的建立都是由代表性人物及其作品風格來實現的。值得指出的是，書法史上的代表性書家都不是僅僅以技巧見長，而大多都在書法以外兼有其他方面的業績，因此在他們的書法中往往藴含着多方面的修養支撑，書法也成爲作者綜合素質及人格形象的表露。傳統書法品評中所謂“書如其人”的判斷，其意義正在于此！

還應該看到，作爲藝術活動的書法雖然具有表達審美追求和寄托情感的功能，但依托于文字這一語言符號以及筆墨結構的抽象性，决定了書法很難直接表達一時一事的具體内容，而祇能從象徵意義上反映雄壯、典雅、飄逸、凝重、精緻、率真、嚴謹、灑脱等一系列審美意象，這是書法與文學、繪畫、雕塑、戲劇等藝術形式之間最顯著的差异，同時也是書法藝術獨特魅力的所在。

在數千年來漢字書寫的歷史中，積累下來難以計數的書迹遺存。對于書法的欣賞和實踐來説，這是一座取之不竭的寶庫。然而在所有這些遺存中，既有名家、經典之作，也有大量無名者的信手塗寫，儘管它們對後人同樣具有借鑒、參考的價值，但對于它們的性質、歸屬應當給予必要的區分認識。

名家、經典之作通常在技巧、風格上具有典型、楷模的意義，而且經過時間的檢驗已經成爲後人學習模仿的對象，同時也是後人了解并欣賞書法藝術的認識依據。在書法史上，許多名家、經典之作都曾起到過重要的影響作用。

有些在它們問世時也許并未受到肯定，甚至被排斥，但隨着書法的發展，其開拓性價值逐漸被認可，遂成爲新的技巧與品評標準。應該説，書法史的發展以及各個時代書法藝術的成就，主要是靠名家、經典作品來構成的。而無名書迹的情況則比較複雜，既有具備一定技巧水平但未留下署名的作品，也有粗通文墨者信手寫刻的日常書迹，還有一些是經過工匠再製作的文字遺迹，本身已不具備書寫特徵。在今天看來，歷史上留存下來的無名書迹從不同角度反映了當時書法的狀況，具有相應的參考作用，有些可能還對書法家的探索實踐具有借鑒啓發的價值，不過對于這些無名書迹本身却不能一概視作書法作品，其意義也無法與名家、經典之作相提并論。

從北宋前期宋太宗命人彙集歷代名家書迹編排、摹刻成《淳化閣帖》拓印傳播開始，歷代收集前人書迹彙刻叢帖的做法綿延不絶。在照像印刷技術普及以後，編輯、出版各類書法彙編、全集的舉措更爲便利。不過如果僅僅重複前人，輾轉翻印，畢竟意義不大，關鍵是要不斷擴大視野，搜集、補充新的發現和收獲，才能對人們認識和學習書法藝術有所幫助。《中國美術全集・書法》卷在收集新材料上花了很多功夫，希望本書的出版對當代書法藝術的研究和實踐起到積極的推動作用。

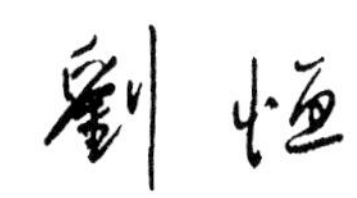

目　　録

新石器時代至西周（公元前八〇〇〇年至公元前七七一年）

頁碼	名稱	時代	作者	來源	收藏地
1	賈湖刻符甲片	裴李崗文化		河南舞陽縣賈湖遺址	河南省文物考古研究所
1	陵陽河陶尊刻符	大汶口文化		山東莒縣陵陽河遺址	山東省莒縣博物館
1	龍虬莊刻符陶片	龍山文化		江蘇高郵市龍虬莊	南京博物院
2	丁公刻辭陶片	龍山文化		山東鄒平縣苑城鄉丁公遺址	山東大學歷史系考古教研室
2	小屯南地刻辭卜骨	商		河南安陽市小屯	中國社會科學院考古研究所
2	小屯南地刻辭卜骨	商		河南安陽市小屯	中國社會科學院考古研究所
3	小屯南地刻辭卜骨	商		河南安陽市小屯	中國社會科學院考古研究所
3	小屯西地刻辭卜骨	商		河南安陽市小屯	中國社會科學院考古研究所
4	小屯刻辭鹿頭骨	商		河南安陽市小屯	臺灣“中央研究院歷史語言研究所”
4	安陽塗硃刻辭卜骨	商		河南安陽市	中國國家博物館
5	安陽刻辭骨匕	商		傳河南安陽市	中國國家博物館
6	安陽塗硃刻辭卜骨	商		傳河南安陽市	中國國家博物館
7	刻辭記日食卜骨	商		河南安陽市	中國國家博物館
7	刻辭卜骨	商		傳河南安陽市	中國國家博物館
8	刻辭“衆人協田”卜骨	商		傳河南安陽市	中國國家博物館
8	刻辭“古貞般有禍”卜甲	商			中國國家博物館
9	刻辭“奉禾”卜骨	商			上海博物館
9	司母戊鼎銘	商		河南安陽市武官村	中國國家博物館
9	婦好甗銘	商		河南安陽市小屯殷墟5號墓	中國社會科學院考古研究所
10	小子𡩜卣銘	商			日本神户白鶴美術館
10	宰椃角銘	商		傳河南安陽市	日本京都泉屋博古館
10	亞共尊銘	商		河南安陽市孝民屯南93號墓	中國社會科學院考古研究所
11	作册般甗銘	商			中國國家博物館
11	戉甬方鼎銘	商			
12	二祀𨚕其卣銘	商		傳河南安陽市	故宫博物院
13	四祀𨚕其卣銘	商		傳河南安陽市	故宫博物院
13	六祀𨚕其卣銘	商		傳河南安陽市	故宫博物院
14	小臣邑斝銘	商		傳河南安陽市	美國聖路易藝術博物館

頁碼	名稱	時代	作者	來源	收藏地
14	父癸角銘	商		傳河南安陽市	美國華盛頓弗利爾美術館
15	戍嗣鼎銘	商		河南安陽市高樓莊後岡圓形祭祀坑	中國社會科學院考古研究所
15	宰甫卣銘	商			山東省菏澤市博物館
16	大祖諸祖戈銘	商		河北易縣	遼寧省博物館
16	亞醜方尊銘	商			故宮博物院
16	乃孫作祖己鼎銘	商			臺北故宮博物院
17	鳳雛卜甲	先周（商末）		陝西岐山縣鳳雛建築基址11號灰坑	陝西省周原博物館
17	鳳雛數字卦卜甲	先周（商末）		陝西岐山縣鳳雛建築基址11號灰坑	陝西省周原博物館
18	鳳雛卜甲	先周（商末）		陝西岐山縣鳳雛建築基址11號灰坑	陝西省周原博物館
18	鳳雛卜甲	先周（商末）		陝西岐山縣鳳雛建築基址31號灰坑	陝西省周原博物館
19	利簋銘	西周		陝西西安市臨潼區西段村	中國國家博物館
19	天亡簋銘	西周		傳陝西岐山縣	中國國家博物館
20	大保簋銘	西周		山東梁山縣	日本白鶴美術館
20	商尊銘	西周		陝西扶風縣莊白村1號西周青銅器窖藏	陝西省周原博物館
21	柞伯簋銘	西周		河南平頂山市應國墓地第242號墓	河南省文物考古研究所
21	克罍銘	西周		北京房山區琉璃河1193號墓	北京市文物研究所
22	大盂鼎銘	西周		傳陝西眉縣禮村	中國國家博物館
23	旗鼎銘	西周		陝西眉縣楊家村	陝西歷史博物館
23	𢦔簋銘	西周		陝西扶風縣莊白村西周墓	陝西省扶風縣博物館
24	史牆盤銘	西周		陝西扶風縣莊白村1號西周青銅器窖藏	陝西省寶鷄市博物館
26	𢦔方鼎銘	西周		陝西扶風縣莊白村西周墓	陝西省扶風縣博物館
26	静簋銘	西周			美國紐約大都會博物館
27	師酉簋	西周			故宮博物院
27	𤼈簋銘	西周		陝西扶風縣莊白村1號西周青銅器窖藏	陝西省周原博物館
28	𤼈鐘銘	西周		陝西扶風縣莊白村1號西周青銅器窖藏	陝西省周原博物館
29	曶鼎銘	西周			
29	大克鼎銘	西周		陝西扶風縣	上海博物館
30	小克鼎銘	西周		陝西扶風縣	上海博物館
30	五年師旋簋銘	西周		陝西西安市長安區張家坡西周窖藏	陝西歷史博物館
31	伯公父瑚銘	西周		陝西扶風縣雲塘村西周窖藏	陝西省周原博物館
32	衛鼎銘	西周		陝西岐山縣董家村1號青銅器窖藏	陝西省岐山縣博物館
33	衛盉銘	西周		陝西岐山縣董家村1號青銅器窖藏	陝西省岐山縣博物館
34	衛簋銘	西周		陝西岐山縣董家村1號青銅器窖藏	陝西省岐山縣博物館
34	啓尊銘	西周		山東龍口市	山東省博物館

頁碼	名稱	時代	作者	來源	收藏地
35	宰獸簋銘	西周		陝西扶風縣段家鄉大同村	陝西省周原博物館
35	三年瘐壺銘	西周		陝西扶風縣莊白村1號西周青銅器窖藏	陝西省周原博物館
36	十三年瘐壺銘	西周		陝西扶風縣莊白村1號西周青銅器窖藏	陝西省周原博物館
37	㝬鐘銘	西周			臺北故宮博物院
37	㝬簋銘	西周		陝西扶風縣齊村	陝西省扶風縣博物館
38	散氏盤銘	西周			臺北故宮博物院
39	多友鼎銘	西周		陝西西安市長安區下泉村	陝西歷史博物館
39	晋侯對鼎銘	西周		山西曲沃縣晋侯墓地	上海博物館
40	晋侯對盨銘	西周		山西曲沃縣晋侯墓地114號墓	上海博物館
40	史頌簋銘	西周			上海博物館
41	頌鼎器銘	西周			上海博物館
41	晋侯穌鐘	西周		山西曲沃縣晋侯墓地8號墓	
42	虢季子白盤銘	西周		傳陝西寶鷄市虢川司	中國國家博物館
43	毛公鼎銘	西周		陝西岐山縣	臺北故宮博物院
44	逨盤銘	西周		陝西眉縣楊家村西周青銅器窖藏	陝西省寶鷄市青銅器博物館
45	四十二年逨鼎銘	西周		陝西眉縣楊家村西周青銅器窖藏	陝西省考古研究院
45	兮甲盤銘	西周			日本東京臺東區立書道博物館

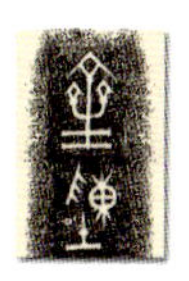

春秋戰國（公元前七七〇年至公元前二二一年）

頁碼	名稱	時代	作者	來源	收藏地
46	商丘叔瑚銘	春秋			上海博物館
46	鄩仲匜銘	春秋		山東臨朐縣泉頭村	山東省臨朐縣博物館
46	秦公鎛銘	春秋		陝西寶鷄市太公廟	陝西省寶鷄市博物館
47	鑄叔瑚銘	春秋			廣東省廣州博物館
47	魯伯愈父匜銘	春秋		山東滕州市鳳凰嶺	上海博物館
48	宗婦盤銘	春秋		傳陝西户縣	上海博物館
48	樂子敬豧瑚銘	春秋			上海博物館
49	齊侯盂銘	春秋		河南洛陽市中州渠	河南省洛陽博物館
49	國差罎銘	春秋			臺北故宮博物院
50	宋公䜌戈銘	春秋		傳安徽壽縣	中國國家博物館
50	宋公䜌瑚銘	春秋		河南固始縣侯古堆大墓	河南省文物考古研究所

頁碼	名稱	時代	作者	來源	收藏地
51	蔡公子義工瑚銘	春秋		河南潢川縣	河南博物院
51	鄦子妝瑚銘	春秋			上海博物館
52	秦公簋銘	春秋		甘肅天水市	中國國家博物館
53	公孫窹壺銘	春秋		山東臨朐縣	山東省臨朐縣博物館
53	越王句踐劍銘	春秋		湖北江陵縣望山1號墓	湖北省博物館
54	攻吴王夫差鑑銘	春秋		山西代縣蒙王村	中國國家圖書館
54	吴王夫差矛銘	春秋		湖北江陵縣馬山磚瓦廠5號墓	湖北省博物館
55	王子申盞盂銘	春秋			
55	王子午鼎銘	春秋		河南淅川縣下寺2號墓	河南省文物考古研究所
56	王孫遺者鐘銘	春秋		湖北宜都市	美國舊金山市亞洲美術博物館
56	温縣盟書	春秋		河南温縣西張計村	河南省文物考古研究所
57	侯馬盟書	春秋		山西侯馬市晋國遺址	山西博物院
58	石鼓文	春秋			故宫博物院
59	哀成叔鼎銘	戰國		河南洛陽市	河南省洛陽博物館
59	陳純釜銘	戰國		山東膠州市	上海博物館
60	陳曼瑚銘	戰國			上海博物館
60	緣書缶銘	戰國			中國國家博物館
61	曾侯乙墓甬鐘銘	戰國		湖北隨州市	湖北省博物館
62	曾姬無卹壺銘	戰國		傳安徽壽縣	臺灣“中央研究院”
62	器蓋殘片銘	戰國			故宫博物院
63	越王州句劍銘	戰國		湖北江陵縣藤店1號墓	湖北省荆門博物館
63	中山王譽方壺銘	戰國		河北平山縣西靈山1號大墓	河北省文物研究所
64	中山王譽鼎銘	戰國		河北平山縣西靈山1號大墓	河北省文物研究所
64	好蚉壺銘	戰國		河北平山縣	河北省文物研究所
65	鄂君啓銅節銘	戰國			中國國家博物館
66	禾簋銘	戰國			上海博物館
66	郪陵君豆銘	戰國		江蘇無錫市前江	南京博物院
67	高奴禾石銅權銘	戰國		陝西西安市阿房宫遺址	陝西歷史博物館
67	錯金銘杜虎符銘	戰國		陝西西安市山門口	陝西歷史博物館
68	“行氣”玉器銘	戰國			天津博物館
68	楚帛書	戰國			美國紐約大都會博物館
69	郭店《老子》竹簡	戰國		湖北荆門市郭店1號楚墓	湖北省荆門博物館
70	青川木牘	戰國		四川青川縣郝家坪	四川博物院
70	公乘得守丘刻石	戰國		河北平山縣前七汲村	河北省博物館

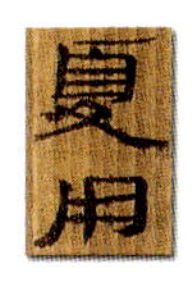

秦至東漢（公元前二二一年至公元二二〇年）

頁碼	名稱	時代	作者	來源	收藏地
71	陽陵虎符銘	秦		山東棗莊市薛城區	中國國家博物館
71	兩詔銅斤權文	秦		陝西西安市秦始皇陵園	陝西省秦始皇兵馬俑博物館
71	秦量詔版文	秦			
72	琅玡臺刻石	秦			中國國家博物館
73	泰山刻石	秦			山東省泰安市岱廟
74	“海内皆臣”十二字磚	秦			中國國家博物館
74	隱成吕氏缶	秦		陝西鳳翔縣高莊	陝西省考古研究院
74	東武雎瓦	秦		陝西西安市臨潼區	陝西省秦始皇兵馬俑博物館
75	雲夢睡虎地秦墓竹簡	秦		湖北雲夢縣睡虎地11號墓	湖北省博物館
75	關沮秦墓竹簡	秦		湖北荆州市	湖北省荆州市周梁玉橋遺址博物館
76	里耶木牘	秦		湖南龍山縣里耶鎮古城遺址	湖南省文物考古研究所
78	上林共府銅升銘	西漢			天津博物館
78	陽泉使者舍熏爐銘	西漢			
78	陽信家耳杯銘	西漢		陝西興平市茂陵1號無名冢1號隨葬坑	陝西省茂陵博物館
79	文帝九年鏡銘	西漢		廣東廣州市象崗山南越王墓	廣東省廣州南越王墓博物館
79	元始四年鈁銘	西漢			
80	上林鑑銘	西漢		陝西西安市三橋鎮高窑村漢上林苑遺址	陝西省西安市文物保護考古所
80	上林鑑銘	西漢		陝西西安市三橋鎮高窑村漢上林苑遺址	陝西省西安市文物保護考古所
81	昆陽乘輿鼎銘	西漢		陝西西安市三橋鎮高窑村漢上林苑遺址	陝西省西安市文物保護考古所
81	中山内府鈁銘	西漢		河北滿城縣陵山劉勝墓	河北省博物館
82	平都犁斛銘	西漢			天津市文物局
82	群臣上壽刻石	西漢		河北永年縣	
83	五鳳刻石	西漢		山東曲阜市孔廟内太子釣魚池	山東省曲阜孔府文物檔案館
83	馬王堆帛書	西漢		湖南長沙市馬王堆3號漢墓	湖南省博物館
86	武威張伯升柩銘	西漢		甘肅武威市磨嘴子第23號漢墓	甘肅省博物館
86	張掖都尉棨信	西漢		甘肅金塔縣肩水金關遺址	甘肅省文物考古研究所
87	帛書信札	西漢		甘肅敦煌市甜水井懸泉置遺址	甘肅省文物考古研究所
88	《二年律令》竹簡	西漢		湖北荆州市張家山第247號墓	湖北省博物館
88	《蓋廬》竹簡	西漢		湖北荆州市張家山第247號墓	湖北省博物館

頁碼	名稱	時代	作者	來源	收藏地
89	《奏讞書》竹簡	西漢		湖北荆州市張家山第247號墓	湖北省博物館
89	《安陸守丞綰文書》木牘	西漢		湖北荆州市鳳凰山9號漢墓	湖北省博物館
90	《中舨共侍約》木牘	西漢		湖北荆州市鳳凰山10號漢墓	湖北省博物館
90	《鄭里廩籍》竹簡	西漢		湖北荆州市鳳凰山10號漢墓	湖北省博物館
91	《合陰陽》竹簡	西漢		湖南長沙市馬王堆3號漢墓	湖南省博物館
92	《遣策》竹簡	西漢		湖南長沙市馬王堆1號漢墓	湖南省博物館
93	《日書》竹簡	西漢		湖南沅陵縣城關鎮虎溪山1號漢墓	
94	阜陽木牘	西漢		安徽阜陽市雙古堆1號墓	安徽省博物館
94	《孫子兵法》竹簡	西漢		山東臨沂市銀雀山1號漢墓	山東省博物館
95	《神烏傅》竹簡	西漢		江蘇東海縣尹灣6號漢墓	江蘇省連雲港市博物館
95	《神龜占》木牘	西漢		江蘇東海縣尹灣6號漢墓	江蘇省連雲港市博物館
96	木謁	西漢		江蘇東海縣尹灣6號漢墓	江蘇省連雲港市博物館
96	《丞相御史律令》木簡	西漢		甘肅金塔縣肩水金關遺址	甘肅省文物考古研究所
97	《相利善劍》木簡	西漢		内蒙古額濟納旗破城子居延甲渠候官遺址	甘肅省文物考古研究所
97	姓名木觚	西漢		甘肅敦煌市馬圈灣烽燧遺址	甘肅省文物考古研究所
98	木牘	西漢		甘肅敦煌市馬圈灣烽燧遺址	甘肅省文物考古研究所
99	骨簽	西漢		陝西西安市漢未央宫遺址	中國社會科學院考古研究所
100	耳杯款文	西漢		安徽天長市安樂鎮漢墓	安徽省博物館
100	陶穀倉朱書	西漢		河南洛陽市	北京大學賽克勒考古與藝術博物館
100	“左作貨泉”陶片	西漢		陝西西安市三橋鎮	中國社會科學院考古研究所
101	“海内皆臣”磚	西漢			中國社會科學院考古研究所
101	“長樂未央”磚	西漢		内蒙古準格爾旗古城址	内蒙古自治區準格爾旗文化館
101	“單于和親”磚	西漢			北京市魯迅博物館
102	“維天降靈”十二字瓦當	西漢		陝西西安市劉村	陝西歷史博物館
102	“羽陽千秋”瓦當	西漢		陝西寶鷄市東關	
102	“長樂未央”瓦當	西漢		陝西西安市沙坡第二青磚廠	陝西歷史博物館
102	“長生未央”瓦當	西漢		陝西淳化縣漢甘泉宫遺址	陝西省淳化縣文化館
103	“衛”字瓦當	西漢		陝西淳化縣漢甘泉宫遺址	陝西省淳化縣文化館
103	“長毋相忘”瓦當	西漢		陝西淳化縣漢甘泉宫遺址	陝西省淳化縣文化館
103	“永受嘉福”瓦當	西漢			中國社會科學院考古研究所
103	“天地相方”十二字瓦當	西漢		陝西興平市漢茂陵附近	陝西省茂陵博物館
104	“上林”瓦當	西漢		陝西興平市漢茂陵	陝西省茂陵博物館
104	“光耀塊宇”瓦當	西漢		陝西興平市漢陽陵陪葬冢霍光墓附近	陝西省茂陵博物館

頁碼	名稱	時代	作者	來源	收藏地
104	“萬歲”瓦當	西漢		陝西西安市漢長安城遺址	陝西歷史博物館
104	“萬有憙”瓦當	西漢		陝西西安市漢長安城遺址	陝西歷史博物館
105	“延壽長相思”瓦當	西漢		陝西西安市漢長安城遺址	陝西省安康歷史博物館
105	“千秋萬歲”瓦當	西漢		陝西華陰市硙峪鄉華倉遺址	陝西省考古研究院
105	“與天無極”瓦當	西漢		陝西韓城市芝川鎮扶荔宫遺址	陝西省韓城市博物館
105	“飛鴻延年”瓦當	西漢			陝西省三秦出版社
106	“關”字瓦當	西漢		河南新安縣鹽倉村漢函谷關倉庫建築遺址	河南省洛陽市第二文物工作隊
106	“萬歲”瓦當	西漢		廣東廣州市中山四路南越國宫署遺址	廣東省廣州南越王墓博物館
106	“千秋萬歲”瓦當	西漢		山東淄博市臨淄區齊國故城	山東省文物考古研究所
107	銅嘉量銘	新		河南孟津縣	中國國家博物館
107	銅衡杆銘	新		甘肅定西市	中國國家博物館
108	萊子侯刻石	新		山東鄒城市卧虎山下	山東省曲阜孔府文物檔案館
108	高彦墓磚	新		山東日照市	
109	青玉牒	新		陝西西安市漢長安城桂宫第4號建築遺址	中國社會科學院考古研究所
109	《守禦器簿》木簡	新		内蒙古額濟納旗居延遺址	臺灣“中央研究院”
110	何君閣道碑	東漢		四川滎經縣烈士鄉摩崖	
111	鄐君開通褒斜道刻石	東漢		陝西漢中市石門摩崖	陝西省漢中市博物館
112	三老諱字忌日記	東漢		浙江餘姚市客星山	浙江省杭州市西泠印社
112	元和三年題記	東漢		四川蘆山縣	
113	大吉買山地記	東漢		浙江紹興市跳山	
114	袁安碑	東漢		河南偃師市辛家村	河南博物院
115	王平君闕銘	東漢		四川成都市	
115	永元十五年刻銘	東漢		陝西綏德縣五里店	陝西省西安碑林博物館
116	幽州書佐秦君石柱	東漢		北京石景山區	北京石刻藝術博物館
116	賢良方正殘碑	東漢		河南安陽市	天津博物館
117	子游殘碑	東漢		河南安陽市	河南省安陽市博物館
117	袁敞碑	東漢		河南偃師市	遼寧省博物館
118	祀三公山碑	東漢		河北元氏縣	故宫博物院
118	太室石闕銘	東漢		河南登封市中岳廟前	
119	少室石闕銘	東漢		河南登封市十里鋪村	
119	啓母廟石闕銘	東漢		河南登封市萬歲峰	
120	陽嘉二年題記	東漢		重慶南川區雷劈石崖墓	
120	陽嘉殘碑	東漢		山東曲阜市	
121	景君銘	東漢			山東省濟寧市博物館

頁碼	名稱	時代	作者	來源	收藏地
121	武氏祠畫像題記	東漢		山東嘉祥縣武宅山武氏祠堂	山東省嘉祥縣武氏祠保管所
122	石門頌	東漢		陝西漢中市石門摩崖	
123	乙瑛碑	東漢			山東省曲阜市孔廟
124	薌他君石祠堂石柱題記	東漢		山東東阿縣	故宮博物院
124	安國墓祠題記	東漢		山東嘉祥縣滿硐鄉宋山村	山東省石刻博物館
125	禮器碑	東漢			山東省曲阜市孔廟
126	鄭固碑	東漢			山東省濟寧市
126	張景殘碑	東漢		河南南陽市	河南省南陽漢畫館
127	張景造土牛碑	東漢		河南南陽市	河南省南陽市卧龍崗漢碑亭
127	封龍山碑	東漢		河北元氏縣王村	
128	孔宙碑	東漢			山東省曲阜市孔廟
128	西岳華山廟碑	東漢			
129	鮮于璜碑	東漢		天津武清區	天津博物館
130	衡方碑	東漢		山東汶上縣郭家樓	山東省泰安市岱廟炳靈門
131	史晨碑	東漢			山東省曲阜市孔廟
132	張壽殘碑	東漢		山東武城縣古文亭山	
132	肥致碑	東漢		河南偃師市南蔡莊鄉	河南省偃師商城博物館
133	夏承碑	東漢			
133	建寧三年碑	東漢		内蒙古包頭市召灣村漢墓	内蒙古文物考古研究所
134	西狹頌	東漢		甘肅成縣天井山	
135	巴郡朐忍令景雲碑	東漢		重慶雲陽縣舊縣坪遺址	重慶市博物館
136	郙閣頌	東漢		陝西略陽縣	
136	熹平石經	東漢			
139	韓仁銘	東漢			河南省滎陽市第六中學
140	宣曉墓石題記	東漢		河南鞏義市	
140	吴岐子根墓石題記	東漢		江蘇沛縣	
141	尹宙碑	東漢		河南長葛市	河南省鄢陵孔廟
141	三老趙寬碑	東漢		青海樂都縣老鴉城	
142	王舍人碑	東漢		山東平度市侯家村漢墓	山東省平度市博物館
142	白石神君碑	東漢		河北元氏縣	故宮博物院
143	曹全碑	東漢		陝西合陽縣	陝西省西安碑林博物館
144	張遷碑	東漢			山東省泰安市岱廟
145	趙儀碑	東漢		四川蘆山縣古城城門遺址	四川省蘆山縣博物館
146	王暉石棺銘	東漢		四川蘆山縣王暉墓	

頁碼	名稱	時代 作者	來源	收藏地
146	劉熊殘碑	東漢		河南省延津縣文化館
147	趙菿碑	東漢	河南南陽市李相公莊	河南省南陽漢畫館
147	池陽令張君殘碑	東漢		故宫博物院
148	朝侯小子殘碑	東漢	陝西西安市	故宫博物院
148	尚府君殘碑	東漢	河南洛陽市北朝墓	河南省偃師市文化館
149	孟孝琚碑	東漢	雲南昭通市	雲南省昭通市第三中學
149	馮焕闕	東漢	四川渠縣	故宫博物院
150	簿書碑	東漢	四川郫縣	四川博物院
150	永壽二年陶瓶題記	東漢	陝西西安市	日本東京臺東區立書道博物館
151	《儀禮》木簡	東漢	甘肅武威市磨嘴子漢墓	甘肅省博物館
152	《王杖詔書令》木簡	東漢	甘肅武威市磨嘴子漢墓	甘肅省武威市博物館
154	甘谷木簡	東漢	甘肅甘谷縣漢墓	甘肅省文物考古研究所
154	《遂長病書》木簡	東漢	内蒙古額濟納旗破城子居延甲渠候官遺址	甘肅省文物考古研究所
155	《候粟君所責寇恩事》木簡	東漢	内蒙古額濟納旗破城子居延甲渠候官遺址	甘肅省文物考古研究所
156	遂内中駒死木簡	東漢	内蒙古額濟納旗破城子居延甲渠候官遺址	甘肅省文物考古研究所
157	姚孝經磚志	東漢	河南偃師市城關鎮北窑村	河南省偃師商城博物館
157	建初三年磚	東漢	四川	
157	張公磚	東漢	四川新津縣	四川省新津縣文物管理所
158	長安男子張磚	東漢	陝西西安市	
158	梁東磚	東漢	河南洛陽市	故宫博物院
159	公羊傳磚	東漢		中國國家博物館
159	急就磚	東漢	河南洛陽市	北京市魯迅博物館
160	刑徒墓磚銘	東漢		
161	孝女墓磚	東漢	河南洛陽市三樂食品總廠第226號墓	
161	富貴昌磚	東漢	四川成都市新都區新繁鎮	重慶市博物館
162	爲將奈何磚	東漢	安徽亳州市曹操宗族墓元寶坑1號墓	安徽省亳州市博物館
162	親拜喪磚	東漢	安徽亳州市曹操宗族墓元寶坑1號墓	安徽省亳州市博物館
163	大司農平斛銘	東漢	甘肅古浪縣陳家河臺子	中國國家博物館
163	延熹元年洗銘	東漢	山東蒼山縣西町村	
163	常樂未央鏡銘	東漢	陝西千陽縣漢墓	中國社會科學院考古研究所

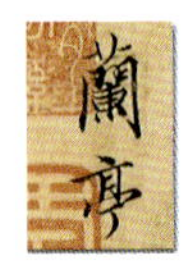

三國兩晋（公元二二〇年至公元四二〇年）

頁碼	名稱	時代	作者	來源	收藏地
164	受禪表碑	三國・魏			
165	孔羡碑	三國・魏			山東省曲阜市孔廟
166	上尊號碑	三國・魏			河南省臨潁縣繁城鎮漢獻帝廟
166	黄初殘石	三國・魏		陝西合陽縣	
167	正始石經	三國・魏			中國國家博物館等
168	王基碑	三國・魏		河南洛陽市安家村	河南省洛陽市
168	曹真碑	三國・魏		陝西西安市南門外	故宫博物院
169	鲍寄神坐	三國・魏		河南洛陽市楊墳村	故宫博物院
169	鲍捐神坐	三國・魏		河南洛陽市楊墳村	故宫博物院
170	西鄉侯兄張君殘碑	三國・魏		河南修武縣	故宫博物院
170	賀捷表	三國・魏	鍾繇		
171	薦季直表	三國・魏	鍾繇		
172	宣示表	三國・魏	鍾繇		
172	還示表	三國・魏	鍾繇		
173	谷朗碑	三國・吴		湖南耒陽市谷府君祠	
173	禪國山碑	三國・吴			江蘇省宜興市張朱鎮
174	天發神讖碑	三國・吴			
175	走馬樓木牘	三國・吴		湖南長沙市走馬樓街	湖南省長沙市文物工作隊
175	朱然木刺	三國・吴		安徽馬鞍山市雨山區朱然墓	安徽省馬鞍山市博物館
176	地券文	三國・吴		安徽當塗縣龍山橋鎮東吴墓	安徽省馬鞍山市博物館
176	急就章	三國・吴	皇象		上海市松江區博物館
177	道德經	三國	索紞	甘肅敦煌市莫高窟藏經洞	美國普林斯頓大學美術館
178	伏龍坪紙書	三國－西晋		甘肅蘭州市皋蘭山伏龍坪	甘肅省蘭州市博物館
179	皇帝三臨辟雍頌	西晋			河南博物院
170	杜謖臺門題字	西晋		四川雙流縣	四川博物院
180	成晃碑	西晋		河南孟津縣劉家坡村	河南省新安縣千唐志齋博物館
180	郭槐柩銘	西晋			
181	左棻墓志	西晋		河南偃師市蔡莊村	陝西省西安碑林博物館
181	華芳墓志	西晋		北京石景山區	北京市石刻藝術博物館

頁碼	名稱	時代	作者	來源	收藏地
182	劉韜墓志	西晋		河南偃師市杏園莊	上海博物館
182	任城太守孫夫人碑	西晋			
183	朱書墓券	西晋			日本
183	楊紹買冢地莂	西晋			
184	咸寧四年吕氏磚	西晋		安徽鳳臺縣	中國國家博物館
184	周君磚銘	西晋		浙江餘姚市梁輝鎮九頂山	
185	《吴志・吴主權傳》殘卷	西晋		新疆吐魯番市安樂故城佛塔遺址	新疆維吾爾自治區博物館
185	《金光明經》殘卷	西晋		新疆吐魯番市安樂故城佛塔遺址	新疆維吾爾自治區博物館
186	《妙法蓮華經》殘卷	西晋		新疆吐魯番市安樂故城佛塔遺址	新疆維吾爾自治區博物館
186	《法華經》殘卷	西晋			中國國家博物館
187	墨書殘紙	西晋		甘肅玉門市花海鎮畢家灘	甘肅省文物考古研究所
187	晋殘紙	西晋		新疆羅布泊樓蘭遺址	國外
189	頓首州民帖	西晋	衛瓘		
189	月儀帖	西晋	索靖		
190	平復帖	西晋	陸機		故宫博物院
191	謝鯤墓志	東晋		江蘇南京市戚家山	江蘇省南京市博物館
191	顔謙婦劉氏磚志	東晋		江蘇南京市老虎山晋墓1號墓	江蘇省南京市博物館
192	王興之夫婦墓志	東晋		江蘇南京市象山王興之墓	江蘇省南京市博物館
194	謝氏磚志	東晋		江蘇南京市仙鶴山2號墓	江蘇省南京市博物館
195	王康之磚志	東晋		江蘇南京市象山8號墓	江蘇省南京市博物館
195	李緝磚志	東晋		江蘇南京市吕家山1號墓	江蘇省南京市博物館
196	武氏磚志	東晋		江蘇南京市吕家山2號墓	江蘇省南京市博物館
196	王閩之磚志	東晋		江蘇南京市象山晋墓	江蘇省南京市博物館
197	王丹虎墓志	東晋		江蘇南京市象山3號墓	江蘇省南京市博物館
197	高崧磚志	東晋		江蘇南京市仙鶴山2號墓	江蘇省南京市博物館
198	王建之墓志	東晋		江蘇南京市象山9號墓	江蘇省南京市博物館
199	王建之妻劉媚子墓志	東晋		江蘇南京市象山9號墓	江蘇省南京市博物館
199	夏金虎磚志	東晋		江蘇南京市象山	江蘇省南京市博物館
200	爨寶子碑	東晋		雲南曲靖市揚旗田	雲南省曲靖市第一中學
201	楊陽神道闕	東晋			故宫博物院
201	木牘	東晋			香港中文大學
202	好太王碑	高句麗		吉林集安市太王鎮	
203	牟頭婁墓志	高句麗		吉林集安市通溝古墓群下解放墓區牟頭婁墓	
203	寫經殘卷	東晋			故宫博物院

頁碼	名稱	時代	作者	來源	收藏地
204	摩訶般若波羅蜜經	東晋		甘肅敦煌市莫高窟藏經洞	中國國家圖書館
204	上虞帖	東晋	王羲之		上海博物館
205	姨母帖	東晋	王羲之		遼寧省博物館
206	蘭亭序	東晋	王羲之		故宫博物院
208	喪亂 二謝 得示三帖	東晋	王羲之		日本宫内廳
210	快雪時晴帖	東晋	王羲之		臺北故宫博物院
210	頻有哀禍 孔侍中二帖	東晋	王羲之		日本前田育德會
212	遠宦帖	東晋	王羲之		臺北故宫博物院
213	初月帖	東晋	王羲之		遼寧省博物館
213	平安 何如 奉橘三帖	東晋	王羲之		臺北故宫博物院
214	行穰帖	東晋	王羲之		美國普林斯頓大學美術館
214	妹至帖	東晋	王羲之		日本私人處
215	寒切帖	東晋	王羲之		天津博物館
215	十七帖	東晋	王羲之		
216	黄庭經	東晋	王羲之		
216	樂毅論	東晋	王羲之		
217	新月帖	東晋	王徽之		遼寧省博物館
218	鴨頭丸帖	東晋	王獻之		上海博物館
218	廿九日帖	東晋	王獻之		遼寧省博物館
219	地黄湯帖	東晋	王獻之		日本東京臺東區立書道博物館
220	洛神賦	東晋	王獻之		首都博物館
221	癤腫帖	東晋	王薈		遼寧省博物館
222	伯遠帖	東晋	王珣		故宫博物院
223	曹娥誄辭	東晋			遼寧省博物館
224	木牘	十六國・前凉		甘肅高臺縣駱駝城墓葬	甘肅省高臺縣博物館
224	墨書殘紙	十六國・前凉		新疆羅布泊樓蘭遺址	國外
226	李柏文書	十六國・前凉		新疆	日本龍谷大學圖書館
227	鄧太尉祠碑	十六國・前秦			陜西省西安碑林博物館
227	廣武將軍碑	十六國・前秦			陜西省西安碑林博物館
228	吕憲墓志	十六國・後秦		陜西西安市	日本東京臺東區立書道博物館
228	凉州刺史墓志	十六國・夏		内蒙古烏審旗納林河鎮郭梁村	内蒙古自治區文物考古研究所
229	《優婆塞戒經》殘片	十六國・北凉			中國國家博物館
229	且渠安周造寺碑	十六國・北凉		新疆吐魯番市高昌故城遺址	
230	隨葬衣物疏	十六國・北凉		新疆吐魯番市阿斯塔那62號墓	新疆維吾爾自治區博物館

頁碼	名稱	時代	作者	來源	收藏地
230	且渠封戴追贈令	十六國・北凉		新疆吐魯番市阿斯塔那墓葬	新疆文物考古研究所

南北朝（公元四二〇年至公元五八九年）

頁碼	名稱	時代	作者	來源	收藏地
231	謝琉墓志磚	南朝・宋		江蘇南京市	江蘇省南京市博物館
231	晋恭帝玄宫石碣	南朝・宋		江蘇南京市富貴山	江蘇省南京市博物館
232	爨龍顔碑	南朝・宋			雲南省陸良縣貞元堡
233	王佛女買地券磚	南朝・宋		江蘇徐州市龜山	
233	劉懷民墓志	南朝・宋		山東青州市	
234	文氏石表	南朝・宋		重慶忠縣烏陽鎮臨江村	重慶市忠縣文物保護管理所
235	劉岱墓志	南朝・齊		江蘇句容市袁巷鎮小龍口	江蘇省鎮江博物館
235	太子舍人帖	南朝・齊	王僧虔		遼寧省博物館
236	得柏酒 尊體安和 郭桂陽三帖	南朝・齊	王慈		遼寧省博物館
237	一日無申帖	南朝・齊	王志		遼寧省博物館
237	華嚴經卷第廿九	南朝・梁		新疆吐魯番市	日本東京臺東區立書道博物館
238	王慕韶墓志	南朝・梁		江蘇南京市太平門外張家庫	江蘇省南京市博物館
238	蕭敷妃王氏墓志	南朝・梁			
239	蕭憺碑	南朝・梁			江蘇省南京市博物館
240	瘞鶴銘	南朝・梁			江蘇省鎮江市寶墨軒
241	程虔神道碑	南朝・梁		湖北襄樊市	
241	衛和墓志	南朝・陳			
242	太武帝東巡碑	北魏		河北易縣	
242	嘎仙洞祝文刻石	北魏		内蒙古鄂倫春自治旗嘎仙洞	
243	韓弩真妻王億變墓碑	北魏		山西大同市	
243	中岳嵩高靈廟碑	北魏			河南省登封市中岳廟
244	皇帝南巡之頌	北魏		山西靈丘縣筆架山	山西省靈丘縣文物局
245	申洪之墓志	北魏		山西大同市桑乾河南岸	山西省大同市博物館
245	五十四人造像記	北魏		山西大同市雲岡石窟第11窟	
246	欽文姬辰墓志	北魏		山西大同市石家寨村司馬金龍墓	山西省大同市博物館
246	司馬金龍墓志	北魏		山西大同市石家寨村司馬金龍墓	山西省大同市博物館

頁碼	名稱	時代	作者	來源	收藏地
247	暉福寺碑	北魏		陝西澄城縣北寺村	陝西省西安碑林博物館
247	丘穆亮妻尉遲氏造像記	北魏		河南洛陽市龍門石窟古陽洞	
248	姚伯多道教造像碑發願文	北魏		陝西銅川市耀州區文正書院	陝西省藥王山博物館
248	元景造像記	北魏			遼寧省義縣
249	始平公造像記	北魏		河南洛陽市龍門石窟古陽洞	
250	元詳造像記	北魏		河南洛陽市龍門石窟古陽洞	
250	韓顯宗墓志	北魏		河南洛陽市	河南省開封市孔廟
251	元羽墓志	北魏		河南洛陽市南陳莊	中國國家博物館
251	穆亮墓志	北魏		河南洛陽市南陳莊	陝西省西安碑林博物館
252	孫秋生造像記	北魏		河南洛陽市龍門石窟古陽洞	
253	楊大眼造像記	北魏		河南洛陽市龍門石窟古陽洞	
254	李伯欽墓志	北魏		河北臨漳縣	
254	太妃侯造像記	北魏		河南洛陽市龍門石窟古陽洞	
255	魏靈藏造像記	北魏		河南洛陽市龍門石窟古陽洞	
255	封和突墓志	北魏		山西大同市小站村	山西省大同市博物館
256	元淑墓志	北魏		山西大同市東王莊	山西省大同市博物館
256	石門銘	北魏		陝西漢中市石門摩崖	
257	鄭文公碑	北魏	鄭道昭		
258	論經書詩	北魏	鄭道昭	山東萊州市雲峰山	
259	神人子題字	北魏	鄭道昭	山東萊州市雲峰山	
259	山門題字	北魏	鄭道昭	山東萊州市雲峰山	
260	游槃題字	北魏		山東青州市玲瓏山	
260	白駒谷題字	北魏		山東青州市玲瓏山	
261	司馬紹墓志	北魏		河南孟津縣	
261	元詮墓志	北魏		河南洛陽市伯樂凹村	上海博物館
262	元顯儁墓志	北魏		河南洛陽市	南京博物院
262	孟敬訓墓志	北魏		河南孟州市八里葛村	北京大學圖書館
263	元珍墓志	北魏		河南洛陽市北陳莊南陵	
263	山暉墓志	北魏		河南洛陽市後溝村	陝西省西安碑林博物館
264	刁遵墓志	北魏		河北南皮縣	
264	崔敬邕墓志	北魏		河北安平縣	
265	穆玉容墓志	北魏		河南洛陽市南陳莊	陝西省西安碑林博物館
265	元譿墓志	北魏		河南洛陽市安駕溝村	河南省圖書館
266	劉阿素墓志	北魏		河南洛陽市南石村	陝西省西安碑林博物館

頁碼	名稱	時代	作者	來源	收藏地
266	司馬昞墓志	北魏		河南孟州市	
267	辛祥墓志	北魏		山西太原市東太堡	山西博物院
267	司馬顯姿墓志	北魏		河南洛陽市伯樂凹村	
268	張猛龍碑	北魏			山東省曲阜市孔廟
268	馬鳴寺根法師碑	北魏		山東廣饒縣大王橋	山東省石刻藝術博物館
269	高貞碑	北魏		山東德州市衛河第三屯	
269	常季繁墓志	北魏		河南洛陽市	日本
270	鞠彦雲墓志	北魏		山東龍口市	山東省博物館
270	鮮于仲兒墓志	北魏		河南洛陽市馬溝村	陝西省西安碑林博物館
271	于仙姬墓志	北魏		河南洛陽市	陝西省西安碑林博物館
271	李謀墓志	北魏		山東安丘市	山東省圖書館
272	張玄墓志	北魏			
272	元文墓志	北魏		河南洛陽市	
273	木板漆畫題記	北魏		山西大同市石家寨村司馬金龍墓	山西省大同市博物館
273	石棺墨書	北魏		傳山西大同市	
274	歸義軍衙府酒破歷	北魏		甘肅敦煌市莫高窟藏經洞	敦煌研究院
274	大慈如來十月廿四日告疏	北魏		甘肅敦煌市莫高窟藏經洞	敦煌研究院
275	大般涅槃經第二十四	北魏		甘肅敦煌市莫高窟藏經洞	敦煌研究院
275	華嚴經卷第一册	北魏		甘肅敦煌市莫高窟藏經洞	故宫博物院
276	高諶墓志	東魏		山東德州市	
276	劉懿墓志	東魏		山西忻州市	山西博物院
277	敬使君碑	東魏		河南長葛市	河南省長葛市陘山書院
277	魯孔子廟碑	東魏		山東曲阜市孔廟	
278	金光明經卷第四	西魏			日本私人處
278	姜纂造像記	北齊		河南偃師市	
279	金剛經	北齊		山東泰安市泰山經石峪摩崖	
280	文殊般若經碑	北齊		山東汶上縣白石鎮水牛山	山東省汶上縣中都博物館
281	袁月璣墓志	北齊		河北	
281	王感孝頌	北齊		山東肥城市孝堂山石室	
282	朱岱林墓志	北齊		山東壽光市	
282	唐邕寫經記	北齊		河北磁縣鼓山北響堂寺	
283	西岳華山神廟碑	北周	趙文淵	陝西華陰市華岳廟	陝西省西安碑林博物館
283	張僧妙碑	北周		陝西銅川市耀州區	
284	崔宣靖墓志	北周		河北平山縣	

頁碼	名稱	時代	作者	來源	收藏地
284	大般涅槃經	北周			故宮博物院
285	田紹賢墓表	麴氏高昌		新疆吐魯番市交河故城雅爾湖墓葬	故宮博物院
285	張洪妻焦氏墓表	麴氏高昌		新疆吐魯番市阿斯塔那墓葬	新疆維吾爾自治區博物館
286	令狐天恩墓表	麴氏高昌		新疆吐魯番市交河故城雅爾湖墓葬	故宮博物院
286	王亢祉墓表	麴氏高昌		新疆吐魯番市阿斯塔那墓葬	英國倫敦大英博物館
287	張買得墓表	麴氏高昌		新疆吐魯番市交河故城雅爾湖墓葬	故宮博物院
287	中兵參軍辛氏墓表	麴氏高昌		新疆吐魯番市交河故城雅爾湖墓葬	故宮博物院

賈湖刻符甲片（右上圖）

裴李崗文化
河南舞陽縣賈湖遺址出土。
長4.5、寬4.5厘米。
龜腹甲片上刻“日”符。
現藏河南省文物考古研究所。

陵陽河陶尊刻符

大汶口文化
山東莒縣陵陽河遺址出土。
陶文刻于陶尊腹部，有象形文字的特點，上爲日出，下爲山巒，有學者釋爲“旦”字。
現藏山東省莒縣博物館。

龍虬莊刻符陶片

龍山文化
江蘇高郵市龍虬莊出土。
高4.5、寬4厘米。
現藏南京博物院。

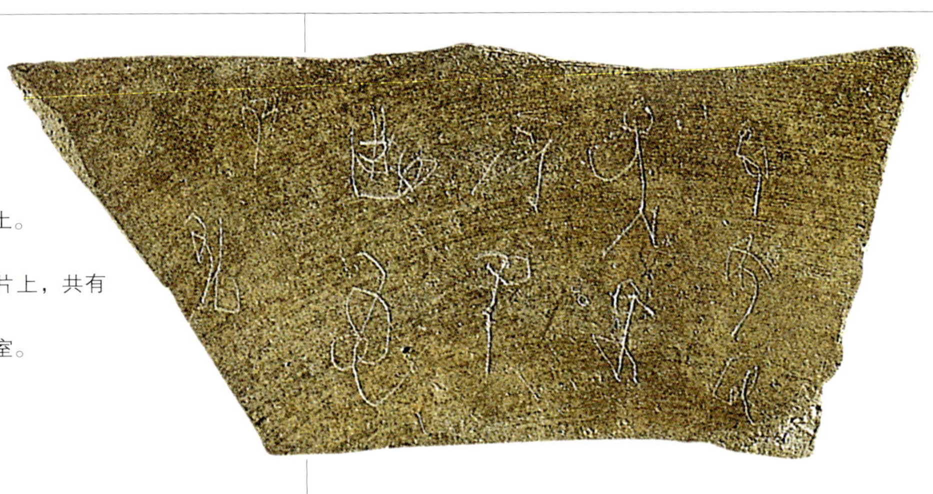

丁公刻辭陶片

龍山文化
山東鄒平縣苑城鄉丁公遺址出土。
陶片高3.4、寬7.8厘米。
陶文刻劃于一平底器的底部殘片上，共有十一字，從右向左書，共五行。
現藏山東大學歷史系考古教研室。

小屯南地刻辭卜骨

商
河南安陽市小屯出土。
殘高16.1厘米。
殘辭五條，内容與祭禱有關。
現藏中國社會科學院考古研究所。

小屯南地刻辭卜骨

商
河南安陽市小屯出土。
殘高27.5厘米。
刻辭記録了關于祭祀與田獵的占卜。
現藏中國社會科學院考古研究所。

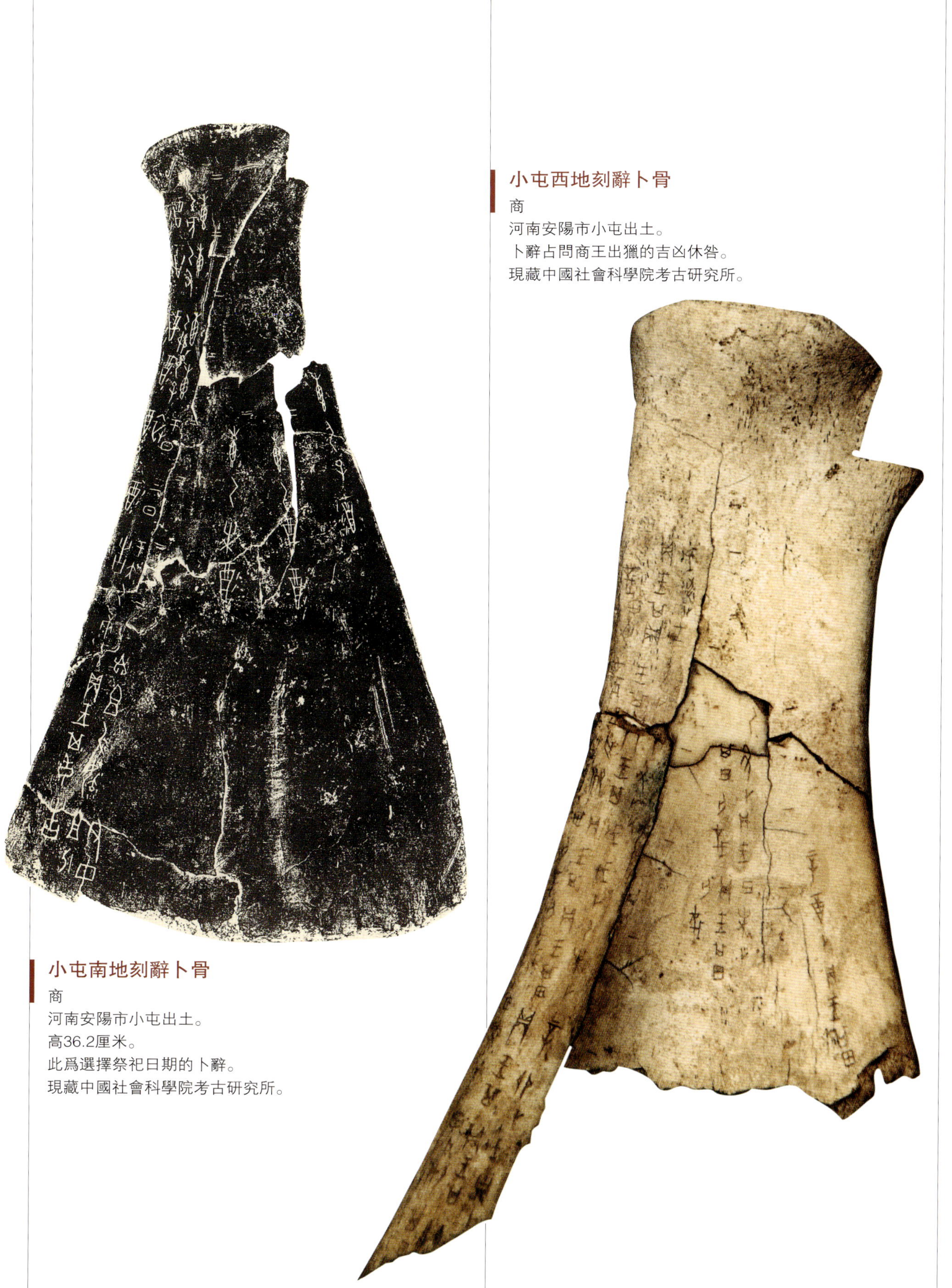

小屯西地刻辭卜骨

商

河南安陽市小屯出土。

卜辭占問商王出獵的吉凶休咎。

現藏中國社會科學院考古研究所。

小屯南地刻辭卜骨

商

河南安陽市小屯出土。

高36.2厘米。

此爲選擇祭祀日期的卜辭。

現藏中國社會科學院考古研究所。

小屯刻辭鹿頭骨

商
河南安陽市小屯出土。
高20.2、寬22.7厘米。
鹿頭骨上有商王祭祀和田獵的刻辭。
現藏臺灣“中央研究院歷史語言研究所”。

安陽塗硃刻辭卜骨

商
河南安陽市出土。
高32.2、寬19.8厘米。
正面、背面共刻一百六十餘字。字口塗硃砂。文字記録了祭祀狩獵的内容。
現藏中國國家博物館。

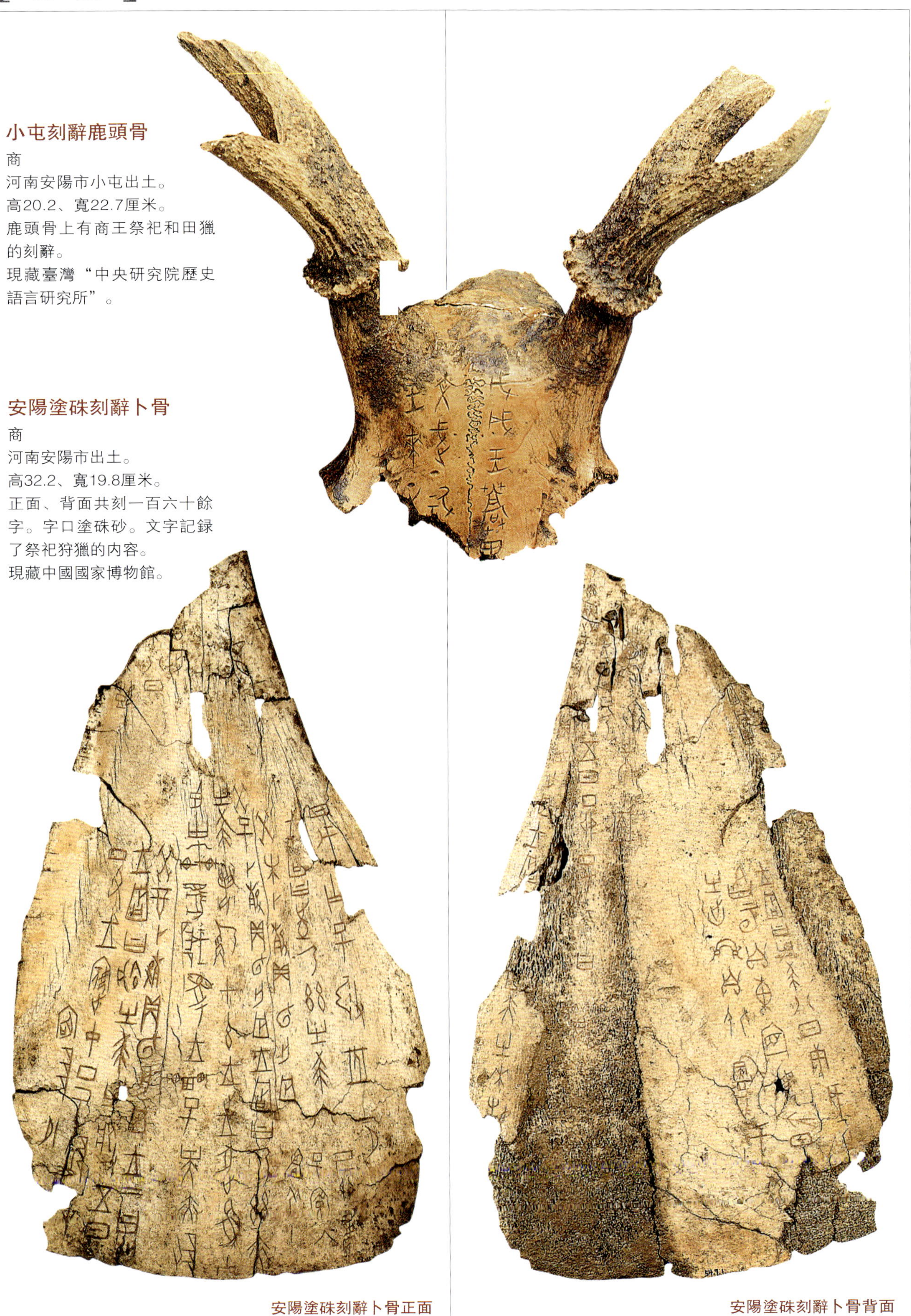

安陽塗硃刻辭卜骨正面

安陽塗硃刻辭卜骨背面

安陽刻辭骨匕

商

傳河南安陽市出土。

高27.3、寬3.8厘米。

刻于牛的肋骨上，一端已殘。此骨一般稱爲“宰豐雕骨”，一面刻紋飾并嵌緑松石（現存十四顆），另一面刻辭兩行，記載商王將獵獲兕牛賞賜宰豐。此骨匕即用所獲兕牛之骨加工而成。

現藏中國國家博物館。

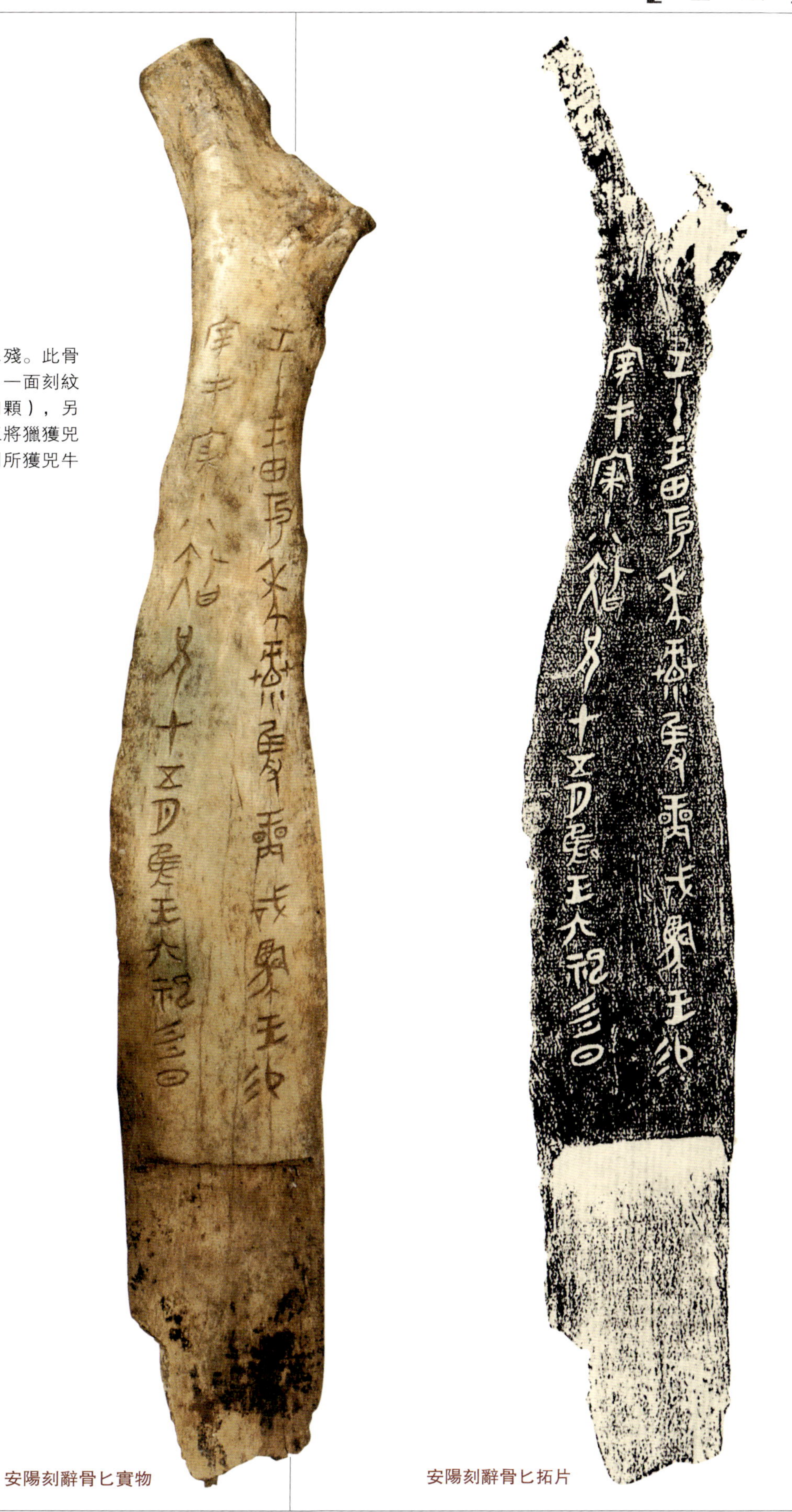

安陽刻辭骨匕實物　　安陽刻辭骨匕拓片

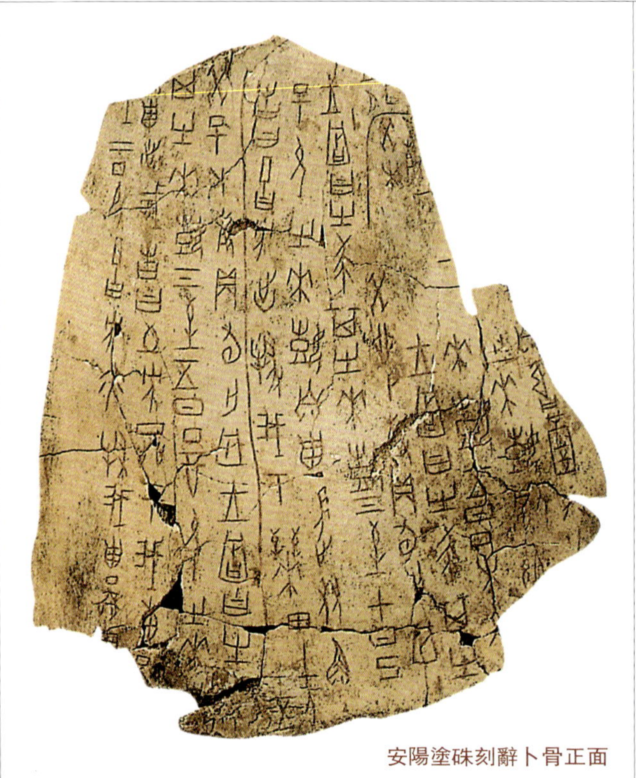

安陽塗硃刻辭卜骨正面

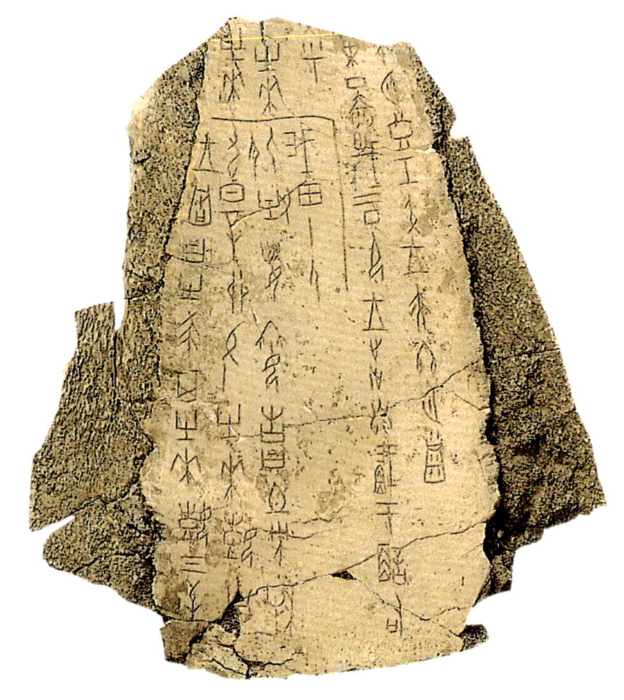

安陽塗硃刻辭卜骨背面

安陽塗硃刻辭卜骨

商

傳河南安陽市出土。

殘高22.5、寬19厘米。

牛骨正反兩面刻長篇卜辭，字口内塗硃。内容爲關于北方部落入侵、王命諸侯、田獵、天象和出征等事。

現藏中國國家博物館。

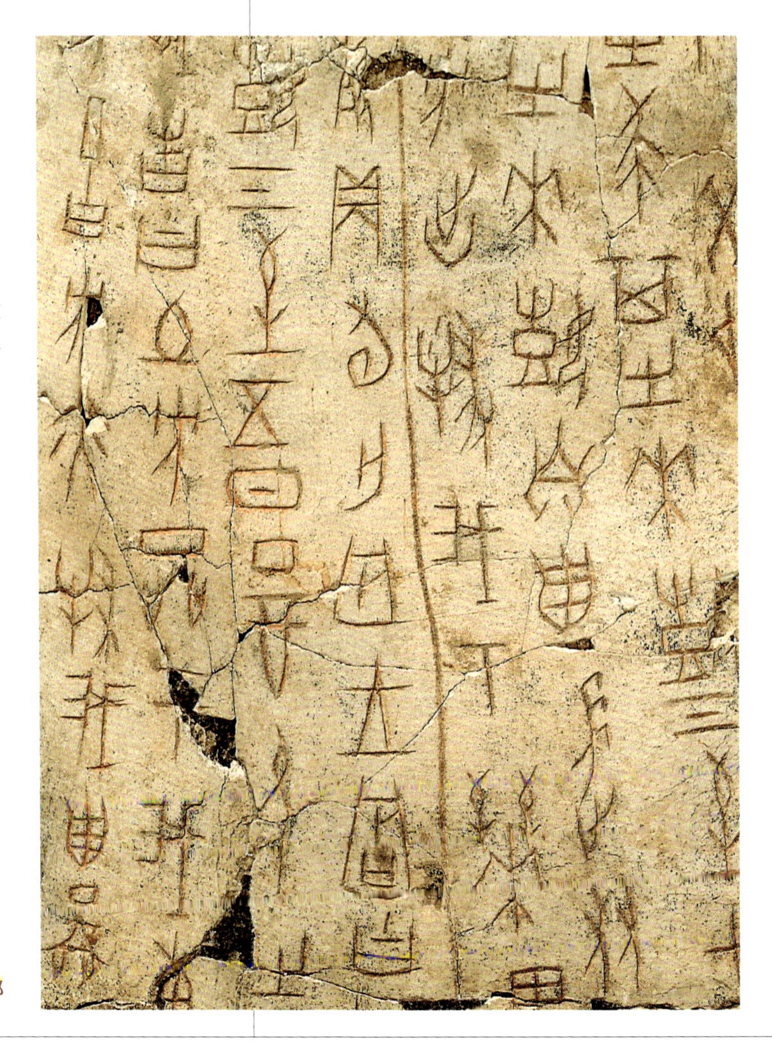

安陽塗硃刻辭卜骨正面局部

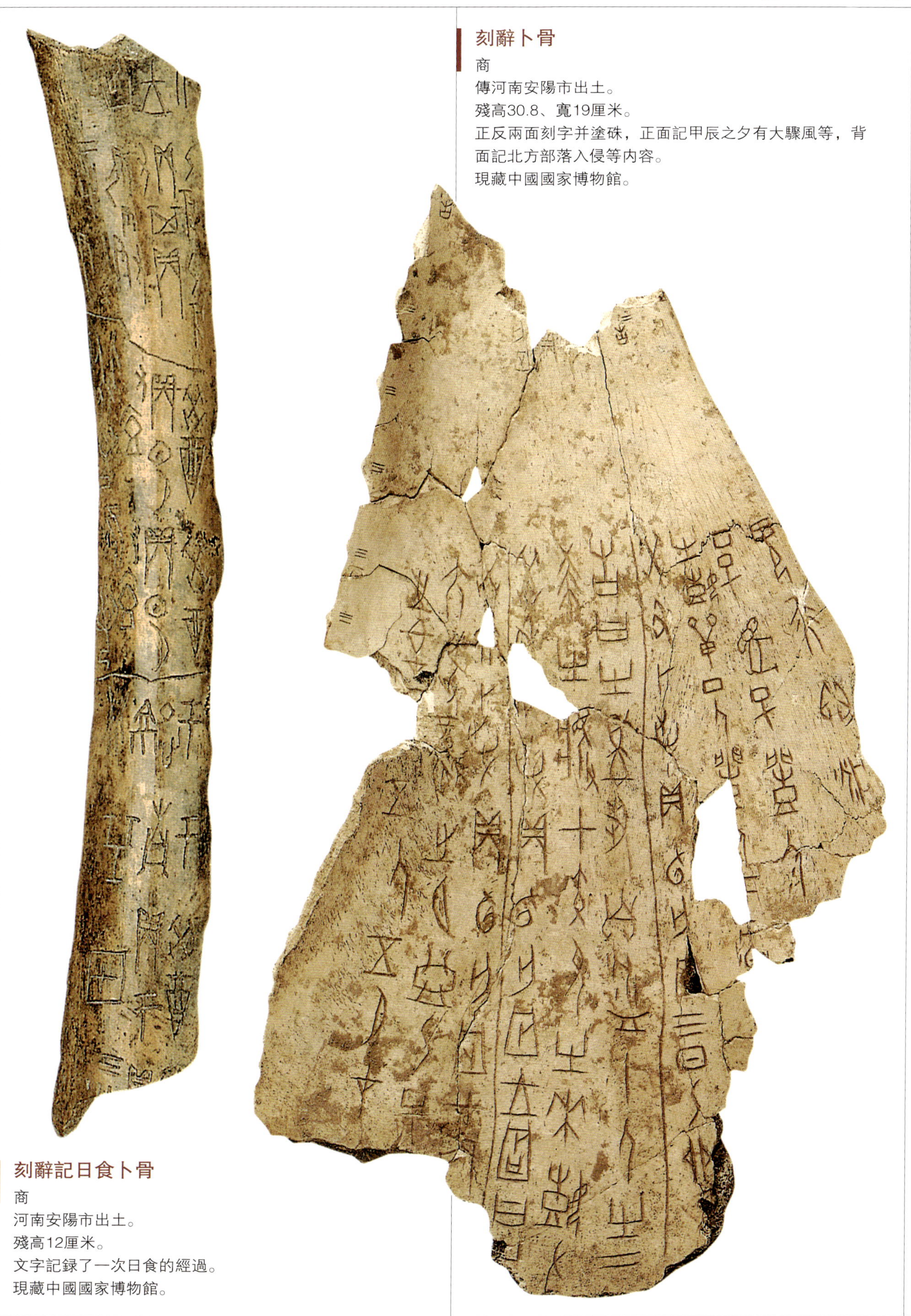

刻辭卜骨

商
傳河南安陽市出土。
殘高30.8、寬19厘米。
正反兩面刻字并塗硃，正面記甲辰之夕有大驟風等，背面記北方部落入侵等内容。
現藏中國國家博物館。

刻辭記日食卜骨

商
河南安陽市出土。
殘高12厘米。
文字記録了一次日食的經過。
現藏中國國家博物館。

刻辭“衆人協田”卜骨

商

傳河南安陽市出土。

卜骨刻文爲“（王）大令衆人曰：劦田，其受年□十一月”。

現藏中國國家博物館。

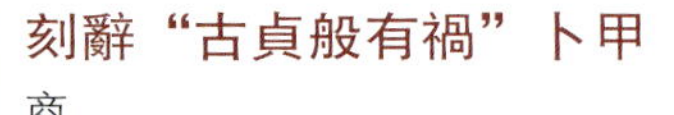

刻辭“古貞般有禍”卜甲

商

高18.9、寬10.2厘米。

此爲較小型的龜腹甲，對貞卜辭從正反兩個方面占問“般”這個人是否會有災禍。

現藏中國國家博物館。

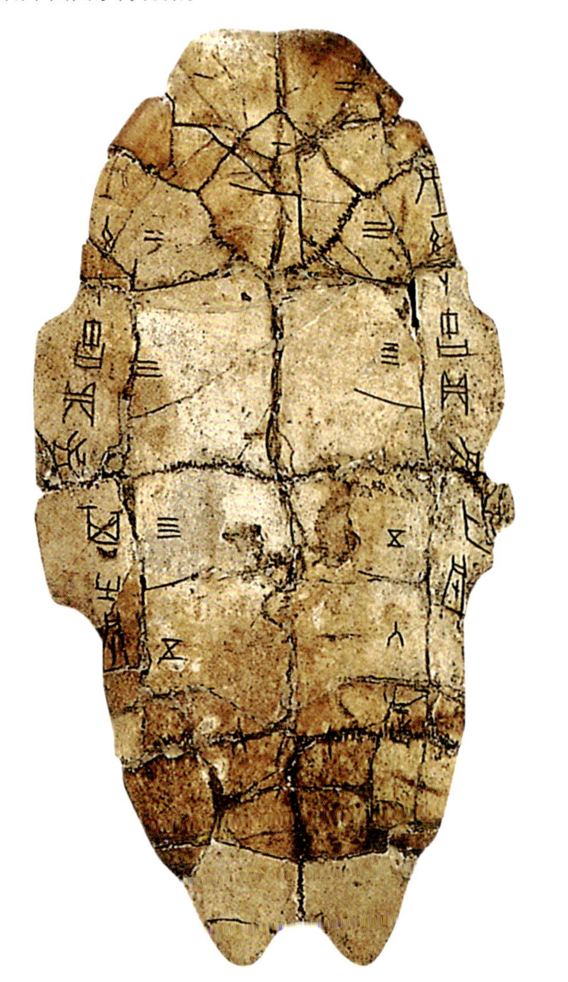

刻辭“古貞般有禍”卜甲正面

刻辭“古貞般有禍”卜甲背面

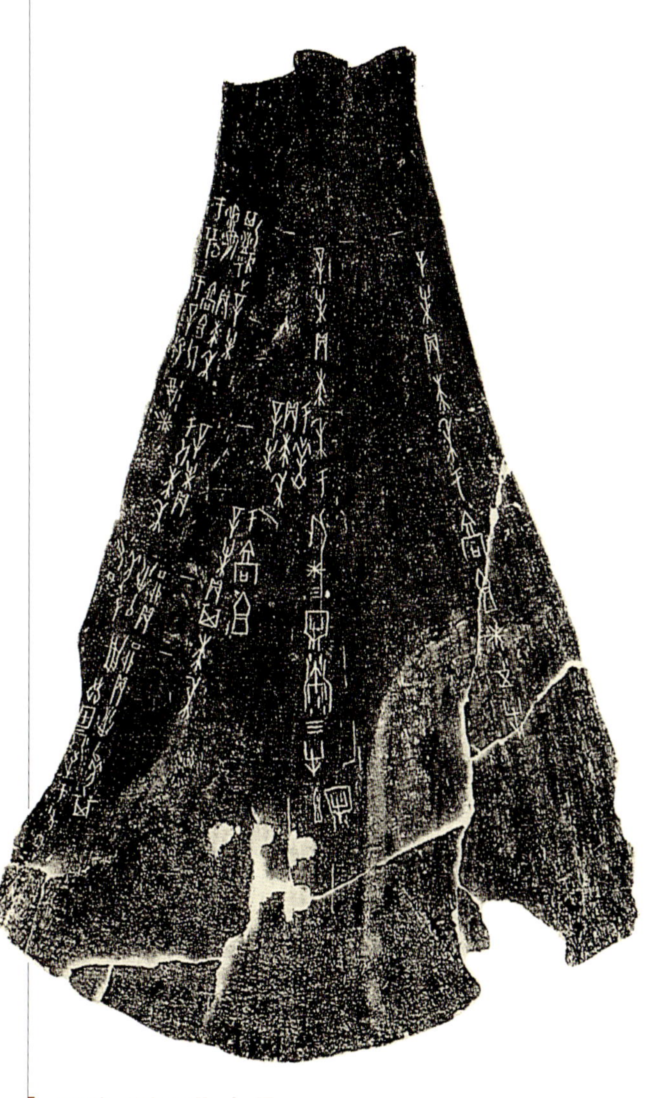

刻辭“奉禾”卜骨

商

高32、寬21厘米。

刻辭記載向祖先神靈祈禱豐年的占卜。

現藏上海博物館。

司母戊鼎銘（右下圖）

商

河南安陽市武官村出土。

器高133、口長116、口寬79厘米。

鑄銘“司母戊”三字。

現藏中國國家博物館。

婦好瓿銘

商

河南安陽市小屯殷墟5號墓出土。

器內底部鑄銘“婦好”二字。

現藏中國社會科學院考古研究所。

小子𠭯卣銘

商

器高27.8厘米。

器内鑄銘四行四十四字。記小子𠭯受賞後，給母親辛宗廟作此器紀念。

現藏日本神户白鶴美術館。

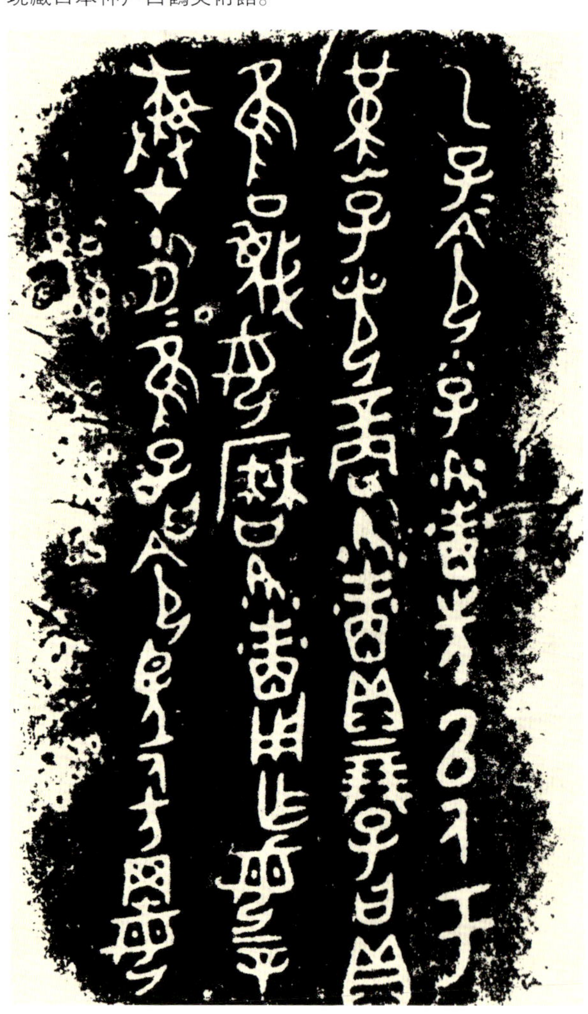

宰椃角銘（右下圖）

商

傳河南安陽市出土。

器高22.5厘米。

器内鑄銘五行三十字，記宰椃隨商王出行巡祝闌，受賞，爲父丁宗廟作此器以紀念。

現藏日本京都泉屋博古館。

亞共尊銘

商

河南安陽市孝民屯南93號墓出土。

器高34.4、口徑23厘米。

圈足内有銘文，“亞”字框内十字。

現藏中國社會科學院考古研究所。

戍甬方鼎銘

商

又名宜子鼎。刻銘三行二十七字，記述了商王約令宜國君會于西方，戍甬因此事受到了賞賜一事。

作册般甗銘

商

鑄銘三行二十字，記商王征伐人方，戰畢歸來，賞賜了作册般的事件。

現藏中國國家博物館。

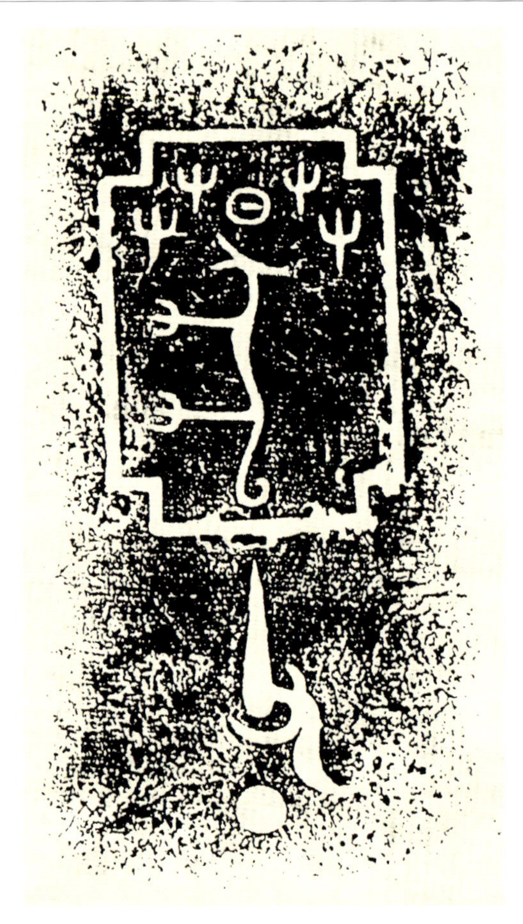

二祀邲其卣蓋銘

二祀邲其卣器銘

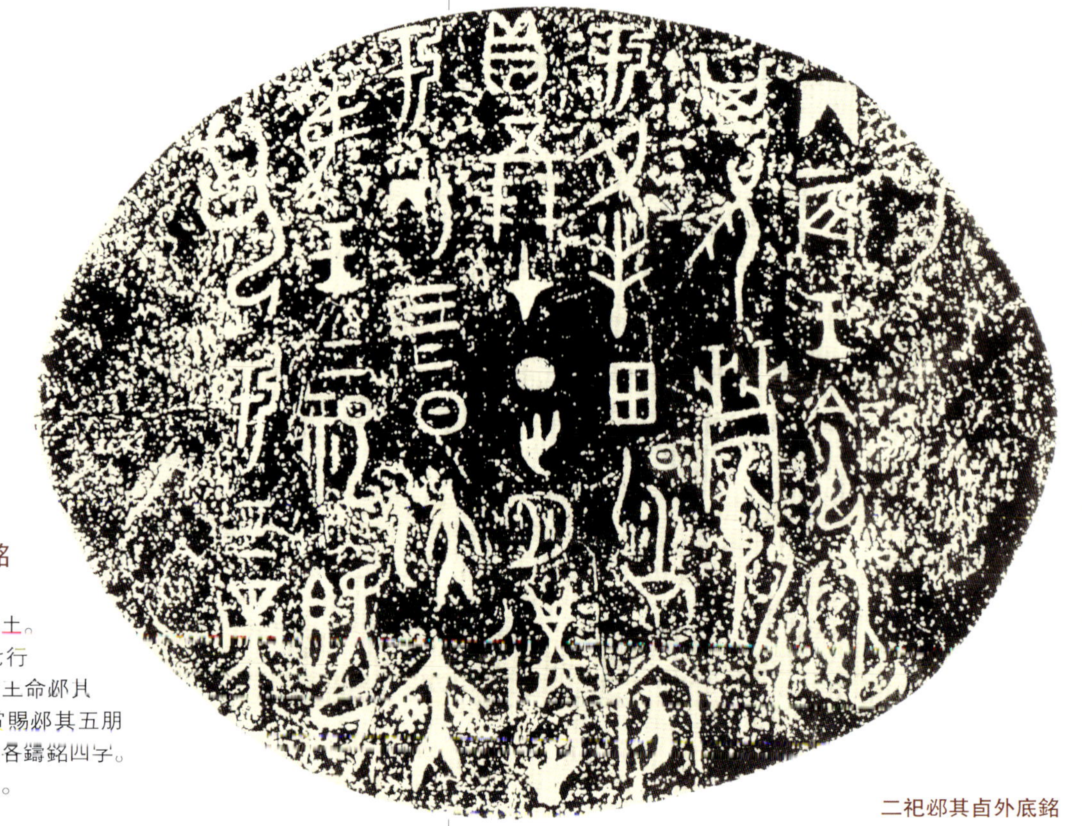

二祀邲其卣外底銘

二祀邲其卣銘

商

傳河南安陽市出土。

器外底鑄銘文七行三十七字，記商王命邲其負責賜田，并賞賜邲其五朋貝。蓋内和器内各鑄銘四字。

現藏故宫博物院。

四祀邲其卣銘

商
傳河南安陽市出土。
高32、寬19.7厘米。
蓋内與器内底有相同銘文四字，外底銘文八行四十二字，記邲其隨商王帝辛祭祀商王祖先帝乙，邲其受賞作器。
現藏故宮博物院。

六祀邲其卣銘

商
傳河南安陽市出土。
器高23.7厘米。
蓋内、器内對銘，均四行二十八字。記載邲其受賞，爲其祖先作祭器。此選爲蓋銘。
現藏故宮博物院。

小臣邑斝銘

商

傳河南安陽市出土。

器高45.9厘米。

鋬內壁鑄銘二行二十七字。記載小臣邑受商王賞賜作器。

現藏美國聖路易藝術博物館。

父癸角銘

商

傳河南安陽市出土。

器內蓋內同銘，各二行十六字，記商王賜貝，因此作器供于宗廟。此選爲器銘。

現藏美國華盛頓弗利爾美術館。

戊嗣鼎銘

商

河南安陽市高樓莊後岡圓形祭祀坑出土。

器内銘文三行三十字，記商王賞賜戊嗣貝二十朋，戊嗣作器祭祀亡父。

現藏中國社會科學院考古研究所。

宰甫卣銘

商

器高31.5、口徑11－13厘米。

器與蓋對銘，三行二十三字，記宰甫受商王賞賜作器紀念此事。此選爲蓋銘。

現藏山東省菏澤市博物館。

大祖諸祖戈銘

商

河北易縣出土。

器高27.5、援長17.8、内長9.8、闌長8.2厘米。

戈銘記“大祖日己”等七祖的廟號。

現藏遼寧省博物館。

亞䣄方尊銘

商

器高60.8厘米。

蓋、器對銘，蓋二行，器四行。

現藏故宫博物院。

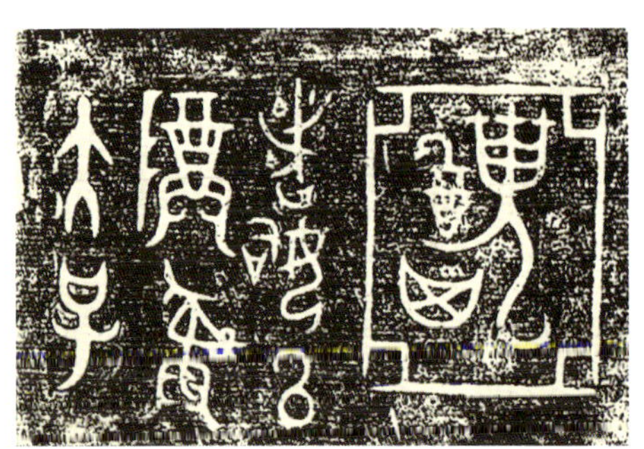

乃孫作祖己鼎銘

商

銘文二行十一字，記乃孫爲祖己的宗廟作器，用以告祭。

現藏臺北故宫博物院。

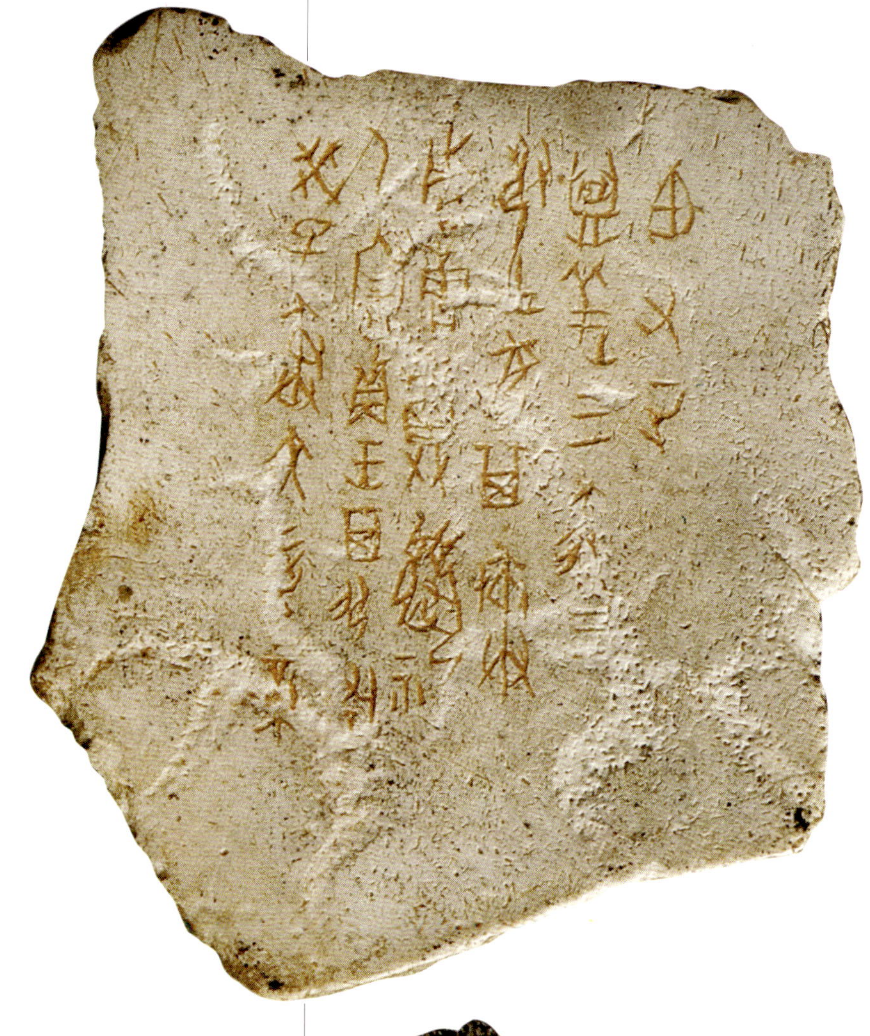

鳳雛卜甲

先周（商末）

陝西岐山縣鳳雛建築基址11號灰坑出土。

刻辭共計六行三十字，内容爲周文王卜問祭祀商湯。

現藏陝西省周原博物館。

鳳雛數字卦卜甲

先周（商末）

陝西岐山縣鳳雛建築基址11號灰坑出土。

刻有“八七八七八五”六個數字組成的一個數字卦。

現藏陝西省周原博物館。

鳳雛卜甲

先周（商末）
陝西岐山縣鳳雛建築基址11號灰坑出土。
三行十字，卜問楚伯覲見王事宜。
現藏陝西省周原博物館。

鳳雛卜甲

先周（商末）
陝西岐山縣鳳雛建築基址31號灰坑出土。
兩條卜辭均殘，大意爲卜問吉凶休咎。
現藏陝西省周原博物館。

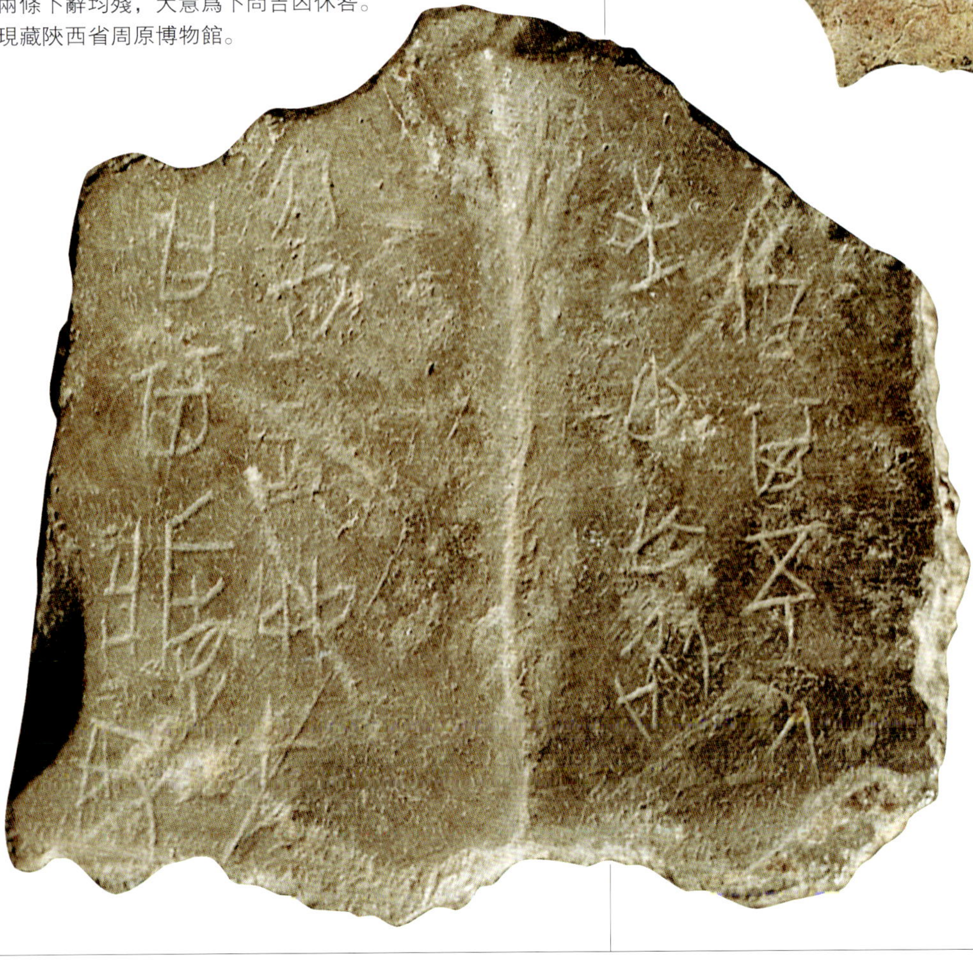

利簋銘

西周

陝西西安市臨潼區西段村出土。

器高28、口徑22、方座高20.3、寬20厘米。

銘文四行三十二字，記周武王甲子晨征商獲勝事。

現藏中國國家博物館。

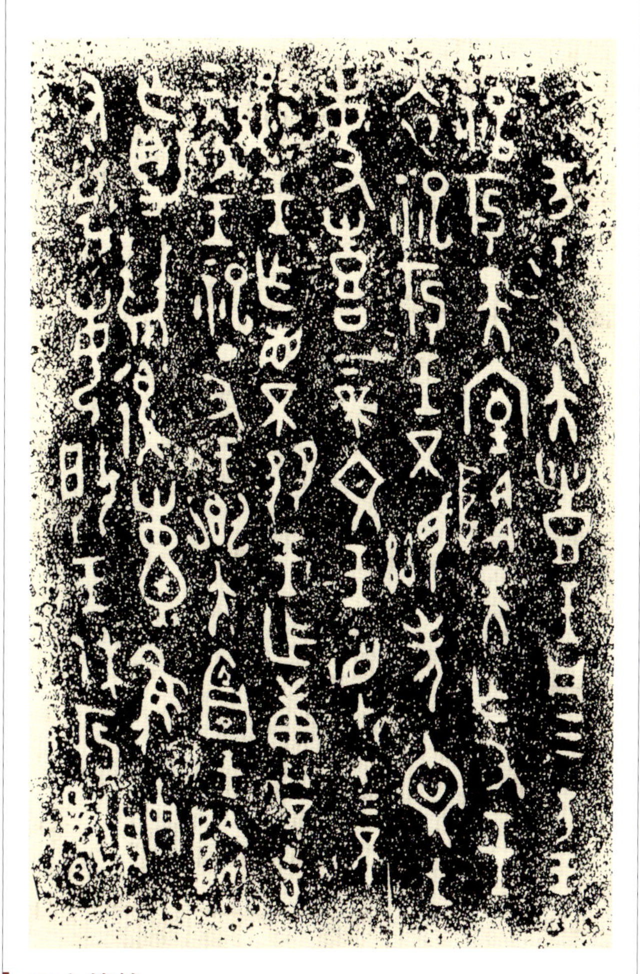

天亡簋銘

西周

傳陝西岐山縣出土。

器高24.2、口徑21厘米。

内底有銘文八行七十七字，記武王克商西歸宗周，舉行大典禮，祭告文王和上帝。天亡助武王舉辦祭祀，受武王賞賜，因而作器紀念此事。

現藏中國國家博物館。

大保簋銘

西周

山東梁山縣出土。

銘文四行三十四字，記周王命大保平定录國謀反，事成後王賜以土地之事。

現藏日本白鶴美術館。

商尊銘

西周

陝西扶風縣莊白村1號西周青銅器窖藏出土。

器高30.4、口徑23.6厘米。

鑄銘五行三十字，記庚姬受帝司賞賜，商作此器用來祭祀名“日丁”的父親。

現藏陝西省周原博物館。

柞伯簋銘

西周

河南平頂山市應國墓地第242號墓出土。

銘文鑄于簋内底部，共八行七十四字。銘文記載柞伯在一次大射禮中表現出色，取得赤金十鈑的獎勵，因此作器紀念其祖先周公。

現藏河南省文物考古研究所。

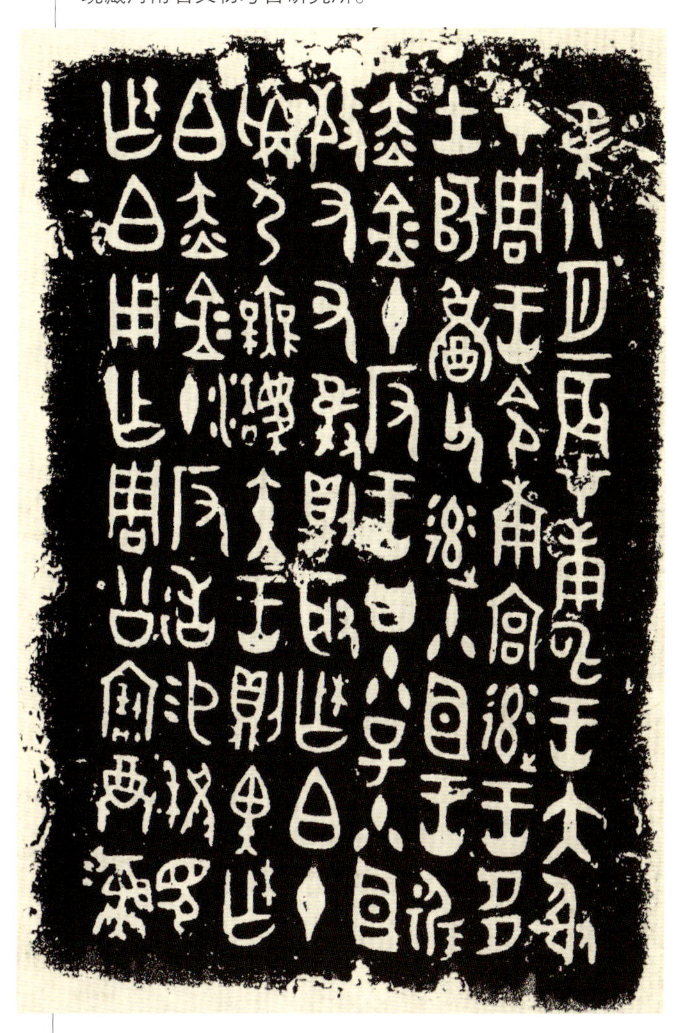

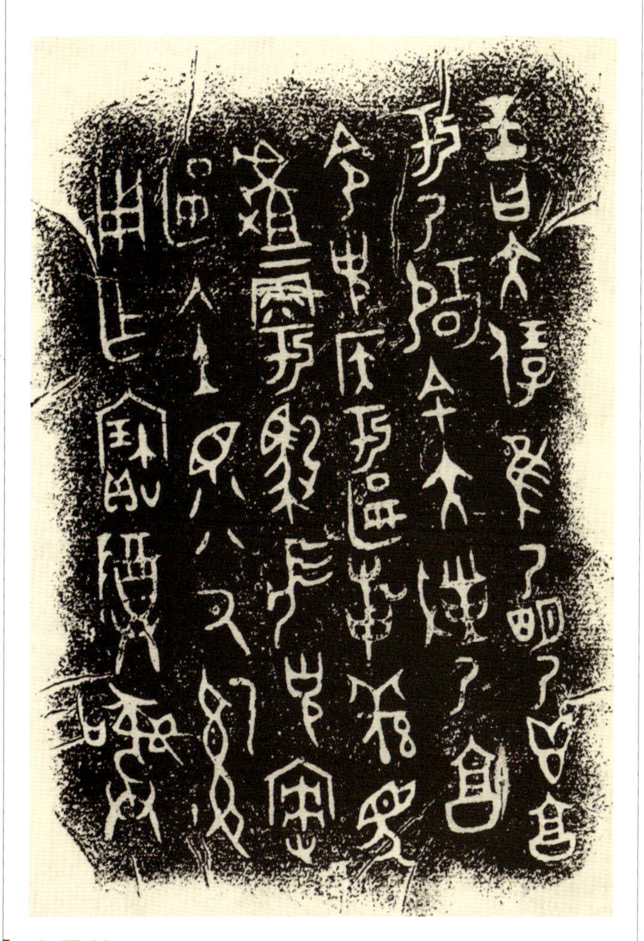

克罍銘

西周

北京房山區琉璃河1193號墓出土。

器高32.7厘米。

蓋、器同銘，各四十三字。銘文記載了周王分封燕國。此選爲蓋銘。

現藏北京市文物研究所。

大盂鼎銘

西周

傳陜西眉縣禮村出土。

鼎高100.8、口徑78.3厘米，重153.3公斤。

内壁鑄銘十九行二百九十一字，記周王告盂，殷代因縱酒而亡國，周忌酒而興，告誡盂效先祖輔佐王室，掌管兵戎，治民保疆土，并賞賜盂物品和臣民。

現藏中國國家博物館。

旗鼎銘

西周

陝西眉縣楊家村出土。

器高77、口徑56.5厘米。

鼎腹内壁鑄銘四行二十七字，記王后賞賜旗土地，旗作器紀念此事。

現藏陝西歷史博物館。

𢦏簋銘

西周

陝西扶風縣莊白村西周墓出土。

器高21、口徑22厘米。

蓋内及器底同銘，各鑄八行一百三十四字。所選爲器底銘文。記載𢦏與戎人作戰并有所俘獲，因此作器感謝亡母對他的佑助。

現藏陝西省扶風縣博物館。

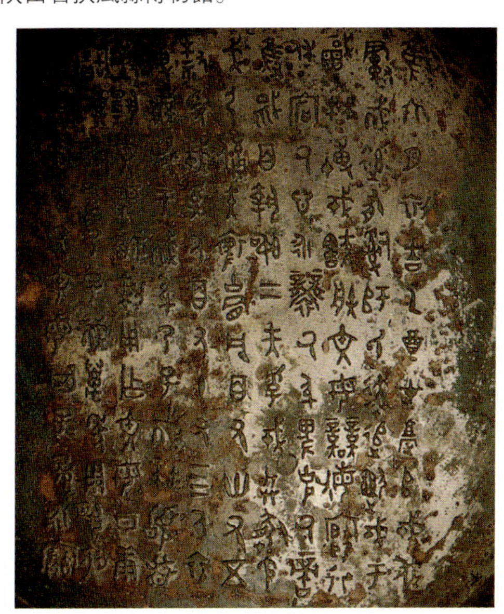

𢦏簋銘實物

𢦏簋銘拓片

史牆盤銘

西周

陝西扶風縣莊白村1號西周青銅器窖藏出土。

器高16.2、口徑47.3厘米。

盤内鑄有銘文，長達二百八十四字。内容分前後兩段，前段叙述西周文王至當朝周王的主要業績，後段記載器主史牆的家族史。

現藏陝西省寶鷄市博物館。

史牆盤銘實物

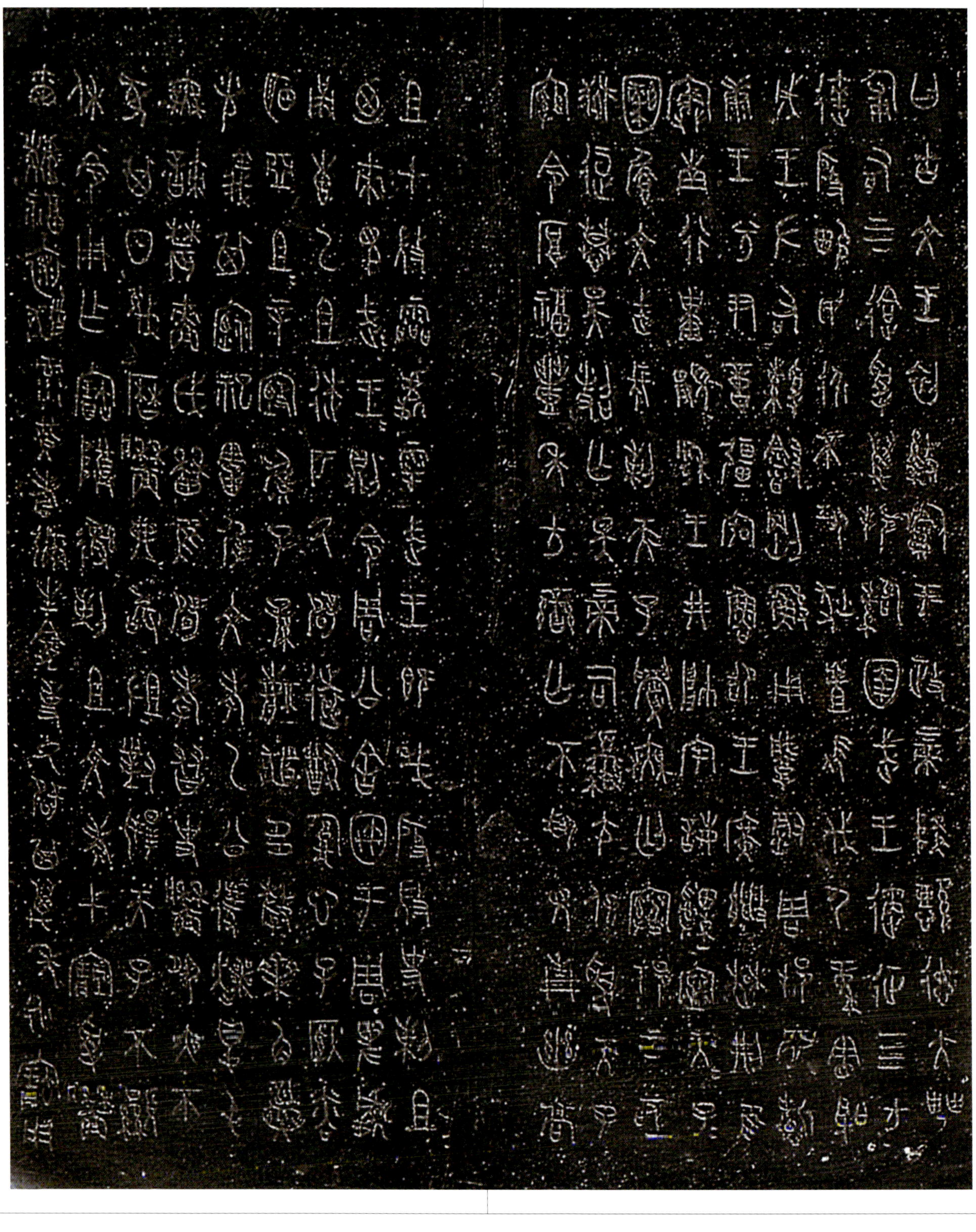

史牆盤銘拓片

㦰方鼎銘

西周

陝西扶風縣莊白村西周墓出土。

器高22.5厘米。

器内鑄銘十一行一百一十六字。銘文記載周王念及㦰的亡父之善，因此命令㦰率虎臣抵禦淮戎，㦰因此答謝周王，并作器紀念其亡母。

現藏陝西省扶風縣博物館。

静簋銘

西周

器高12.2厘米。

器内有銘文八行，九十字。記周王命静在大學司射，由衆貴族子弟等學射。由于静教習射箭出色，受到周王獎賞。

現藏美國紐約大都會博物館。

師酉簋

西周

器高22.9厘米。

蓋内和器内同銘，各十一行一百零六字。

銘文記載周王册命師酉。

現藏故宫博物院。

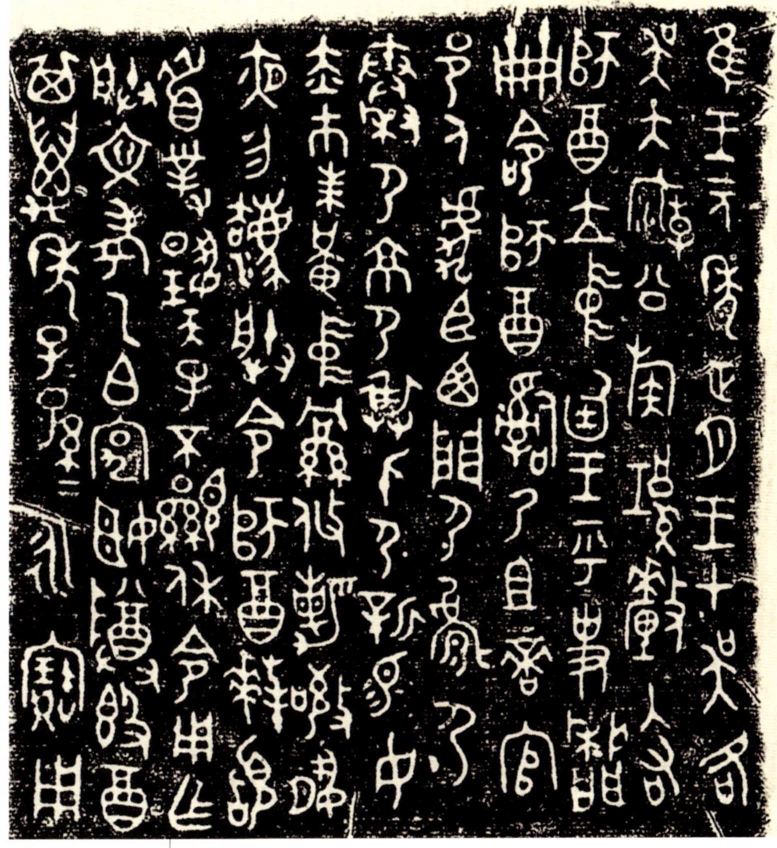

瘨簋銘

西周

陝西扶風縣莊白村1號西周青銅器窖藏出土。

器高35.7、口徑22.8厘米。

器内和器蓋同銘，同爲七行四十四字，記瘨作此器祭祀祖和父，以求賜福。所選爲器蓋銘文。

現藏陝西省周原博物館。

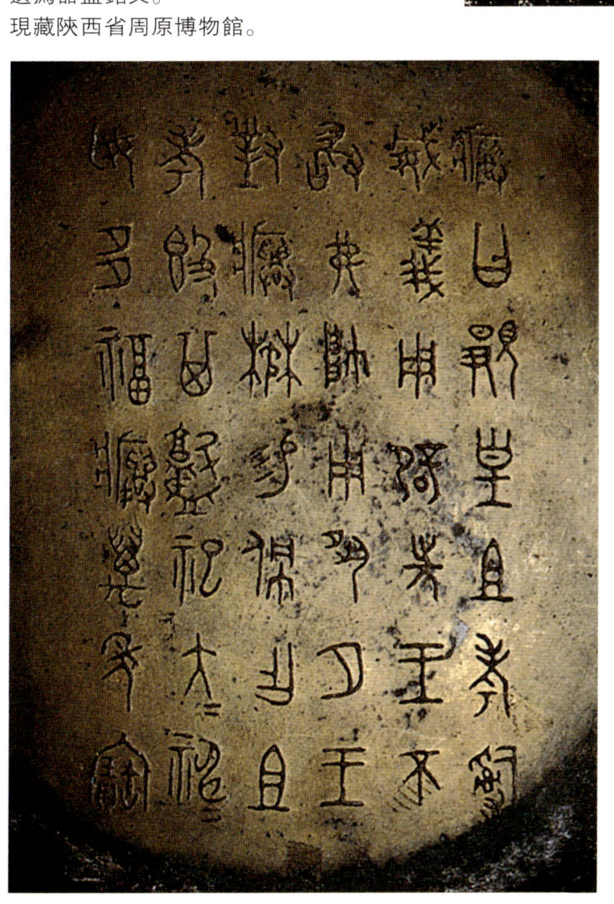

瘨簋銘實物

瘨簋銘拓片

㾓鐘銘

西周
陝西扶風縣莊白村1號西周青銅器窖藏出土。
器通高63、銑距36.7厘米。
兩欒和鉦間鑄銘共一百零四字，記㾓作器祭祀祖先。
現藏陝西省周原博物館。

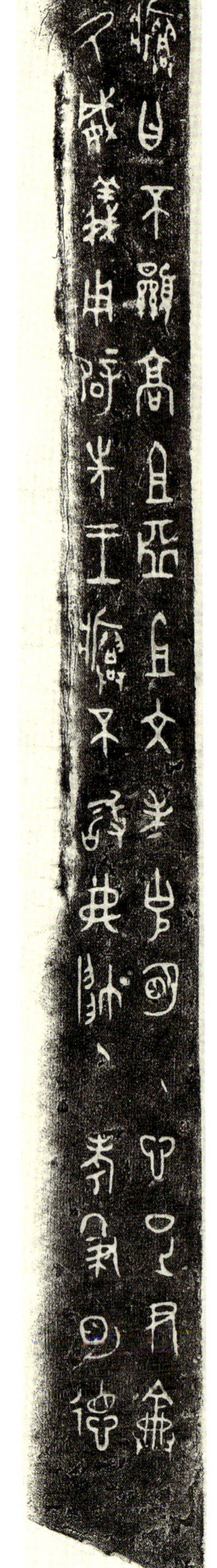

曶鼎銘

西周

器内鑄銘文二十四行，四百一十字。銘文分三段，首段記載周王册命曶。後二段記載曶兩次訴訟勝利的始末。此鼎久佚。

大克鼎銘

西周

陝西扶風縣出土。

高93.1、口徑75.6厘米。

腹内壁鑄銘文二十八行，二百九十字。内容分前後兩段，前段是克對祖父的頌揚和懷念，因祖父的業績，周王提拔克爲膳夫；後段記周王的册命辭及賞賜克禮服、田地和奴隸等。

現藏上海博物館。

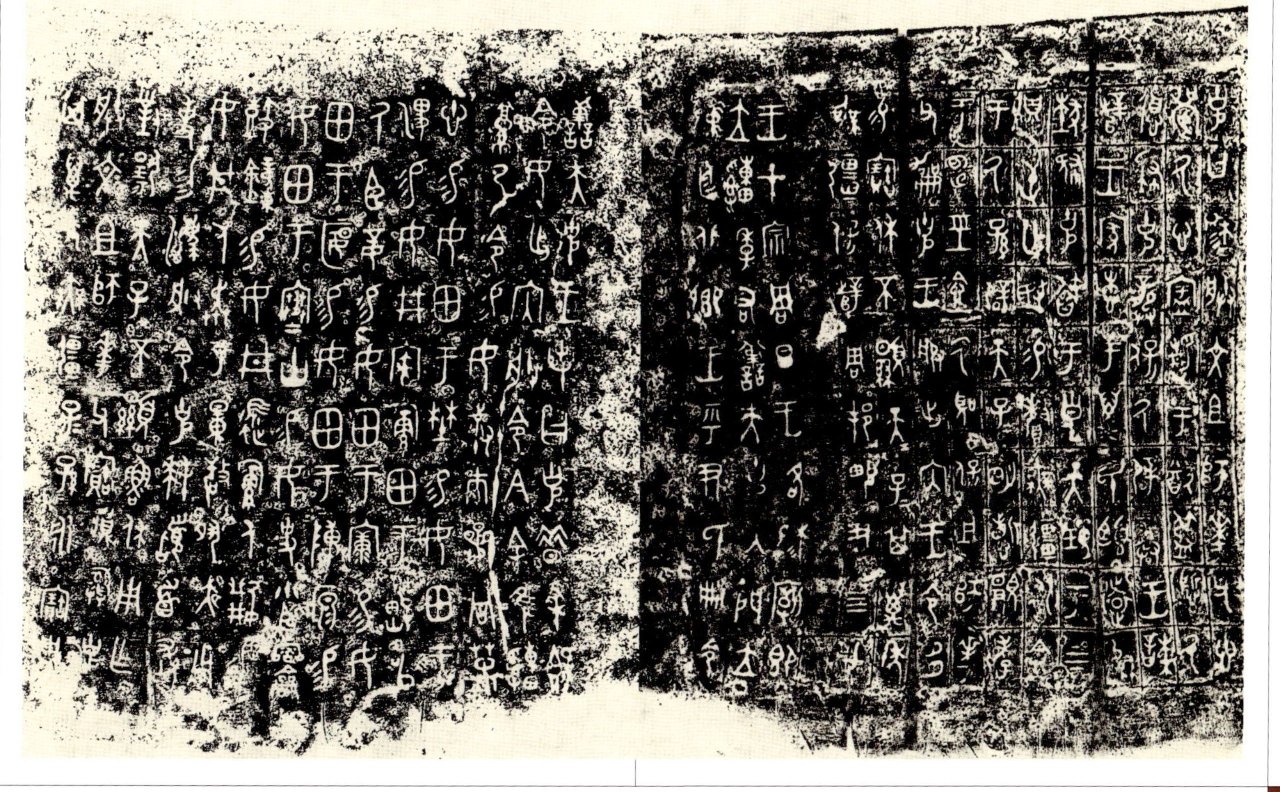

小克鼎銘

西周

陝西扶風縣出土。

器内鑄銘八行七十二字。記膳夫克受周王命去成周頒命，爲紀念此事而作祭祖之器。

現藏上海博物館。

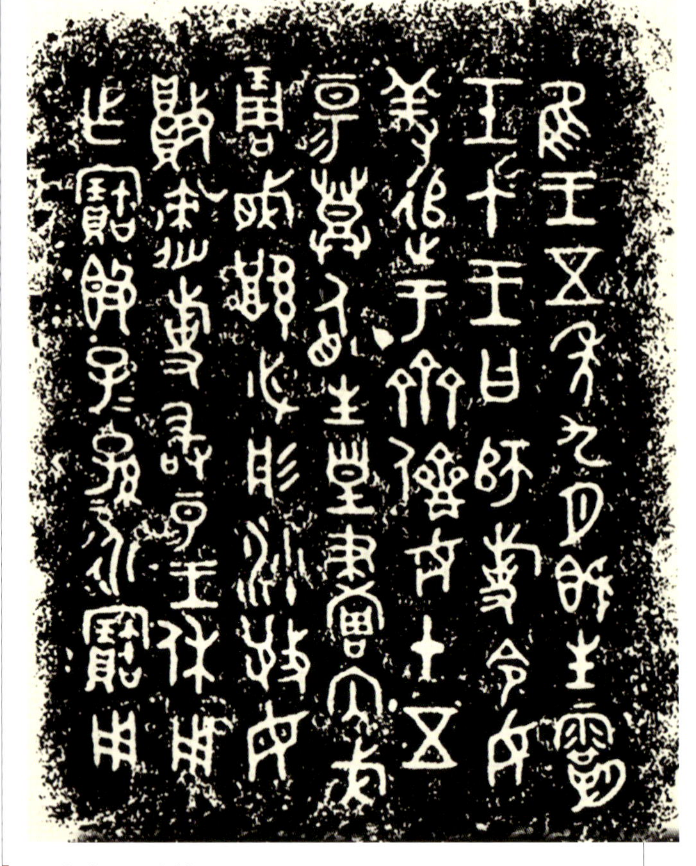

五年師旋簋銘

西周

陝西西安市長安區張家坡西周窖藏出土。

器高23厘米。

蓋、器同銘，各七行九十五字。記載周王命令師旋追敵，賞賜兵器之事。此選爲器銘。

現藏陝西歷史博物館。

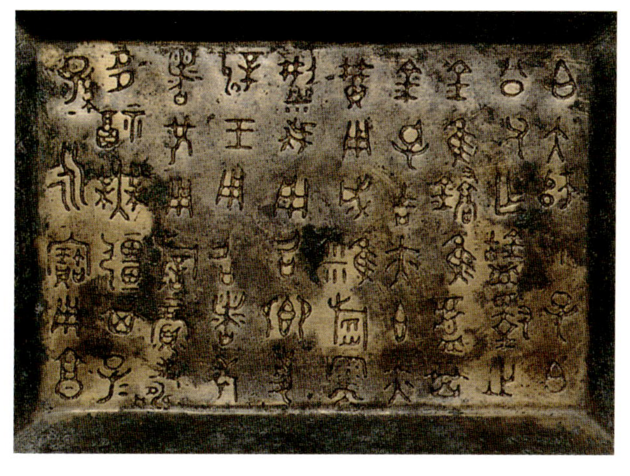
伯公父瑚銘蓋銘實物

伯公父瑚銘器銘實物

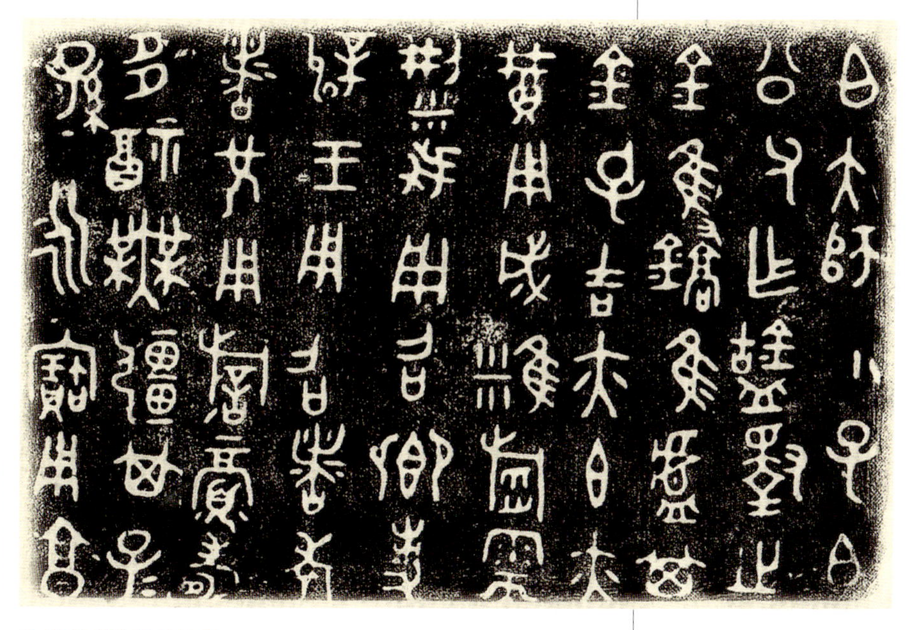
伯公父瑚銘蓋銘拓片

伯公父瑚銘器銘拓片

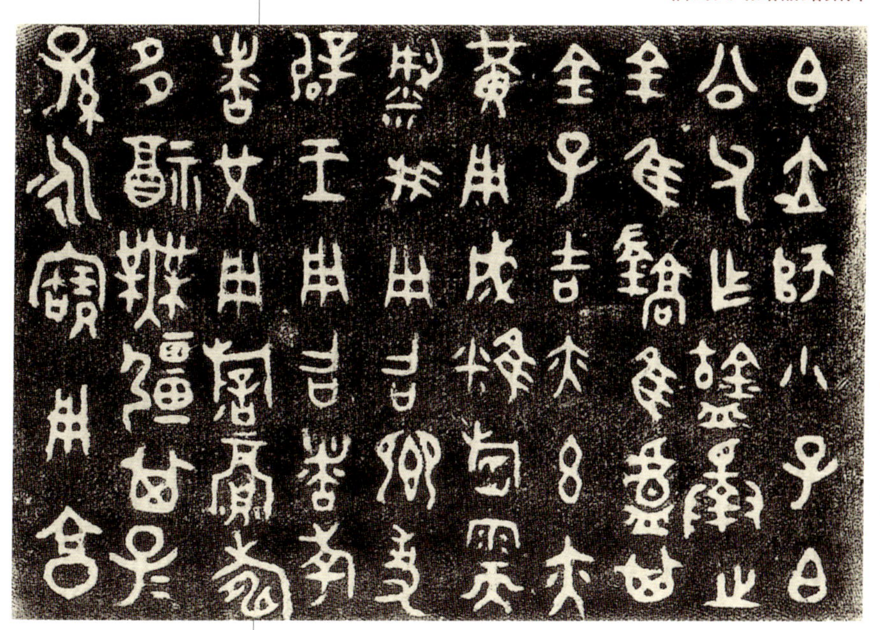

伯公父瑚銘

西周
陝西扶風縣雲塘村西周窖藏出土。
器高19.8、口長23厘米。
蓋、器同銘，均十行六十一字。
銘記伯公父製作此器的用途，是祝頌韵文。
現藏陝西省周原博物館。

衛鼎銘

西周

陝西岐山縣董家村1號青銅器窖藏出土。

器高37.2、口徑34.5厘米。

器内壁鑄銘十九行一百九十五字，記矩以林地與裘衛交換車馬器等，裘衛因此製器銘記該項交換的契約。

現藏陝西省岐山縣博物館。

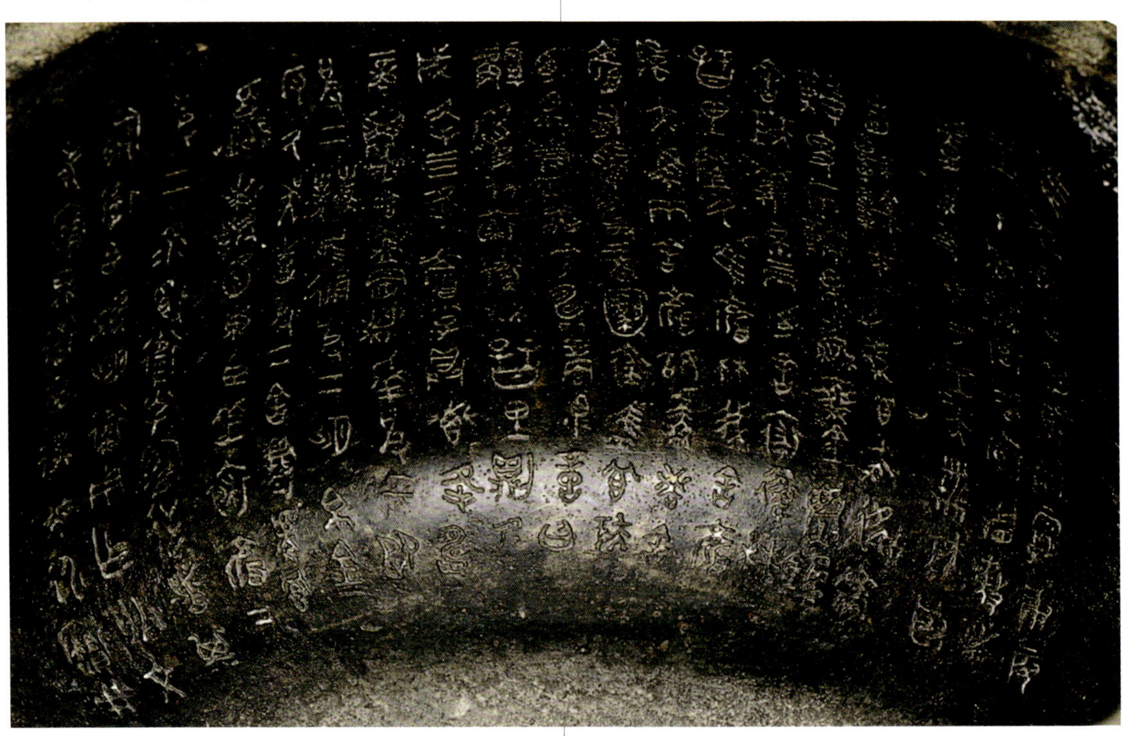

衛鼎銘實物

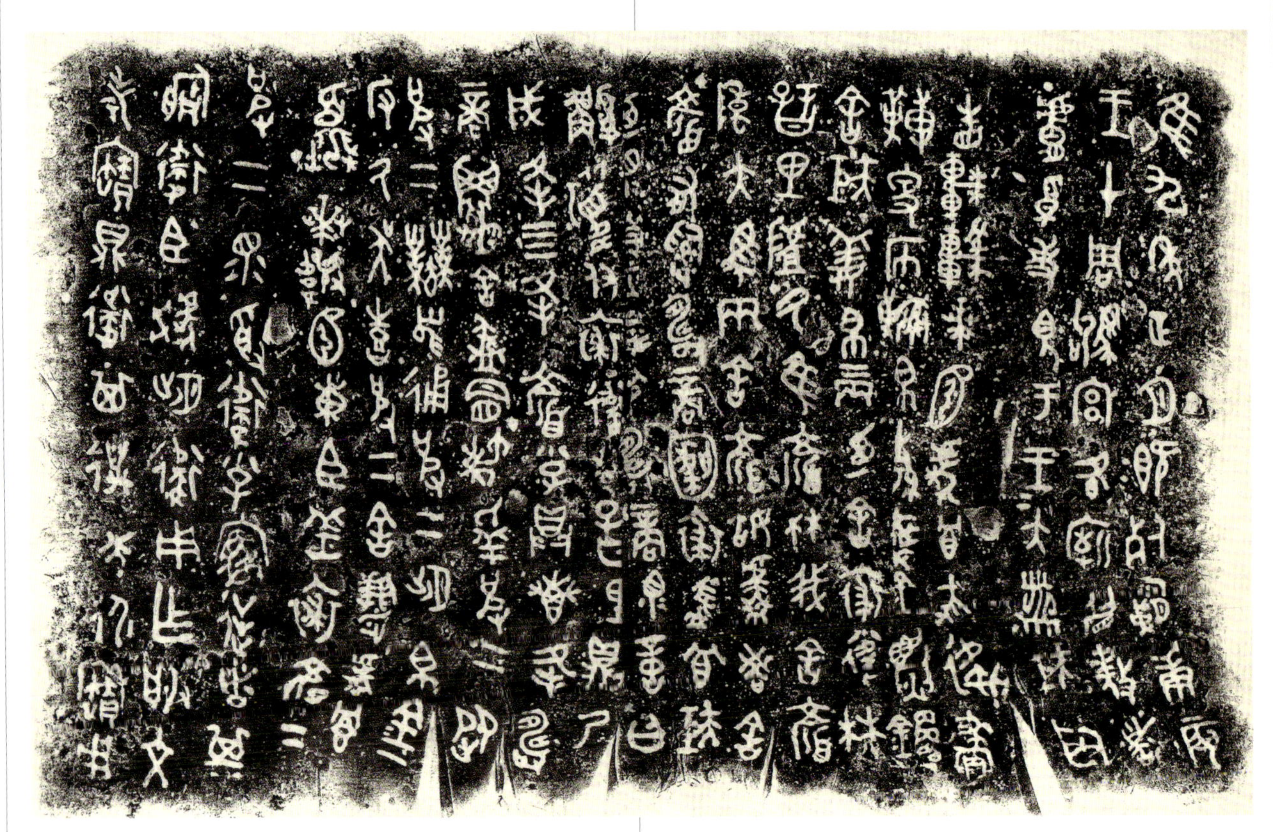

衛鼎銘拓片

衛盉銘

西周

陝西岐山縣董家村1號青銅器窖藏出土。

器高29.5、口徑19.5厘米。

蓋内鑄銘十二行一百三十二字，記矩伯以土地與裘衛交換瑾璋。

現藏陝西省岐山縣博物館。

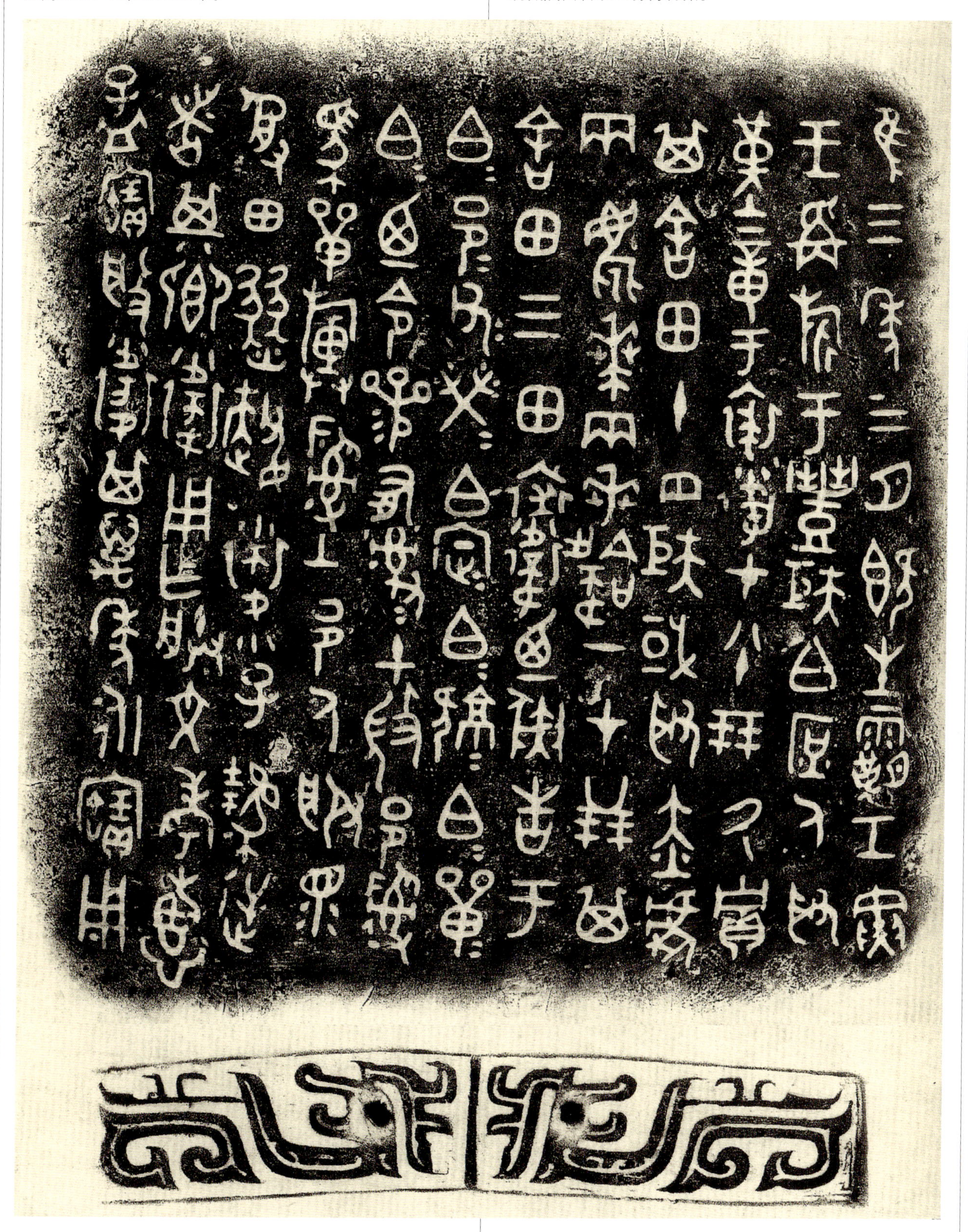

衛簋銘

西周

陝西岐山縣董家村1號青銅器窖藏出土。

器高23、口徑22.6厘米。

器内底與蓋内有對銘，各鑄銘文十行七十三字，記周王在周的宗廟對裘衛賞賜了命服和鑾飾等物品。此選爲内底銘文。

現藏陝西省岐山縣博物館。

啓尊銘

西周

山東龍口市出土。

銘文三行二十一字，記啓隨從周王出征。

現藏山東省博物館。

宰獸簋銘

西周

陝西扶風縣段家鄉大同村出土。

器通高37.5、口徑24.5、座高12.5厘米。

蓋内鑄銘十二行一百二十九字，記周王册命宰獸的儀式、命辭和程序。

現藏陝西省周原博物館。

三年㾓壺銘

西周

陝西扶風縣莊白村1號西周青銅器窖藏出土。

器高65.4、口徑20.1厘米。

蓋榫部鑄銘十二行六十字，記周王在鄭地舉行饗禮，賞㾓羔俎；乙丑日，周王在句陵又賞㾓一件彘俎。

現藏陝西省周原博物館。

十三年㾓壺器銘實物

十三年㾓壺銘

西周

陝西扶風縣莊白村1號西周青銅器窖藏出土。

器高59.6、口徑16.9厘米。

蓋銘十四行五十六字，器銘十一行五十六字，記周王賞賜㾓衣物等，㾓作器紀念此事。

現藏陝西省周原博物館。

十三年㾓壺蓋銘拓片

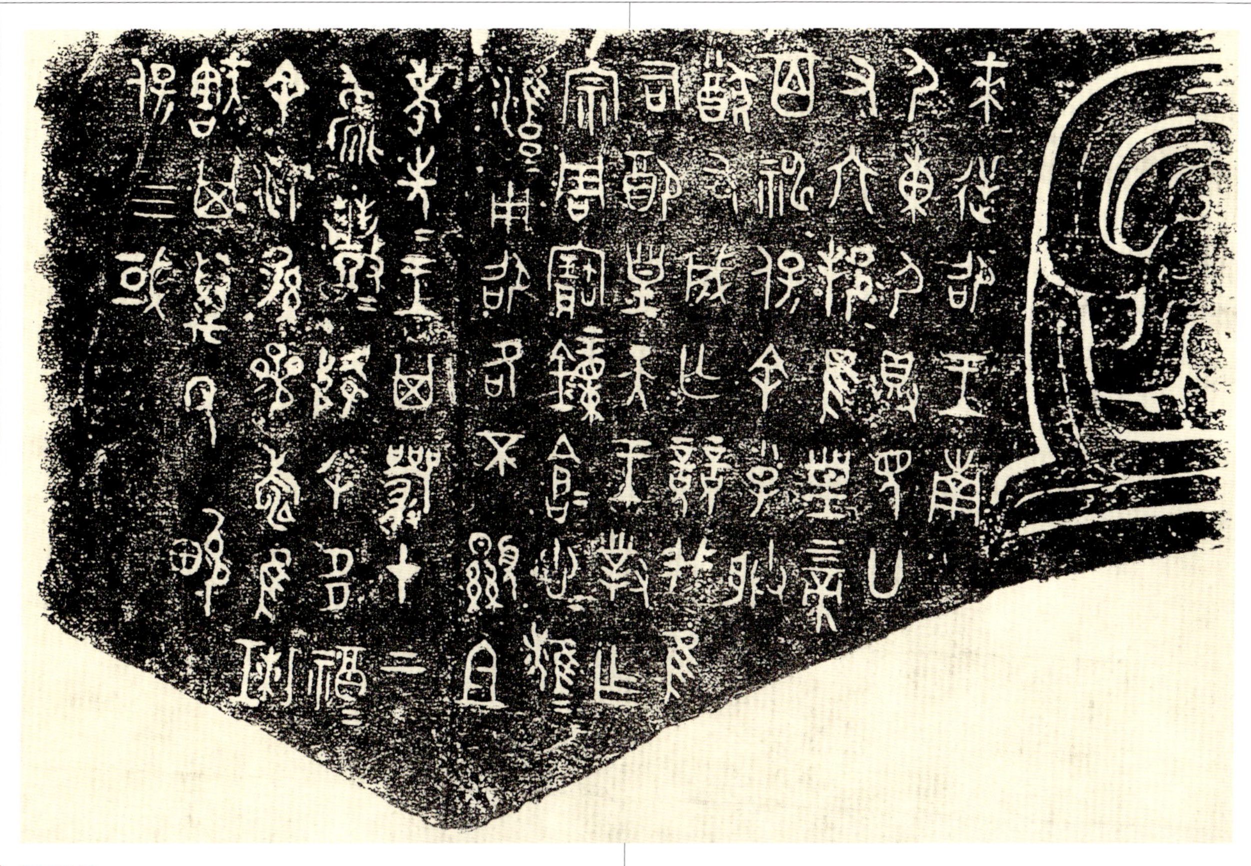

㝬鐘銘

西周

通高65.5厘米。

鐘身鑄有銘文，鉦間四行，背面鼓右五行，鼓左八行，計十七行，一百二十二字。記周厲王征服東夷、南夷二十六邦。所選爲鐘銘後半段。

現藏臺北故宫博物院。

㝬簋銘

西周

陝西扶風縣齊村出土。

器内底部鑄銘十二行一百二十四字，是周厲王作的一篇祭祀祝辭。銘文中“㝬”爲周厲王。

現藏陝西省扶風縣博物館。

散氏盤銘

西周

銘鑄于盤内底上，作方形，十九行，每行十九字，共三百五十七字。内容爲散、矢兩國和談，劃定兩國國界，散國將約書鑄于盤上，作爲散國寶器。

現藏臺北故宫博物院。

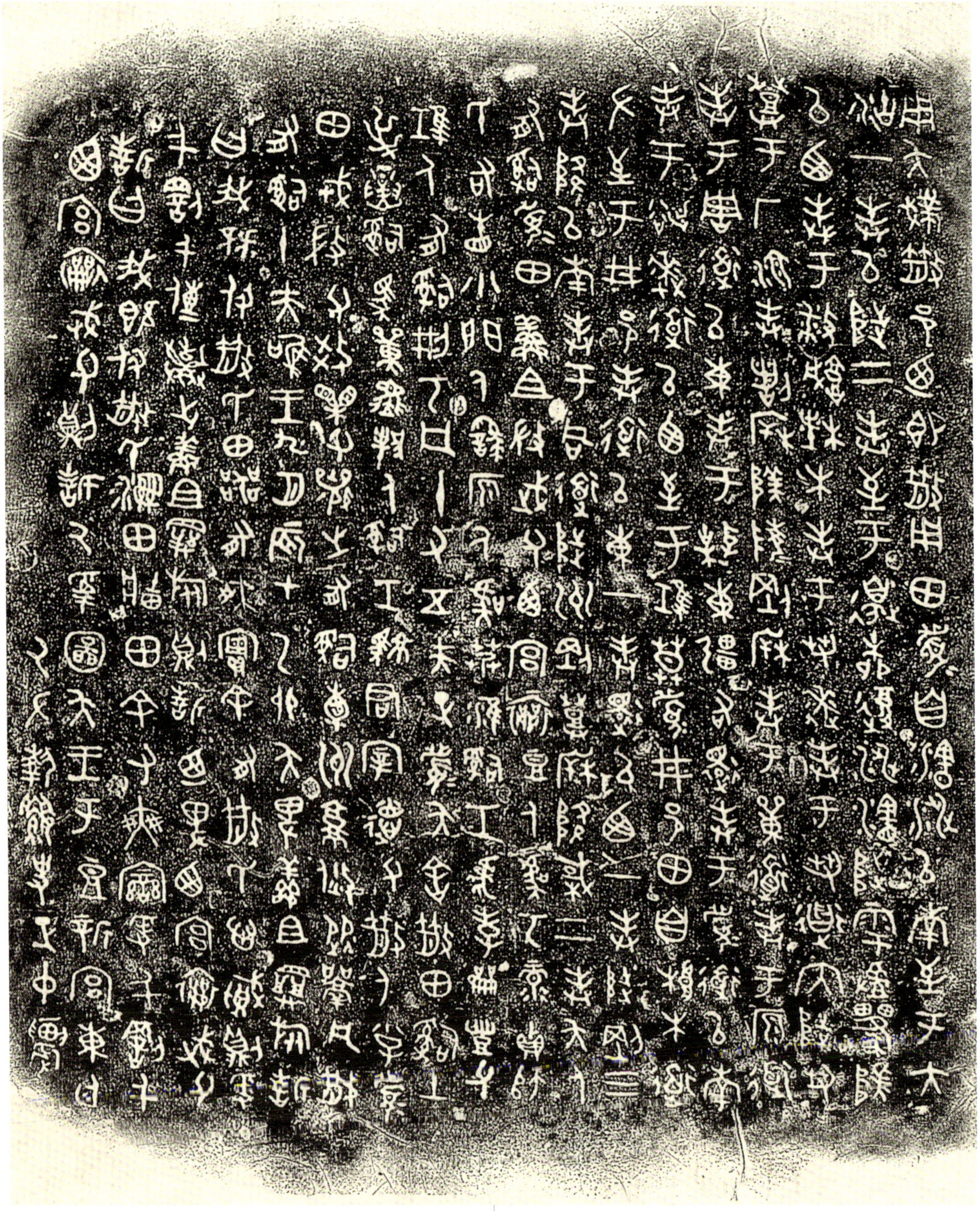

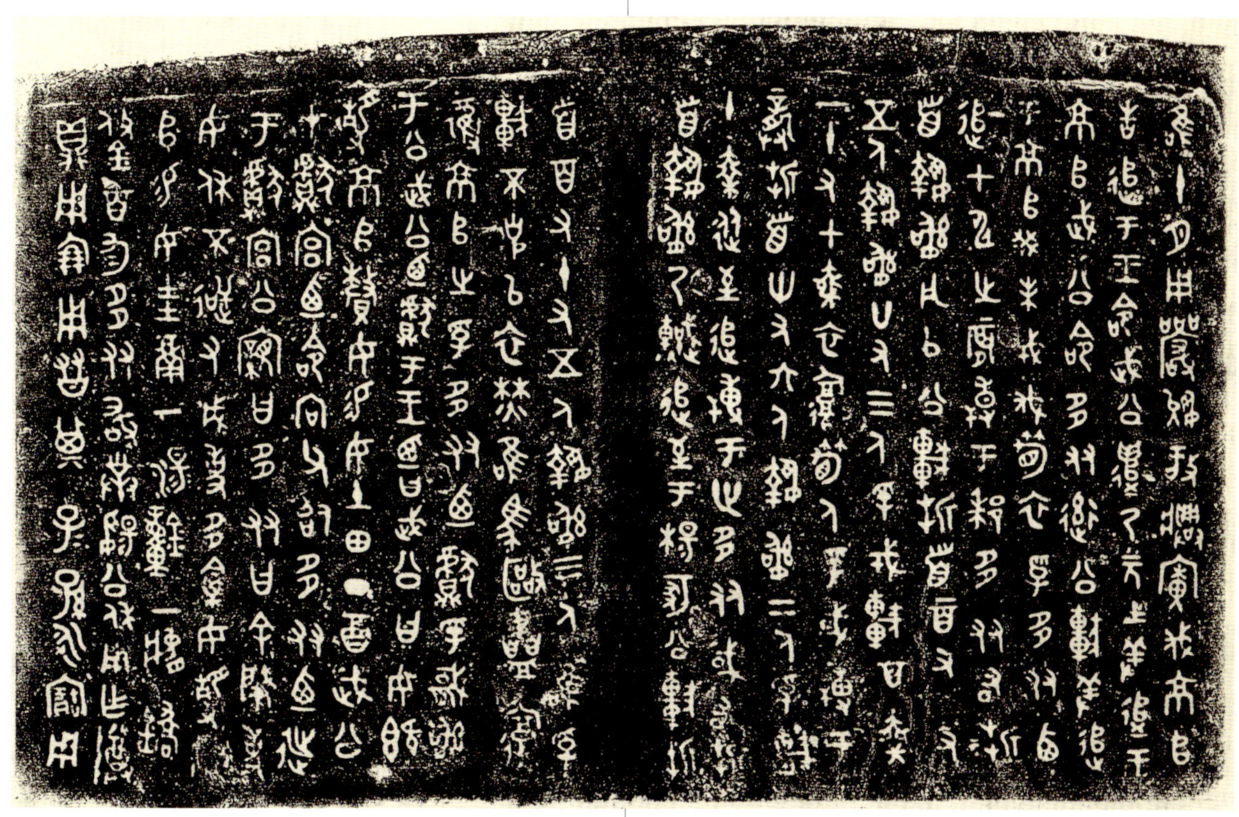

多友鼎銘

西周
陝西西安市長安區下泉村出土。
器高51.5、口徑50厘米。
内壁鑄銘二十二行二百七十五字。記器主多友抵禦玁狁入侵，獲得戰功，因此受賞土地、禮器之事。
現藏陝西歷史博物館。

晋侯對鼎銘

西周
山西曲沃縣晋侯墓地出土。
器内鑄銘五行三十字。記晋侯對作此器。
現藏上海博物館。

晋侯對盨銘

西周

山西曲沃縣晋侯墓地114號墓出土。

器高22.2、口長26.7、口寬20厘米。

蓋、器同銘，各鑄銘三行二十四字。記晋侯對作此器。

所選爲器銘。

現藏上海博物館。

史頌簋銘

西周

蓋、器同銘，各六行六十二字。記史頌出使成周，接受禮物，因此作器感謝周王的委派。此選爲蓋銘。

現藏上海博物館。

頌鼎器銘

西周

器內鑄銘十五行一百五十一字，記周王在大室册命頌，命頌管理兩類商賈，以供應王室消費。

現藏上海博物館。

晉侯穌鐘（右二圖）

西周

山西曲沃縣晉侯墓地8號墓出土。

器高49、銑距29.9厘米。

晉侯穌鐘共十六件，共刻銘三百五十五字，記穌隨周厲王征伐東夷，戰功卓著，多次受到厲王賞賜，作器紀念。這套編鐘的銘文用金屬工具刻鑿而成，在西周銅器銘文中罕見。此選爲銘文開頭部分。

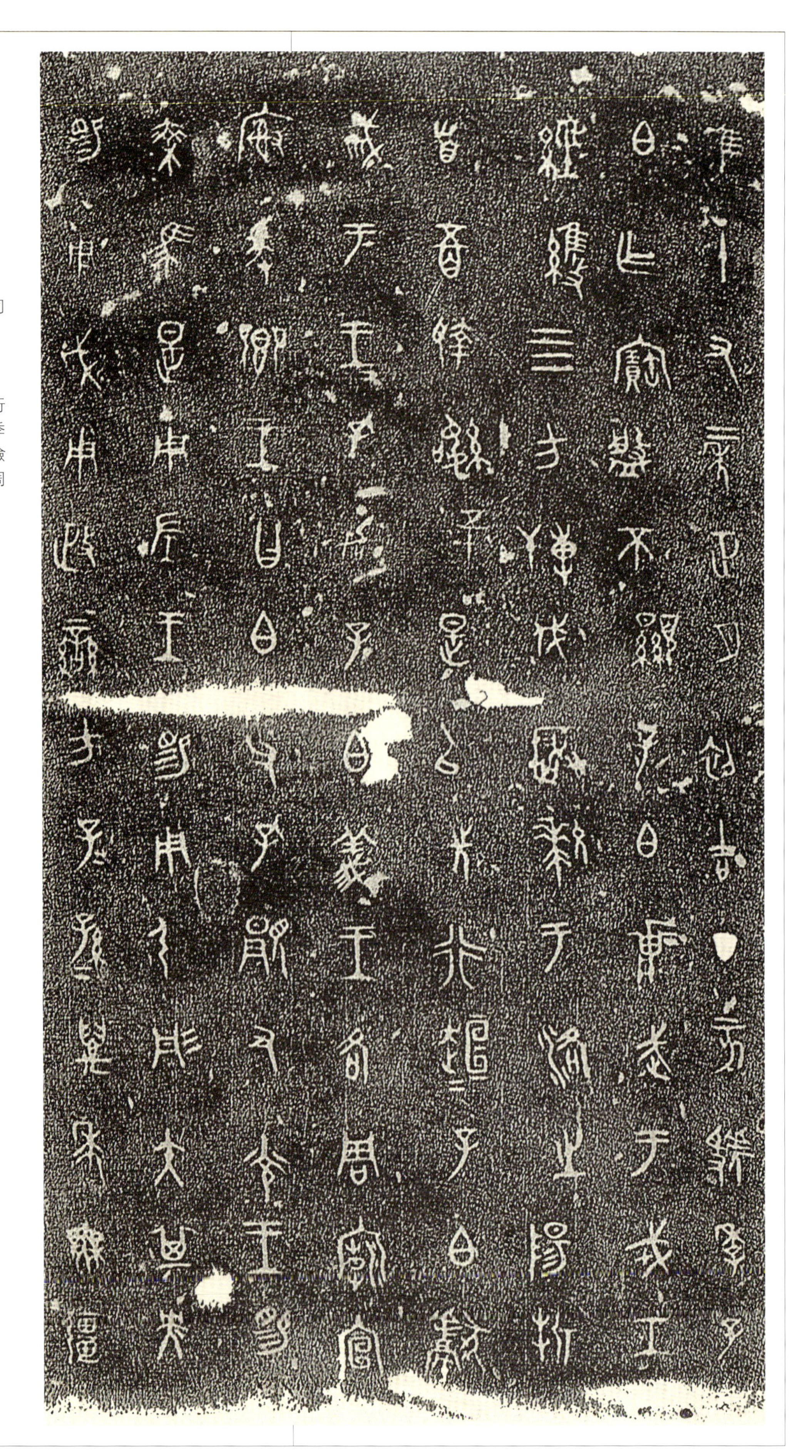

虢季子白盤銘

西周

傳陝西寶鷄市虢川司出土。

器高39.5、口高137.2、口寬86.5厘米。

器內底部有銘文八行一百一十一字，記虢季子白受命，率兵抵禦獫狁，首戰告捷，受到周王的嘉獎。

現藏中國國家博物館。

毛公鼎銘

西周

陝西岐山縣出土。

銘文三十二行，共計四百九十八字，是現存青銅器中銘文最長的。銘文記述周王告誡、册命毛公厝之事。此圖爲銘文前半部分。

現藏臺北故宫博物院。

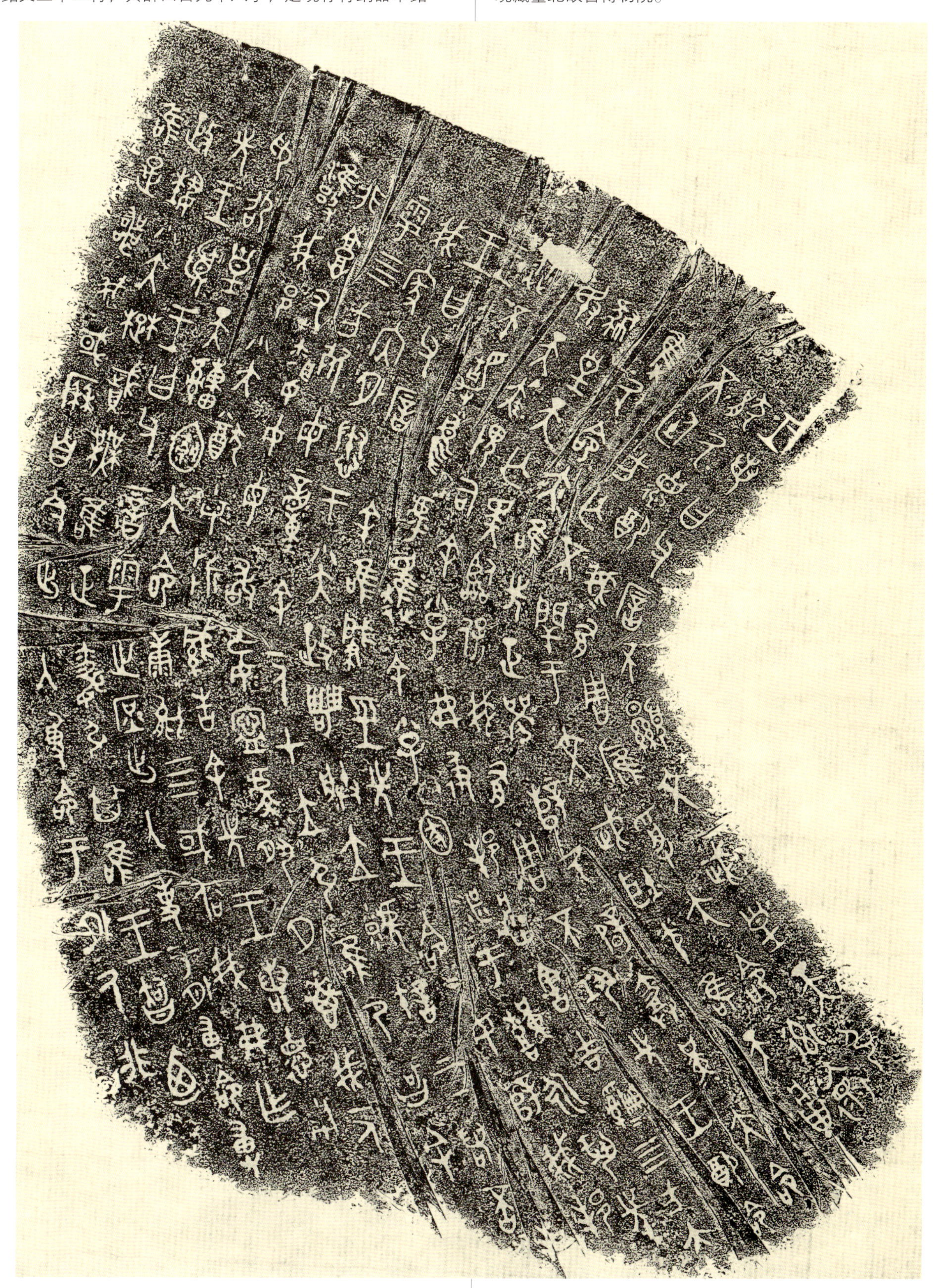

逨盤銘

西周

陝西眉縣楊家村西周青銅器窖藏出土。

盤口徑53.6厘米。

盤内底鑄銘二十一行，每行十七至十九字，共三百七十二字。銘文記載逨的家族輔佐從周文王至周宣王歷代周王的事迹。

現藏陝西省寶鷄市青銅器博物館。

四十二年逨鼎銘

西周

陝西眉縣楊家村西周青銅器窖藏出土。

器高51厘米。

器内鑄銘二十五行二百八十字。記逨在封建楊侯的過程中有戰功，周王賞賜土地，因此逨作鼎紀念。

現藏陝西省考古研究院。

兮甲盤銘

西周

盤内有銘文十三行，共一百三十三字，記兮甲從周王伐獫狁，有功受賞。隨後周王命兮甲管理成周商賈和徵收南淮夷貢物，并頒布了有關法令。

現藏日本東京臺東區立書道博物館。

商丘叔瑚銘（右圖）

春秋

又名商邱叔簠。器、蓋同銘，各三行十七字，重文三。記商丘叔作此瑚。此選爲蓋銘。

現藏上海博物館。

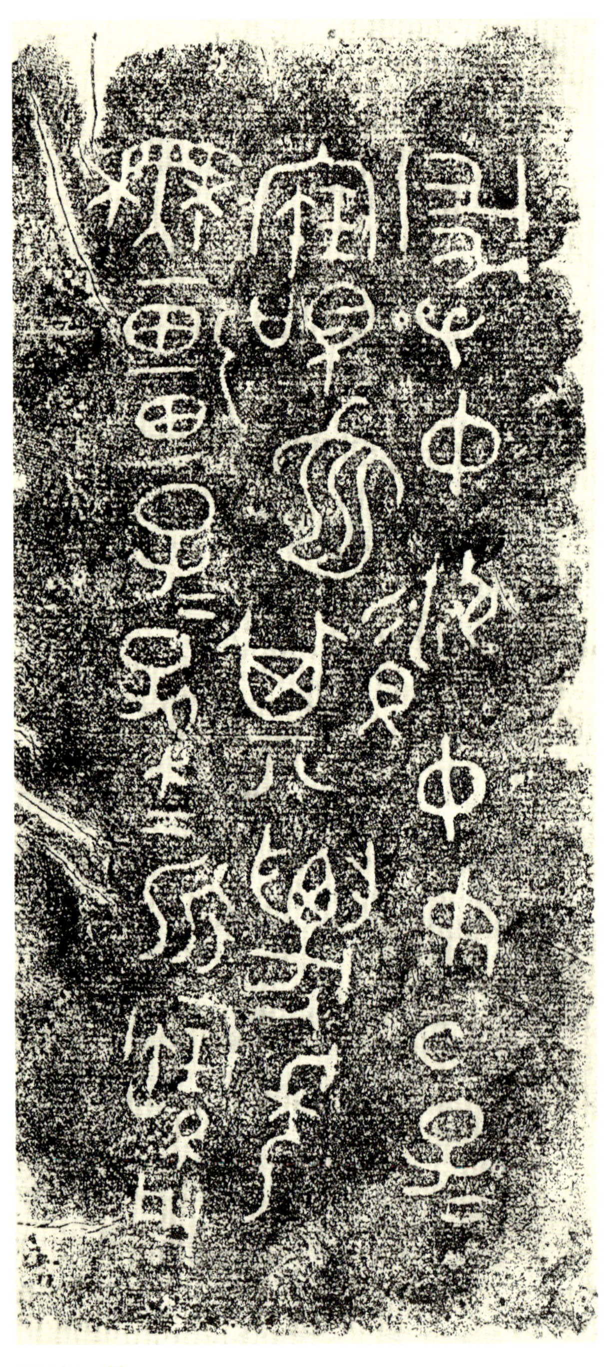

鄀仲匜銘

春秋

山東臨朐縣泉頭村出土。

器内底部鑄銘二行二十字。記鄀仲爲其女作此媵嫁之器。

現藏山東省臨朐縣博物館。

秦公鎛銘

春秋

陝西寶鷄市太公廟出土。

器高75.1厘米。

鎛上銘文一百三十五字。記秦公追念先祖，因此作鎛祭祀。秦公乃春秋早期的秦武公。

現藏陝西省寶鷄市博物館。

鑄叔瑚銘

春秋

蓋、器同銘，各四行十五字。記鑄叔爲嬴氏作器。此選爲器銘。

現藏廣東省廣州博物館。

魯伯愈父匜銘（右圖）

春秋

山東滕州市鳳凰嶺出土。

器高16.5厘米。

器内有銘三行十五字。記魯伯愈父爲嫁女作此匜。

現藏上海博物館。

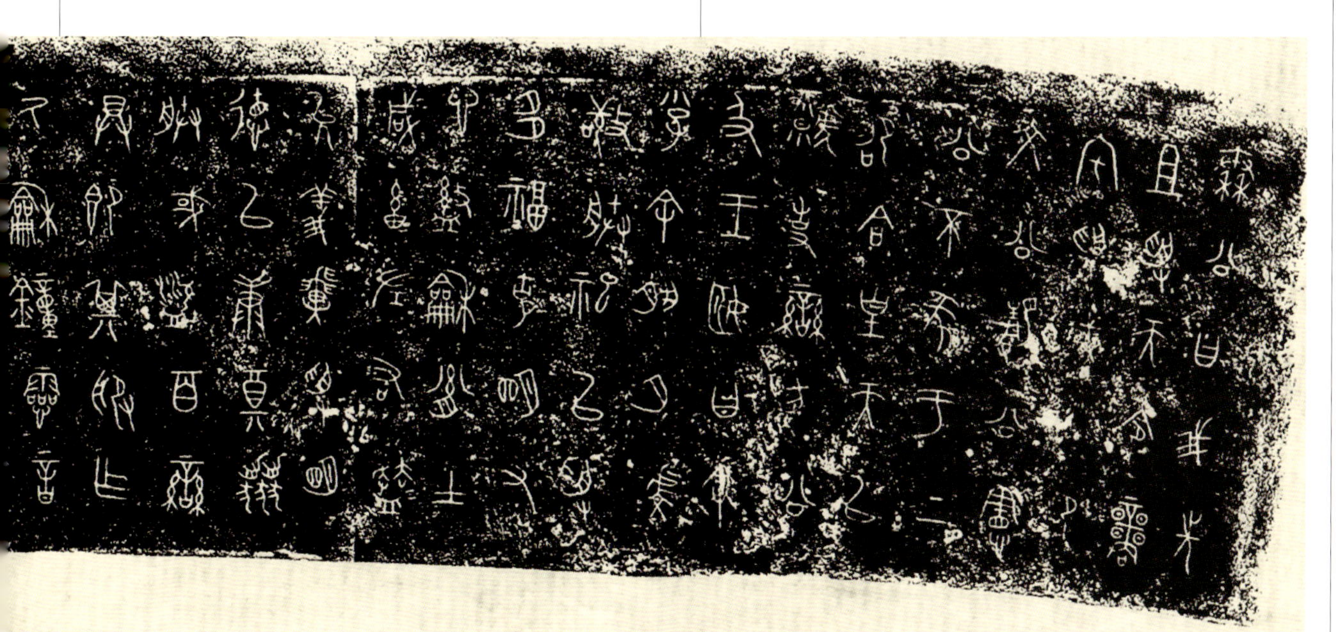

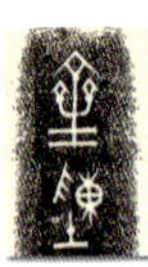

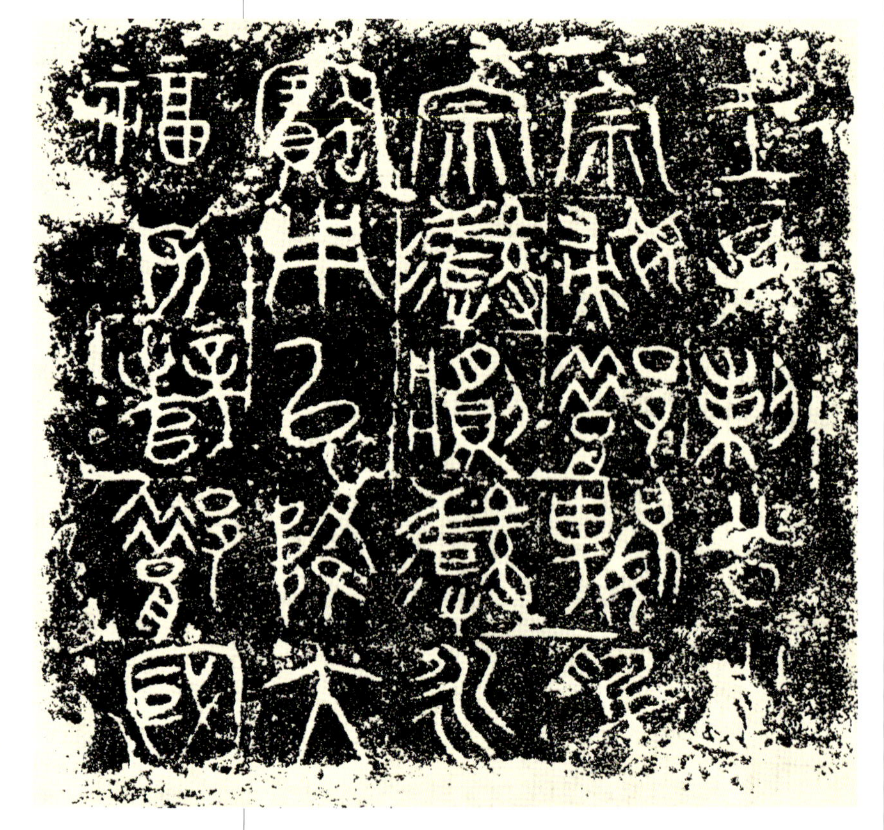

宗婦盤銘

春秋

傳陝西户縣出土。

銘五行二十五字。記載王子剌公之宗婦作宗廟禮器，并有祝頌。

現藏上海博物館。

樂子敬豧瑚銘

春秋

器殘，僅存器底。銘文六行三十四字，重文二。此爲作器者製器頌辭。

現藏上海博物館。

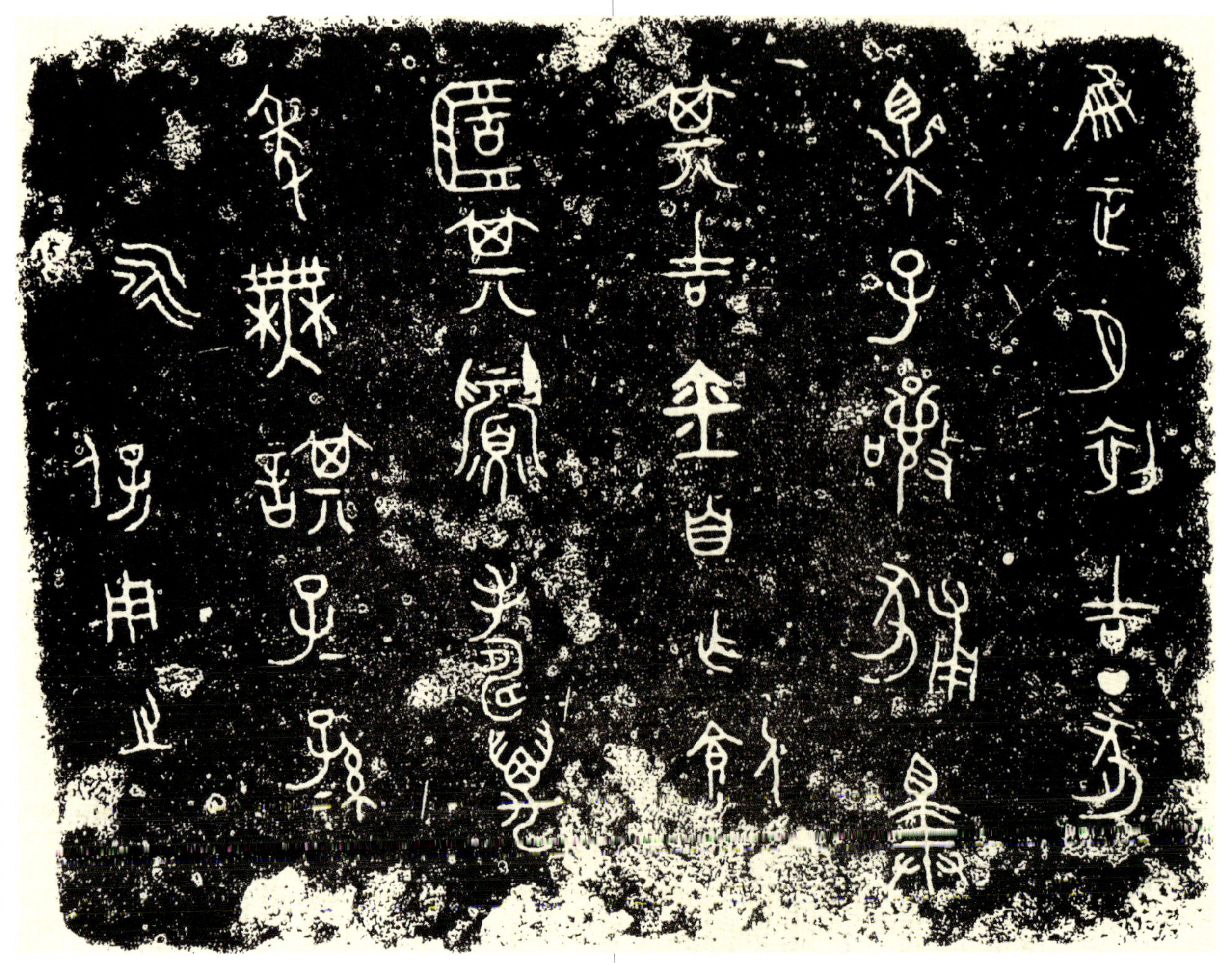

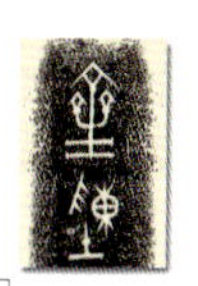

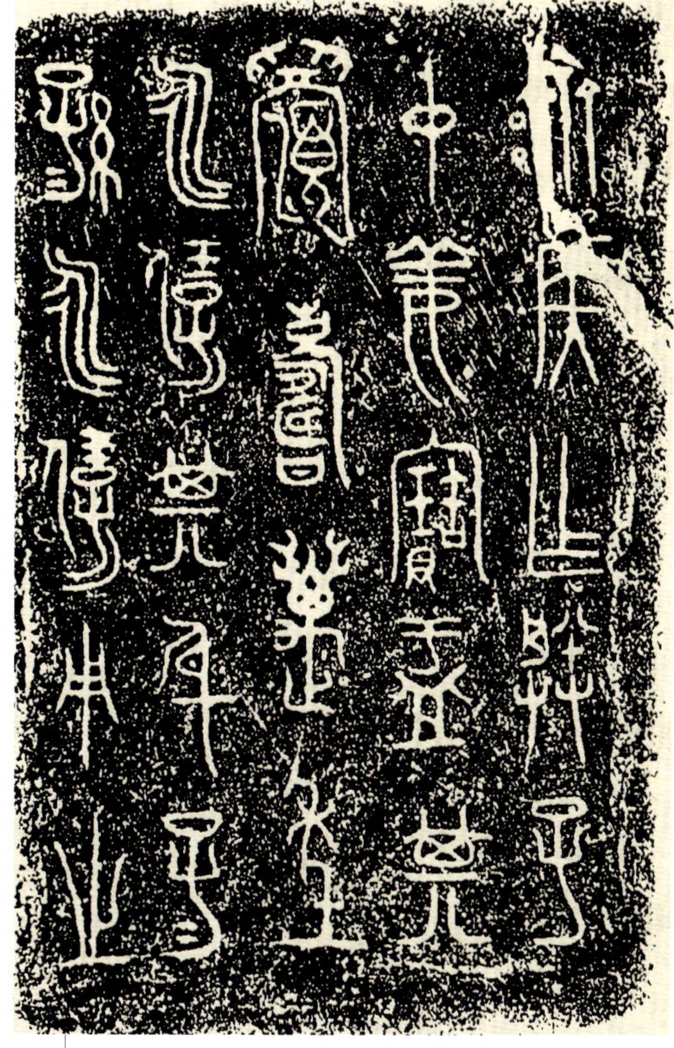

齊侯盂銘

春秋

河南洛陽市中州渠出土。

器高43.5、口徑75、底徑48.5厘米。

銘文五行二十六字，重文二。記齊侯爲子仲姜作此媵器。

現藏河南省洛陽博物館。

國差罎銘

春秋

器高34.6厘米。

器肩部鑄銘十行五十二字。記國差命工師何製此器，并加以頌禱。

現藏臺北故宫博物院。

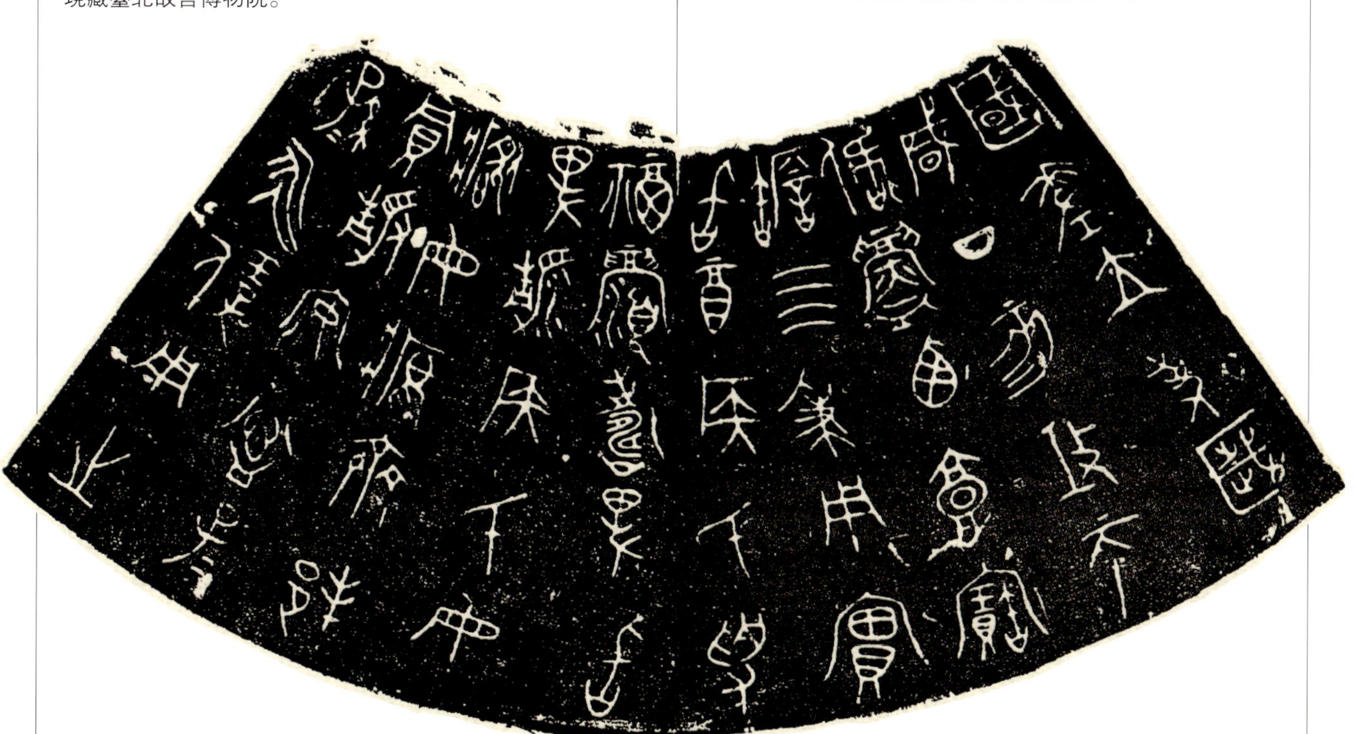

宋公䜌戈銘

春秋

傳安徽壽縣出土。

戈全長22.3厘米。

戈上有銘文六字，一側四字，另一側二字，爲錯金鳥篆體。銘文標明該戈主人爲宋公䜌。

現藏中國國家博物館。

宋公䜌瑚銘

春秋

河南固始縣侯古堆大墓出土。

器高25厘米。

蓋、器同銘，均二行二十字。銘文記載宋公䜌嫁妹與吴國，作此媵器。此選爲器銘。

現藏河南省文物考古研究所。

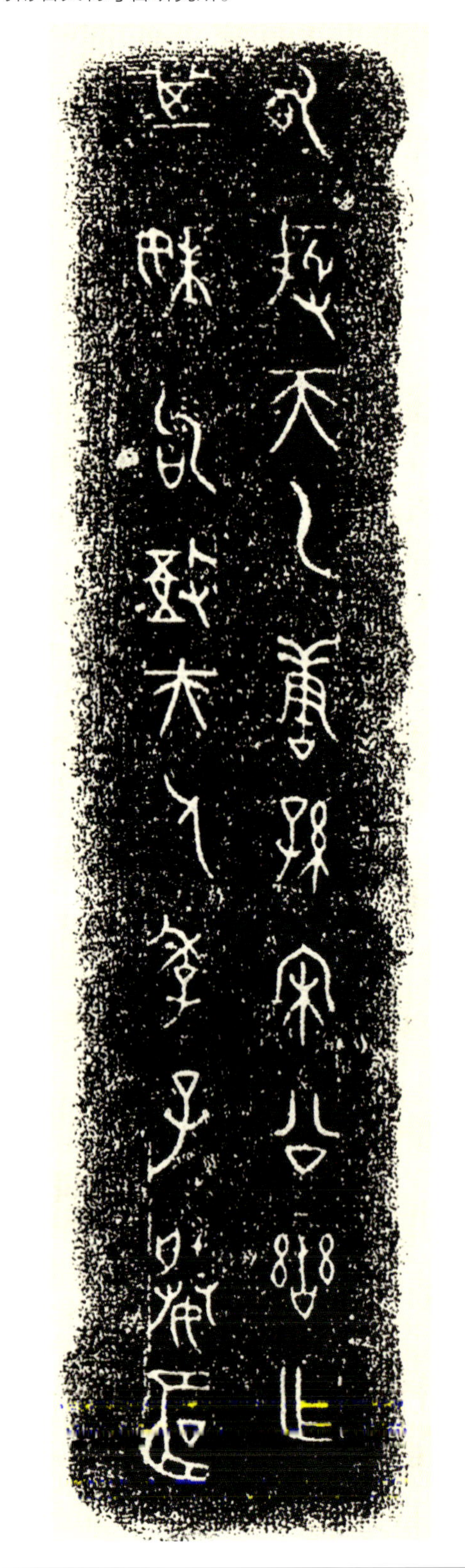

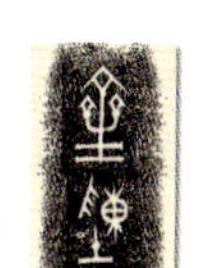

蔡公子義工瑚銘

春秋

河南潢川縣出土。

蓋銘二行八字。記載作器者爲名“義工”的蔡國公子。

現藏河南博物院。

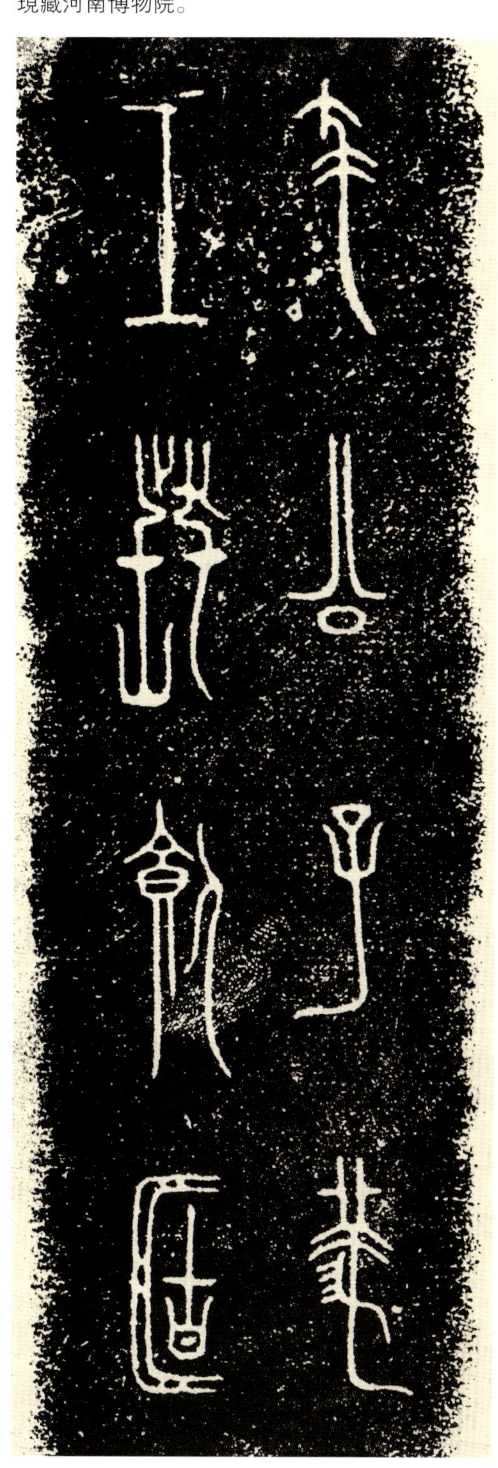

鄦子妝瑚銘

春秋

今僅存蓋銘五行三十四字。記鄦子妝爲孟姜、秦嬴作媵器。

現藏上海博物館。

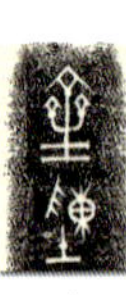

秦公簋蓋銘實物

秦公簋銘

春秋

甘肅天水市出土。

器高19.8、口徑18厘米。

器銘十行五十四字；蓋銘五行五十一字。器、蓋銘文連讀，共一百零五字，記秦景公追述祖先功業，製器祭祖。又器、蓋均有戰國時刻銘，各一行九字，兹不録。

現藏中國國家博物館。

秦公簋蓋銘拓片

秦公簋器銘拓片

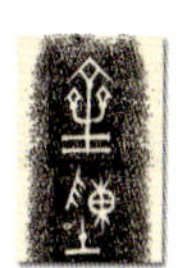

越王句踐劍銘

春秋

湖北江陵縣望山1號墓出土。

器長55.7厘米。

銘文二行八字。爲“越王鳩（句）淺（踐）自作用鐱”。

字口錯金。

現藏湖北省博物館。

公孫窹壺銘

春秋

山東臨朐縣出土。

壺頸部刻銘六行三十九字。記公子土斧爲其女仲姜作盤和壺。

現藏山東省臨朐縣博物館。

攻吴王夫差鑑銘

春秋

山西代縣蒙王村出土。

鑑腹内銘文三行十三字，大意是此鑑是吴王夫差選擇上等好銅製作。

現藏中國國家圖書館。

吴王夫差矛銘

春秋

湖北江陵縣馬山磚瓦廠5號墓出土。

器長29.5厘米。

矛正面有銘文二行八字。表明此器爲吴王夫差所作。

現藏湖北省博物館。

王子申盞盂銘

春秋

銘文三行十七字，記王子申爲嘉嬭作此器。器主王子申爲楚昭王和惠王時令尹。

王子午鼎銘

春秋

河南淅川縣下寺2號墓出土。

器高68厘米。

鼎腹内壁鑄銘十四行八十六字。鼎銘頌揚王子午（又稱令尹子庚）。

現藏河南省文物考古研究所。

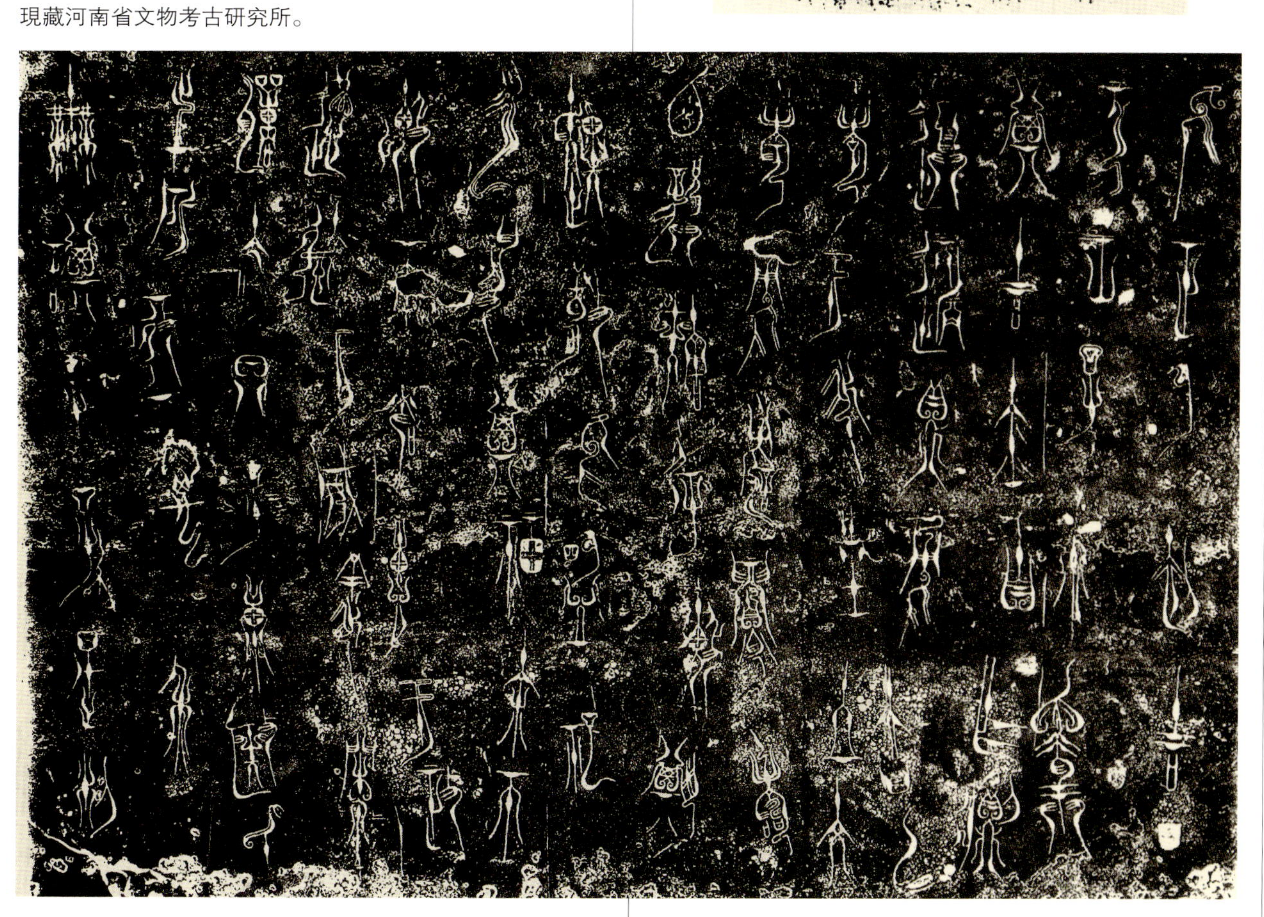

温縣盟書

春秋

河南温縣西張計村出土。

長19.5–27.1厘米。

盟書爲在圭狀石片上朱書或墨書，記載盟誓者及盟誓之辭。

現藏河南省文物考古研究所。

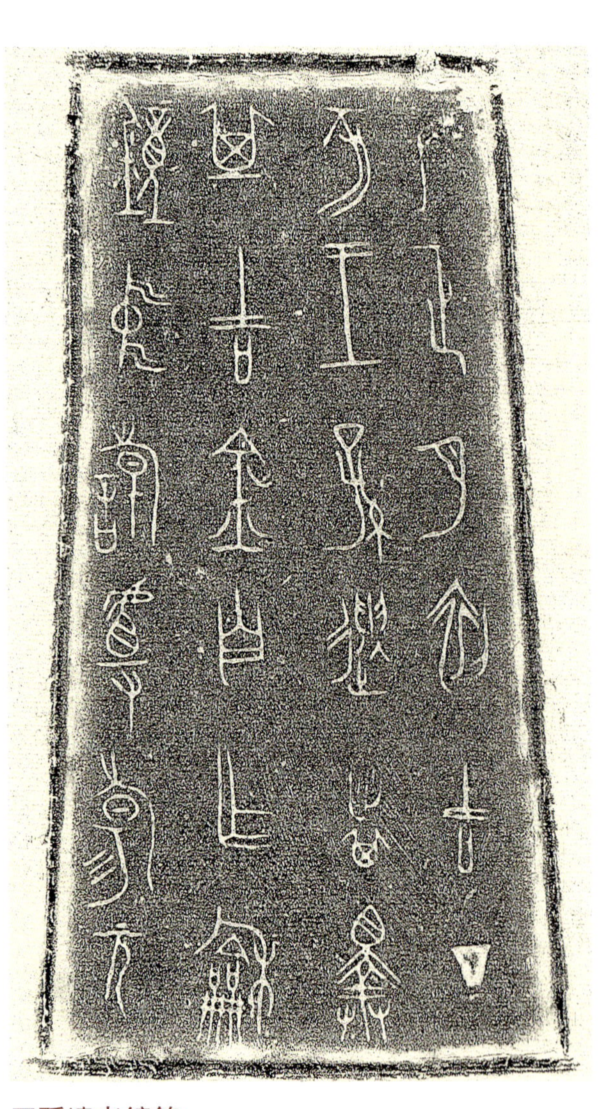

王孫遺者鐘銘

春秋

湖北宜都市出土。

鐘高50、甬高22厘米。

鉦部與鼓部鑄銘十九行，一百一十六字。記王孫遺者作此鐘，之後是頌辭。此選爲鉦間銘文。

現藏美國舊金山市亞洲美術博物館。

侯馬盟書

春秋

山西侯馬市晉國遺址出土。

最大的高達32、寬3.8厘米，小型的一般高約18、寬不到2厘米。

質料有石有玉，以圭形爲主。文字用毛筆書寫，字迹多爲朱紅色。盟書五千餘件，可以讀者六百五十餘件。格式均雷同，記盟誓者及盟誓内容，僅盟誓者名字各不相同。

現藏山西博物院。

侯馬盟書之一

侯馬盟書之二

侯馬盟書之三

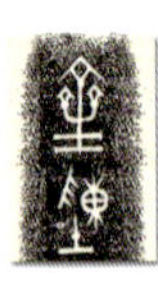

石鼓文

春秋

石鼓文刻于十塊圓柱形的巨石上，每石刻有四言詩一首。

原石現藏故宮博物院。

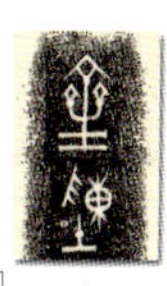

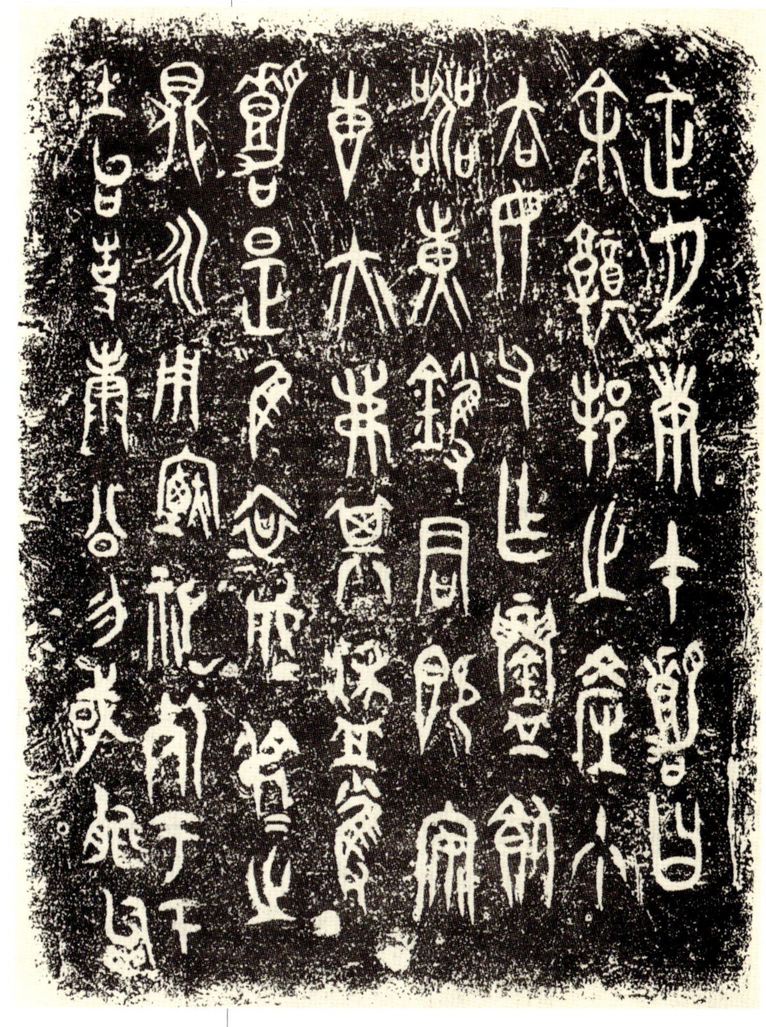

哀成叔鼎銘

戰國

河南洛陽市出土。

銘文八行五十七字，記哀成叔少年時國滅而居周都，死前作此鼎銘表達對故國的眷戀之情。

現藏河南省洛陽博物館。

陳純釜銘

戰國

山東膠州市出土。

銘文七行三十四字。釜是量器，銘文記載其容積標準以及相關責任人。

現藏上海博物館。

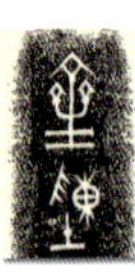

陳曼瑚銘

戰國

高11、口長31、口寬19.4厘米。

腹内底銘文四行二十二字。記齊陳曼作此祭器，祭祀其皇考獻叔。

現藏上海博物館。

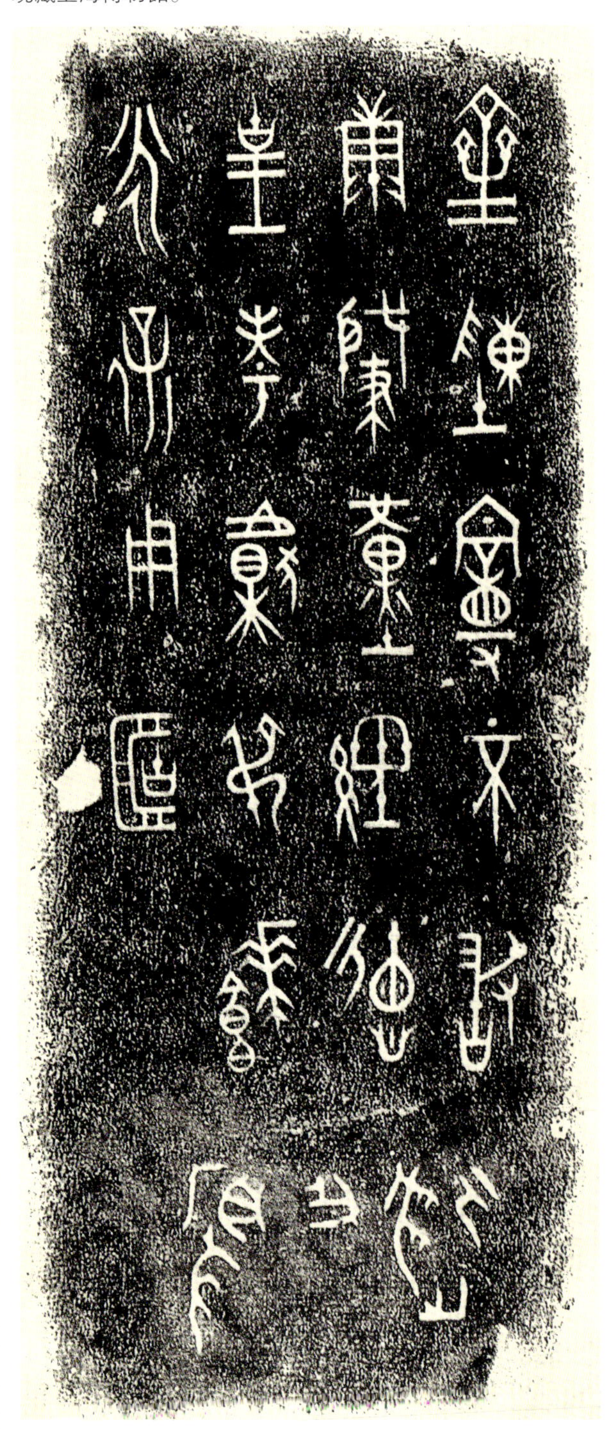

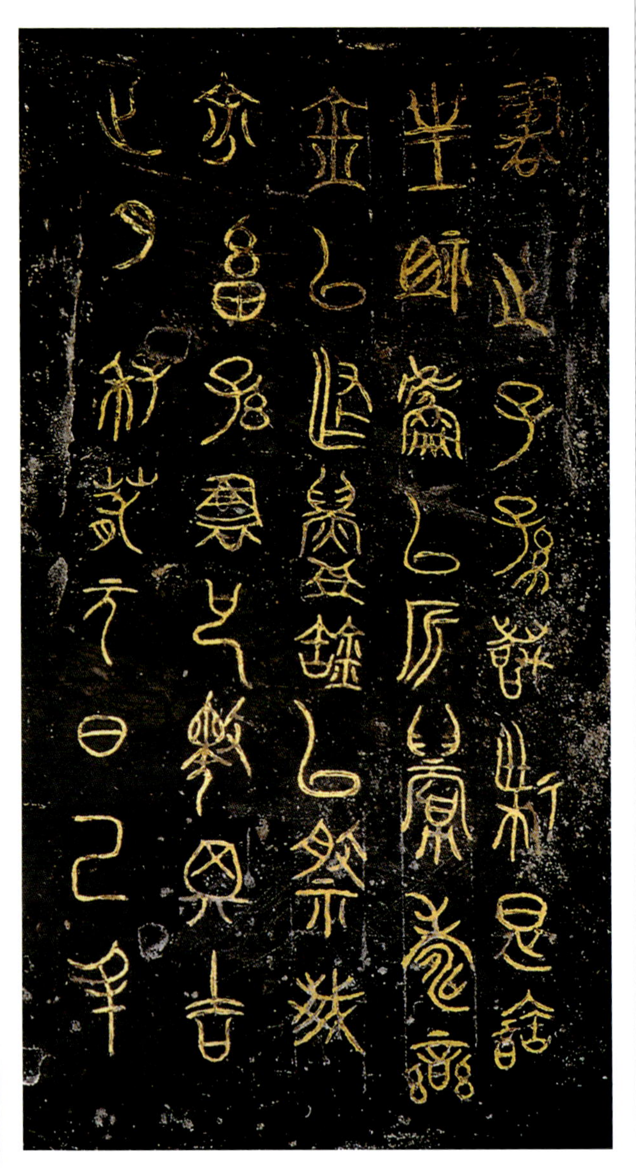

繺書缶銘

戰國

缶頸、肩及上腹有錯金銘文五行四十字。記繺書作此祭器。

現藏中國國家博物館。

曾侯乙墓甬鐘銘

戰國

湖北隨州市出土。

出土編鐘共六十五件，鐘銘二千八百二十八字，挂件銘文七百四十字。記楚惠王爲曾侯乙作此宗廟禮器。

現藏湖北省博物館。

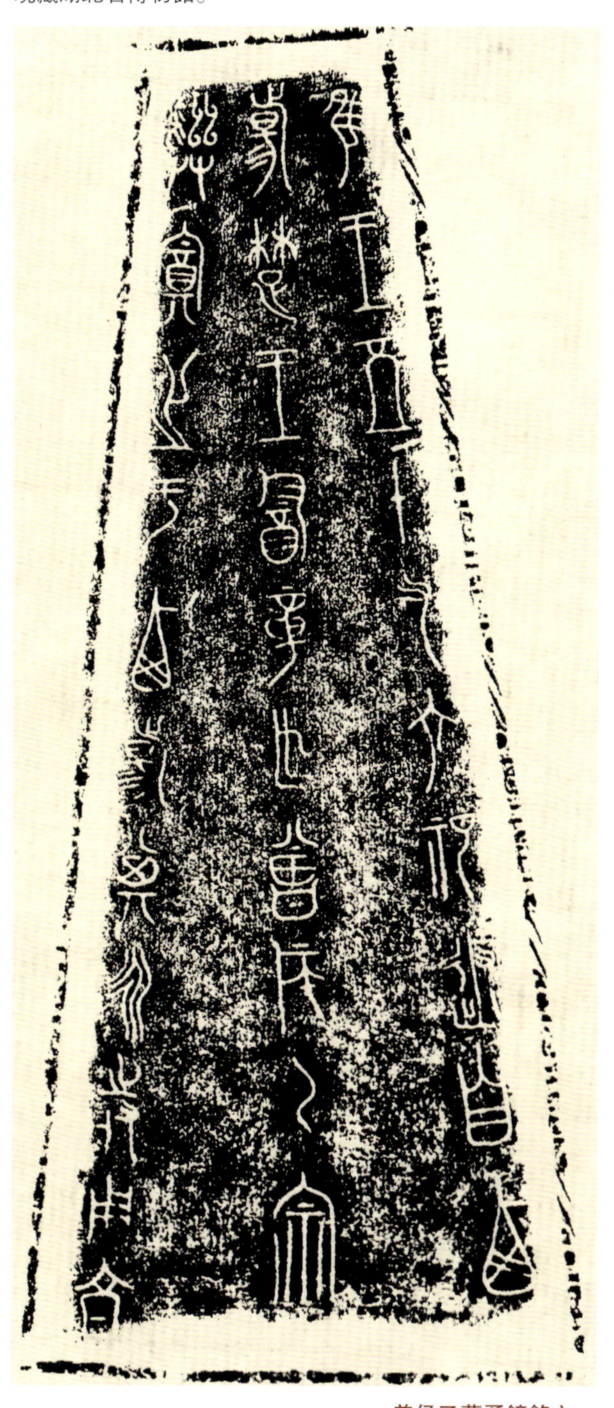

曾侯乙墓甬鐘銘之一

曾侯乙墓甬鐘銘之二

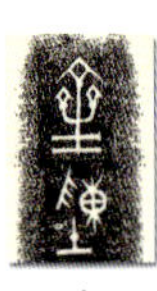

器蓋殘片銘

戰國

殘長16、寬5.3厘米。

殘片扁平，應爲鼎蓋的一部分。上有錯金鳥書文字，現存六行五十一字。戰國越國器，殘銘文義不詳。

現藏故宫博物院。

曾姬無卹壺銘

戰國

傳安徽壽縣出土。

器高78.1、口高18.9、口寬21厘米。

銘文五行三十九字。記楚王夫人曾姬無卹作此宗廟禮器。

現藏臺灣“中央研究院”。

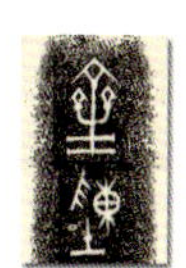

越王州句劍銘

戰國

湖北江陵縣藤店1號墓出土。

錯金銘文二行八字:“戉（越）王州句自乍（作）用僉（劍）。”

現藏湖北省荆門博物館。

中山王譽方壺銘

戰國

河北平山縣西靈山1號大墓出土。

方壺四壁刻銘四百五十字。記中山王譽追述祖先，稱頌相邦賈的功業，并告誡子孫。此選録一面銘文。

現藏河北省文物研究所。

中山王譽鼎銘

戰國
河北平山縣西靈山1號大墓出土。
高51厘米。
周身刻銘七十七行，計四百六十九字,述中山相邦率軍參與齊宣王伐燕滅子之之役，并乘勝拓土封疆之事。
此選録銘文首段。
現藏河北省文物研究所。

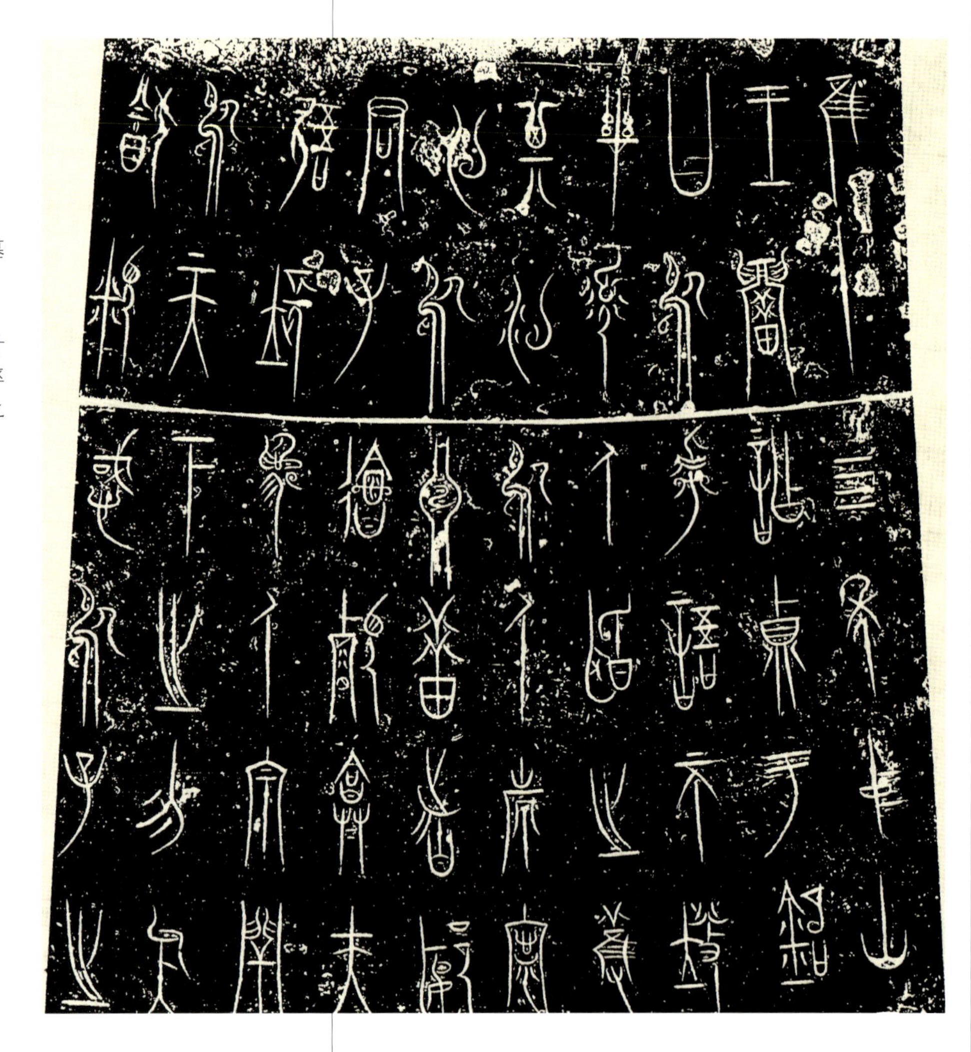

妤盗壺銘

戰國
河北平山縣出土。
器高44.5厘米。
腹部銘文五十九行一百八十二字，記中山王嗣君祭祀先王；圈足鑄銘和刻銘共一行二十二字，記該壺製作年代、製造者與重量。
現藏河北省文物研究所。

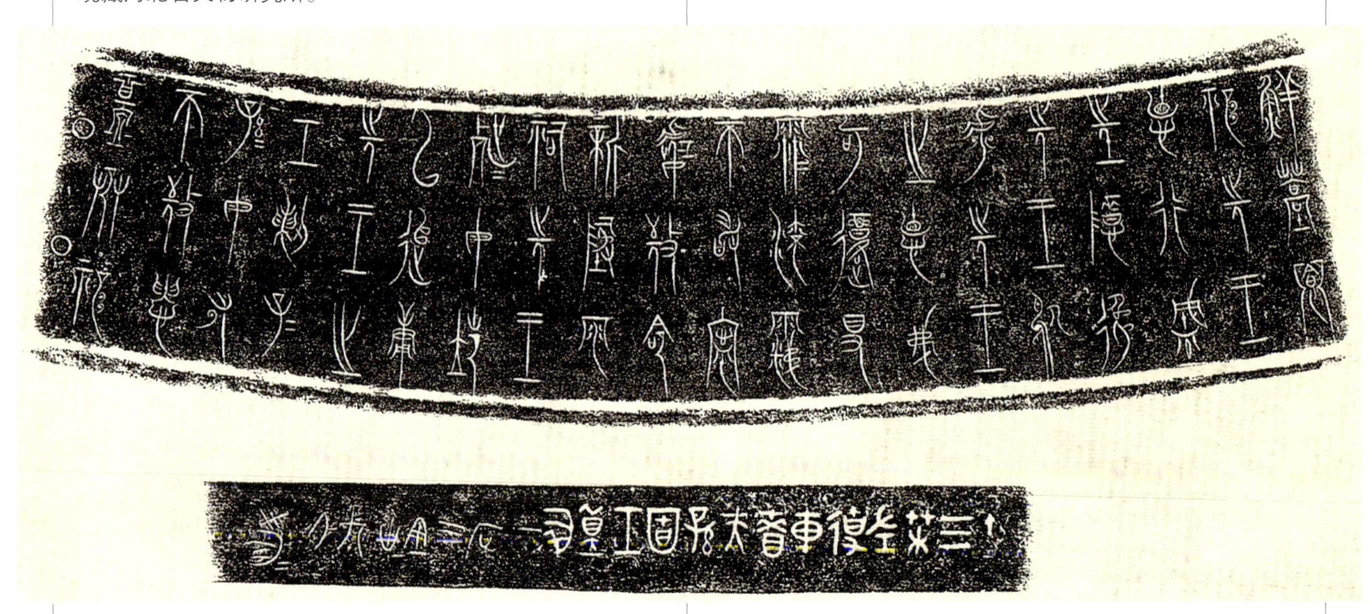

鄂君啓銅節銘

戰國

由五件銅節組成，二件爲舟節（水路通行證），三件爲車節（陸路通行證）。均于正面刻銘文九行，車節一百六十四字，舟節一百四十七字，記楚王賜節于鄂君啓，持之可在規定的水陸範圍内自由通商，并享受免税。

現藏中國國家博物館。

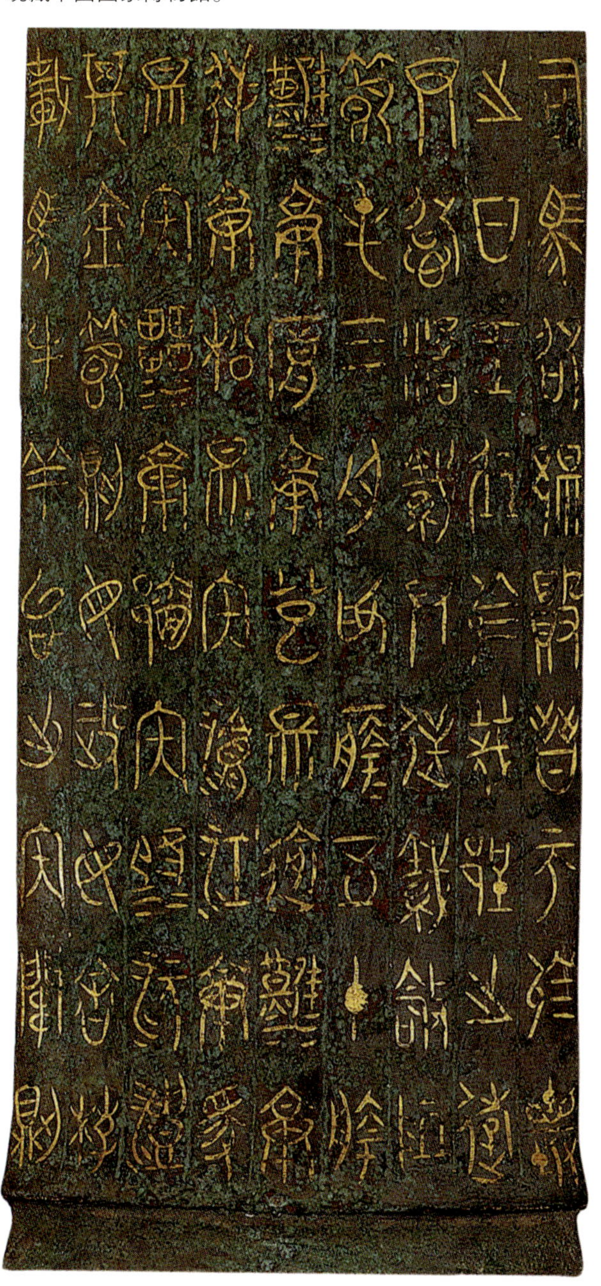

鄂君啓銅節銘實物局部

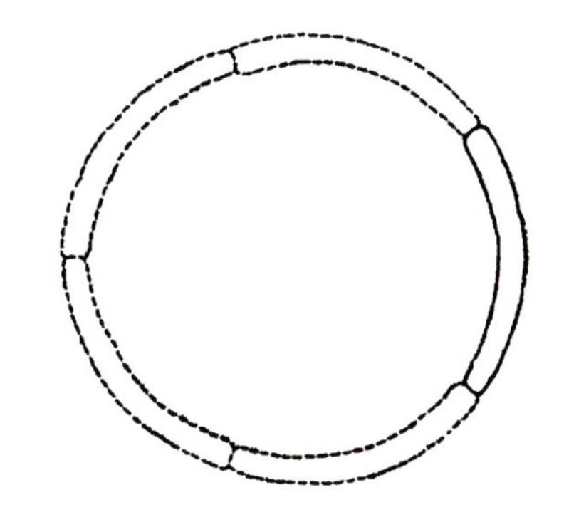

鄂君啓銅節示意圖

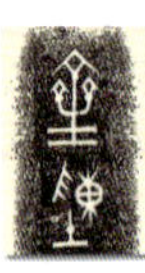

禾簋銘

戰國

器高29.5厘米。

器内鑄銘六行十六字，爲戰國齊文字，記禾爲亡母作祭器。

現藏上海博物館。

郜陵君豆銘

戰國

江蘇無錫市前江出土。

豆盤底部刻銘兩周三十餘字，記郜陵君作此器，是有韵的頌辭。

現藏南京博物院。

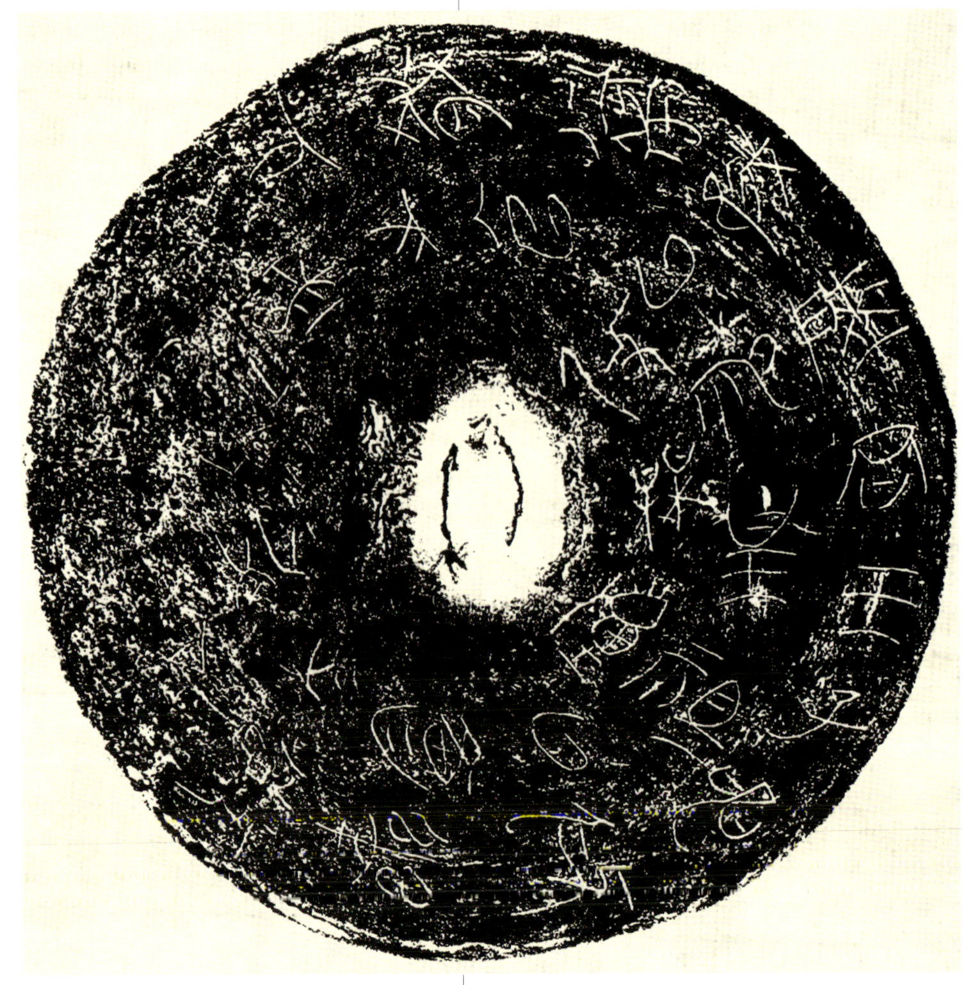

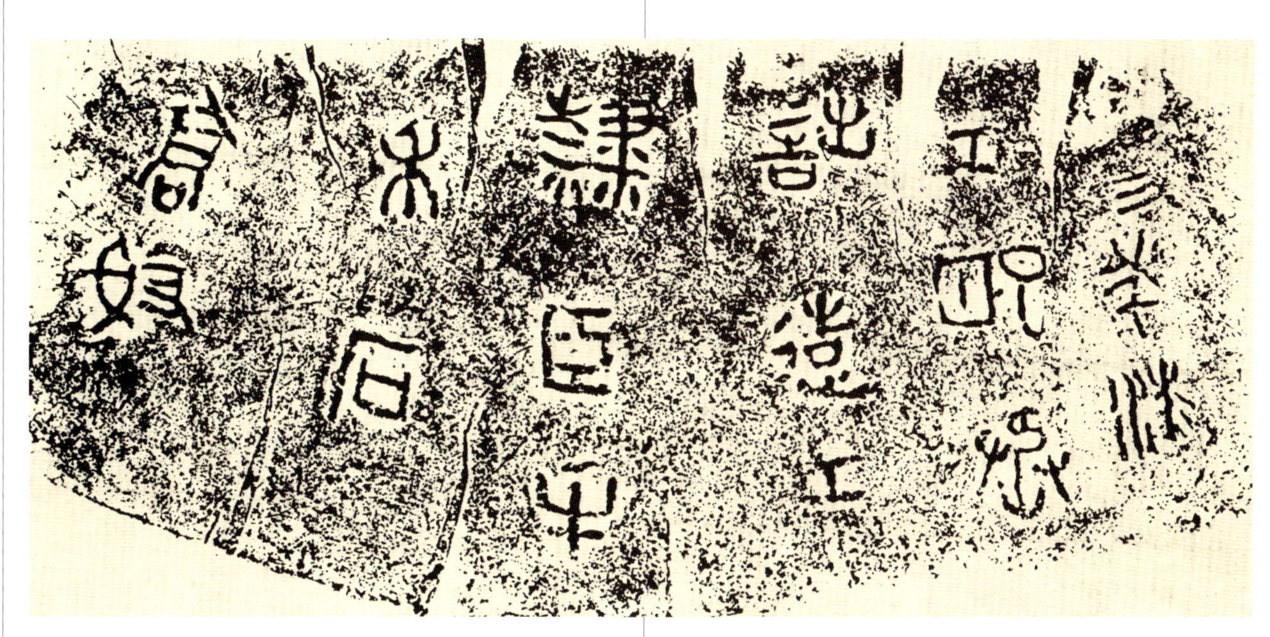

高奴禾石銅權銘

戰國

陝西西安市阿房宮遺址出土。

陽文鑄六行十六字，記該銅權的製造年代、製造者、重量及其置用地。又加刻秦始皇二十六年詔書及二世元年詔書等。

現藏陝西歷史博物館。

錯金銘杜虎符銘

戰國

陝西西安市山門口出土。

鑄銘四十字，銘文錯金。記有關此虎符的法令。

現藏陝西歷史博物館。

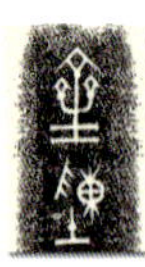

"行氣"玉器銘實物

"行氣"玉器銘拓片

"行氣"玉器銘

戰國

高5.2厘米。

器爲十二面棱柱形，每面陰刻銘文三字，記有關氣功的内容。

現藏天津博物館。

楚帛書

戰國

高38.7、寬47厘米。

寫于絲織物上，整幅由三部分文字組成，共九百六十一字，主要是數術内容。

現藏美國紐約大都會博物館。

郭店《老子》竹簡

戰國

湖北荊門市郭店1號楚墓出土。

共發現三組。甲組共有竹簡三十九枚，竹簡兩端均修削成梯形，簡高32.3厘米；乙組共存十八枚，竹簡兩端平齊，簡高30.6厘米；丙組共存十四枚，竹簡兩端平齊，簡高26.5厘米。三組簡是《老子》的三個不同抄本。此選爲甲組局部。

現藏湖北省荊門博物館。

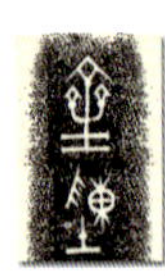

青川木牘

戰國

四川青川縣郝家坪出土。

長46、寬2.5厘米。

墨書秦隸，内容爲秦武王時期田畝制度的律令。

現藏四川博物院。

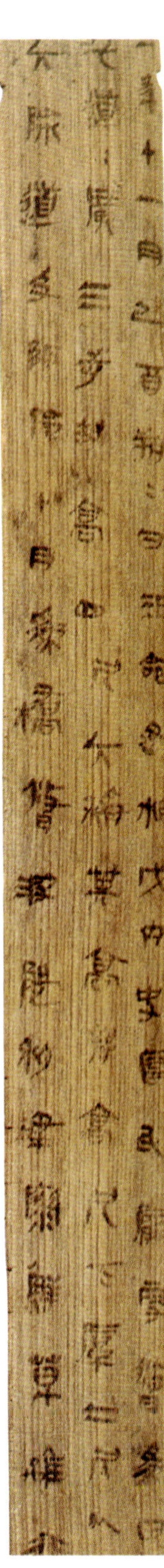

公乘得守丘刻石

戰國

河北平山縣前七汲村出土。

石高90、寬50厘米。

刻銘二行十九字。中山國文字。内容類似後世墓表。

現藏河北省博物館。

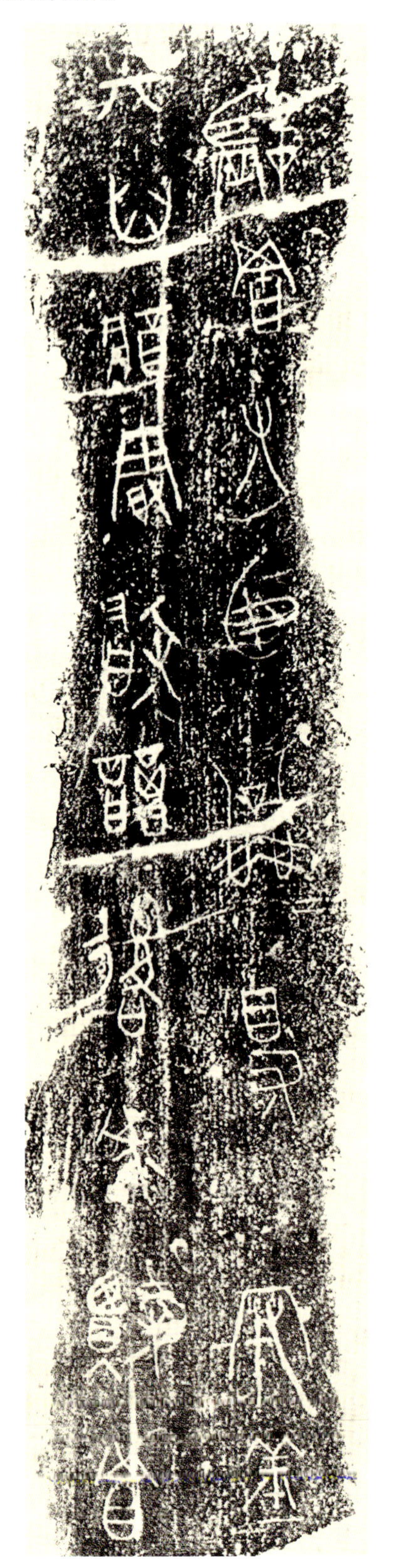

陽陵虎符銘

秦
山東棗莊市薛城區出土。
高3.14、寬8.9厘米。
記關于此虎符的法令。
現藏中國國家博物館。

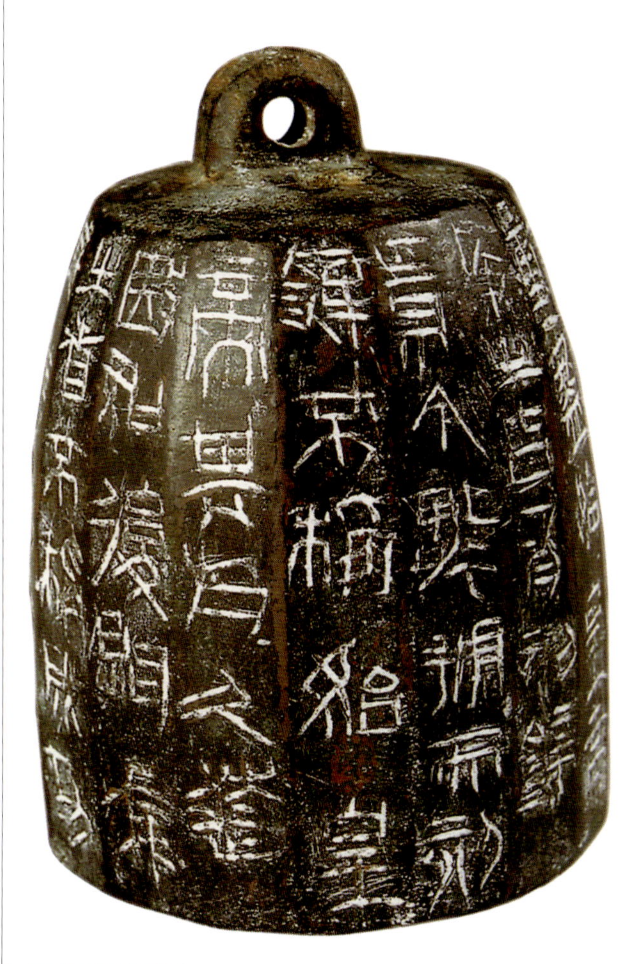

兩詔銅斤權文

秦
陝西西安市秦始皇陵園出土。
權體刻秦始皇詔文四十字，秦二世詔文六十字。
現藏陝西省秦始皇兵馬俑博物館。

秦量詔版文

秦
秦代量器所附詔版文字多有發現。此詔版文刻于秦始皇二十六年（公元前221年），記載了秦始皇二十六年統一天下後統一度量衡的史實。

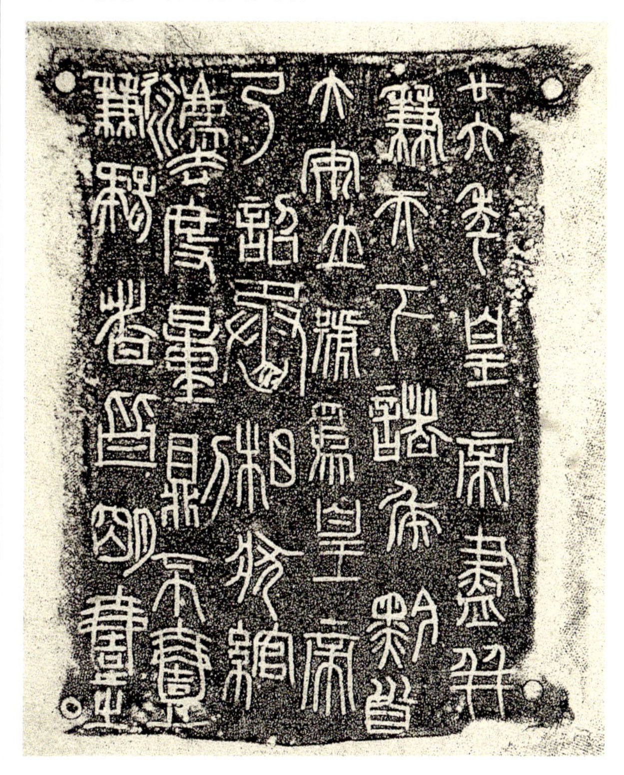

琅玡臺刻石

秦

高132.2、寬65.8-71.3厘米。

石刻原刻于山東膠南市的琅玡山。秦始皇巡游時，曾在此地建琅玡臺，刻石頌揚其統一中國的功績。刻石書體爲秦篆，傳爲李斯所書。現殘存十三行八十七字，前二行爲隨從秦始皇巡游的從臣的官職和姓名，後十一行爲秦二世時補刻的詔書和從臣姓名。

現藏中國國家博物館。

琅玡臺刻石實物

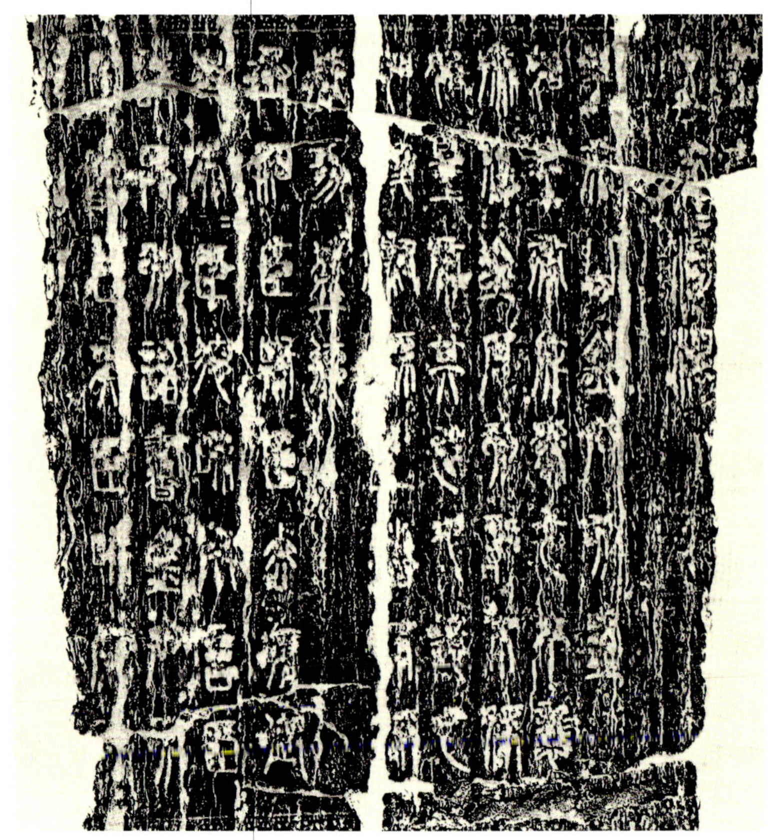

琅玡臺刻石拓片

泰山刻石

秦

又名《封泰山碑》。秦始皇巡游時，在泰山刻石爲其歌功頌德。刻石書體爲秦篆，傳爲李斯所書。石四面刻字，三面爲始皇詔，一面爲秦二世時補刻的詔書和從臣姓名。現僅存九字。此選爲北宋拓本。

現藏山東省泰安市岱廟。

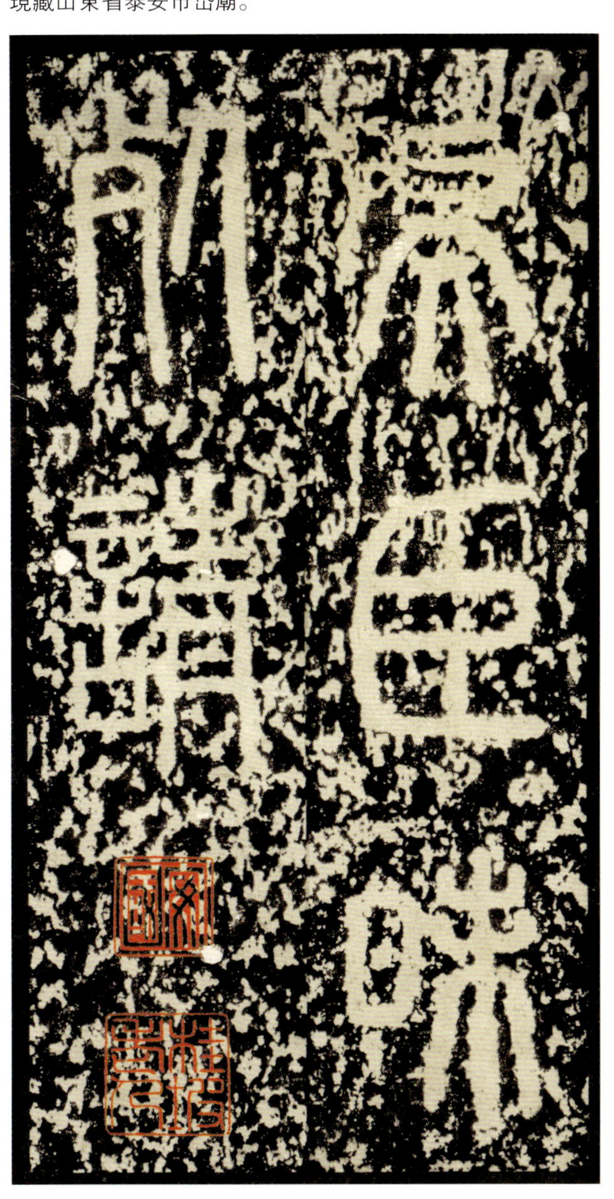

泰山刻石拓本局部之一

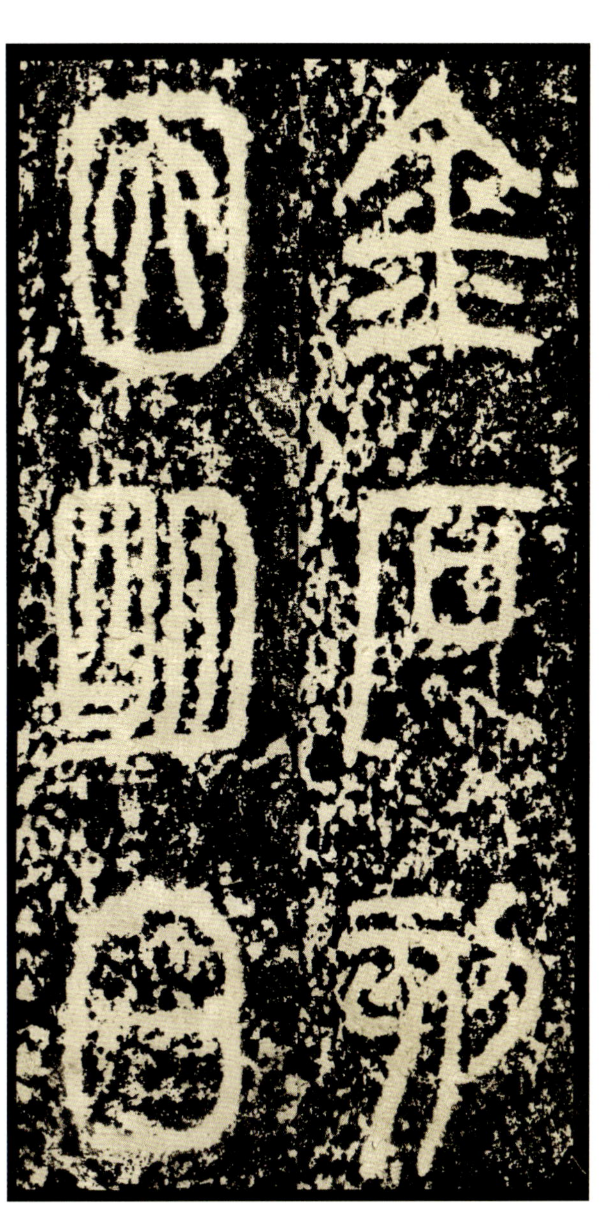

泰山刻石拓本局部之二

“海内皆臣”十二字磚

秦
高30.8、寬26.7厘米。
鋪地磚，正面以凸綫分爲十二格，每格一字，爲對秦朝歌功頌德之辭。
現藏中國國家博物館。

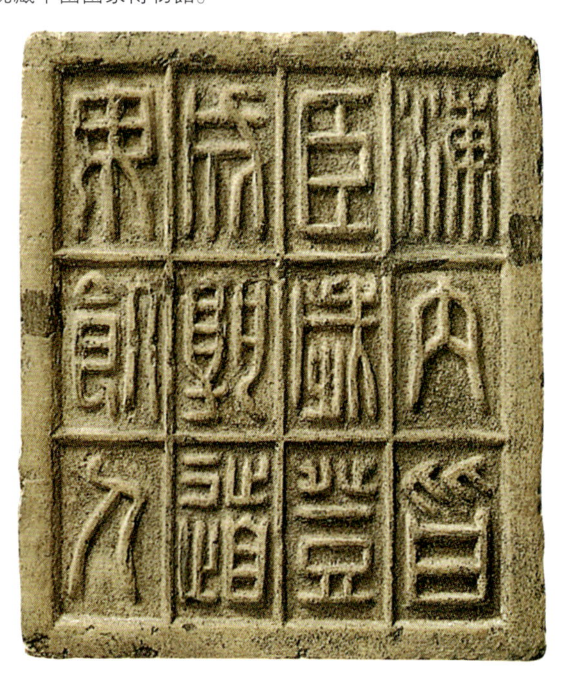

隱成吕氏缶

秦
陝西鳳翔縣高莊出土。
陶缶肩部刻文四行八字。雖爲篆書，但隸意明顯。
現藏陝西省考古研究院。

東武雎瓦

秦
陝西西安市臨潼區出土。
高24.5、寬17厘米。
刻草篆三行九字。
現藏陝西省秦始皇兵馬俑博物館。

雲夢睡虎地秦墓竹簡

秦

湖北雲夢縣睡虎地11號墓出土。

共出土秦簡一千一百五十五支（另有殘片八十片）。

隸書，爲小篆向古隸過渡的初始形態。主要内容爲秦律和日書等。

現藏湖北省博物館。

關沮秦墓竹簡

秦

湖北荆州市出土。

高29.3–29.6、寬0.5–0.7厘米。

隸書。内容爲日書等。此爲其中五枚。

現藏湖北省荆州市周梁玉橋遺址博物館。

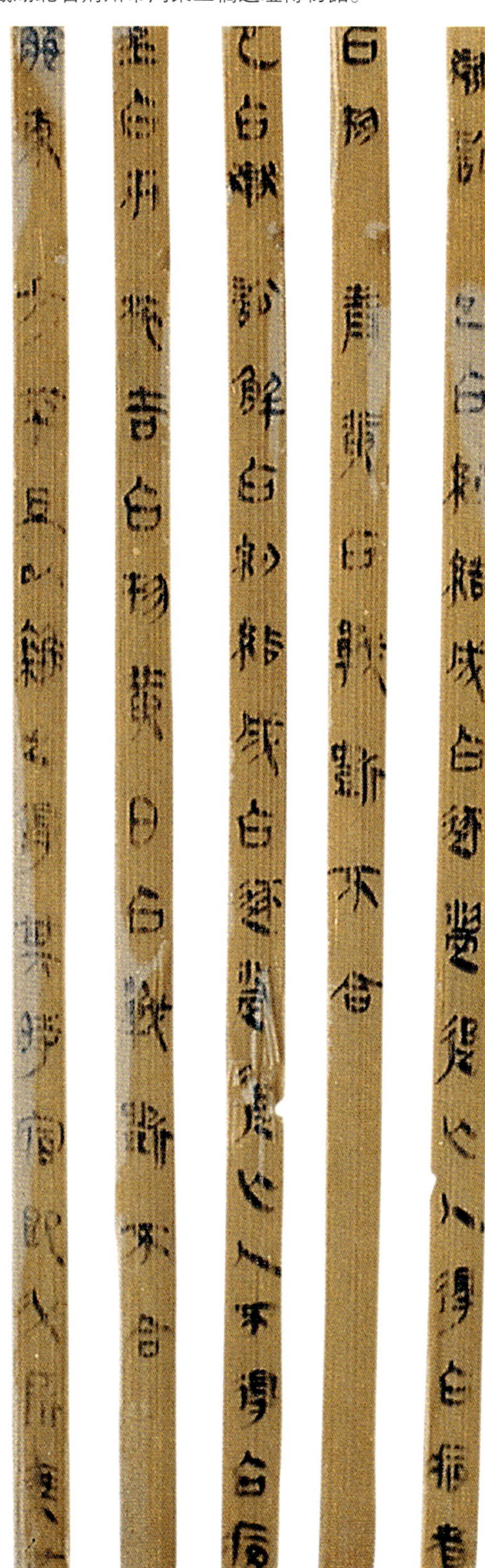

里耶木牘

秦

湖南龍山縣里耶鎮古城遺址出土。

最高者長23厘米。

里耶古城遺址共出土簡牘三萬六千餘枚，多爲秦時縣一級的政府檔案。書體爲秦隸，保留很多小篆筆意。

現藏湖南省文物考古研究所。

里耶木牘正面

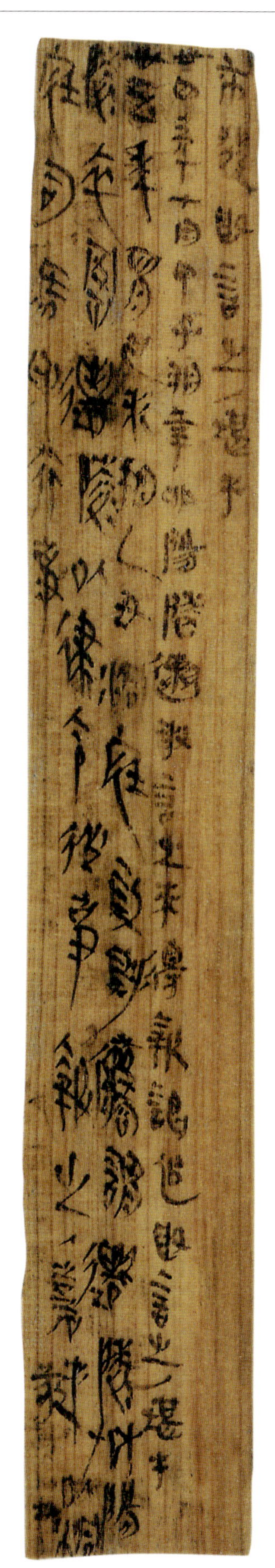

里耶木牘背面

上林共府銅升銘

西漢

刻于初元三年（公元前46年）。

銘文寫明升的容量、重量及歸屬。

現藏天津博物館。

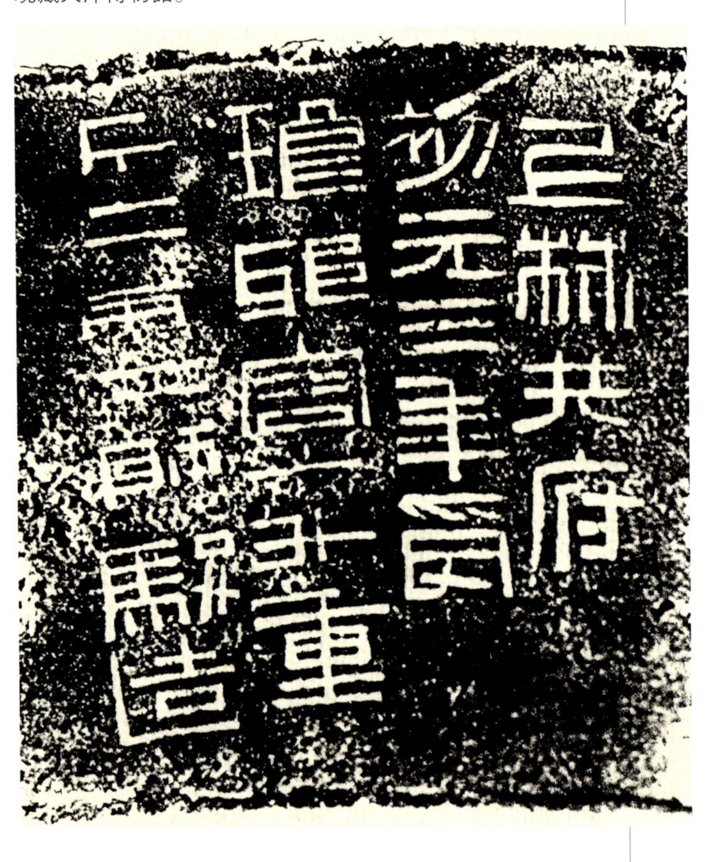

陽信家耳杯銘

西漢

陝西興平市茂陵1號無名冢1號隨葬坑出土。

器高10.3厘米。

器内底刻銘二行二十二字。

現藏陝西省茂陵博物館。

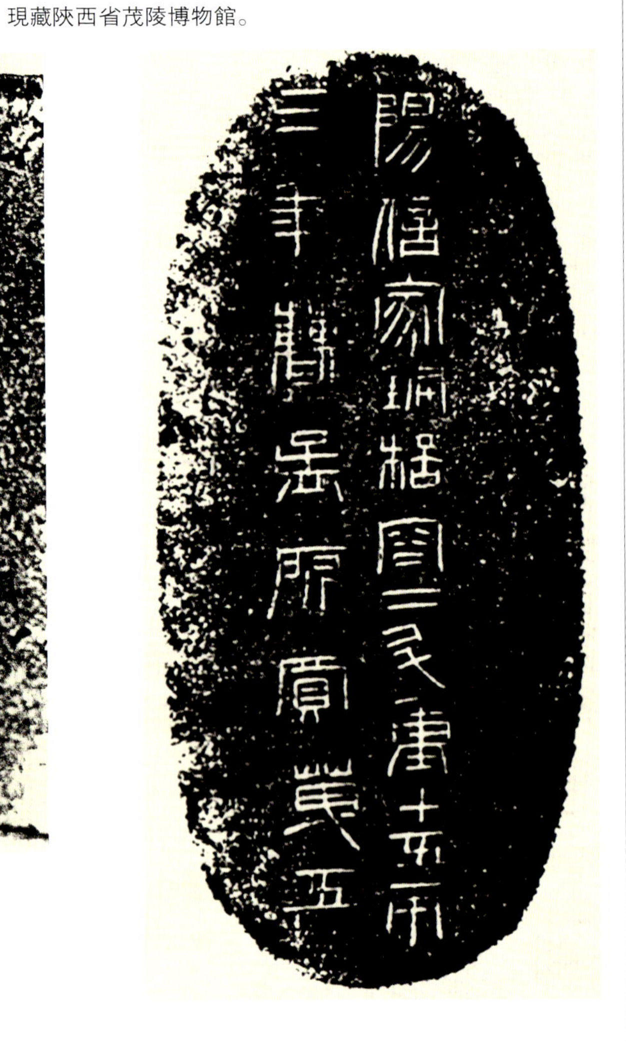

陽泉使者舍熏爐銘

西漢

刻銘十四行四十七字。

此圖爲拓片局部。

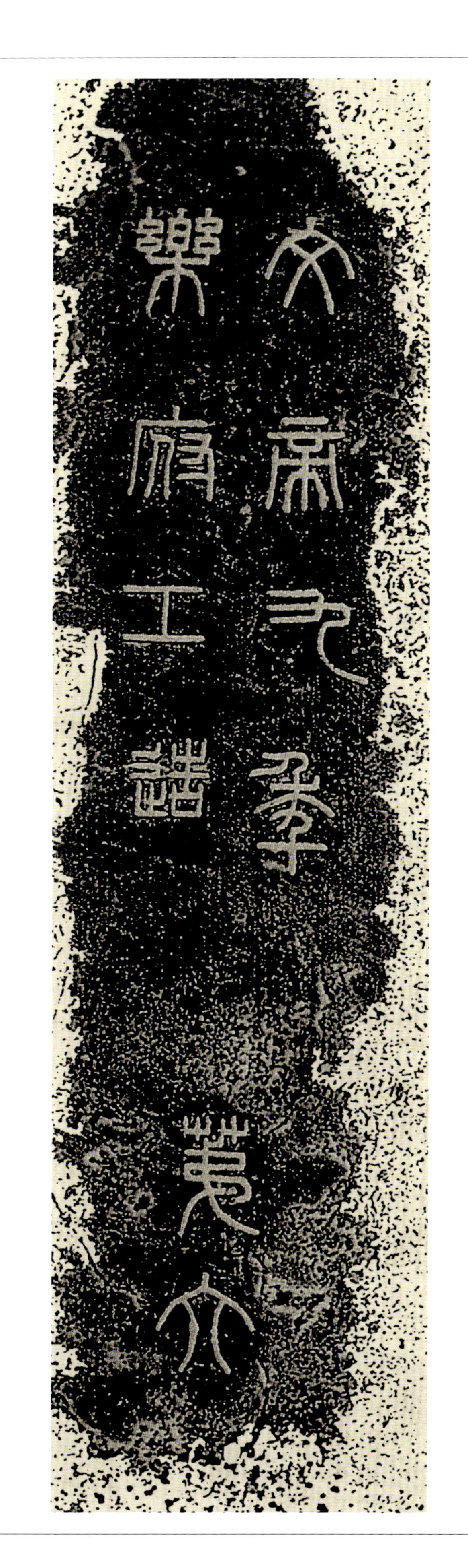

文帝九年鐃銘（左圖）

西漢

廣東廣州市象崗山南越王墓出土。

鐃爲青銅樂器，素身。鉦部摹刻小篆三行十字。“文帝”即第二代南越王，“文帝九年”爲公元前129年。現藏廣東省廣州南越王墓博物館。

元始四年鈁銘

西漢

器身刻銘三行三十五字。刻于元始四年（公元4年）。

上林鑑銘

西漢

陝西西安市三橋鎮高窑村漢上林苑遺址出土。

器高48、口徑65厘米。

器腹壁刻銘四行二十五字。記此鑑的容量、重量和鑄造時間。

現藏陝西省西安市文物保護考古所。

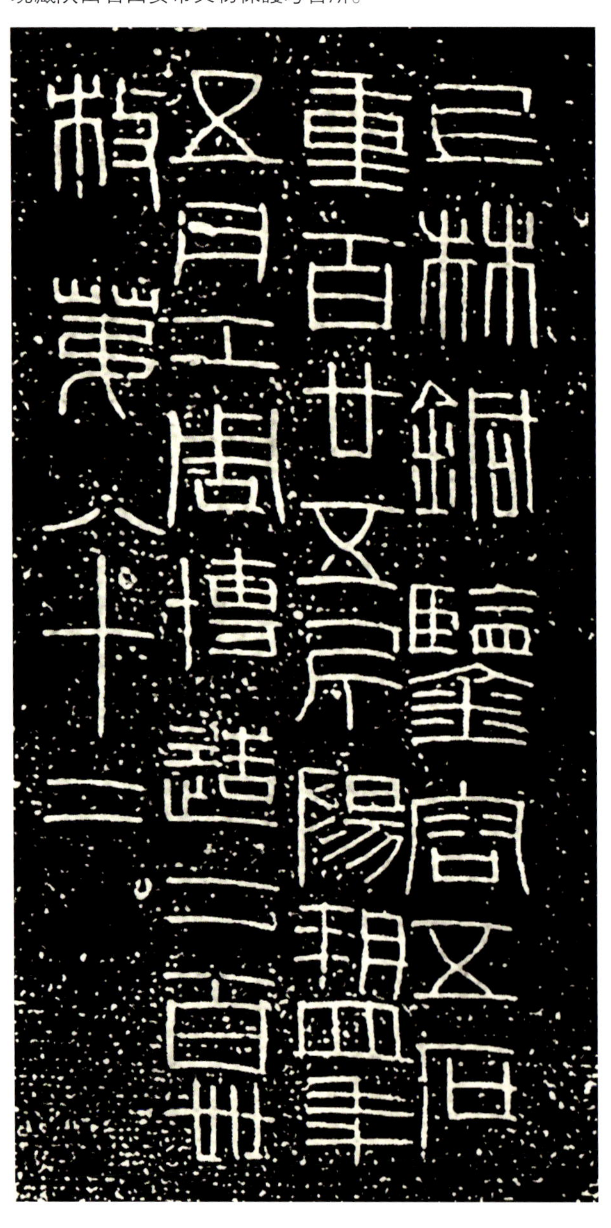

上林鑑銘（右圖）

西漢

陝西西安市三橋鎮高窑村漢上林苑遺址出土。

器高45、口徑70.5厘米。

口沿上刻銘一行二十二字。記該鑑的容量、重量和鑄造時間。

現藏陝西省西安市文物保護考古所。

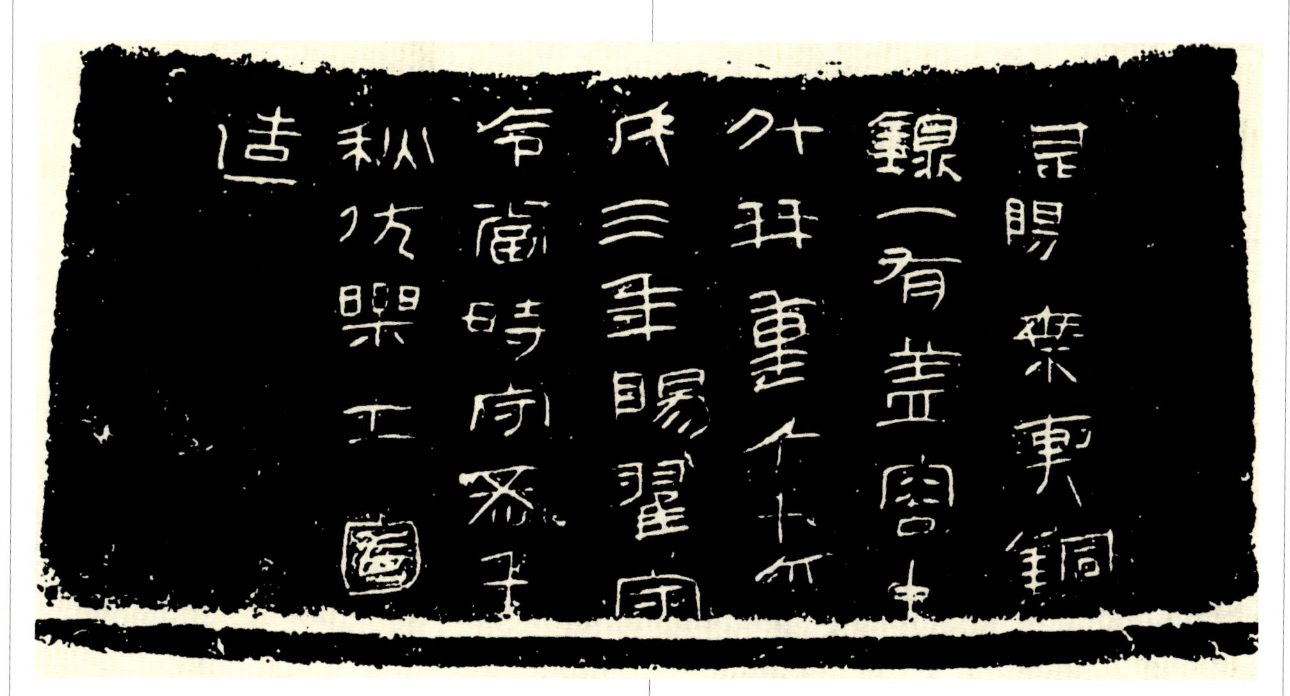

昆陽乘輿鼎銘

西漢

陝西西安市三橋鎮高窑村漢上林苑遺址出土。

器高38厘米。

器身刻銘七行三十五字。

現藏陝西省西安市文物保護考古所。

中山内府鈁銘

西漢

河北滿城縣陵山劉勝墓出土。

器高36厘米。

器頸部刻銘七行二十七字。寫明容量、重量和鑄造時間及器物歸屬。

現藏河北省博物館。

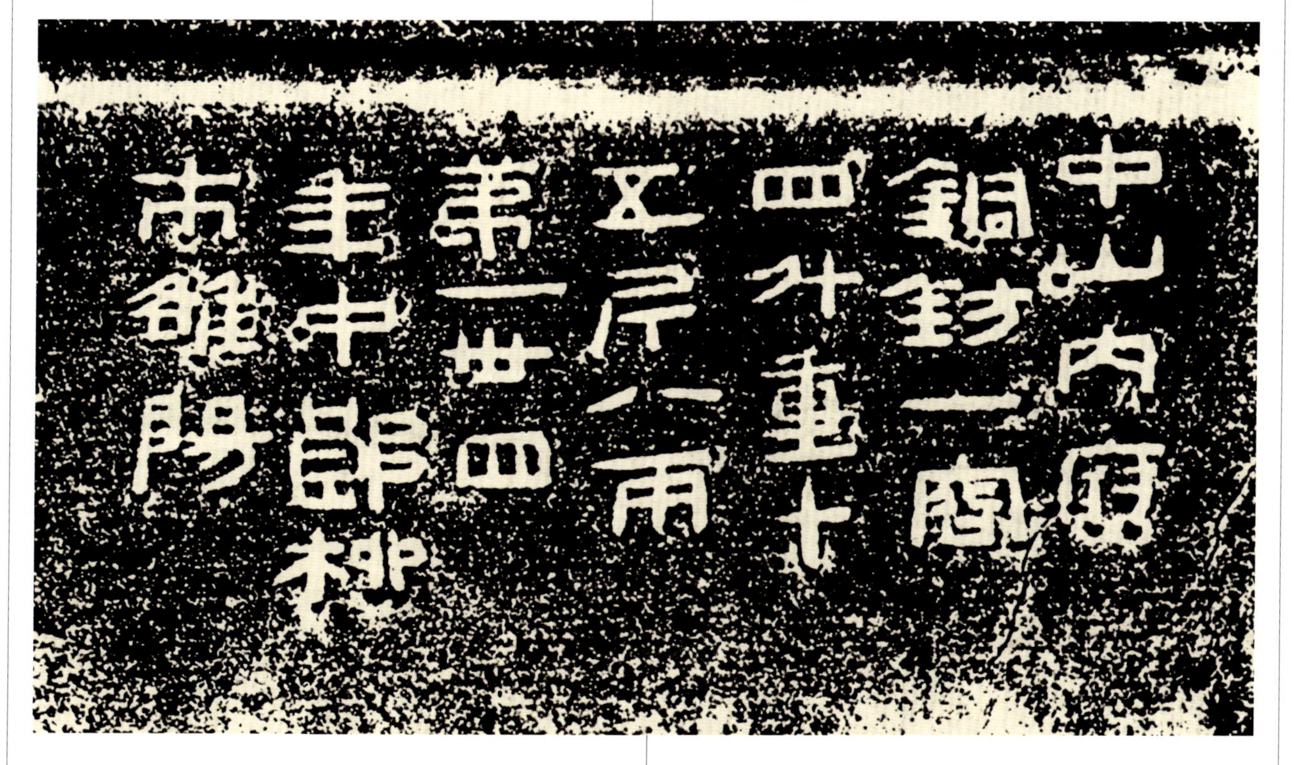

平都犁斛銘

西漢

器高6.5厘米。

器外刻銘五行三十一字。一側一行刻“平都”二字，另一側四行寫明容量、重量和器物的歸屬。

現藏天津市文物局。

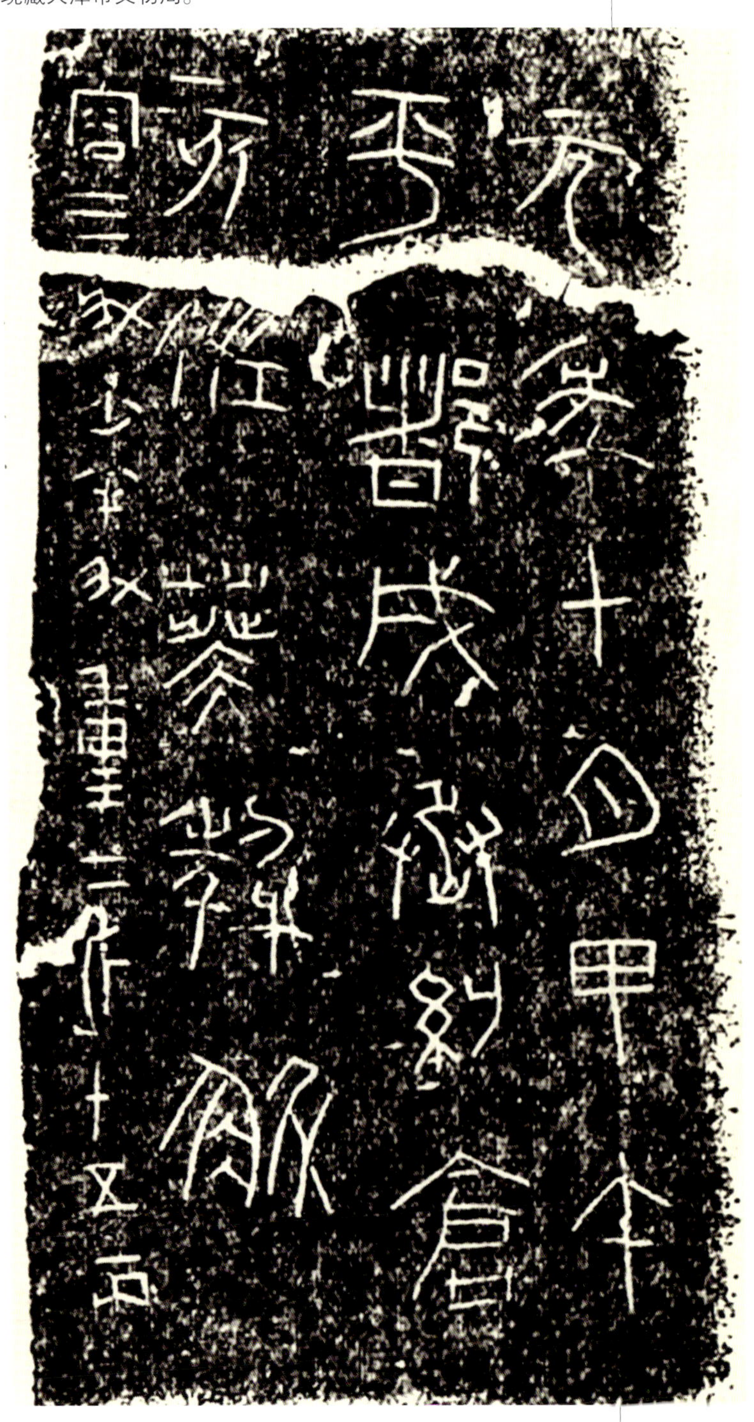

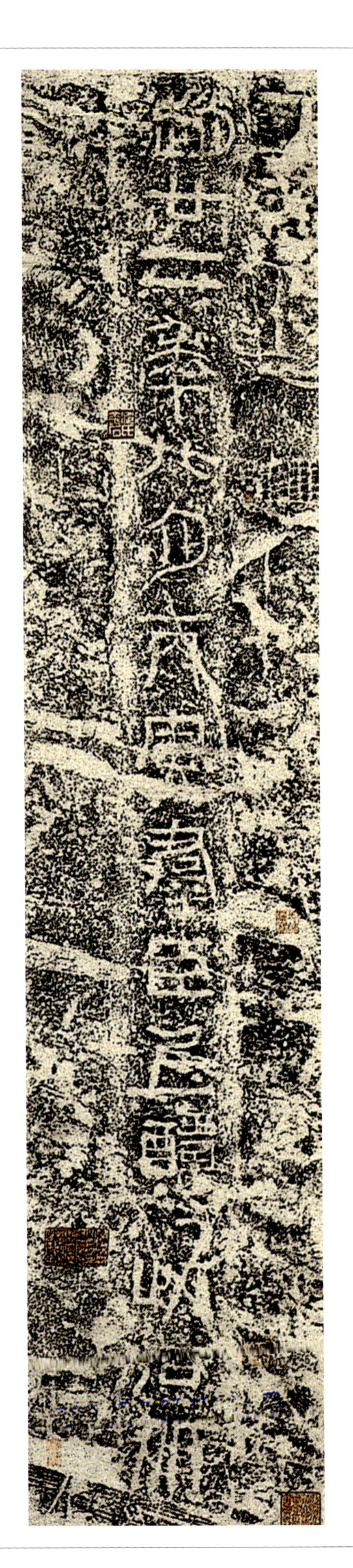

群臣上壽刻石（右圖）

西漢

河北永年縣出土。

篆書一行十五字。刻于後元六年（公元前158年）。

五鳳刻石

西漢
山東曲阜市孔廟内太子釣魚池出土。
隸書三行十三字。刻于五鳳二年（公元前56年）。
現藏山東省曲阜孔府文物檔案館。

馬王堆帛書

西漢
湖南長沙市馬王堆3號漢墓出土。
篇目二十多種，約十二萬字，墨書寫于生絲細絹之上。
内容以哲學和史學書籍爲主，另有陰陽占卜和醫學類書籍等。
現藏湖南省博物館。

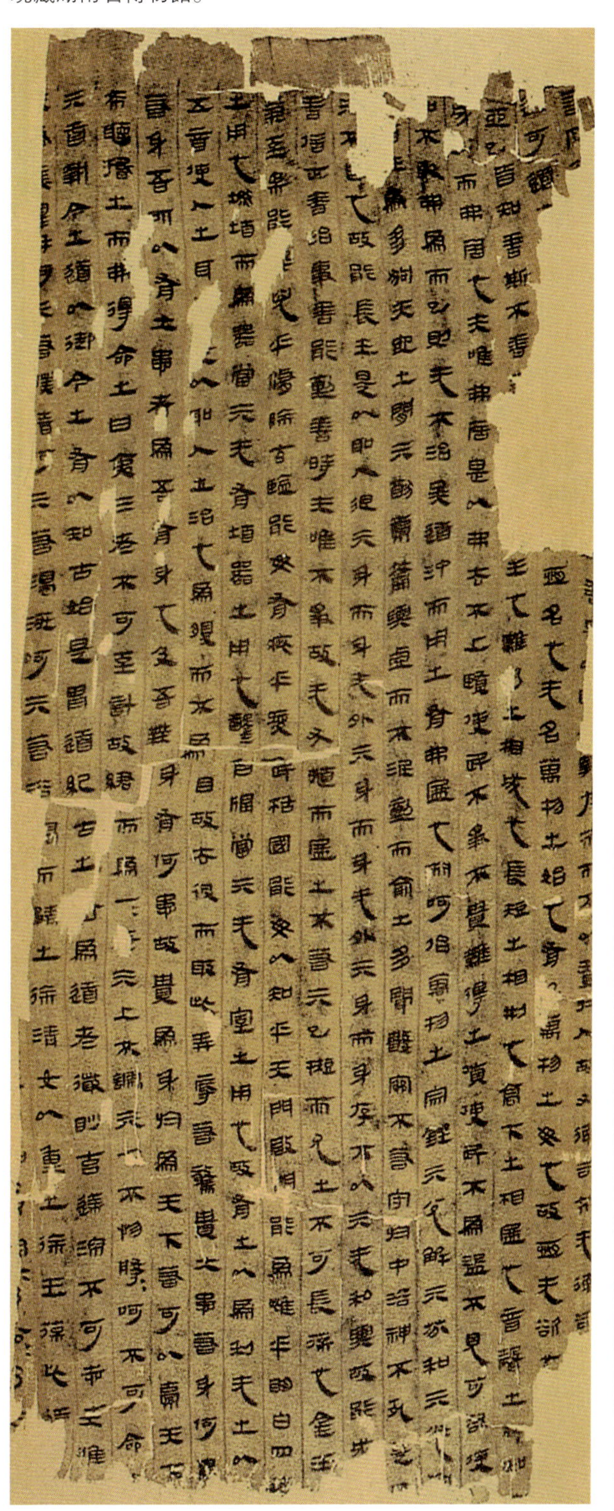

馬王堆帛書局部之一

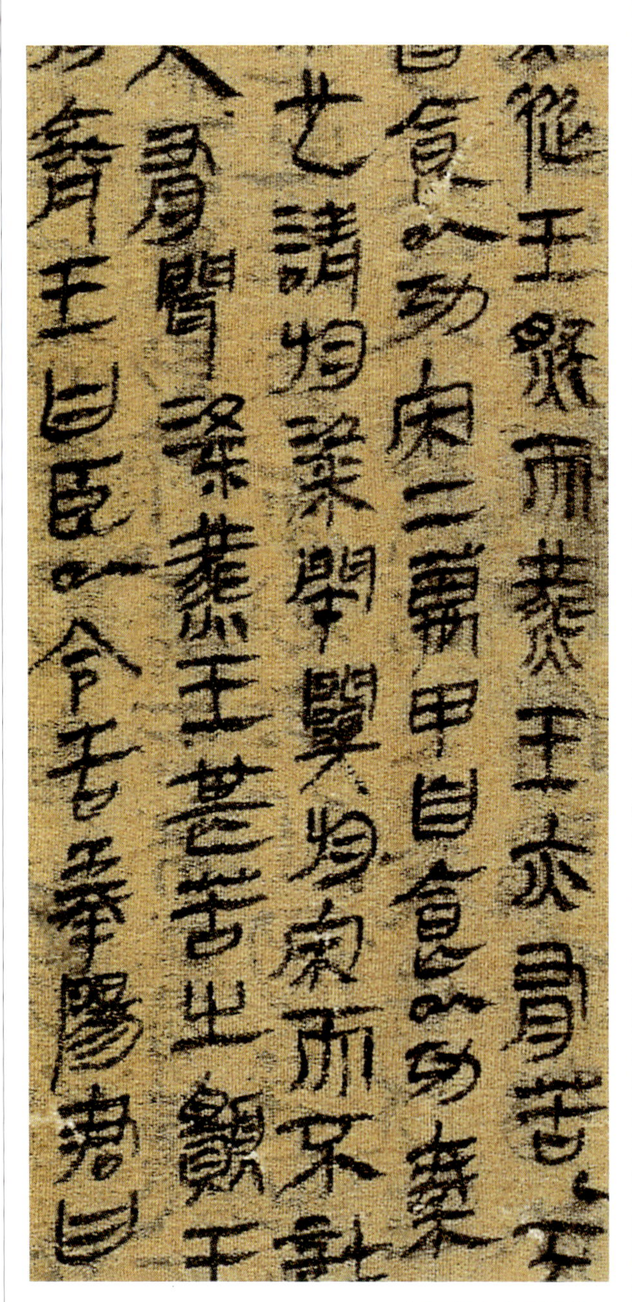

馬王堆帛書局部之二

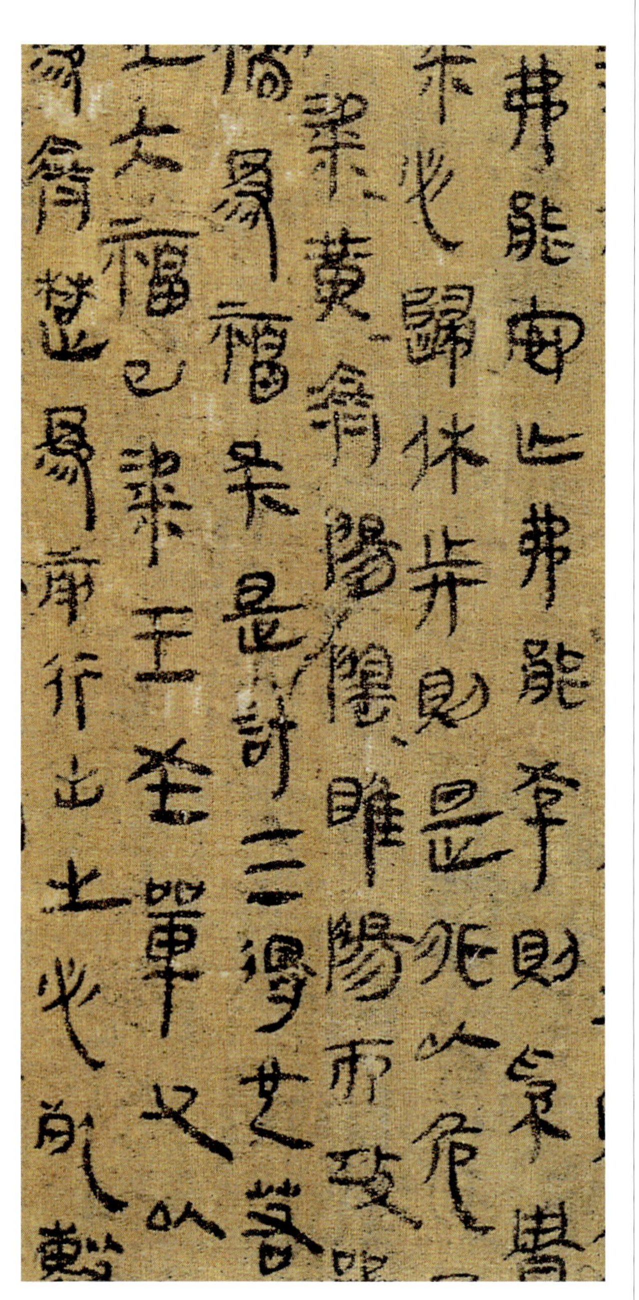

馬王堆帛書局部之三

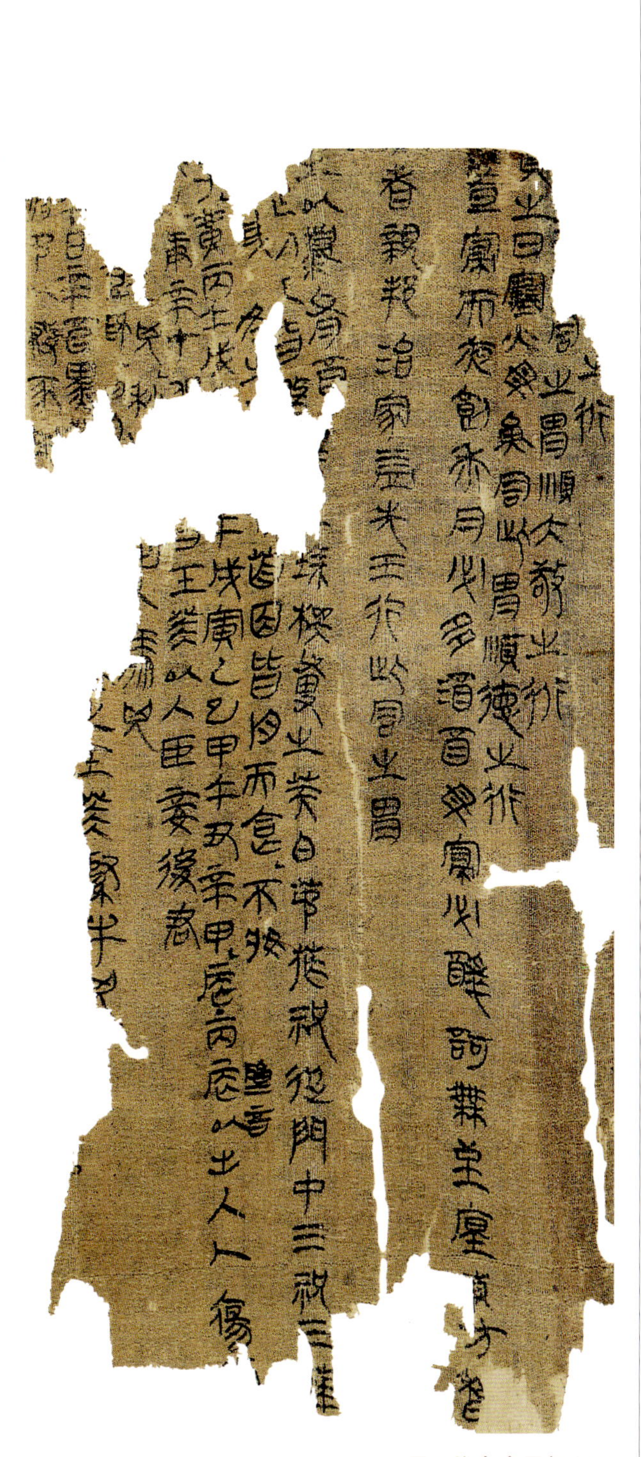

馬王堆帛書局部之四

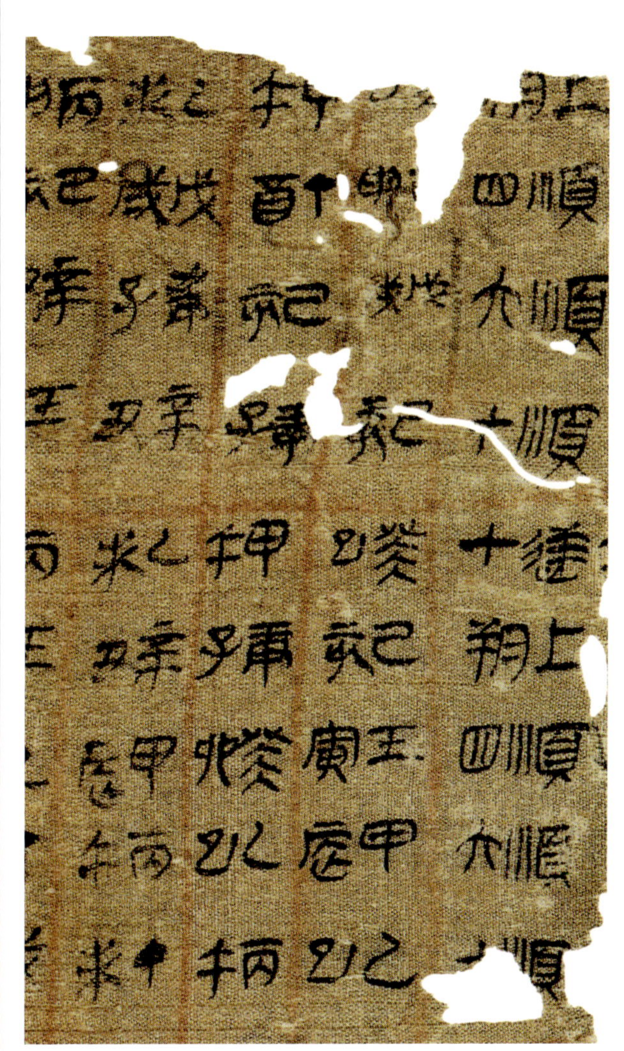

馬王堆帛書局部之五

武威張伯升柩銘

西漢
甘肅武威市磨嘴子第23號漢墓出土。
高118、寬40厘米。
墨書小篆二行，寫于淡黄色的麻布上。
現藏甘肅省博物館。

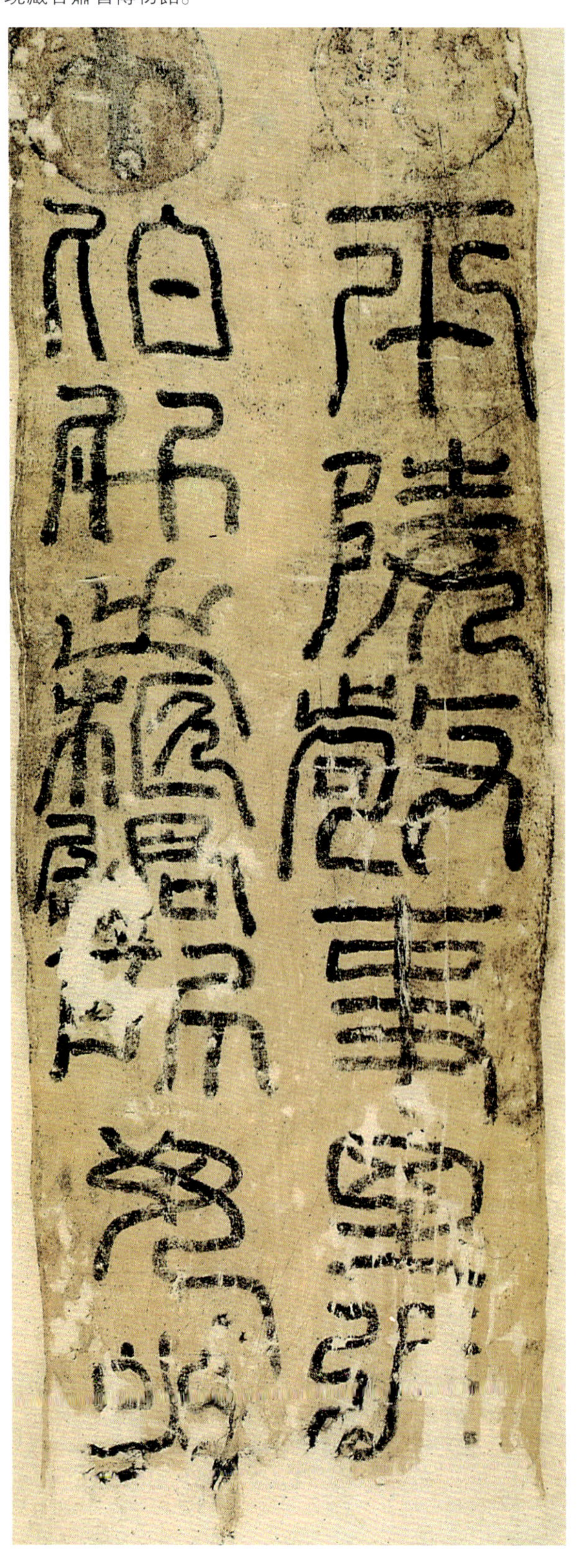

張掖都尉棨信

西漢
甘肅金塔縣肩水金關遺址出土。
高21、寬16厘米。
墨書于絲織物上。
現藏甘肅省文物考古研究所。

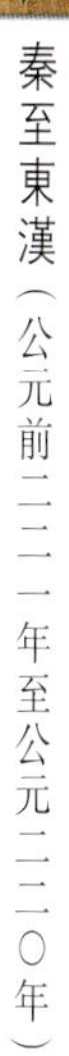

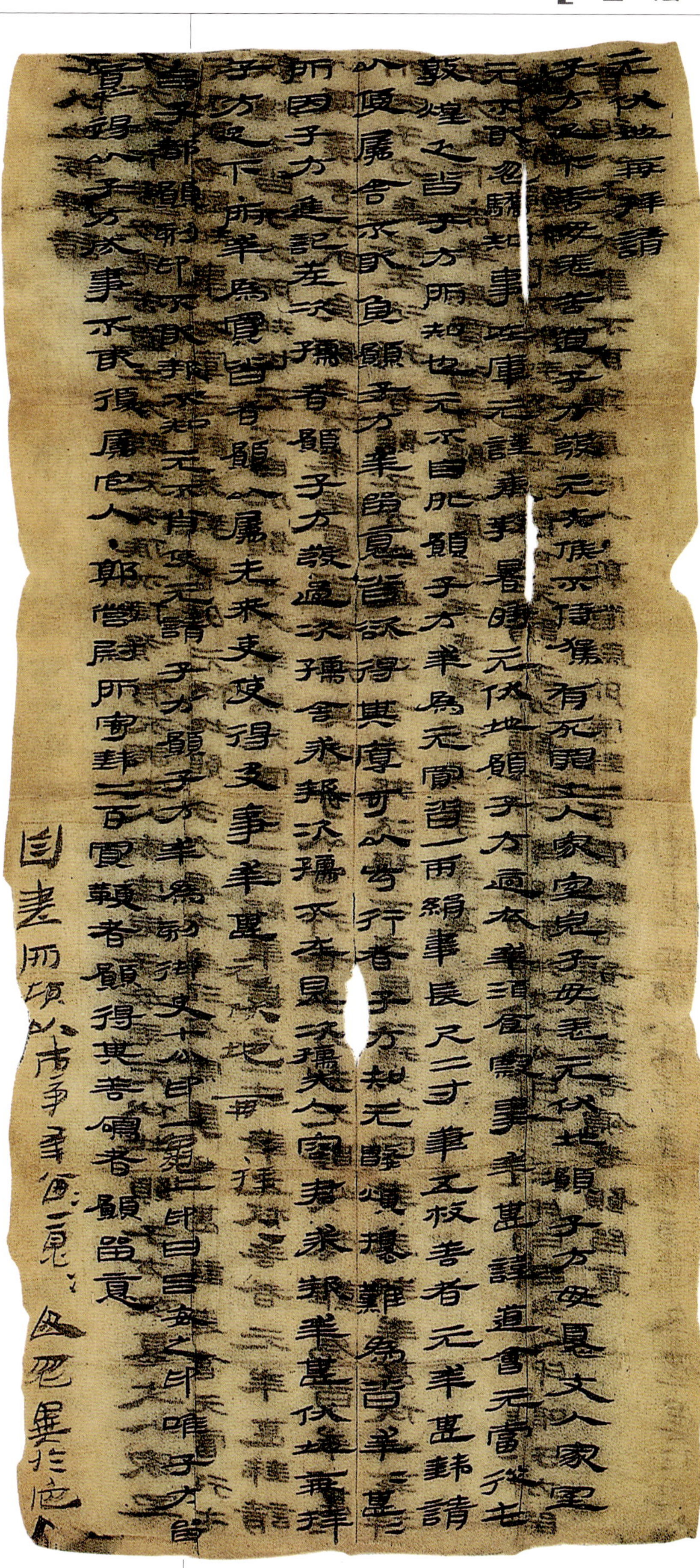

帛書信札

西漢

甘肅敦煌市甜水井懸泉置遺址出土。

高23.2、寬10.7厘米。

文字共十行三百七十字。內容爲私人信件。

現藏甘肅省文物考古研究所。

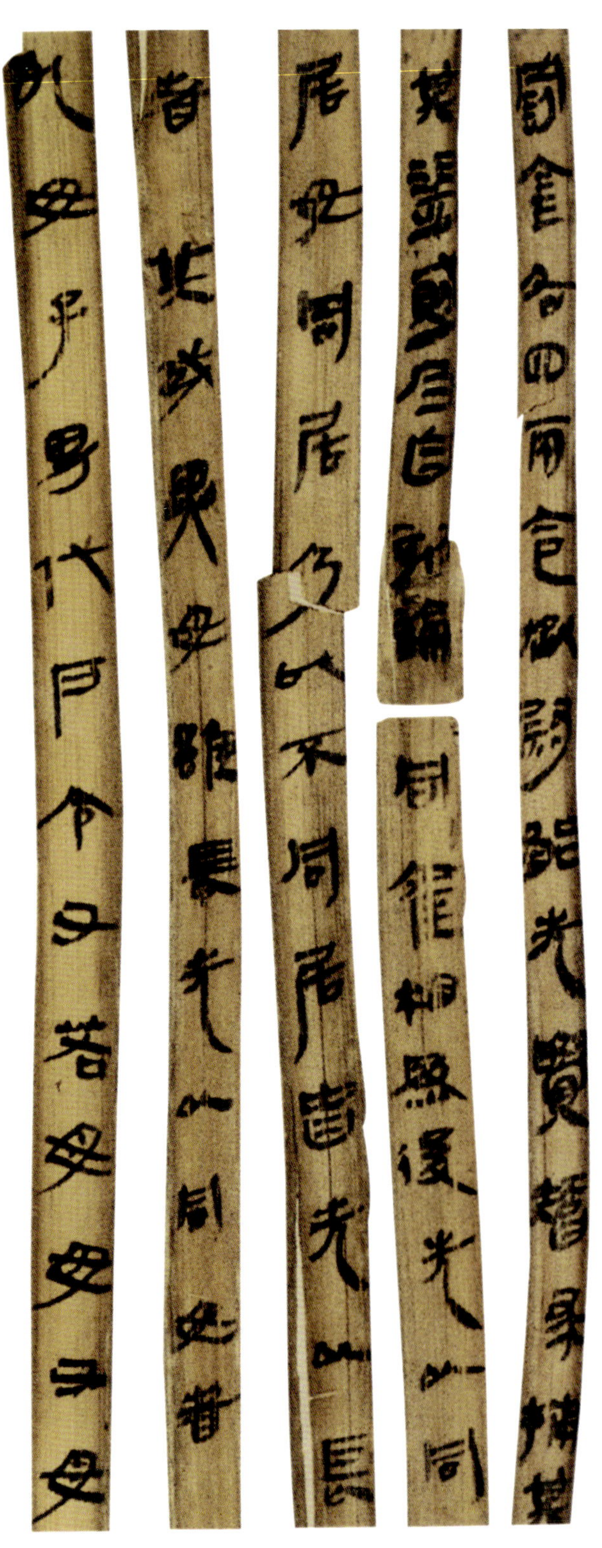

《二年律令》竹簡

西漢

湖北荊州市張家山第247號墓出土。

張家山竹簡書體爲西漢初期的古隸，篆意明顯。此篇内容爲法律條文。

現藏湖北省博物館。

《蓋廬》竹簡

西漢

湖北荊州市張家山第247號墓出土。

内容以對話形式闡述了申胥的政治、軍事思想，屬兵陰陽家著作。此選爲局部。

現藏湖北省博物館。

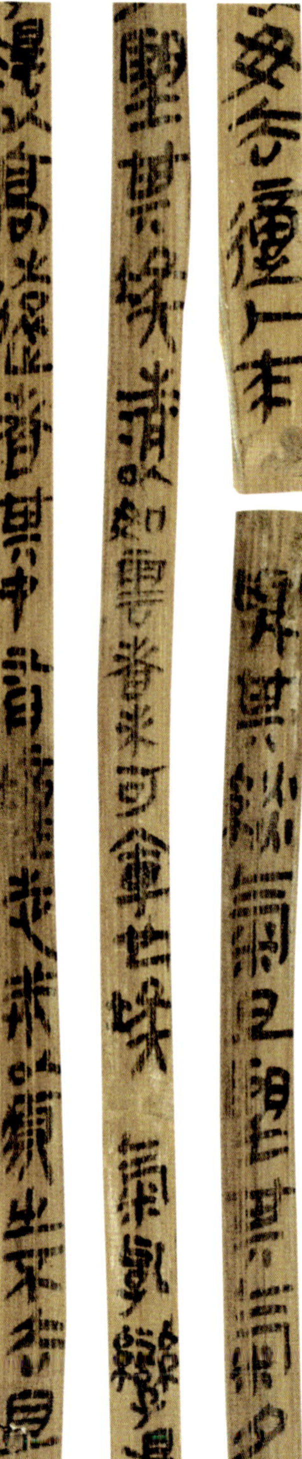

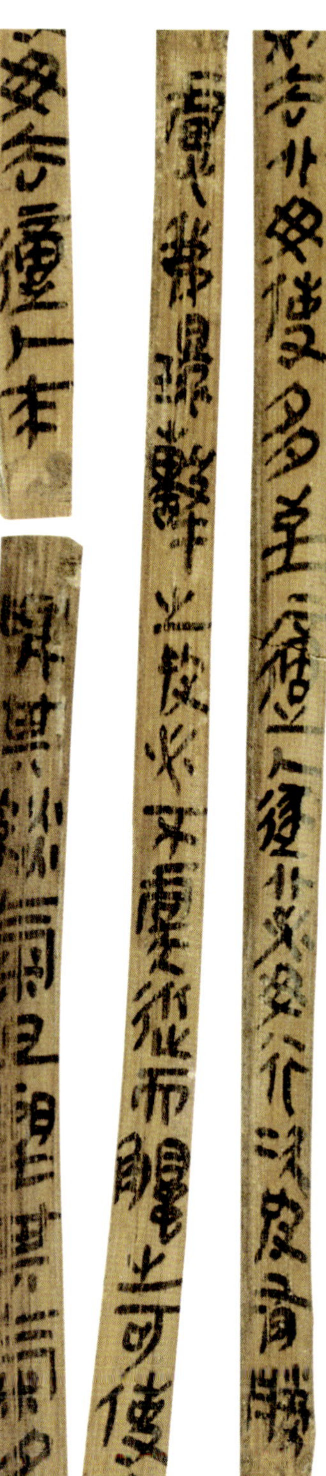

《奏讞書》竹簡

西漢
湖北荆州市張家山第247號墓出土。
內容爲秦、漢時期的司法訴訟案例。此選爲局部。
現藏湖北省博物館。

《安陸守丞綰文書》木牘

西漢
湖北荆州市鳳凰山9號漢墓出土。
鳳凰山木牘書體爲西漢早期古隸，尚存篆意。此篇內容爲安陸守丞綰受南郡守指派，前往關中買馬時寫的書信。
現藏湖北省博物館。

《中舨共侍約》木牘

西漢

湖北荆州市鳳凰山10號漢墓出土。

内容爲民間的商業合約。

現藏湖北省博物館。

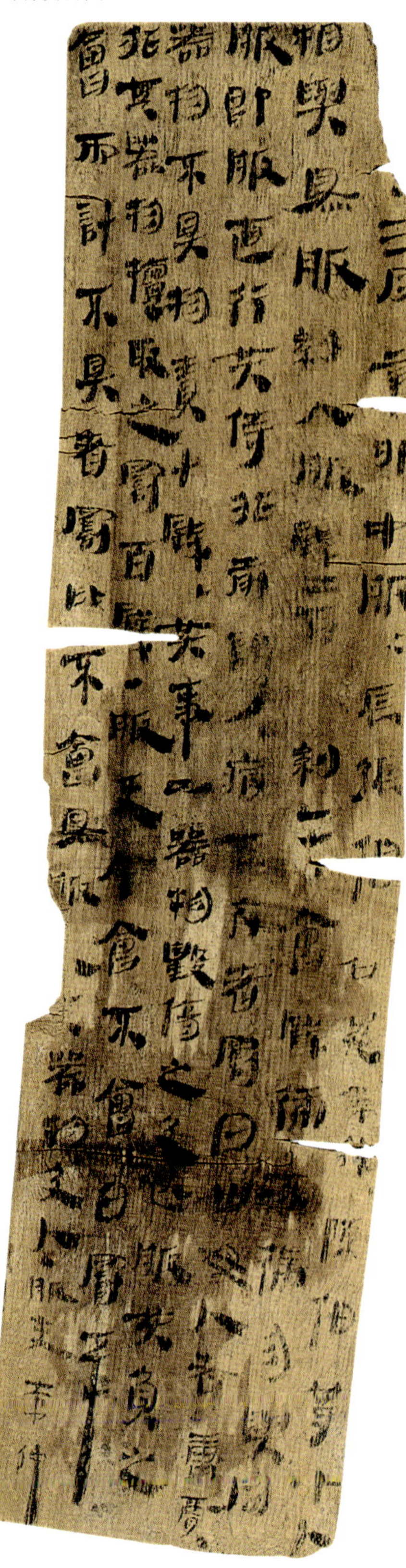

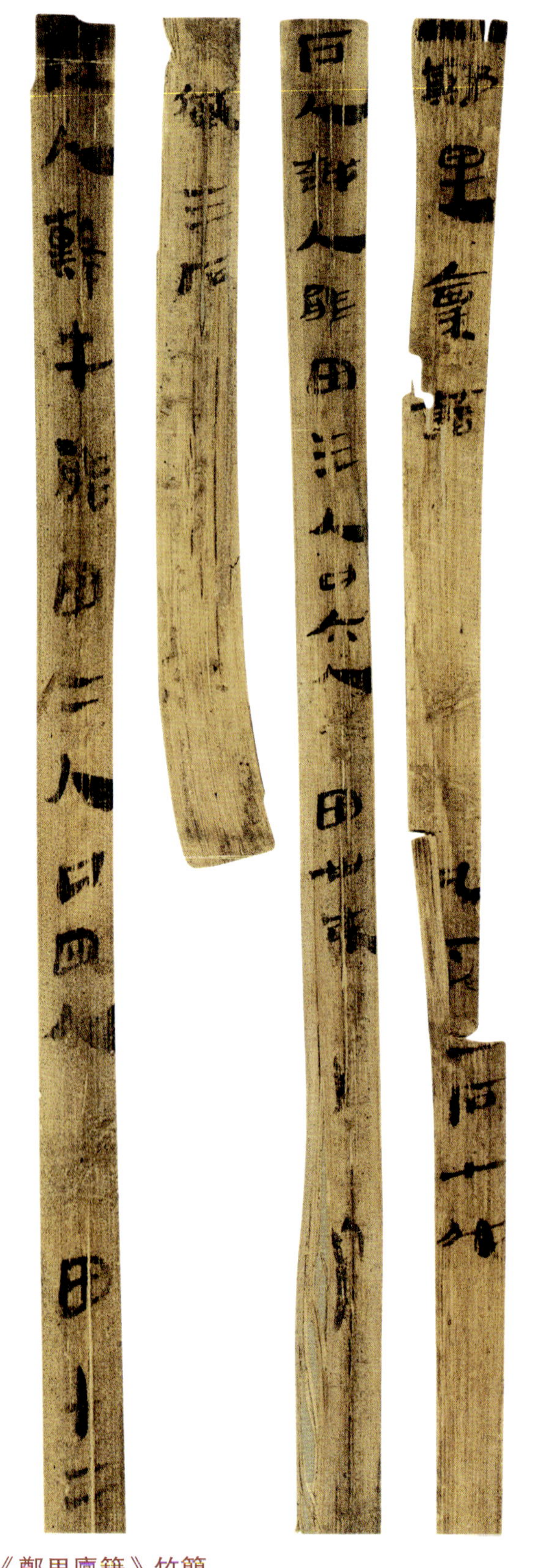

《鄭里廩籍》竹簡

西漢

湖北荆州市鳳凰山10號漢墓出土。

内容爲農户貸種實的記録。此選爲局部。

現藏湖北省博物館。

《合陰陽》竹簡

西漢

湖南長沙市馬王堆3號漢墓出土。

高23、寬1厘米。

内容爲房中養生術，屬醫簡。此選爲局部。

現藏湖南省博物館。

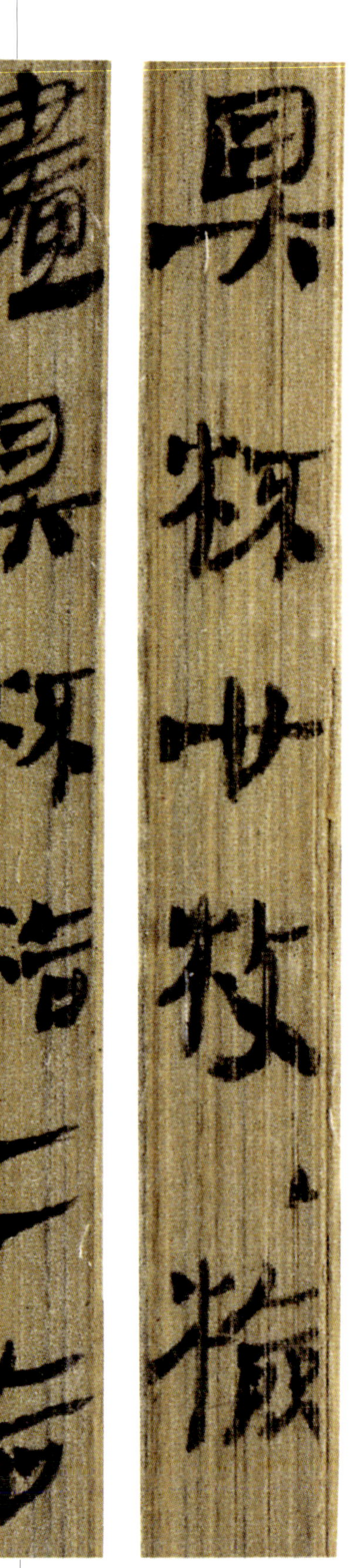

《遣策》竹簡
西漢
湖南長沙市馬王堆1號漢墓出土。
高27.6、寬0.7厘米。
遣策即隨葬物清單。
此選爲局部。
現藏湖南省博物館。

《日書》竹簡

西漢
湖南沅陵縣城關鎮虎溪山1號漢墓出土。
長27、寬0.8厘米。
《日書》整簡約五百枚，記當時的歷史事件和天文曆法。此選爲局部。

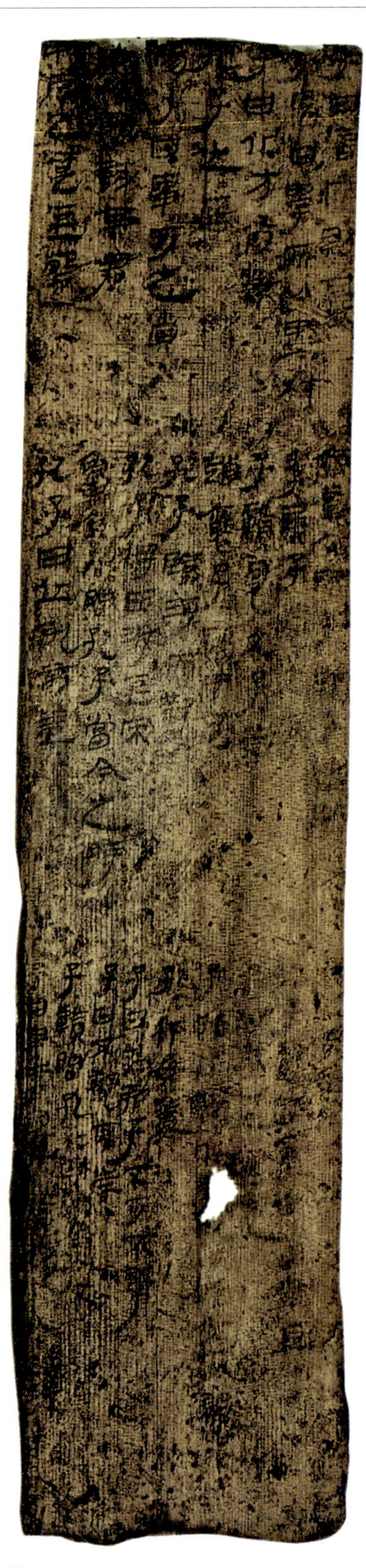

阜陽木牘

西漢

安徽阜陽市雙古堆1號墓出土。

高22.3–22.5、寬5.1–5.3厘米。

隸體。雙面書寫。内容記孔子和門人的言行。此選爲正面。

現藏安徽省博物館。

《孫子兵法》竹簡

西漢

山東臨沂市銀雀山1號漢墓出土。

整簡長27.6厘米。此選爲局部。

現藏山東省博物館。

《神烏傅》竹簡

西漢

江蘇東海縣尹灣6號漢墓出土。

簡每枚高23.5、寬0.9厘米。

“傅”通“賦”，此簡是一篇用擬人手法講述雌烏遭盜烏傷害，臨死時與雄烏訣别的賦體作品。書體主要爲隸草體。此選爲局部。

現藏江蘇省連雲港市博物館。

《神龜占》木牘

西漢

江蘇東海縣尹灣6號漢墓出土。

文爲占卜内容，中間繪小龜。

現藏江蘇省連雲港市博物館。

木謁

西漢
江蘇東海縣尹灣6號漢墓出土。
文三行二十三字，爲墓主人的名謁。
現藏江蘇省連雲港市博物館。

《丞相御史律令》木簡

西漢
甘肅金塔縣肩水金關遺址出土。
内容爲通緝謀反犯人的通令。書體爲隸草體。
現藏甘肅省文物考古研究所。

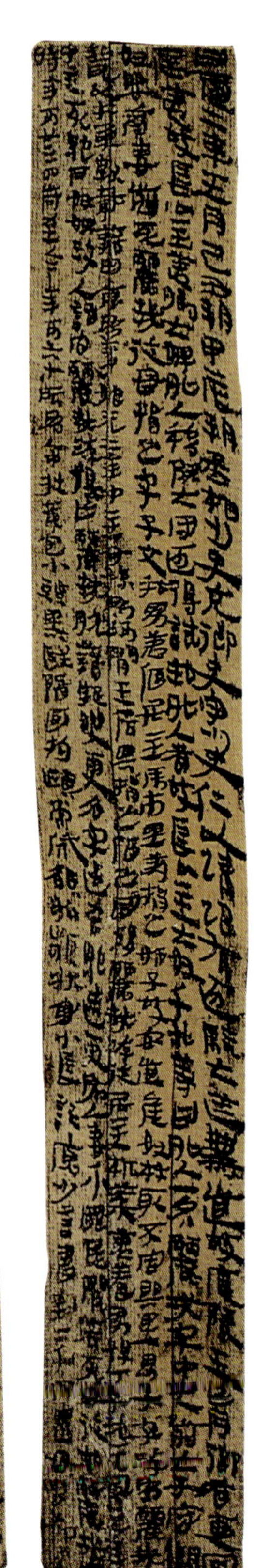

《相利善劍》木簡

西漢

内蒙古額濟納旗破城子居延甲渠候官遺址出土。

高22.8、寬1.1厘米。

共六枚。爲講鑒别刀劍優劣的著作。

現藏甘肅省文物考古研究所。

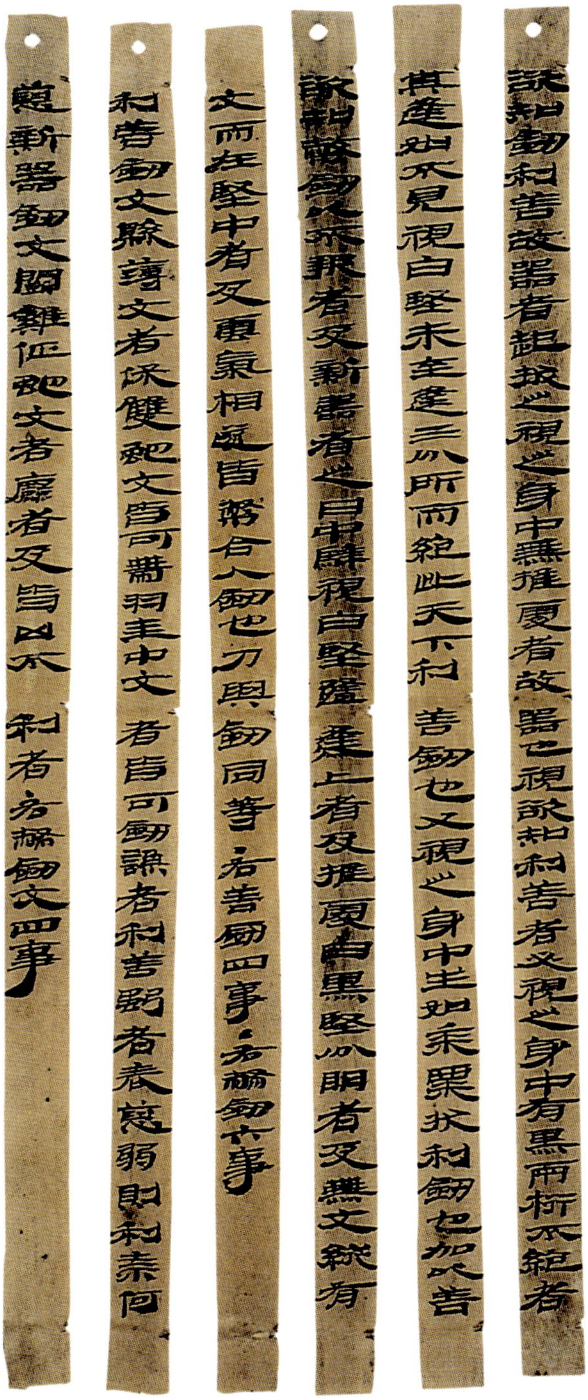

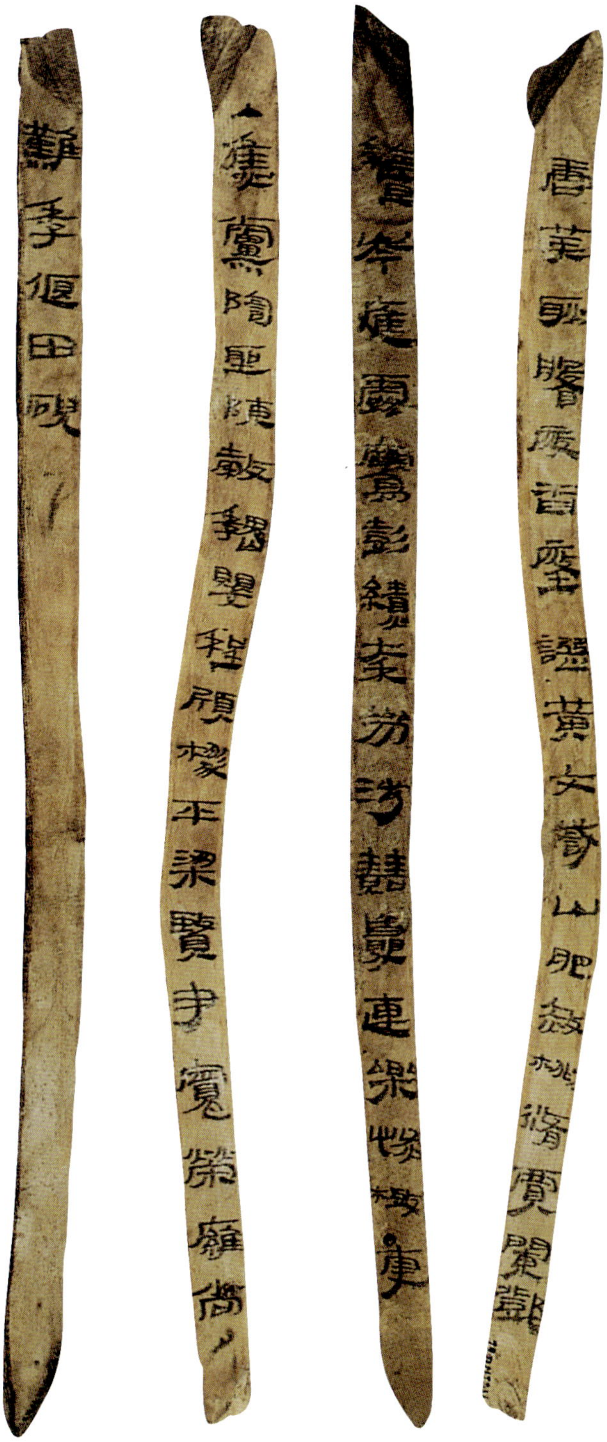

姓名木觚

西漢

甘肅敦煌市馬圈灣烽燧遺址出土。

高30、寬1.5厘米。

木觚爲四面，每面書一行文字，内容爲人物姓名。

現藏甘肅省文物考古研究所。

木牘

西漢

甘肅敦煌市馬圈灣烽燧遺址出土。

高23.5、寬1.5–2厘米。

這些木牘爲一些文書的殘篇，内容包括官方文書和私人記事等。

現藏甘肅省文物考古研究所。

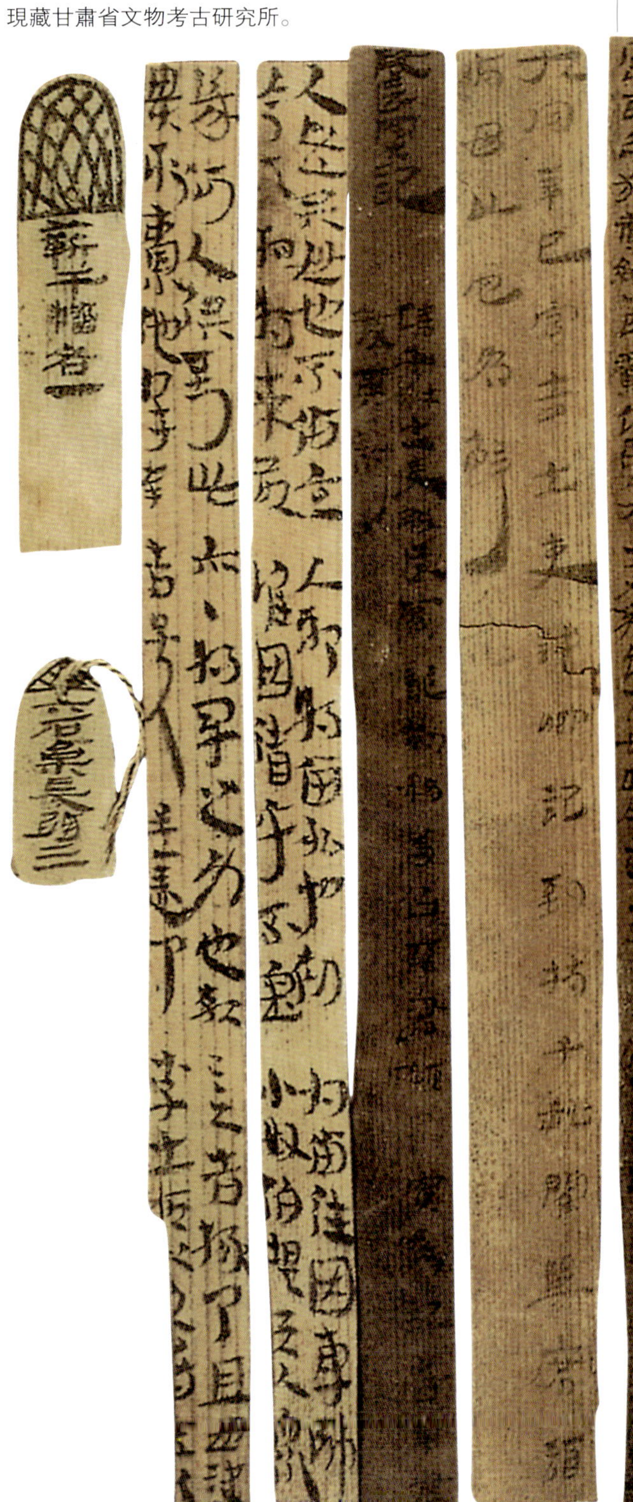

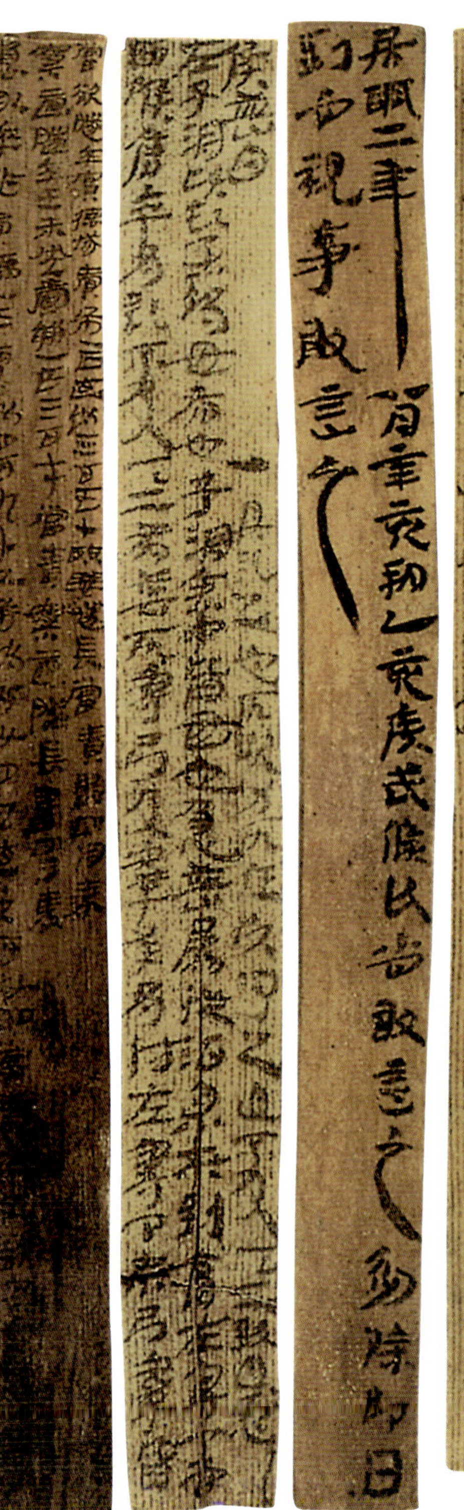

骨簽

西漢

陝西西安市漢未央宫遺址出土。

左件高4.4、寬2.2厘米；右件高5.5、寬2.8厘米。

骨簽以牛骨削製而成，上刻文字，内容爲紀年和工官姓名等。

現藏中國社會科學院考古研究所。

耳杯款文

西漢

安徽天長市安樂鎮漢墓出土。

耳杯內外底以朱漆書款。

現藏安徽省博物館。

“左作貨泉”陶片

西漢

陝西西安市三橋鎮出土。

高12.2、寬6.6厘米。

青灰色橢圓形陶片。摹刻小篆四字。

現藏中國社會科學院考古研究所。

陶穀倉朱書

西漢

河南洛陽市出土。

各高63厘米。

現藏北京大學賽克勒考古與藝術博物館。

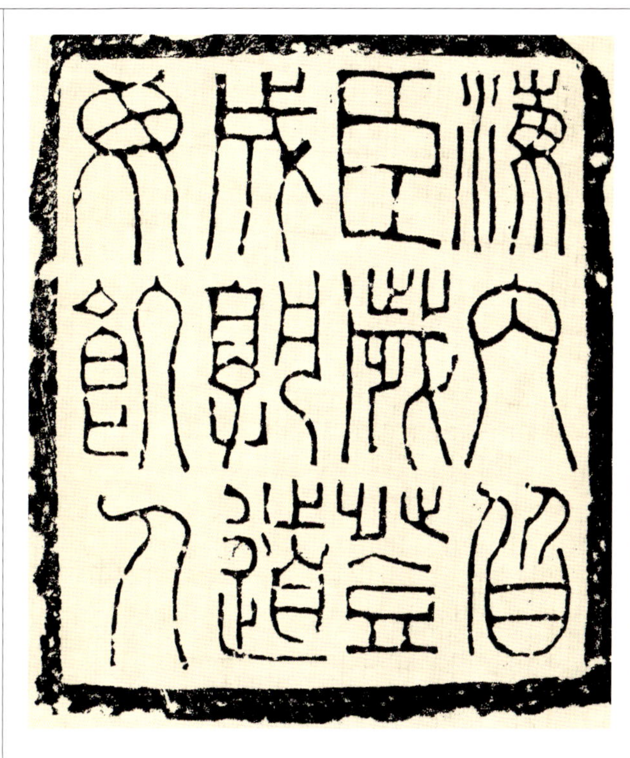

“海内皆臣”磚（右上圖）

西漢
高30.8、寬27厘米。
方磚平面模印陽文小篆四行十二字。
現藏中國社會科學院考古研究所。

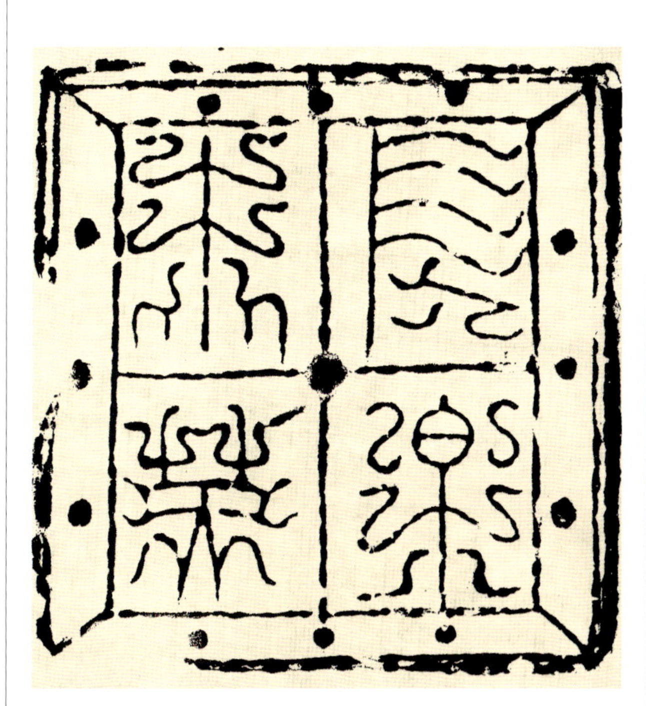

“長樂未央”磚

西漢
内蒙古準格爾旗古城址出土。
高31.5、寬30.5厘米。
灰色方磚，平面模印陽文繆篆“長樂未央”四字。
現藏内蒙古自治區準格爾旗文化館。

“單于和親”磚

西漢
高30、寬29.5厘米。
方磚平面模印陰文篆書四行十二字：“單于和親、千秋萬歲、安樂未央。”反文左讀。
現藏北京市魯迅博物館。

“維天降靈”十二字瓦當

西漢
陝西西安市劉村采集。
面徑16.5厘米。
十二字爲“維天降靈延元萬年天下康寧”。
現藏陝西歷史博物館。

“長樂未央”瓦當

西漢
陝西西安市沙坡第二青磚廠出土。
面徑17厘米。
現藏陝西歷史博物館。

“羽陽千秋”瓦當

西漢
陝西寶鷄市東關出土。
面徑17.5厘米。

“長生未央”瓦當

西漢
陝西淳化縣漢甘泉宫遺址采集。
面徑15.2厘米。
現藏陝西省淳化縣文化館。

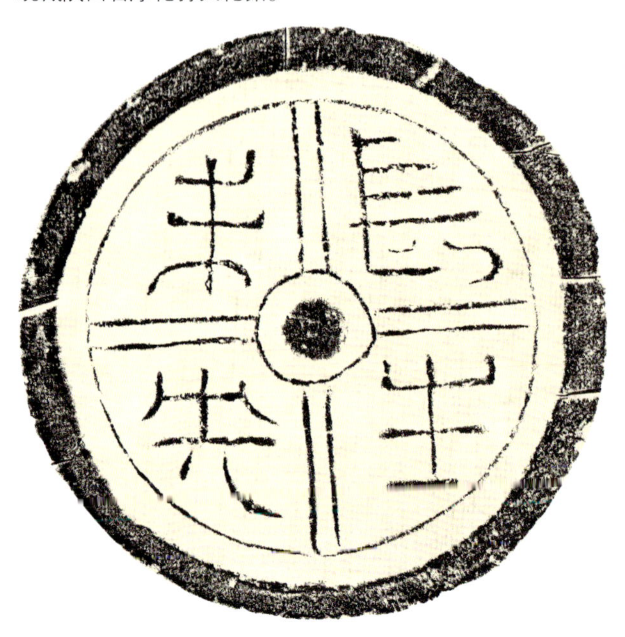

“衛”字瓦當

西漢
陝西淳化縣漢甘泉宮遺址采集。
面徑14.8厘米。
現藏陝西省淳化縣文化館。

“永受嘉福”瓦當

西漢
面徑12厘米。
鳥蟲篆體。
現藏中國社會科學院考古研究所。

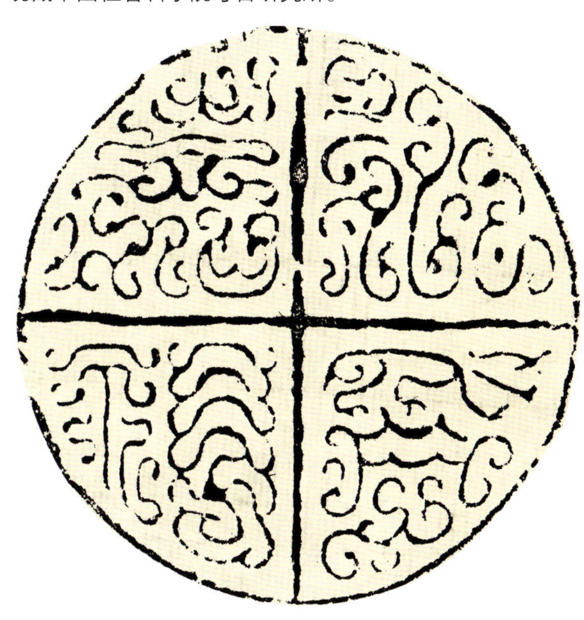

“長毋相忘”瓦當

西漢
陝西淳化縣漢甘泉宮遺址采集。
面徑14.8厘米。
現藏陝西省淳化縣文化館。

“天地相方”十二字瓦當

西漢
陝西興平市漢茂陵附近出土。
面徑20.5厘米。
外圈八字爲“天地相方與民世世”，內圈四字爲“永安中正”。
現藏陝西省茂陵博物館。

“上林”瓦當

西漢

陝西興平市漢茂陵出土。

面徑14.5厘米。

現藏陝西省茂陵博物館。

“萬歲”瓦當

西漢

陝西西安市漢長安城遺址出土。

面徑17厘米。

現藏陝西歷史博物館。

“光耀塊宇”瓦當

西漢

陝西興平市漢陽陵陪葬冢霍光墓附近出土。

面徑18厘米。

現藏陝西省茂陵博物館。

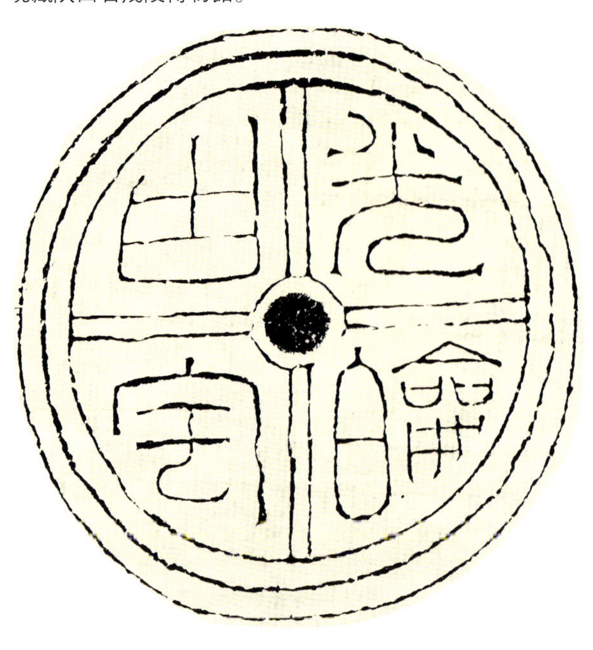

“萬有憙”瓦當

西漢

陝西西安市漢長安城遺址出土。

面徑18.2厘米。

現藏陝西歷史博物館。

“延壽長相思”瓦當

西漢
陝西西安市漢長安城遺址出土。
面徑19.5厘米。
現藏陝西省安康歷史博物館。

“與天無極”瓦當

西漢
陝西韓城市芝川鎮扶荔宮遺址采集。
面徑15厘米。
現藏陝西省韓城市博物館。

“千秋萬歲”瓦當

西漢
陝西華陰市磑峪鄉華倉遺址采集。
面徑12厘米。
現藏陝西省考古研究院。

“飛鴻延年”瓦當

西漢
面徑15.5厘米。
現藏陝西省三秦出版社。

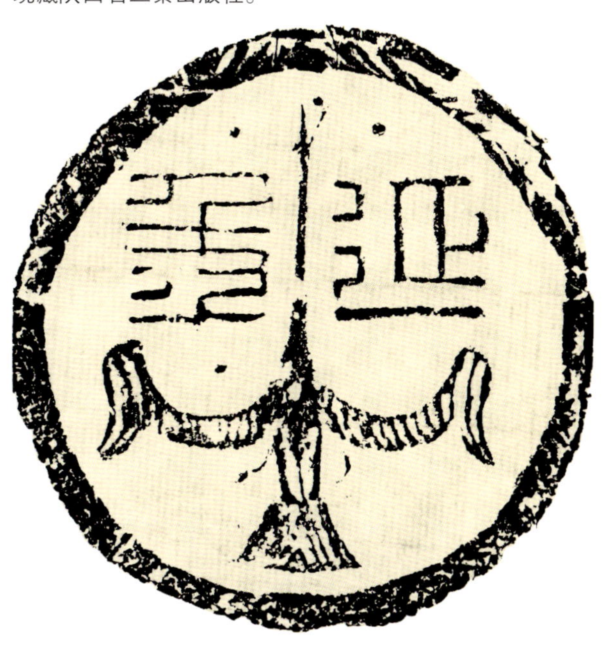

“關”字瓦當

西漢
河南新安縣鹽倉村漢函谷關倉庫建築遺址出土。
完整者直徑14厘米。
現藏河南省洛陽市第二文物工作隊。

“關”字瓦當之一

“關”字瓦當之二

“萬歲”瓦當

西漢
廣東廣州市中山四路南越國宮署遺址出土。
直徑16–17厘米。
部分瓦當保留塗抹硃砂痕迹。
現藏廣東省廣州南越王墓博物館。

“千秋萬歲”瓦當

西漢
山東淄博市臨淄區齊國故城采集。
面徑14.6厘米。
現藏山東省文物考古研究所。

銅嘉量銘

新

河南孟津縣出土。

器壁正面刻銘二十行八十一字。

現藏中國國家博物館。

銅衡杆銘

新

甘肅定西市出土。

衡杆長64.7、高3.3厘米。

杆中部刻銘二十行八十一字。刻于始建國元年（公元9年）。此選爲局部。

現藏中國國家博物館。

萊子侯刻石

新

原石發現于山東鄒城市卧虎山下。

隸書七行，每行五字。刻于天鳳三年（公元16年）。

現藏山東省曲阜孔府文物檔案館。

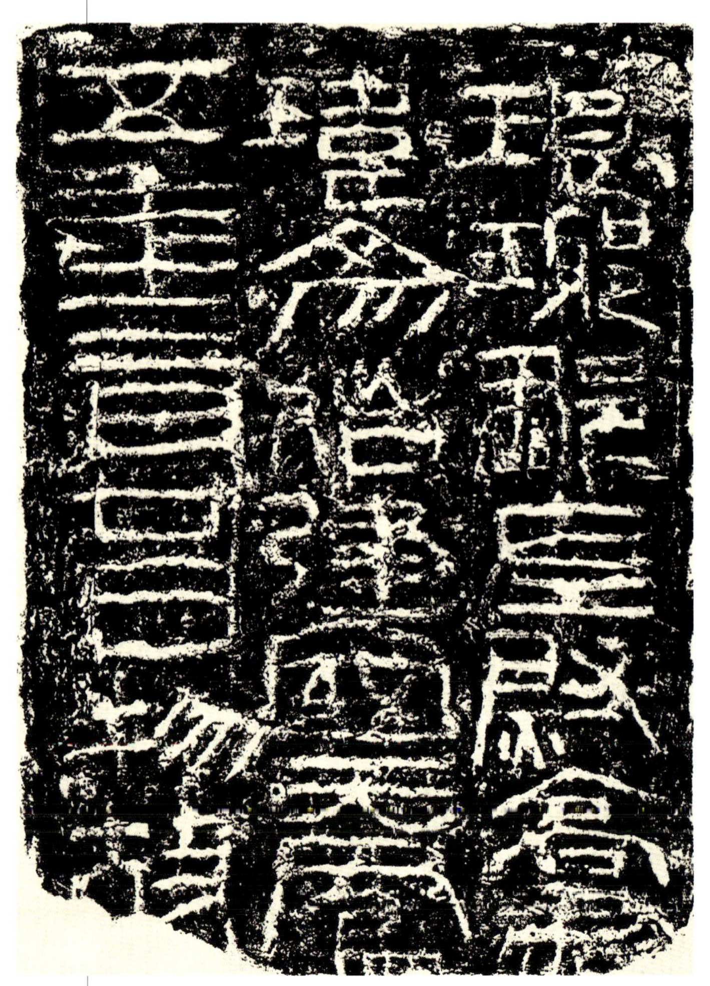

高彦墓磚

新

山東日照市出土。

高30.5、寬22.5厘米。

磚文三行二十二字。刻于天鳳五年（公元18年）。

《守禦器簿》木簡

新
内蒙古額濟納旗居延遺址出土。
長23.2、寬3.5厘米。
内容講與軍事防守有關的器械和設施。圖爲其中四枚。
現藏臺灣"中央研究院"。

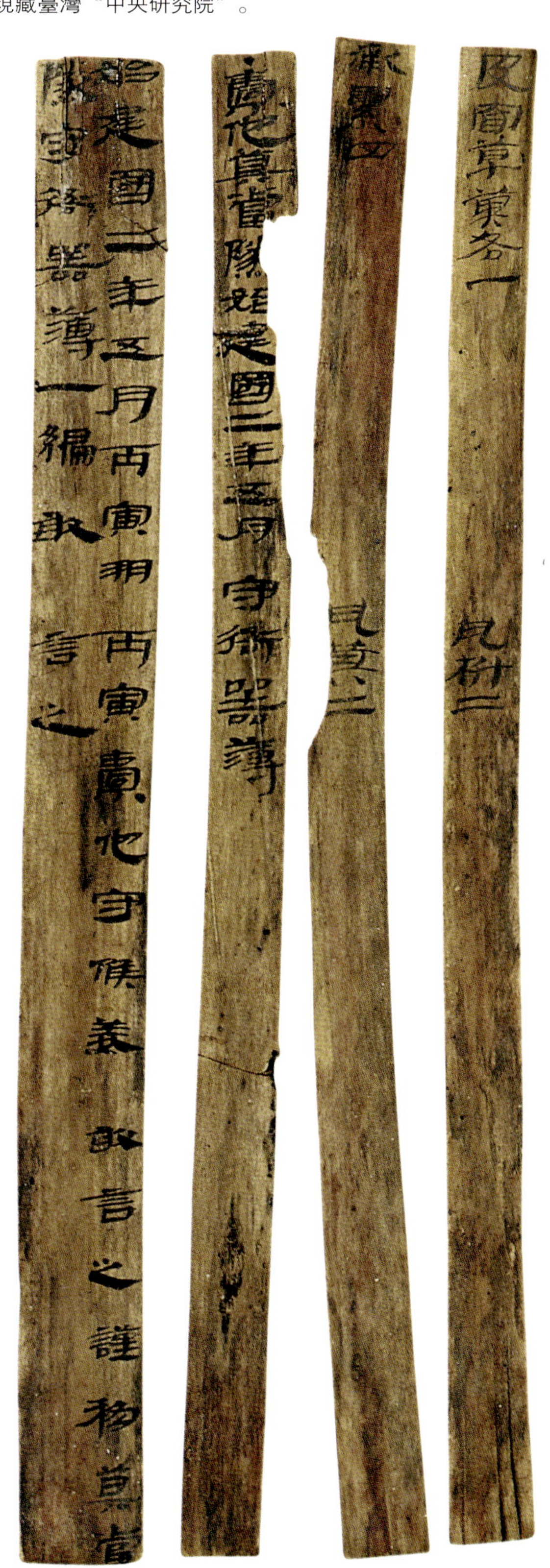

青玉牒

新
陝西西安市漢長安城桂宫第4號建築遺址出土。
殘長13.8、寬9.4厘米。
青石，通體磨光。殘留刻文五行二十九字，字口塗硃。
現藏中國社會科學院考古研究所。

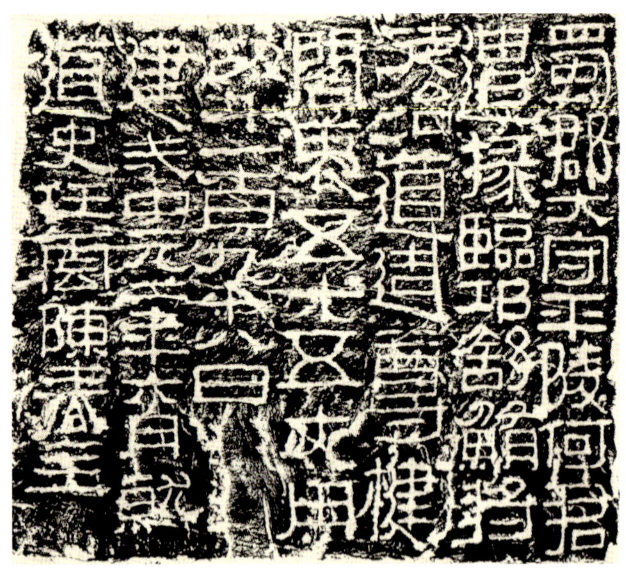

何君閣道碑

東漢

發現于四川滎經縣烈士鄉摩崖。

高65、上寬73、下寬76厘米。

隸書七行，每行七至九字，共五十二字。刻于建武中元二年（公元57年）。

何君閣道碑局部

鄐君開通褒斜道刻石

東漢

發現于陝西漢中市石門摩崖。

隸書十六行，每行五至十一字不等。刻于永平六年（公元63年）。

現藏陝西省漢中市博物館。

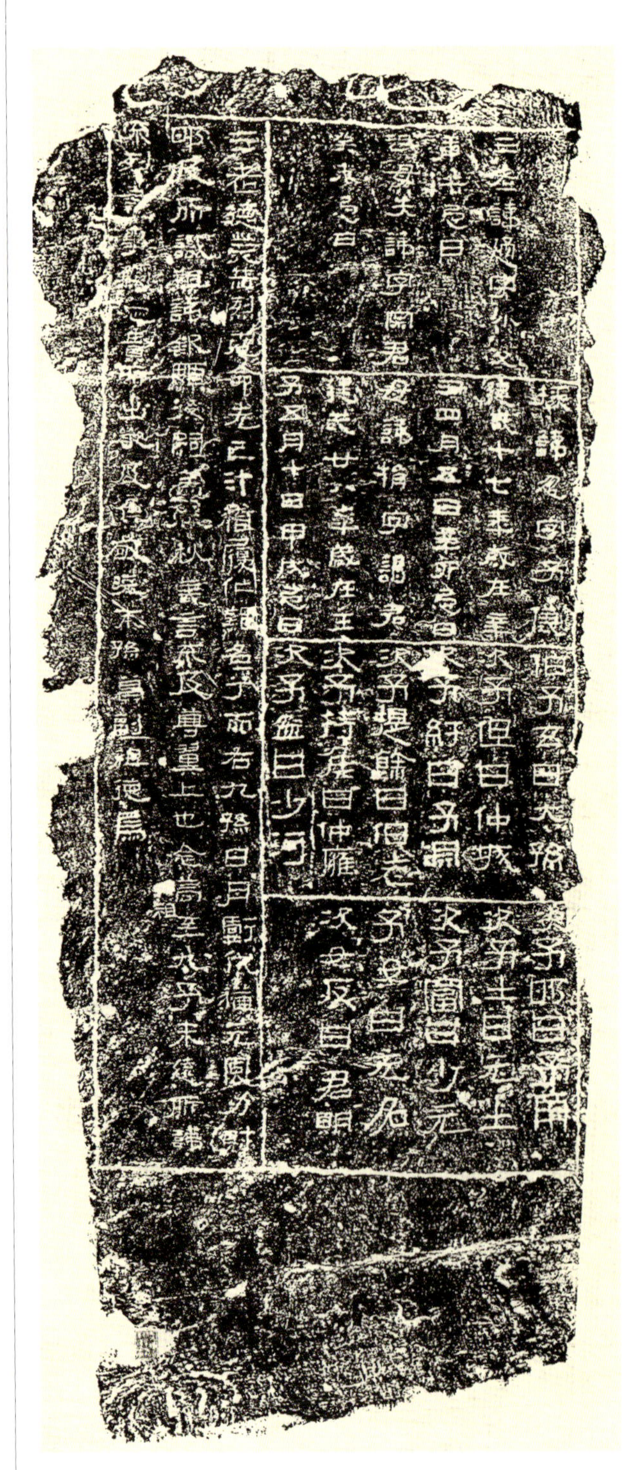

三老諱字忌日記

東漢

浙江餘姚市客星山下出土。

隸書。前作四列，列四、五、六行不等，每行六至九字不等；後半題三行，滿行三十字。刻于建武廿八年（公元52年）。

現藏浙江省杭州市西泠印社。

元和三年題記

東漢

四川蘆山縣發現。

高24、寬7厘米。

刻于元和三年（公元86年）。

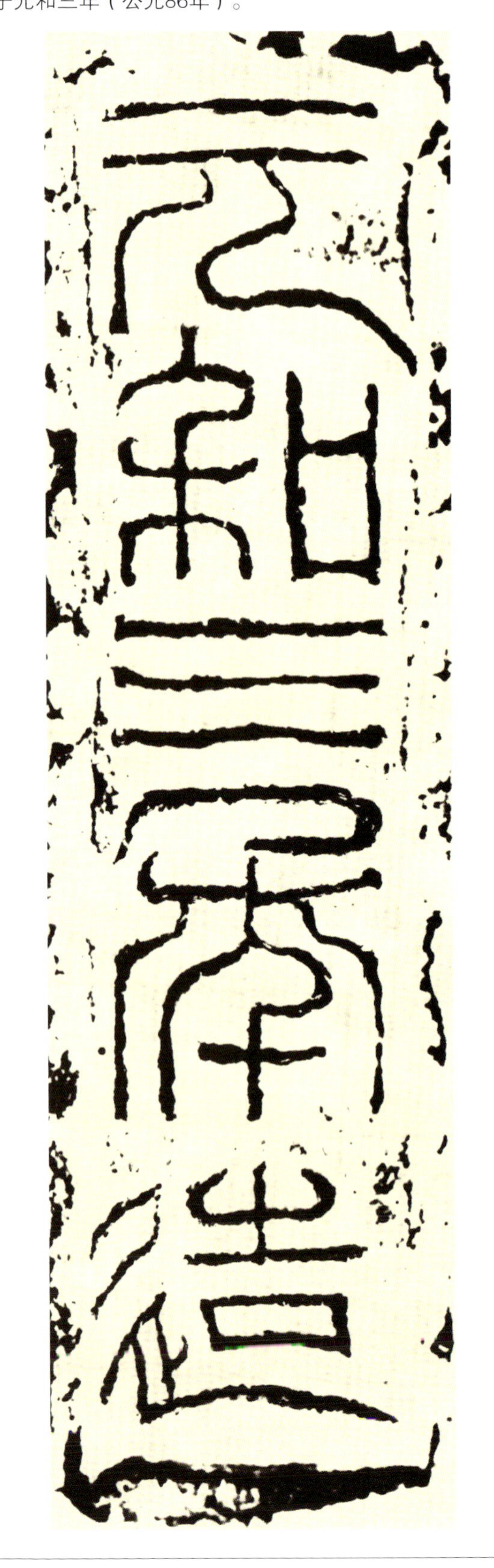

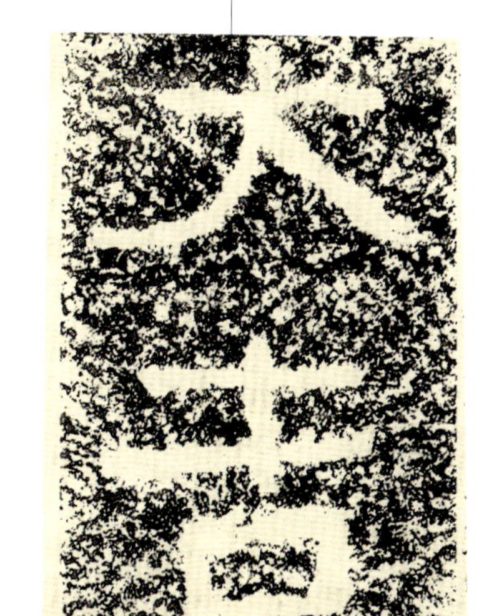

大吉買山地記

東漢

爲摩崖刻石，刻于浙江紹興市跳山。共二十二字，每字字徑約16.7厘米，最大的爲23厘米。是漢代刻石中字迹最大者。刻于建初元年（公元76年）。

袁安碑

東漢
河南偃師市辛家村出土。
高153、寬74厘米。
篆書十行，每行十五字，現存一百三十九字。刻于永元四年（公元92年）。
現藏河南博物院。

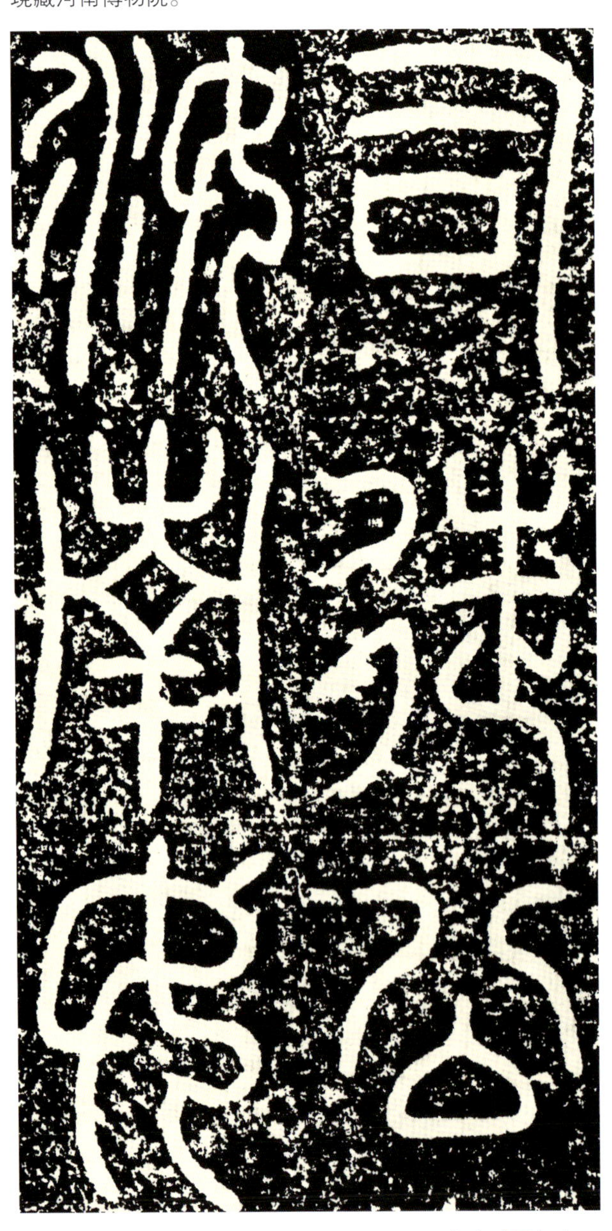
袁安碑局部之一

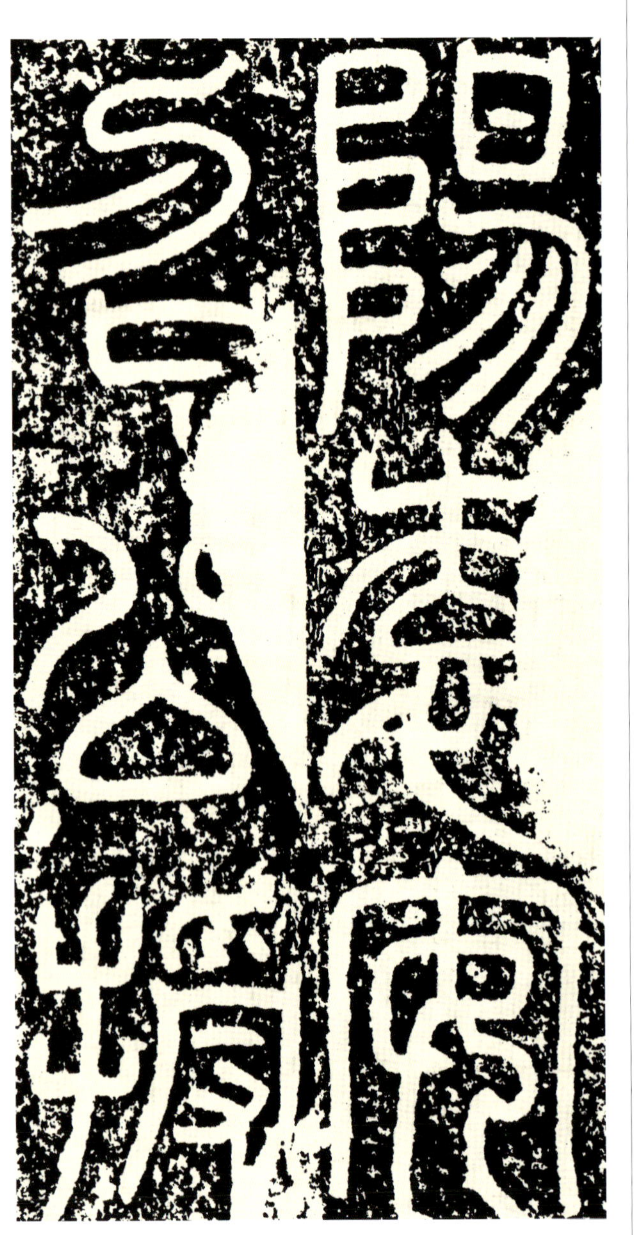
袁安碑局部之二

永元十五年刻銘

東漢
陝西綏德縣五里店出土。
刻于永元十五年（公元103年）。
現藏陝西省西安碑林博物館。

王平君闕銘

東漢
四川成都市出土。
闕高220、寬57厘米。
刻于永元九年（公元97年）。

幽州書佐秦君石柱

東漢

發現于北京石景山區。

隸書三行，共十一字。刻于永元十七年（公元105年）。

現藏北京石刻藝術博物館。

賢良方正殘碑

東漢

河南安陽市出土。

刻于元初二年（公元115年）。爲“子游殘碑”上段。

現藏天津博物館。

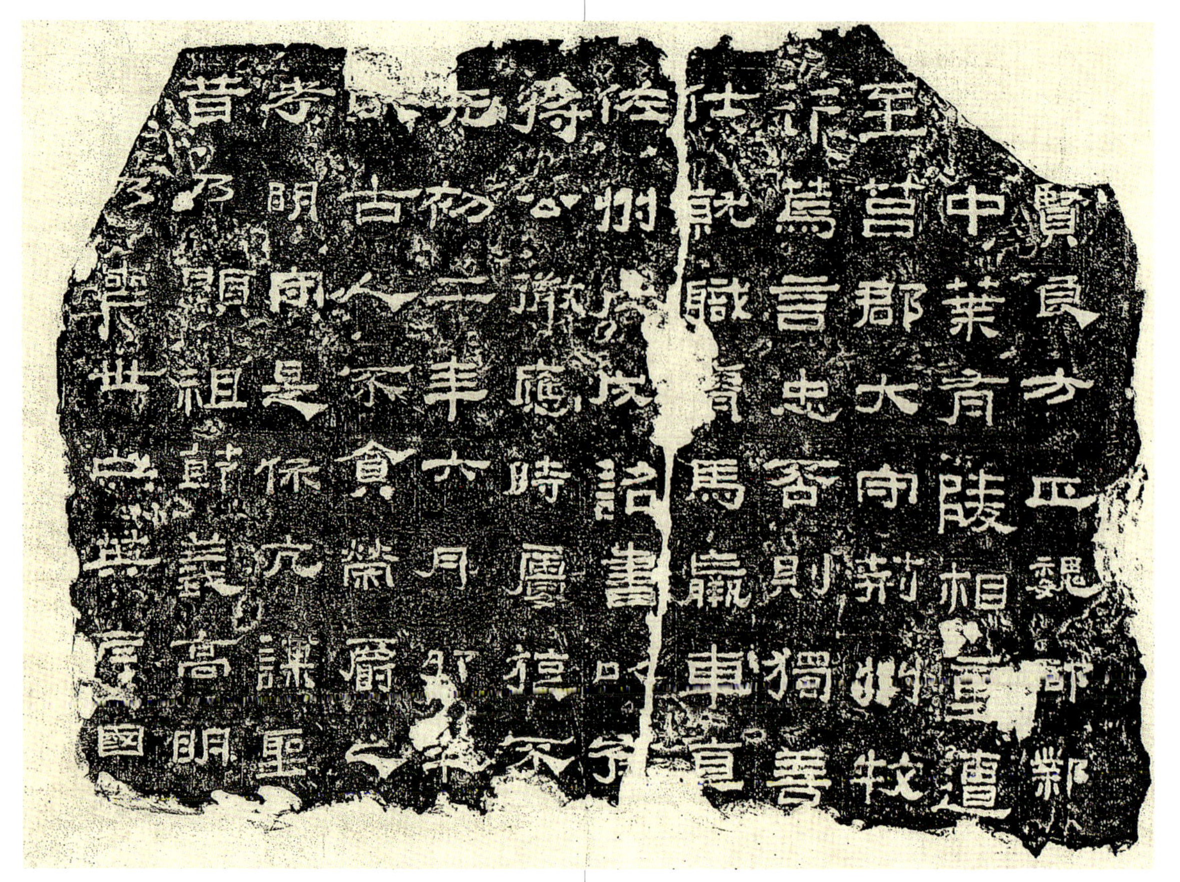

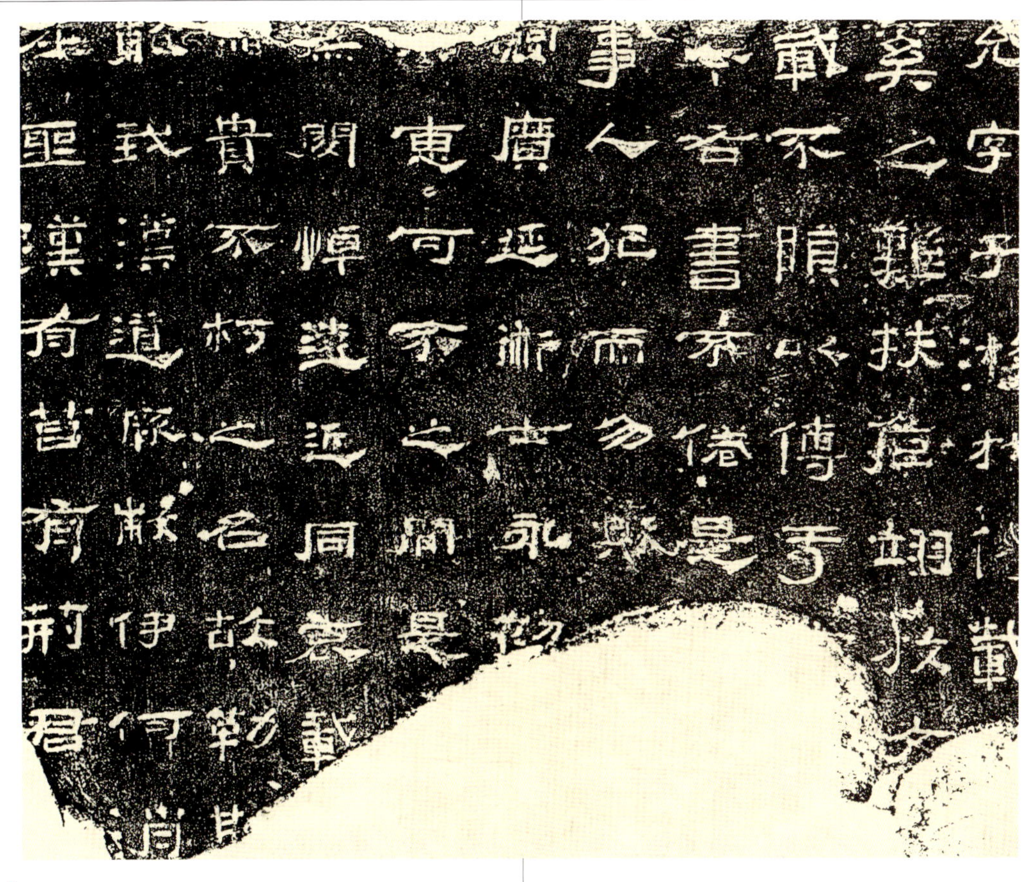

子游殘碑

東漢
河南安陽市發現。
刻于元初二年（公元115年）。
現藏河南省安陽市博物館。

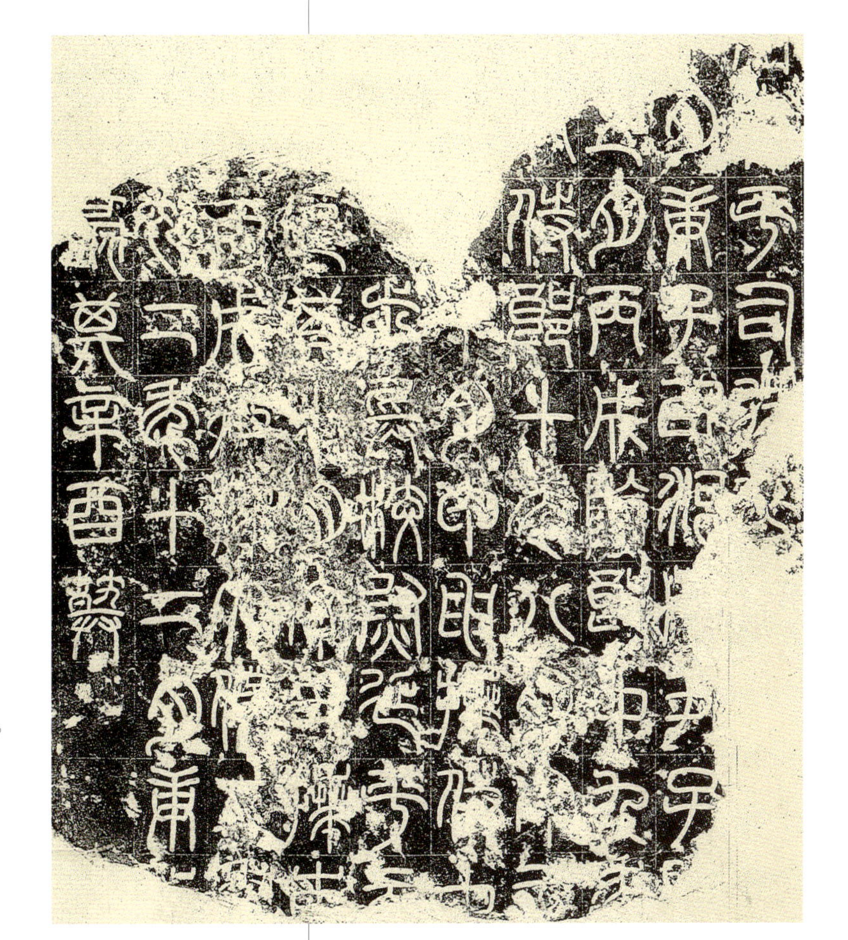

袁敞碑

東漢
河南偃師市出土。
篆書十行，每行五至九字不等。
刻于元初四年（公元117年）。
現藏遼寧省博物館。

祀三公山碑

東漢

河北元氏縣出土。

碑文十行，每行十四至二十三字不等，是漢代“繆篆”的代表作。刻于元初四年（公元117年）。此選爲局部。

現藏故宫博物院。

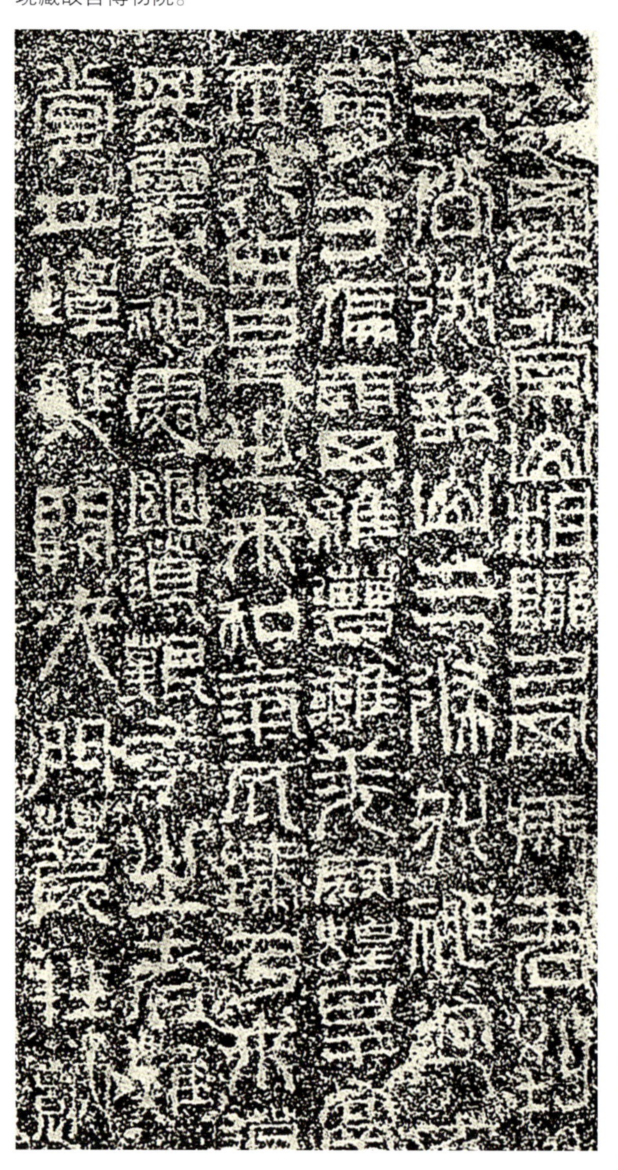

太室石闕銘

東漢

立于河南登封市中岳廟前。

隸書二十七行，每行九字。刻于元初五年（公元118年）。此選爲局部。

少室石闕銘

東漢
原石在河南登封市十里鋪村。
銘文分爲兩層。此選爲局部。
刻于延光二年（公元123年）。

啓母廟石闕銘

東漢
原石今存河南登封市萬歲峰。
銘文分爲兩層，前後計三十六行。
刻于延光二年（公元123年）。

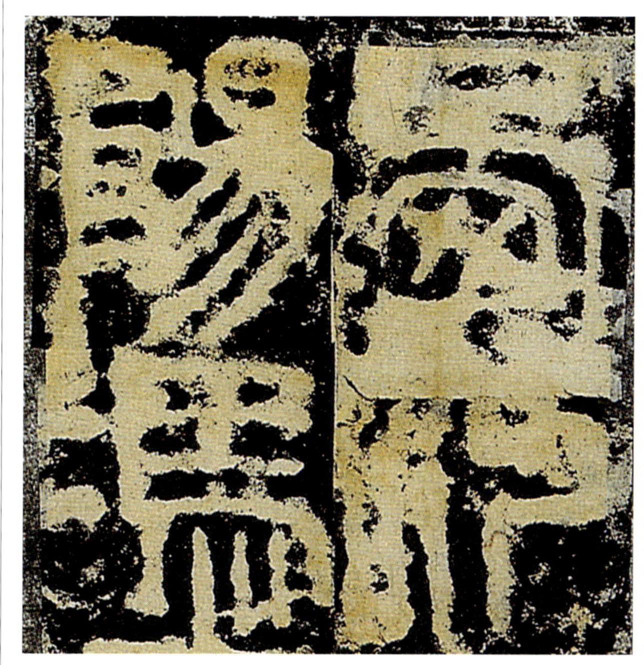

啓母廟石闕銘局部之一

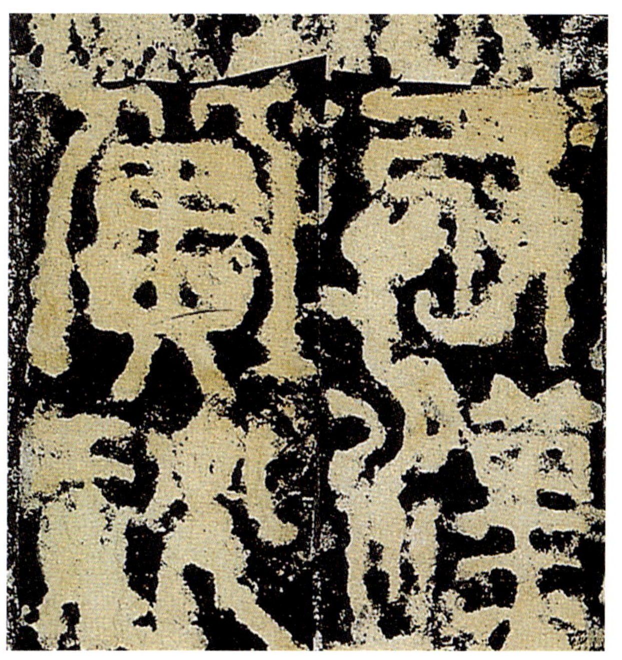

啓母廟石闕銘局部之二

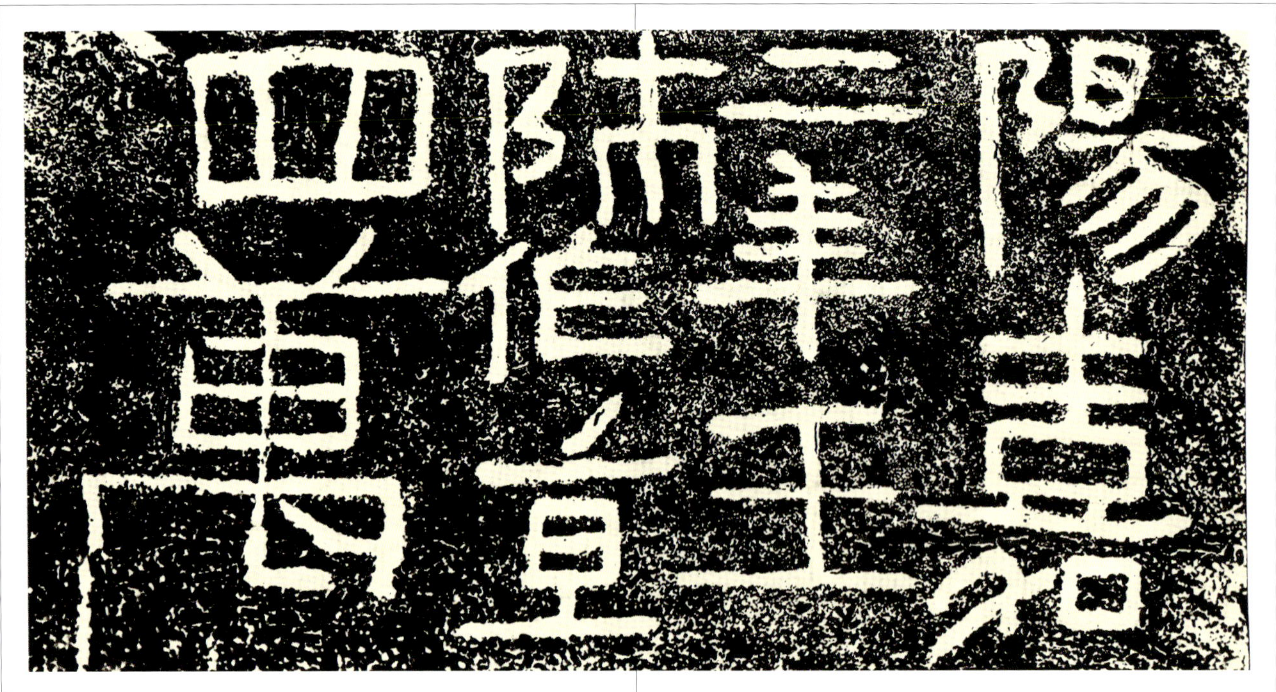

陽嘉二年題記

東漢
重慶南川區雷劈石崖墓出土。
高50、寬95厘米。
刻于陽嘉二年（公元133年）。

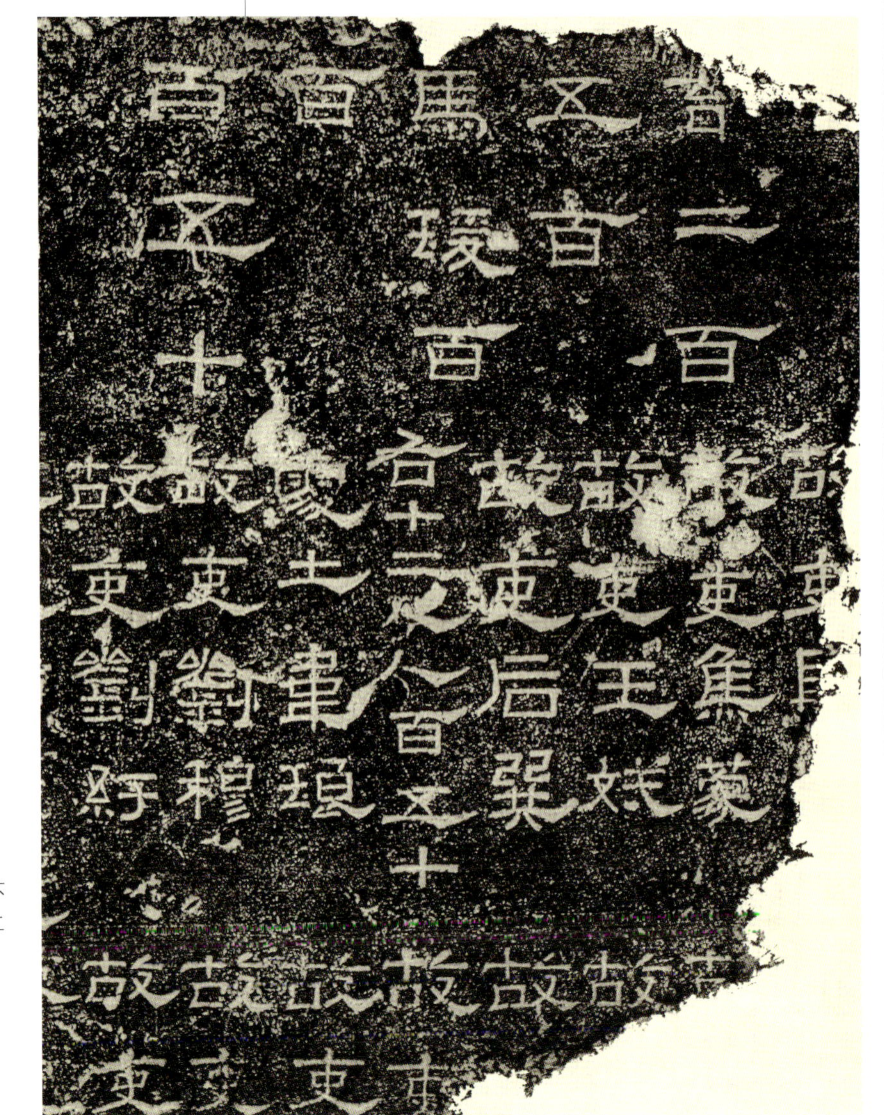

陽嘉殘碑

東漢
山東曲阜市出土。
隸書，現存十一行，每行七至十字不等，總計一百七十七字。刻于陽嘉二年（公元133年）。此選爲局部。
原石已佚。

景君銘

東漢

高23、寬13.5厘米。

拓本計四十面，每面三行，每行五字。刻于漢安二年（公元143年）。此選爲局部。

現藏山東省濟寧市博物館。

武氏祠畫像題記

東漢

山東嘉祥縣武宅山武氏祠堂出土。

祠堂内四壁刻帝王、忠臣、孝子、義婦故事畫像，每幅均有題記，述畫像内容。刻字爲隸書，每字高約2厘米。刻于建和元年（公元147年）。此選爲局部。

現藏山東省嘉祥縣武氏祠保管所。

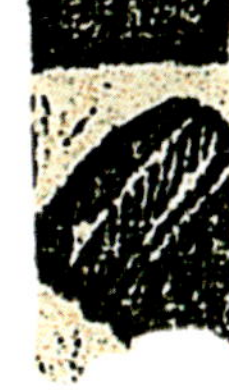

石門頌

東漢

爲摩崖刻石，刻于陝西漢中市石門摩崖。隸書二十二行，每行約三十字。刻于建和二年（公元148年）。此選爲局部。

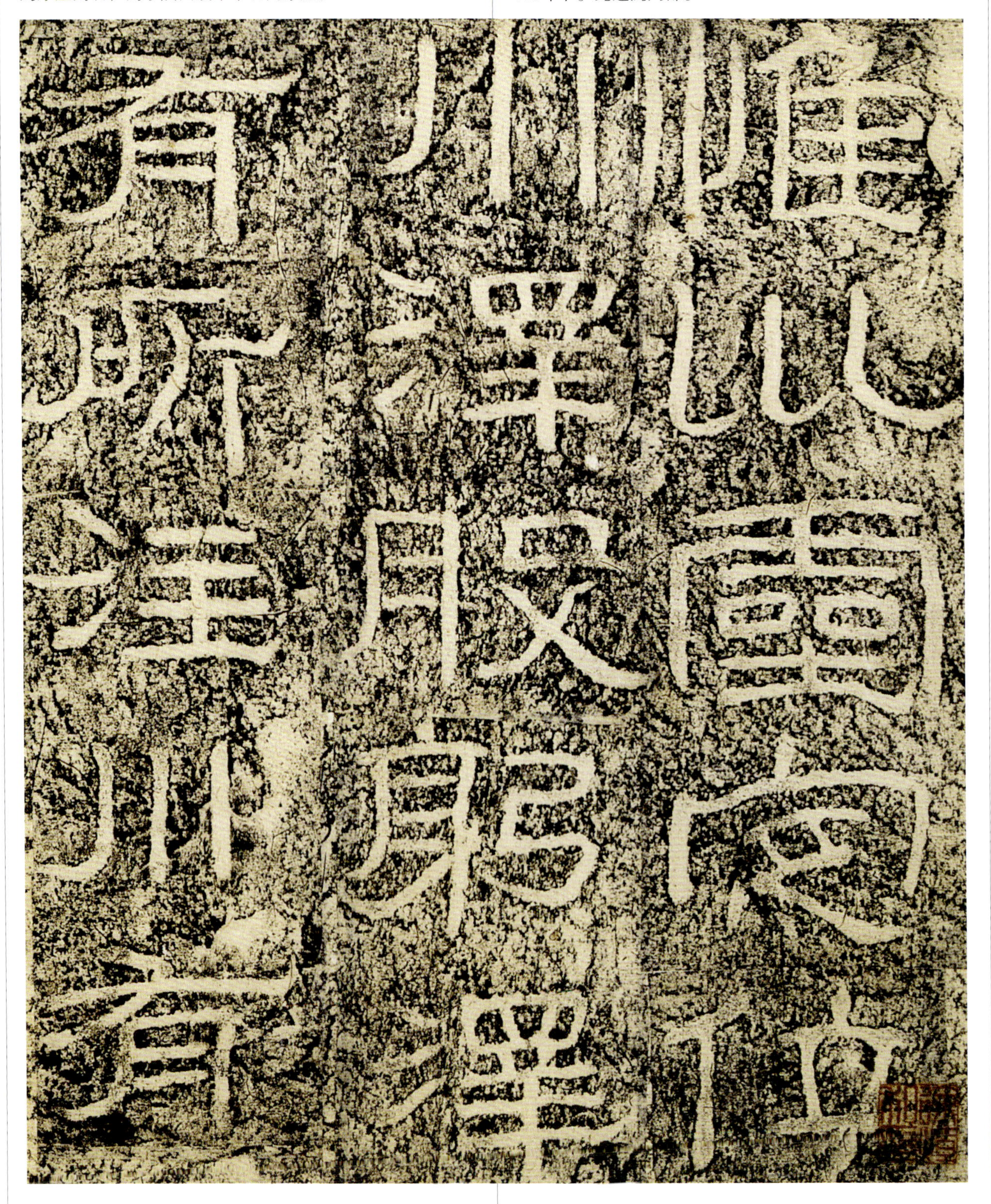

乙瑛碑

東漢

隸書十八行，每行四十字。刻于永興元年（公元153年）。

現藏山東省曲阜市孔廟。

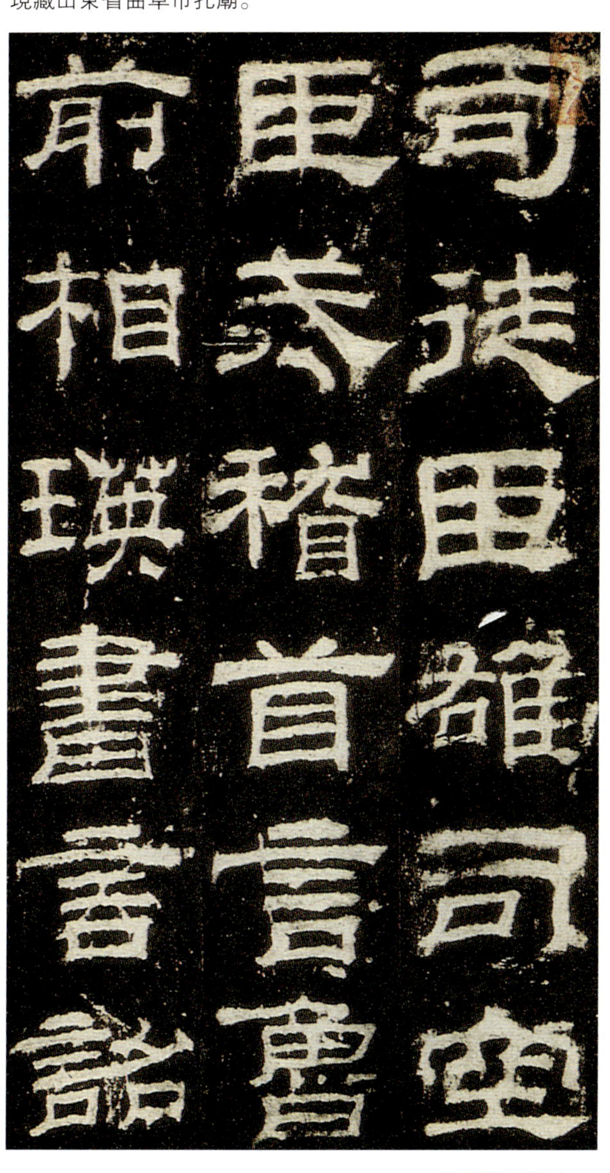

乙瑛碑局部之一

乙瑛碑局部之二

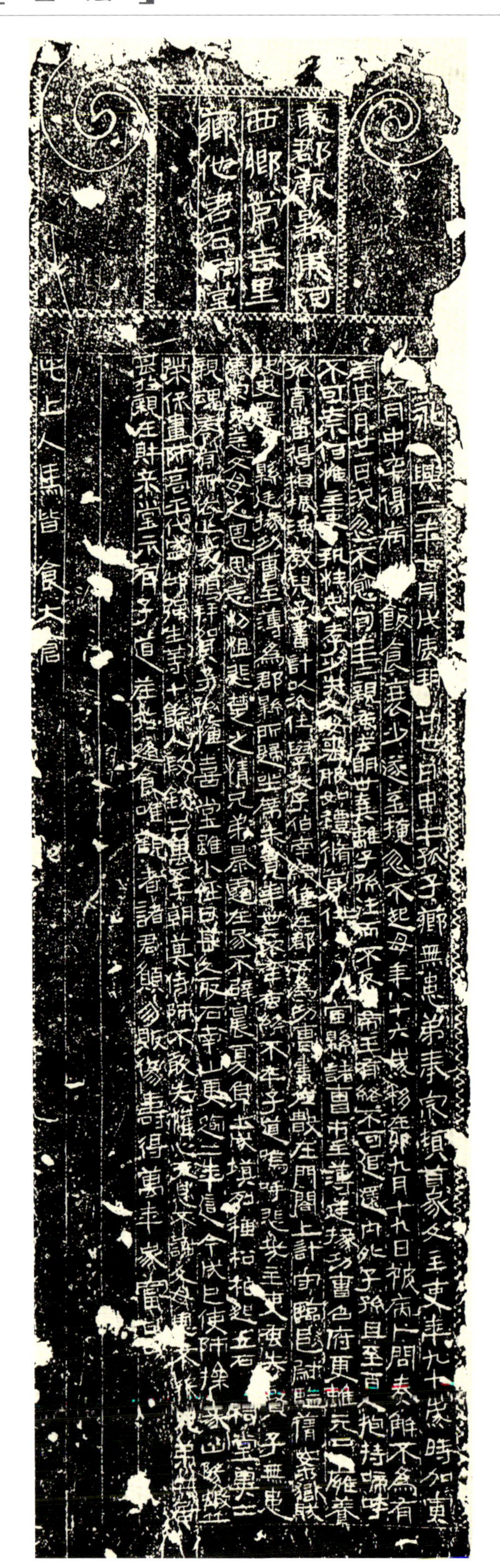

薌他君石祠堂石柱題記（左圖）

東漢

山東東阿縣出土。

隸書十行，每行四十餘字，題字部分高58厘米。刻于永興二年（公元154年）。

現藏故宫博物院。

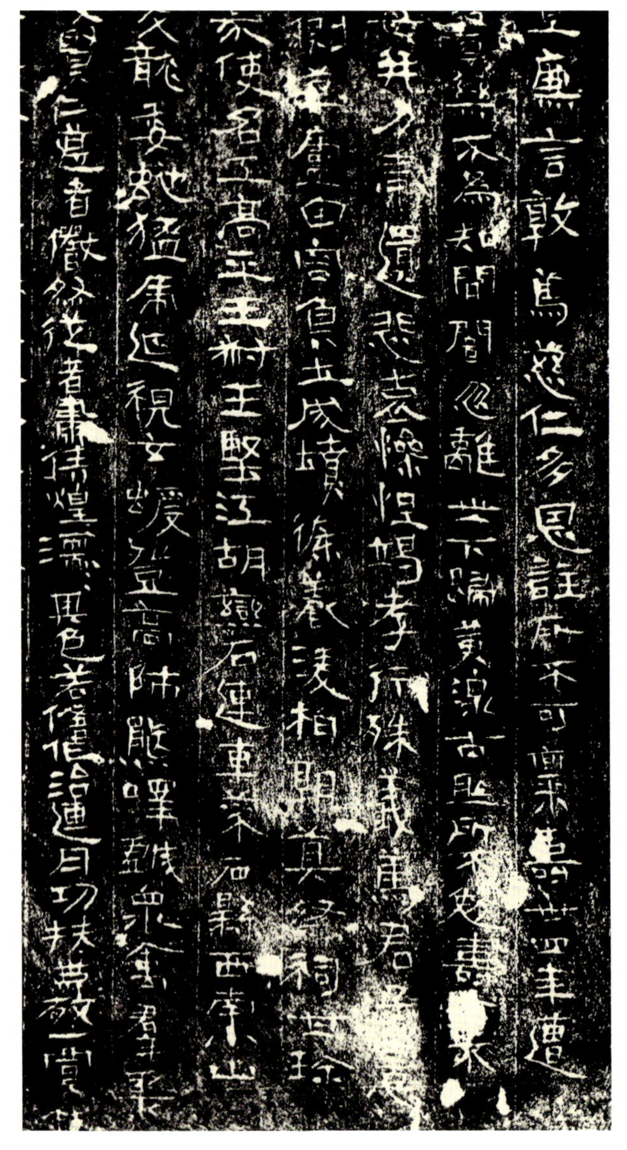

安國墓祠題記

東漢

山東嘉祥縣滿硐鄉宋山村出土。

隸書十行，共四百五十二字，題字部分高68、寬20.5厘米。刻于永壽三年（公元157年）。此選爲局部。

現藏山東省石刻博物館。

禮器碑

東漢

隸書十六行，每行三十六字。刻于永壽二年（公元156年）。

現藏山東省曲阜市孔廟。

禮器碑局部之一

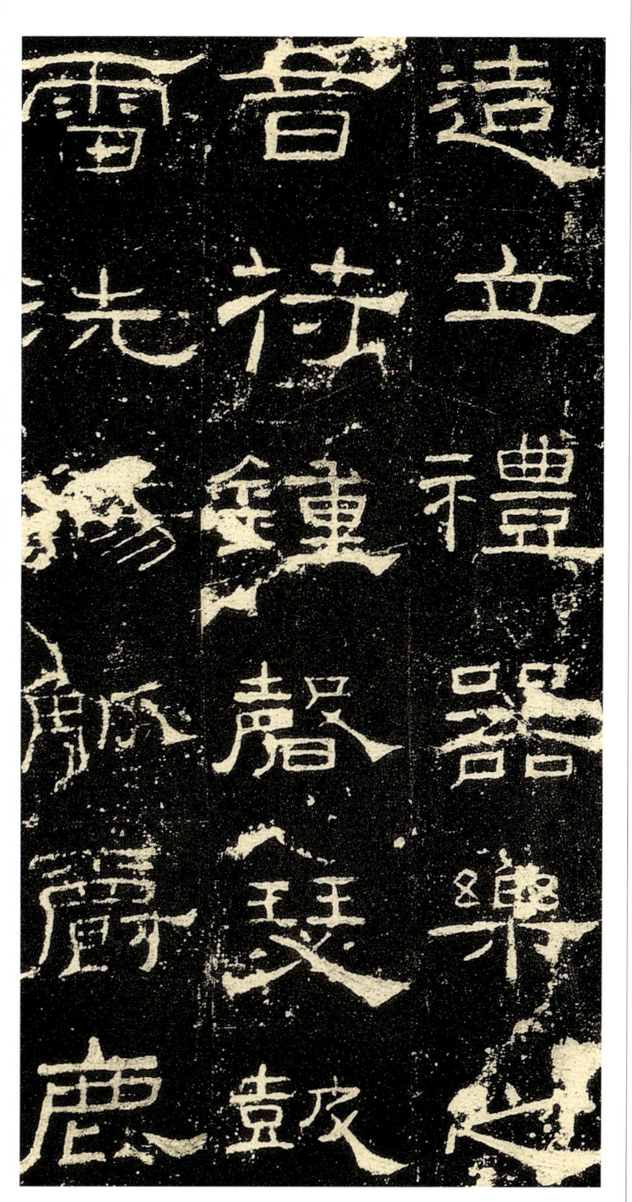

禮器碑局部之二

張景殘碑

東漢

河南南陽市出土。

碑高125、寬54厘米。

隸書十二行，每行二十三字，下殘。刻于延熹二年（公元159年）。此選爲局部。

現藏河南省南陽漢畫館。

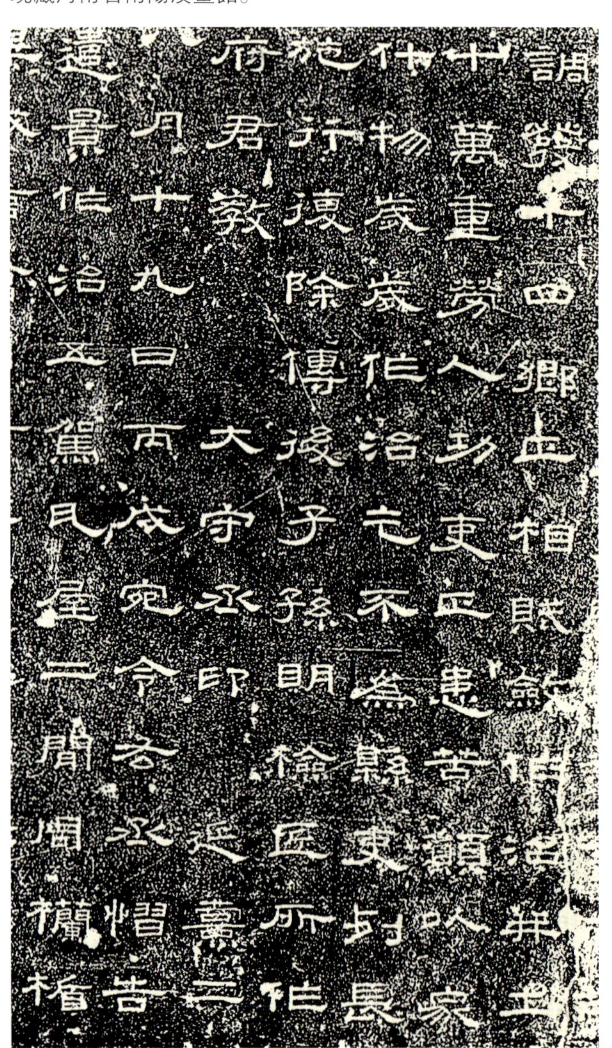

鄭固碑

東漢

隸書十五行，每行二十九字。刻于延熹元年（公元158年）。此選爲局部。

原石現存山東省濟寧市。

張景造土牛碑

東漢

河南南陽市出土。

高132、寬64.5厘米。

隸書十一行。刻于延熹二年（公元159年）。

現藏河南省南陽市卧龍崗漢碑亭。

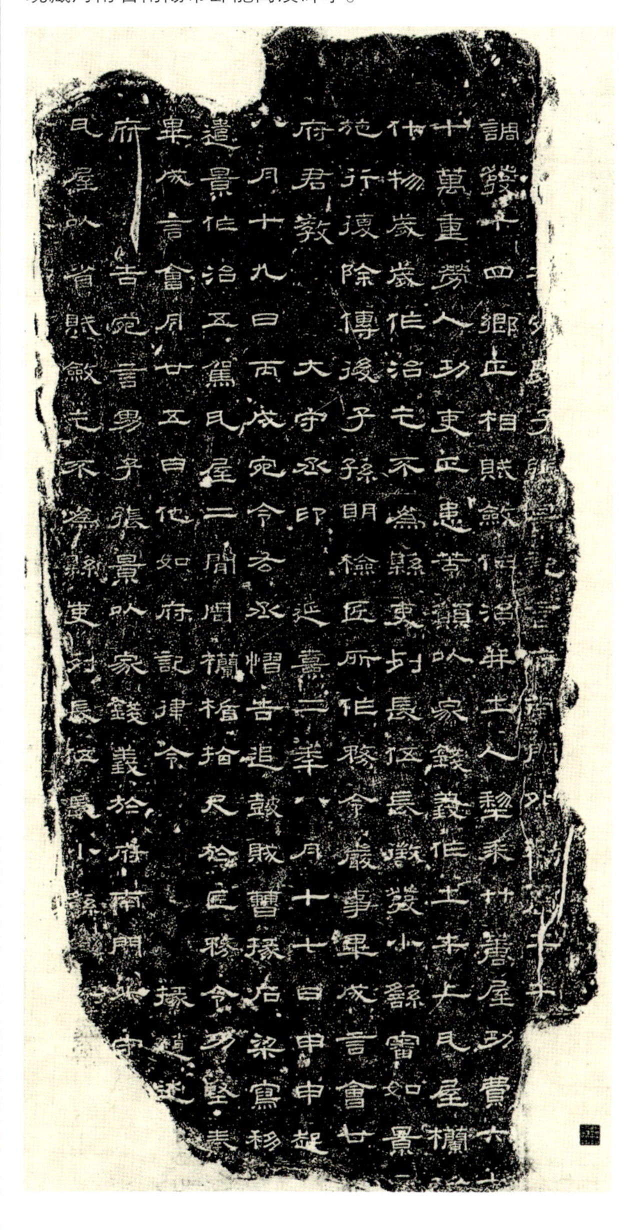

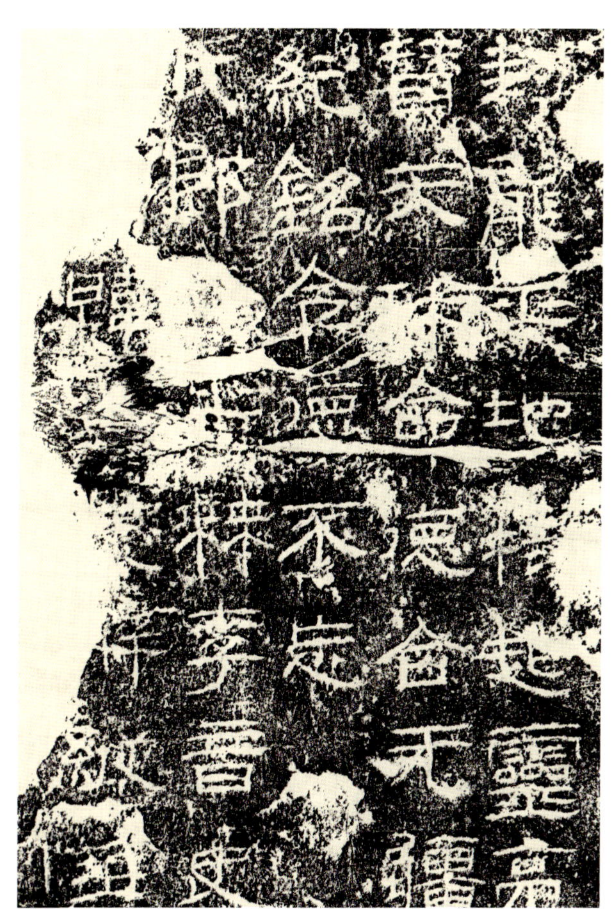

封龍山碑

東漢

河北元氏縣王村出土。

隸書十五行，每行二十六字。原碑字多已漫漶難辨。刻于延熹七年（公元164年）。此選爲局部。

孔宙碑

東漢

隸書十五行，每行二十八字。碑陰三列，列二十一行。刻于延熹七年（公元164年）。此選爲局部。

現藏山東省曲阜市孔廟。

西岳華山廟碑

東漢

隸書二十二行，每行三十八字。刻于延熹八年（公元165年）。此選爲局部。

原石已毁。

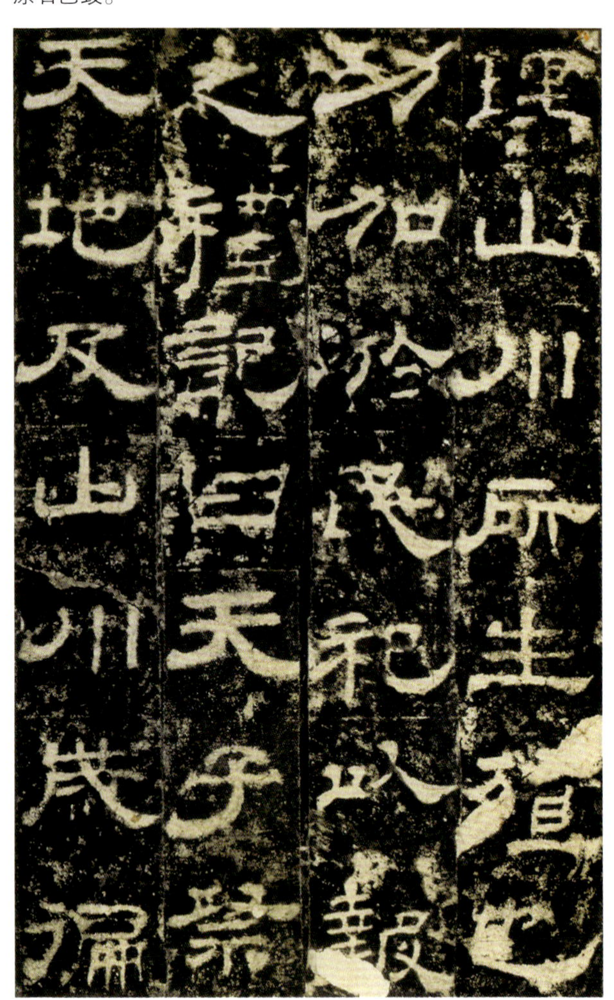

鮮于璜碑

東漢
天津武清區出土。
碑呈圭形，高242、寬81-83厘米。
碑陽十六行，每行三十五字；碑陰十五行，每行二十五字。刻于延熹八年（公元165年）。
現藏天津博物館。

鮮于璜碑碑額

鮮于璜碑局部之一

鮮于璜碑局部之二

衡方碑

東漢

碑石原在山東汶上縣郭家樓。

隸書二十三行，每行三十六字。刻于建寧元年（公元168年）。

現藏山東省泰安市岱廟炳靈門。

衡方碑碑額

衡方碑碑文局部

史晨碑

東漢

分前、後碑。前碑隸書十七行，每行三十六字；後碑隸書十四行，每行三十六字。前碑刻于建寧二年（公元169年），後碑刻于建寧元年（公元168年）。

現藏山東省曲阜市孔廟。

史晨碑前碑局部

史晨碑後碑局部

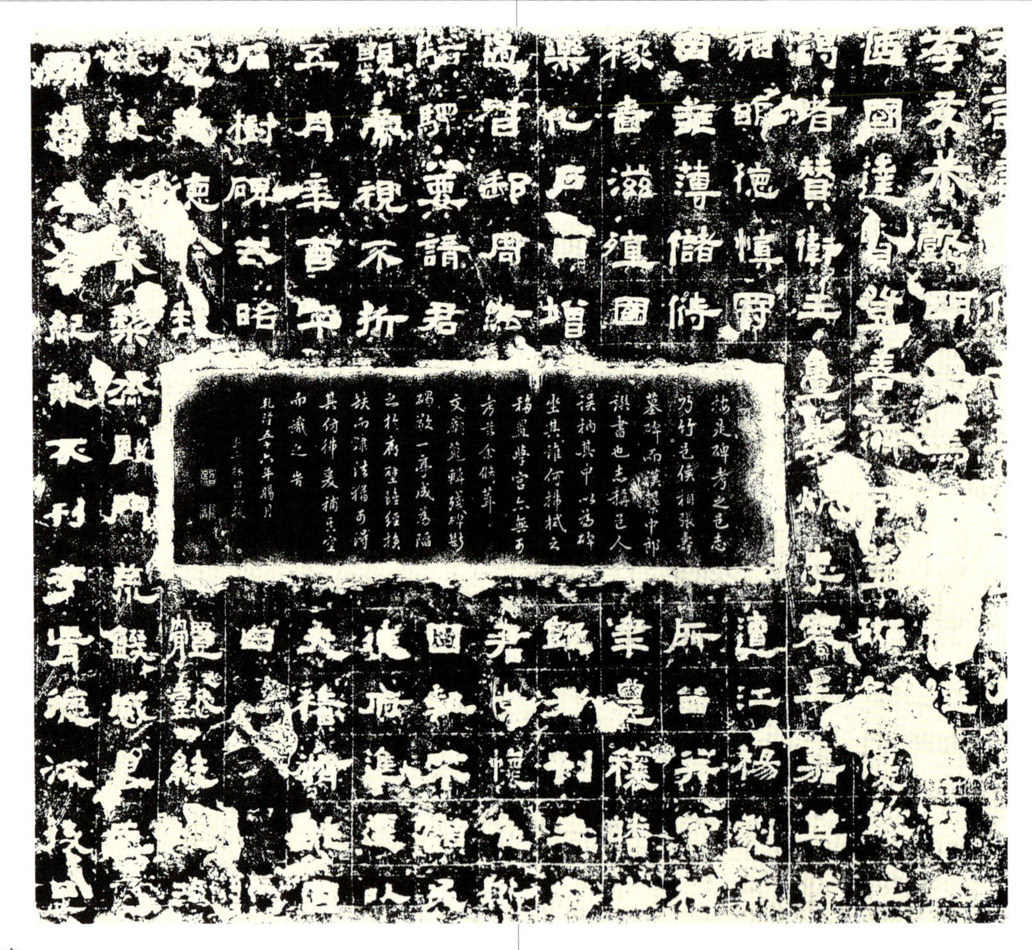

張壽殘碑

東漢

原在山東武城縣古文亭山，後移置武城縣學。

拓片高73、寬64厘米。

十六行，每行存十四字。刻于建寧元年（公元168年）。

肥致碑

東漢

河南偃師市南蔡莊鄉出土。

碑身高98、寬48厘米。

碑首刻六行，二十八字；碑身刻十九行，滿行二十九字，共四百八十四字。刻于建寧二年（公元169年）。此選爲局部。

現藏河南省偃師商城博物館。

夏承碑

東漢

隸書十四行，滿行二十七字。刻于建寧三年（公元170年）。此選爲局部。

建寧三年碑

東漢

内蒙古包頭市召灣村漢墓出土。

殘高73、寬48厘米。

刻于建寧三年（公元170年）。

現藏内蒙古文物考古研究所。

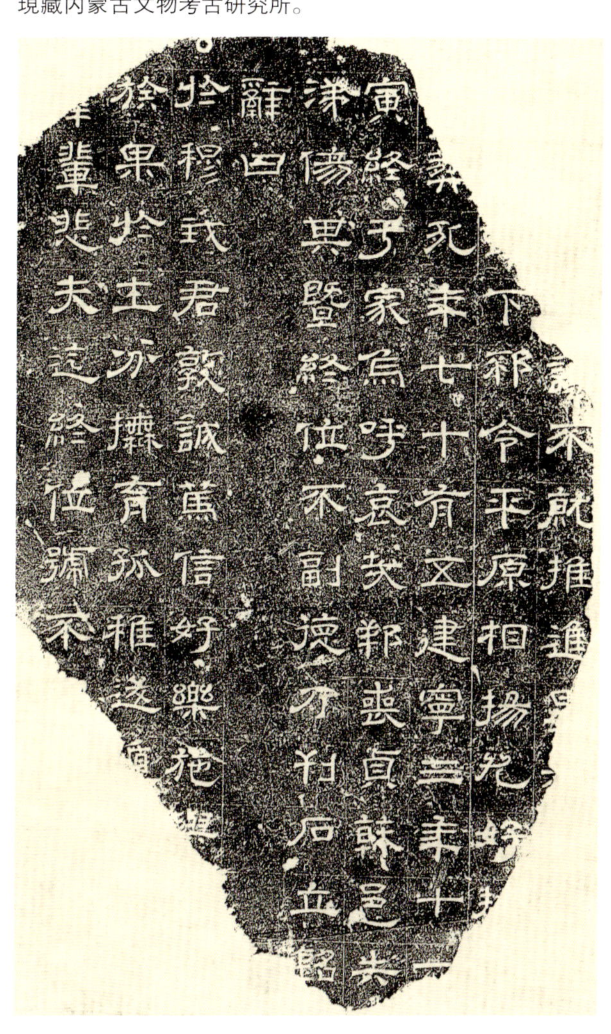

西狹頌

東漢

刻于甘肅成縣天井山。

高280、寬200厘米。

隸書二十行，每行二十字。刻于建寧四年（公元171年）。

西狹頌局部之一

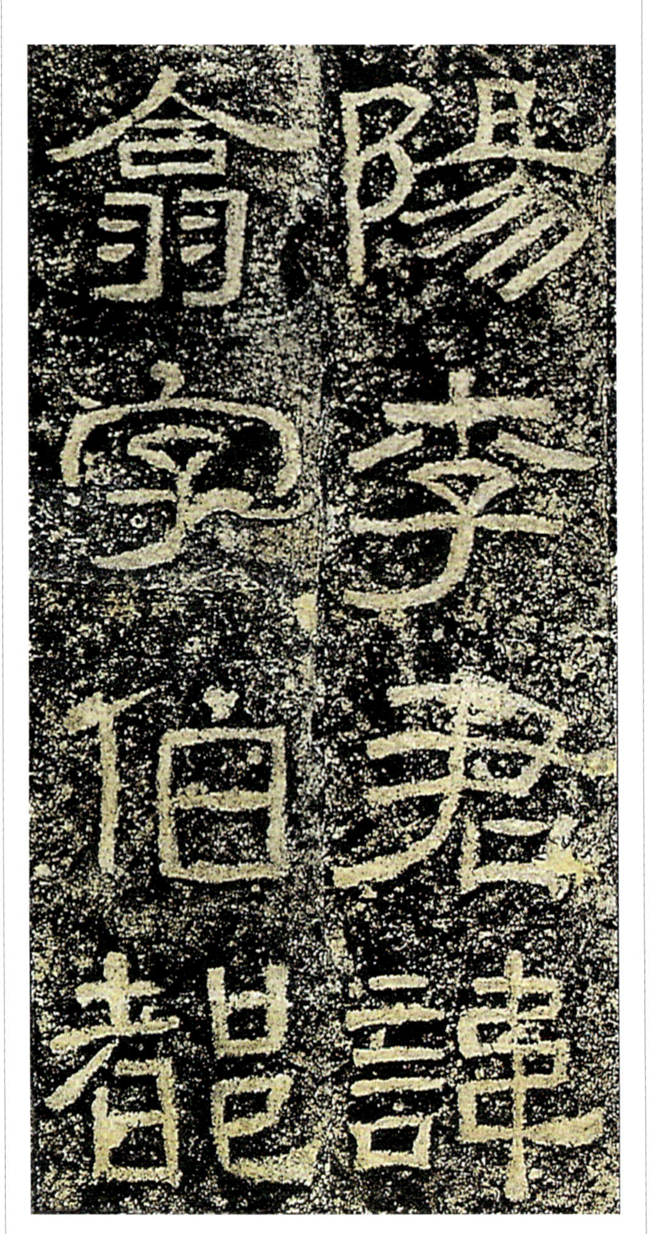

西狹頌局部之二

巴郡朐忍令景雲碑

東漢

重慶雲陽縣舊縣坪遺址出土。

高230厘米。

隸書十三行。刻于熹平二年（公元173年）。

現藏重慶市博物館。

郙閣頌

東漢

摩崖刻石，在陝西略陽縣。

隸書二十行，每行二十七字。

刻于建寧五年（公元172年）。

原刻損毁殆盡，明代時補刻。

郙閣頌局部之一

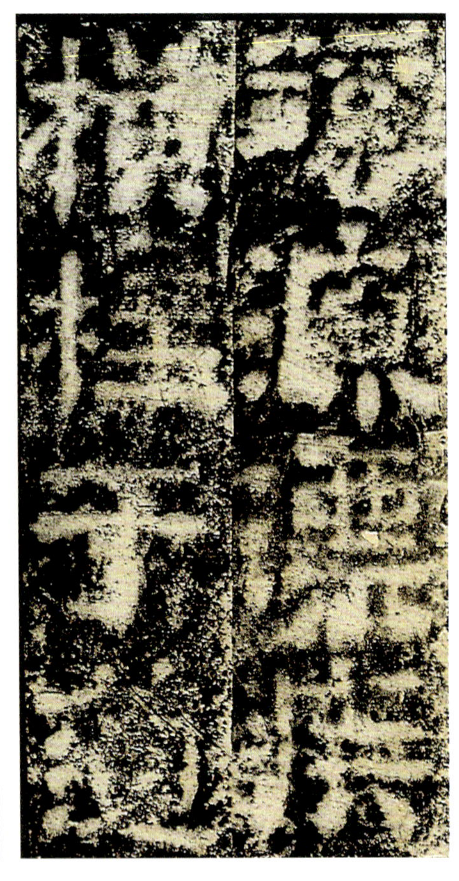

郙閣頌局部之二

熹平石經

東漢

東漢熹平四年（公元175年）刻五經文字入石立于太學門口，是爲熹平石經。後經戰亂而多亡佚，唐以後陸續出土，爲世所重。

熹平石經之一

熹平石經之二

熹平石經之三

熹平石經之四

韓仁銘

東漢

隸書八行，每行存十八、十九字不等。刻于熹平四年（公元175年）。

現藏河南省滎陽市第六中學。

韓仁銘碑額

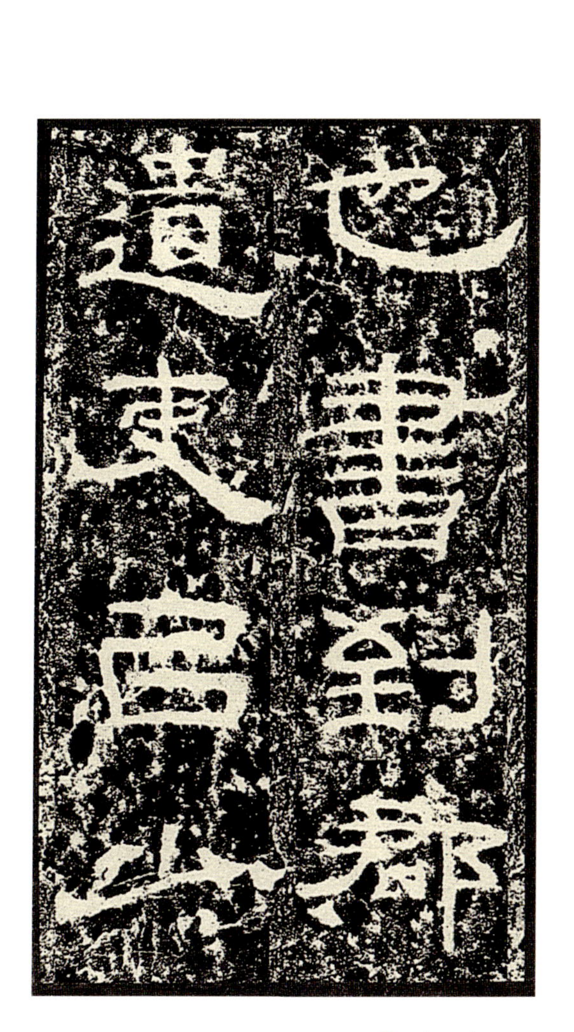

韓仁銘局部之一

韓仁銘局部之二

吴岐子根墓石題記

東漢
江蘇沛縣出土。
高40厘米。
題記四行四十八字，刻于熹平六年（公元177年）。

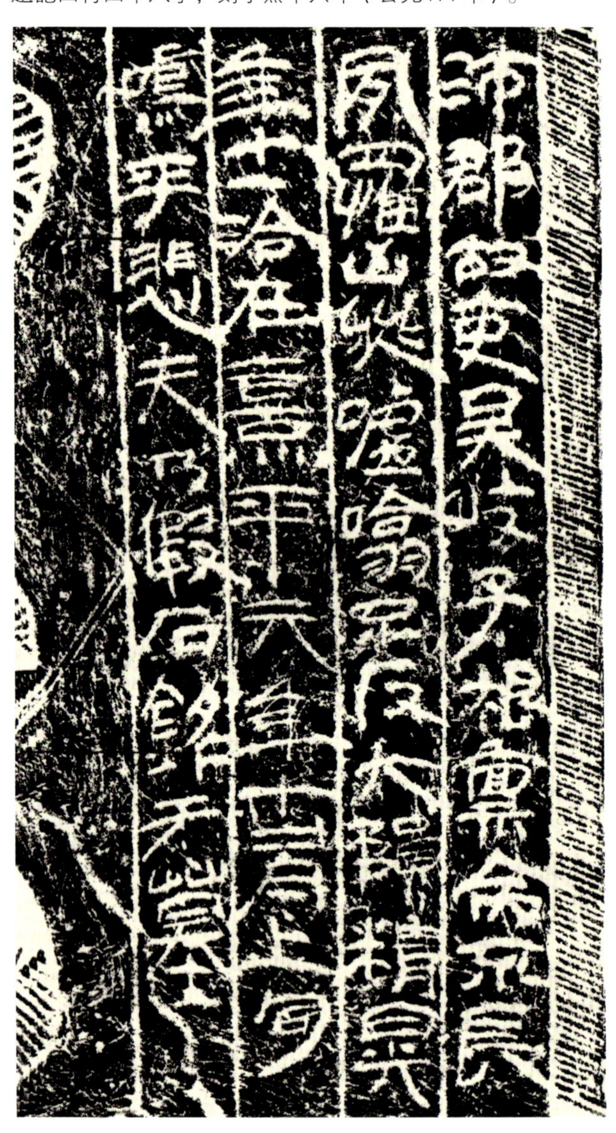

宣曉墓石題記

東漢
河南鞏義市出土。
高47、寬27厘米。
書寫内容和刻鎸風格與東漢刑徒磚刻文相近。
刻于熹平元年（公元172年）。

尹宙碑局部之一

尹宙碑局部之二

尹宙碑

東漢

河南長葛市出土。

隸書十四行，每行二十字。刻于熹平六年（公元177年）。

現存河南省鄢陵孔廟。

三老趙寬碑

東漢

青海樂都縣老鴉城出土。

隸書二十三行，每行三十二字，共計六百九十四字。刻于光和三年（公元180年）。此選爲局部。

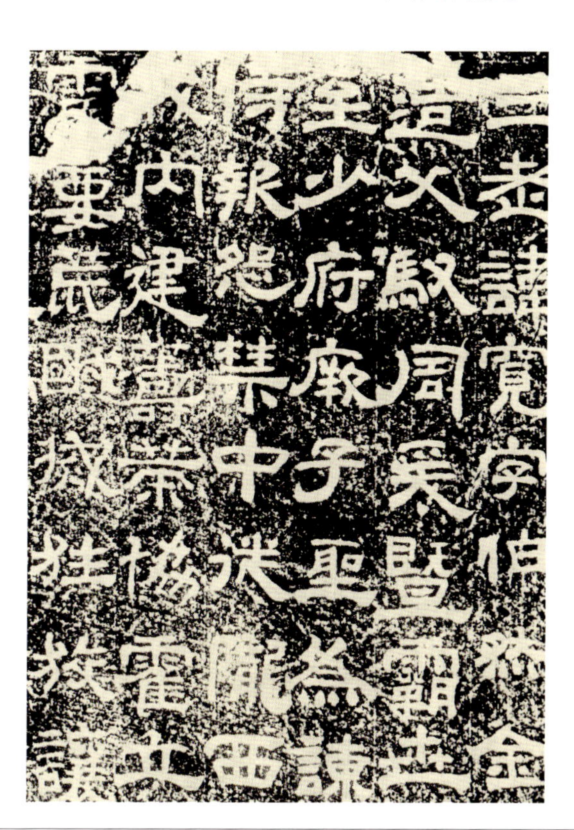

王舍人碑

東漢
山東平度市侯家村漢墓出土。
隸書十二行，每行十九字不等。刻于光和六年（公元183年）。此選爲局部。
現藏山東省平度市博物館。

白石神君碑

東漢
河北元氏縣出土。
隸書十六行。每行三十五字。刻于光和六年（公元183年）。此選爲局部。
現藏故宫博物院。

曹全碑

東漢

陝西合陽縣出土。

碑石高253、寬123厘米。

隸書二十行，每行四十五字。刻于中平二年（公元185年）。此選爲局部。

現藏陝西省西安碑林博物館。

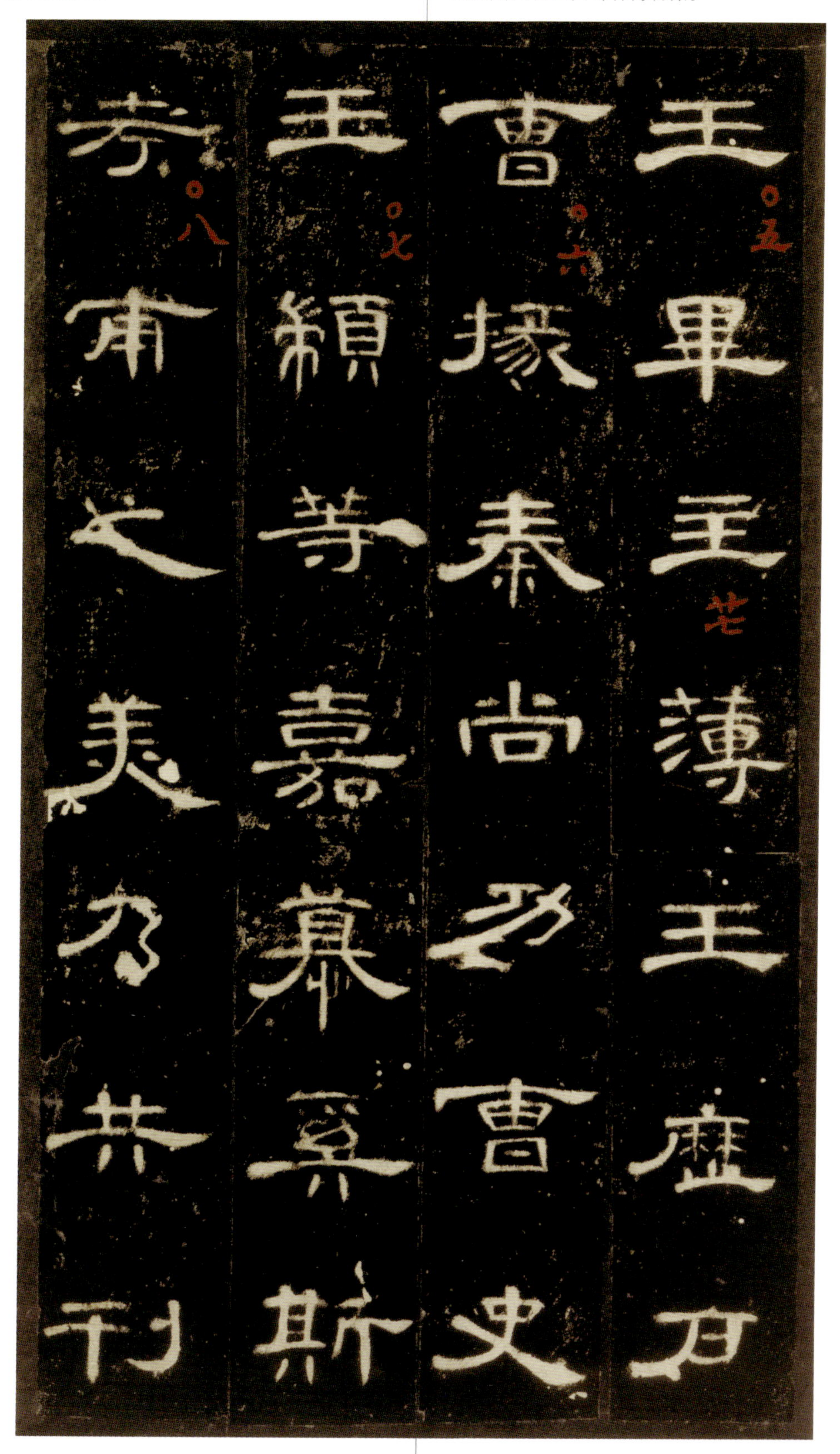

張遷碑

東漢

隸書十五行，每行四十二字。刻于中平三年（公元186年）。

現藏山東省泰安市岱廟。

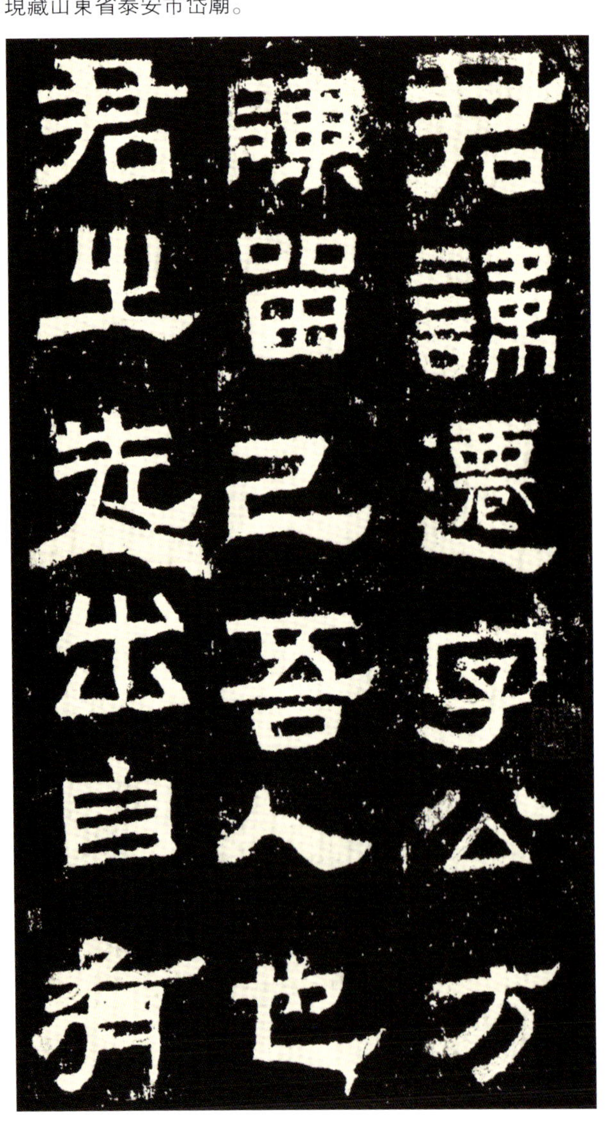

張遷碑局部之一

張遷碑局部之二

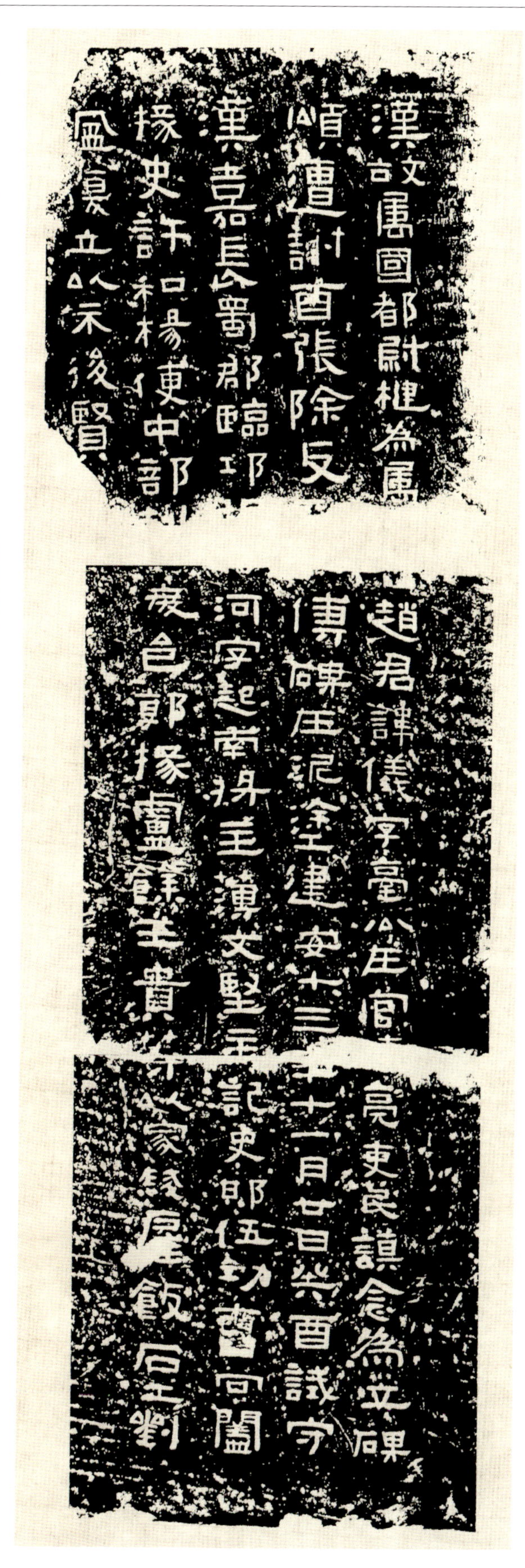
趙儀碑碑陰

趙儀碑

東漢

四川蘆山縣古城城門遺址出土。

此碑已斷爲三截，分别高112、寬53厘米；高115、寬50厘米；高115、寬53厘米。

碑正面文字已漫漶不清，碑陰文字清晰。刻于建安十三年（公元208年）。

現藏四川省蘆山縣博物館。

趙儀碑碑陰局部

王暉石棺銘

東漢
四川蘆山縣王暉墓出土。
刻于建安十七年（公元212年）。

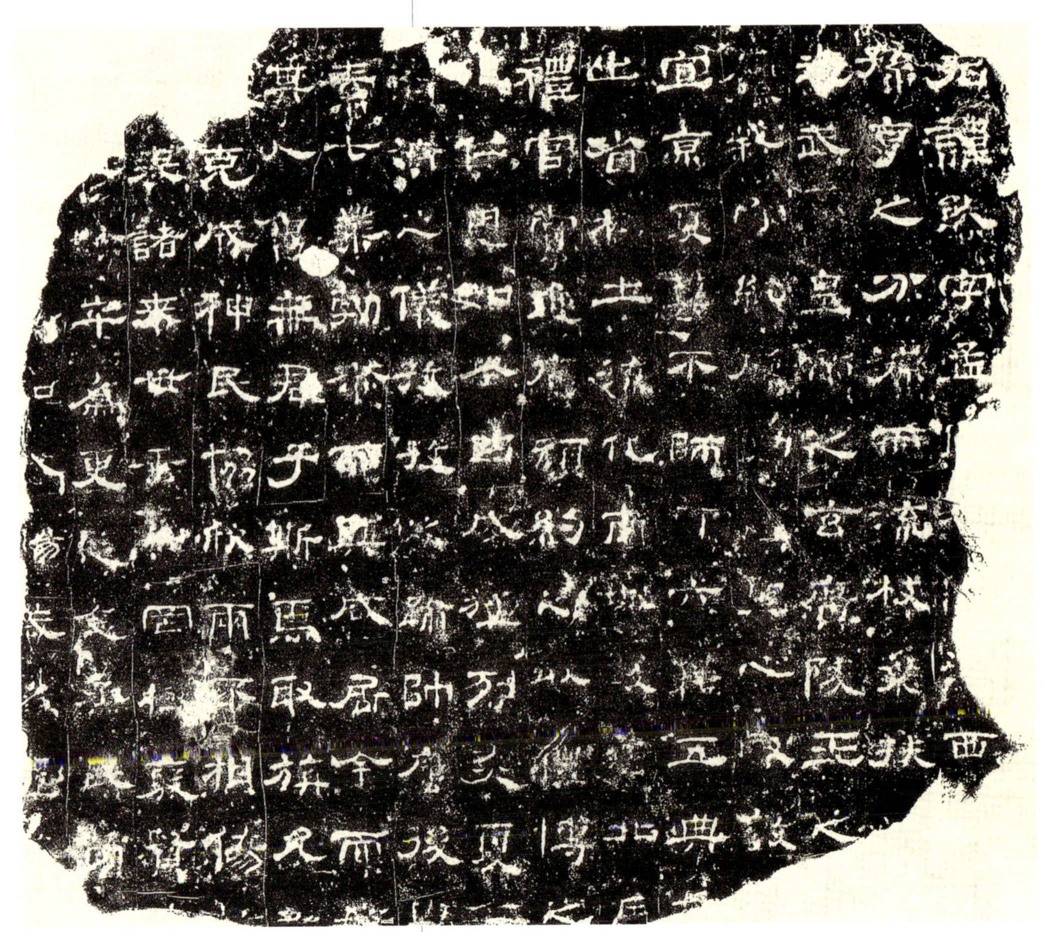

劉熊殘碑

東漢
殘石上隸書僅存八行，約五十字。此選拓本爲清末藏本上段，隸書十五行。
現藏河南省延津縣文化館。

趙剪碑

東漢

河南南陽市李相公莊李潤墓側出土。
碑僅存上截，十七行，每行五至七字。
現藏河南省南陽漢畫館。

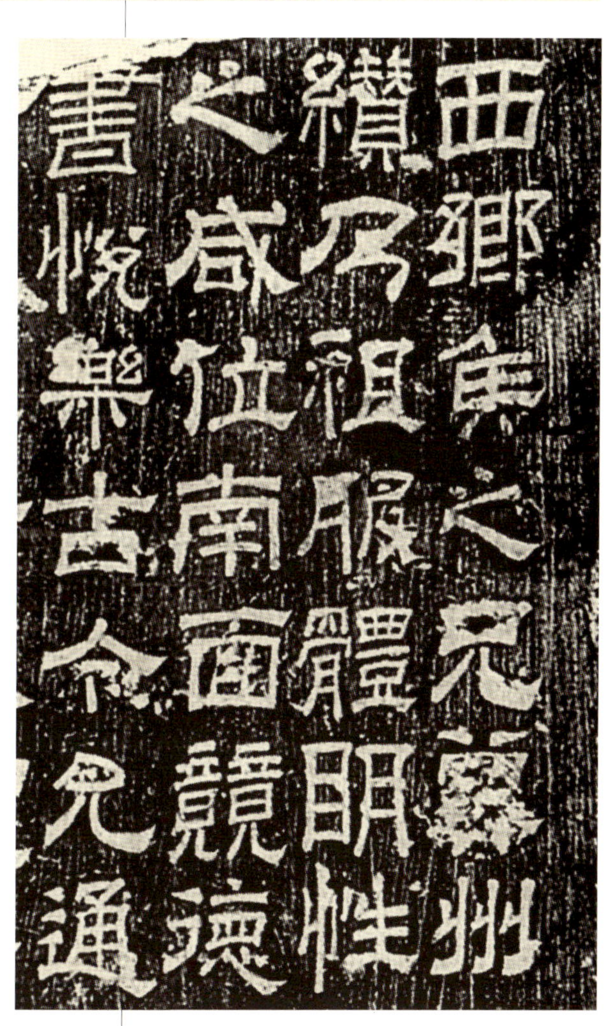

池陽令張君殘碑

東漢

此碑至目前已先後出土三塊殘片，其中兩塊現藏故宮博物院，第三塊原石已佚，僅有拓本傳世。此選爲第一塊殘片局部。

尚府君殘碑

東漢

河南洛陽市北朝墓（用作其墓門）出土。

僅殘存前二截，第一截存五行，每行二十九字；第二截存六行，每行三十字。此選爲局部。

現藏河南省偃師市文化館。

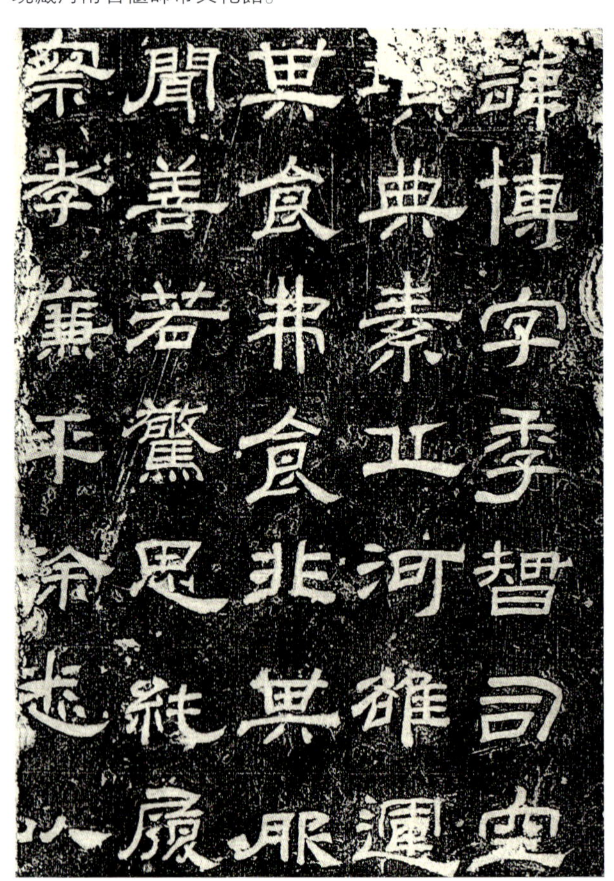

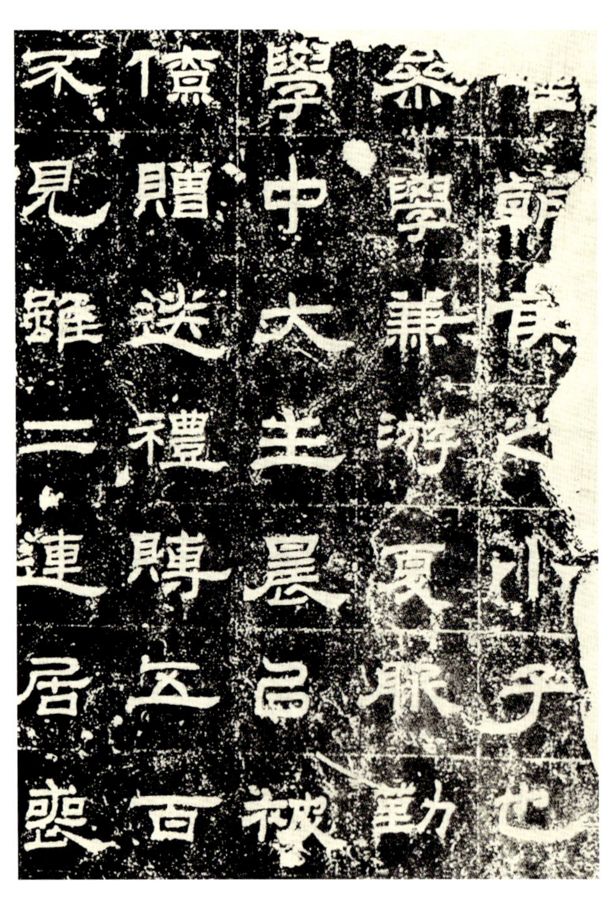

朝侯小子殘碑

東漢

陝西西安市出土。

碑陽拓片高82、寬80厘米，存十四行，每行十五字；碑陰拓片高48、寬42厘米，存六行，每行一至三字。此選爲碑陽拓片局部。

現藏故宫博物院。

孟孝琚碑

東漢

雲南昭通市出土。

殘高133、寬96厘米。

碑上部殘，碑文十五行，每行殘存二十一字。此選爲局部。

原碑現存雲南省昭通市第三中學。

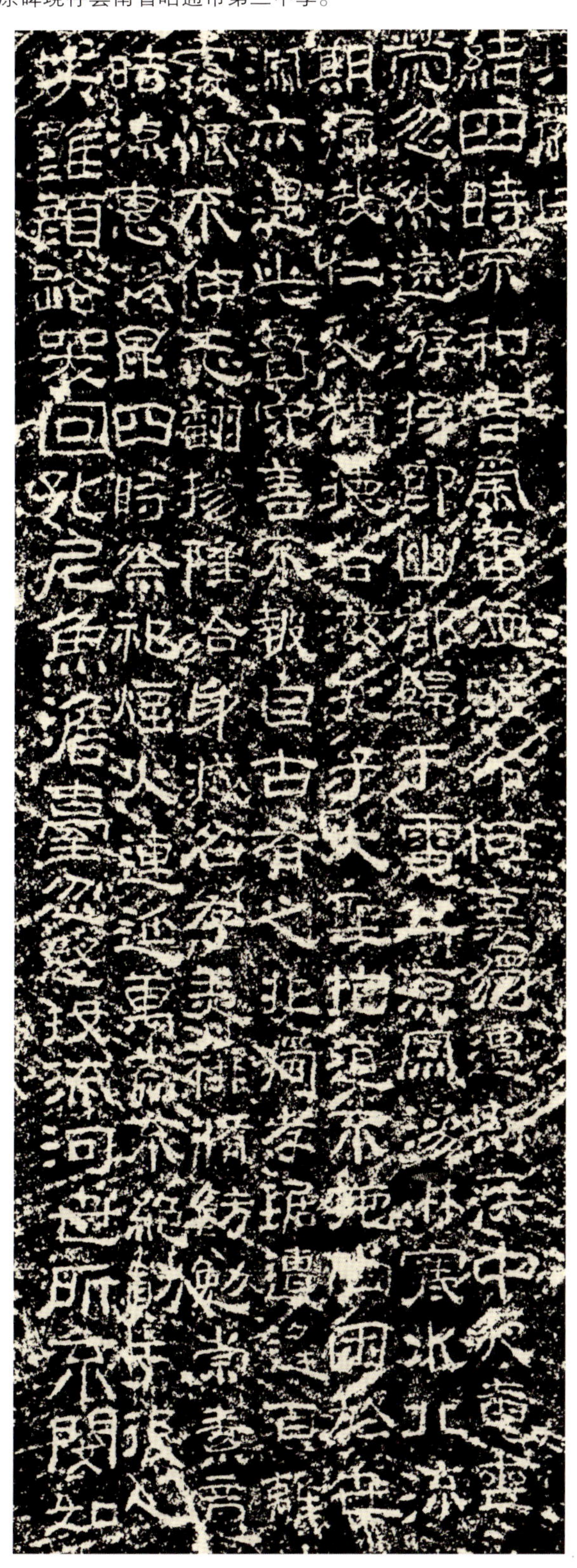

馮焕闕

東漢

四川渠縣出土。

隸書二行，二十字。

現藏故宫博物院。

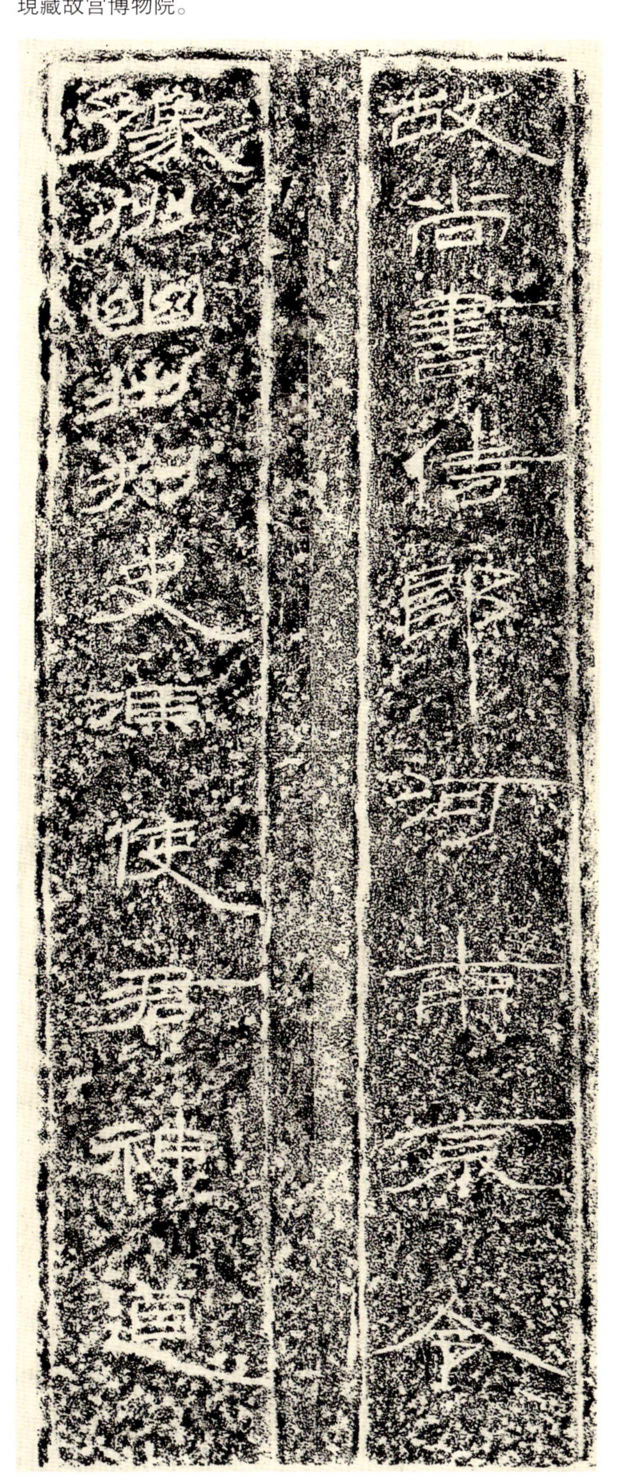

簿書碑

東漢

四川郫縣出土。

高157、寬71.5厘米。

現藏四川博物院。

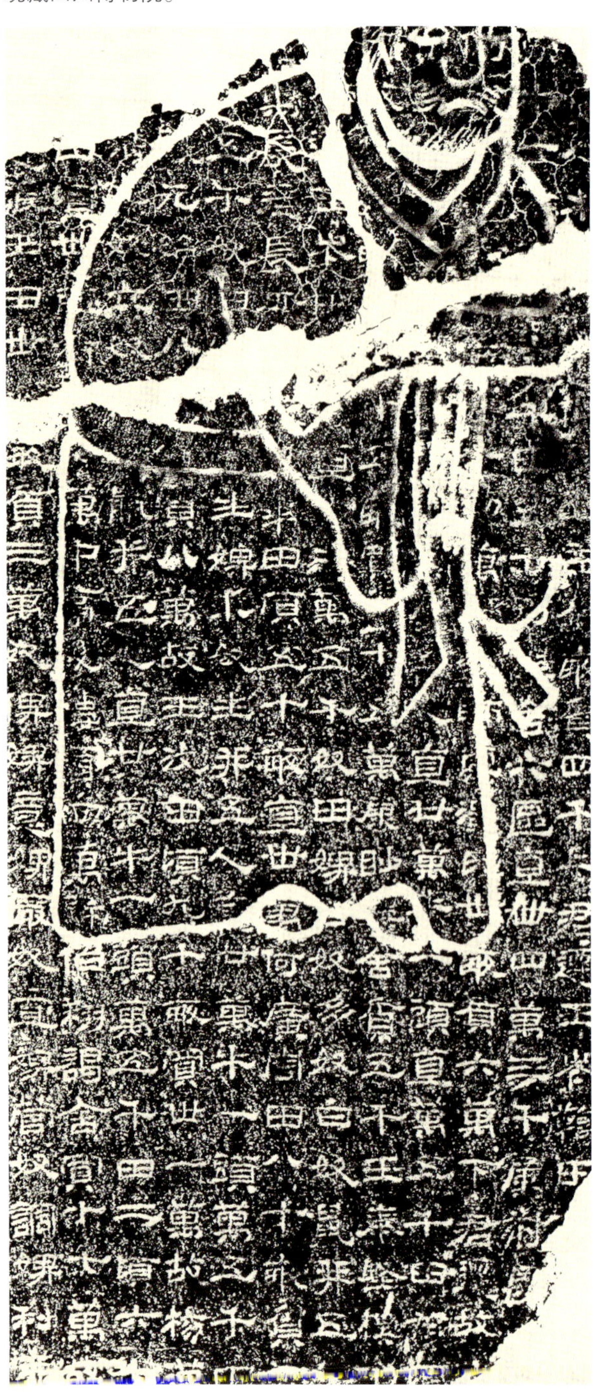

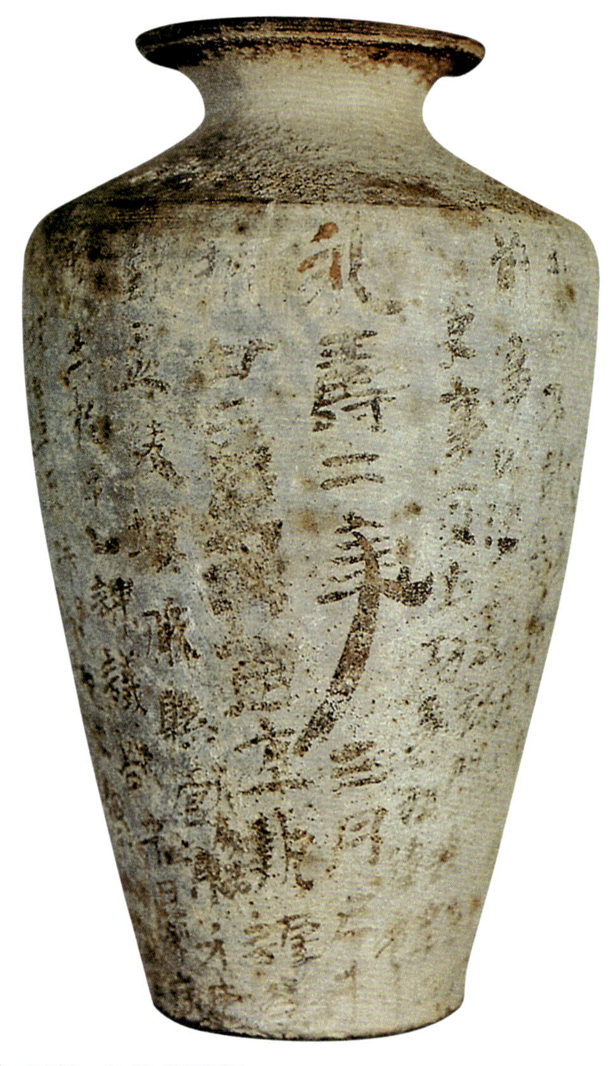

永壽二年陶瓶題記

東漢

陝西西安市出土。

隸書二十行，每行約十字。書于永壽二年（公元156年）。

現藏日本東京臺東區立書道博物館。

《儀禮》木簡

東漢
甘肅武威市磨嘴子漢墓出土。
高55、寬0.75厘米。
此爲甲本《泰射篇》第九十簡。
現藏甘肅省博物館。

《王杖詔書令》木簡

東漢

甘肅武威市磨嘴子漢墓出土。

簡高23.2–23.7、簡寬0.9–1.1厘米。

現遺存二十六簡，每簡四至三十五字不等。內容爲政府頒布的尊老、養老的詔書令。

現藏甘肅省武威市博物館。

制詔御史年七十以上人所尊敬也非首殺傷人毋告劾也毋所坐年八十以上生日久乎

年六十以上毋子男為鯤女子年六十以上毋子男為寡賈市毋租比山東復

人有養謹者扶持明著令　蘭臺令第卌二

孤獨盲珠孺不屬律人吏毋得擅徵召獄訟毋得轂布告天下使明知朕意

夫妻俱毋子男為獨寡田毋租市毋賦與歸義同沽酒醪列肆尚書令

臣咸再拜受詔　建始元年九月甲辰下

汝南太守讞廷尉吏有毆辱受王杖主者罪名明白

制曰讞何應論棄市雲陽白水亭長張熬坐毆抴受王杖主使治道男子王湯

告之即棄市高皇帝以來至本始二年朕甚哀憐耆老高年賜王杖

上有鳩使百姓望見之比於節吏民有敢罵詈毆辱者逆不道

得出入官府郎第行馳道中列肆賈市毋租比山東復

長安敬上里公乘臣廣昧死上書

甘谷木簡

東漢
甘肅甘谷縣漢墓出土。
簡高23、寬2.6厘米。
共出土木簡十三枚，內容爲宗正府卿劉櫃關于宗室的事給皇帝的奏書。書于延熹元年至二年（公元158－159年）。此選爲局部。
現藏甘肅省文物考古研究所。

《遂長病書》木簡

東漢
內蒙古額濟納旗破城子居延甲渠候官遺址出土。
高22.5、寬1.5厘米。
共三枚。爲駐守邊塞官吏的請病假申請。
現藏甘肅省文物考古研究所。

《候粟君所責寇恩事》木簡

東漢
內蒙古額濟納旗破城子居延甲渠候官遺址出土。
高22.5–22.8、寬1.2–2厘米。
共三十六枚。爲因買賣而起訴訟的法律文書。
現藏甘肅省文物考古研究所。

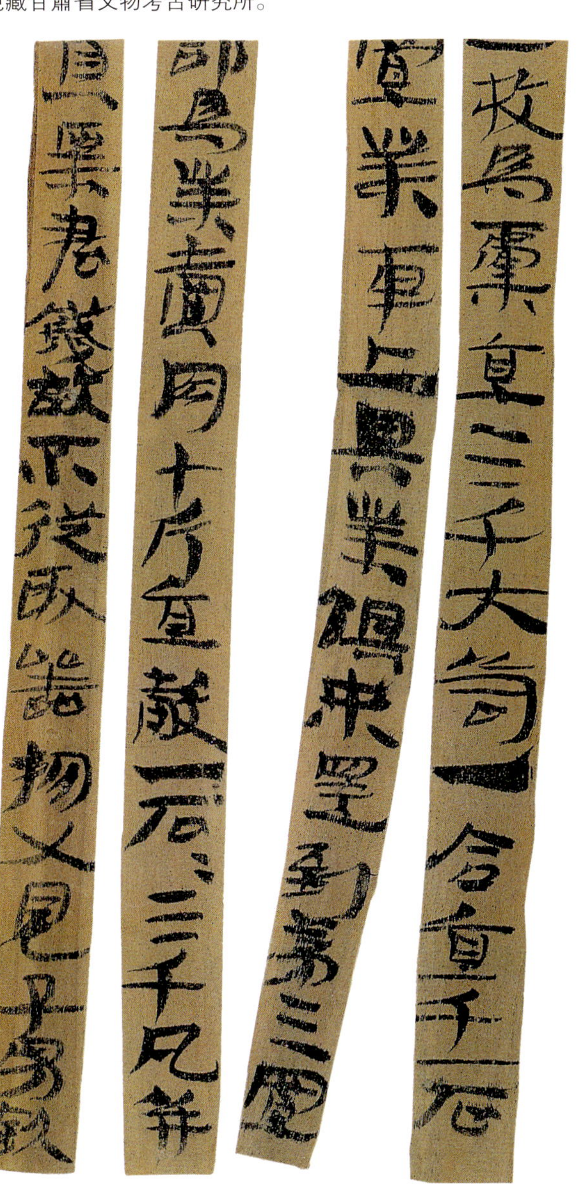

《候粟君所責寇恩事》木簡之一

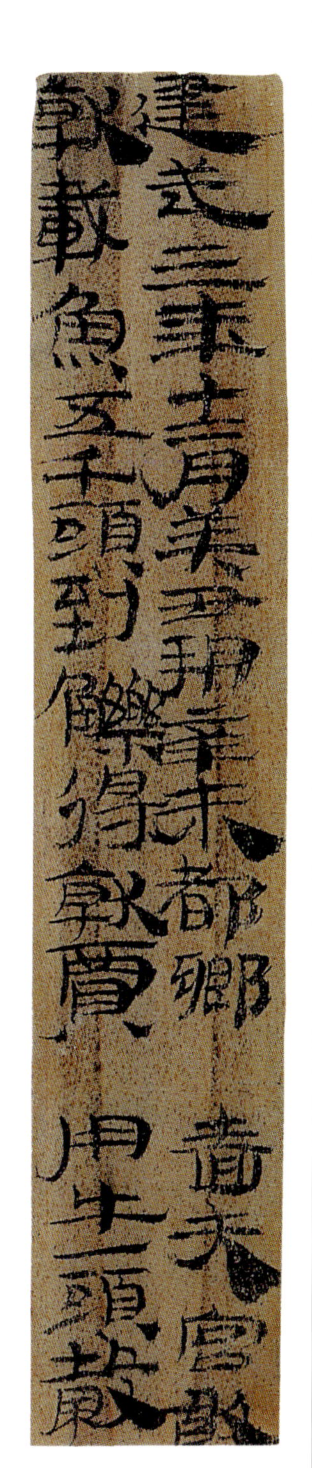

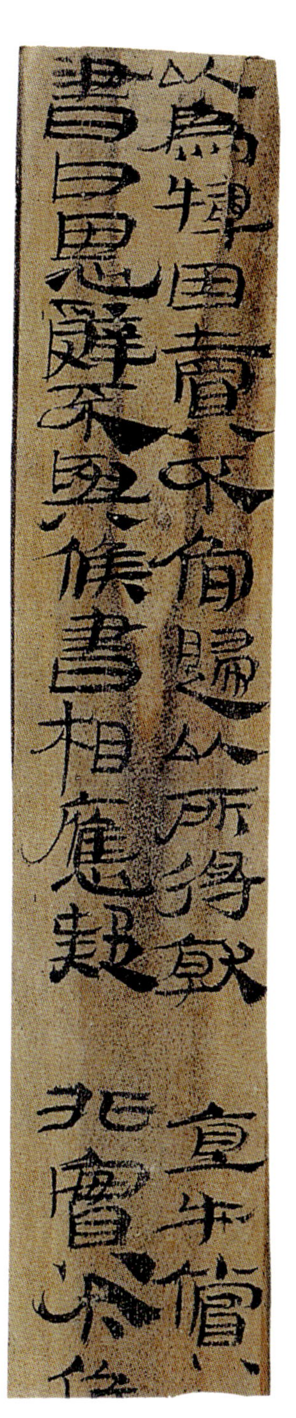

《候粟君所責寇恩事》木簡之二

遂内中駒死木簡

東漢

内蒙古額濟納旗破城子居延甲渠候官遺址出土。

高22、寬1.2厘米。

共十六枚。爲下級官吏上報甲渠候官的文書。

現藏甘肅省文物考古研究所。

姚孝經磚志

東漢
河南偃師市城關鎮北窑村出土。
長40、寬40厘米。
刻于永平十六年（公元73年）。
現藏河南省偃師商城博物館。

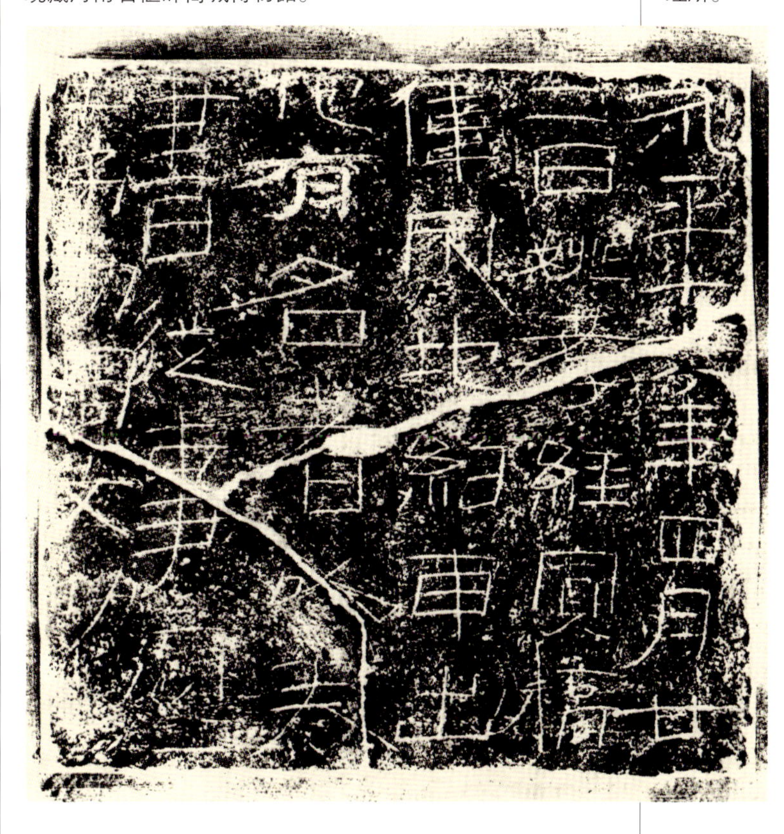

張公磚

東漢
四川新津縣出土。
高33、寬5.5厘米。
現藏四川省新津縣文物管理所。

建初三年磚

東漢
四川出土。
高8.5、寬24厘米。
刻于建初三年（公元78年）。

長安男子張磚

東漢
陝西西安市出土。
高33.5、寬13.5厘米。
刻于元和二年（公元85年）。

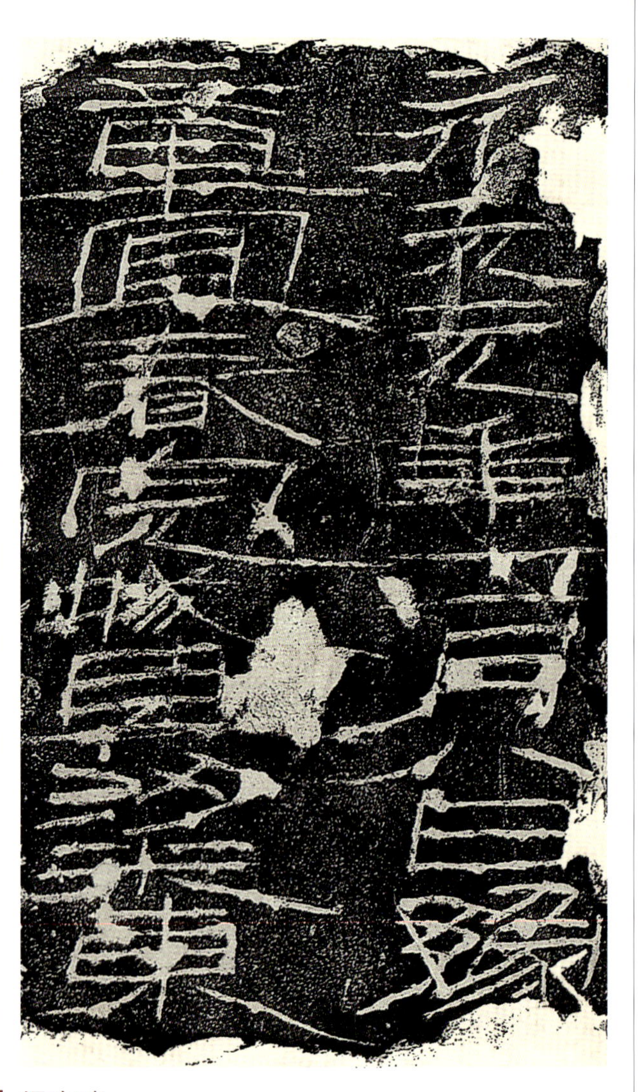

梁東磚

東漢
河南洛陽市出土。
高37、寬22.5厘米。
刻于永元元年（公元89年）。
現藏故宫博物院。

公羊傳磚

東漢
磚高33.6、寬12.5、厚6.5厘米。
陰文草隸，五十餘字。
現藏中國國家博物館。

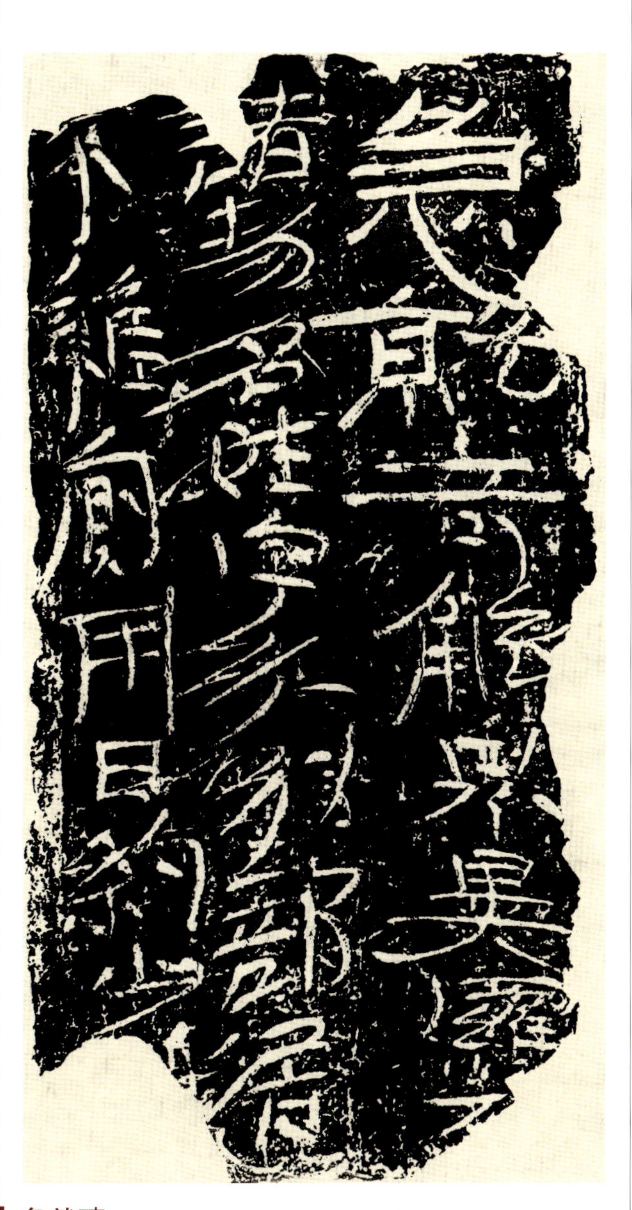

急就磚

東漢
河南洛陽市出土。
高31、寬15厘米。
濕刻，草隸。
現藏北京市魯迅博物館。

刑徒墓磚銘

東漢

刑徒墓磚大多出于河南洛陽一帶，一般采用隸體，書寫奔放不羈，不受規矩束縛。

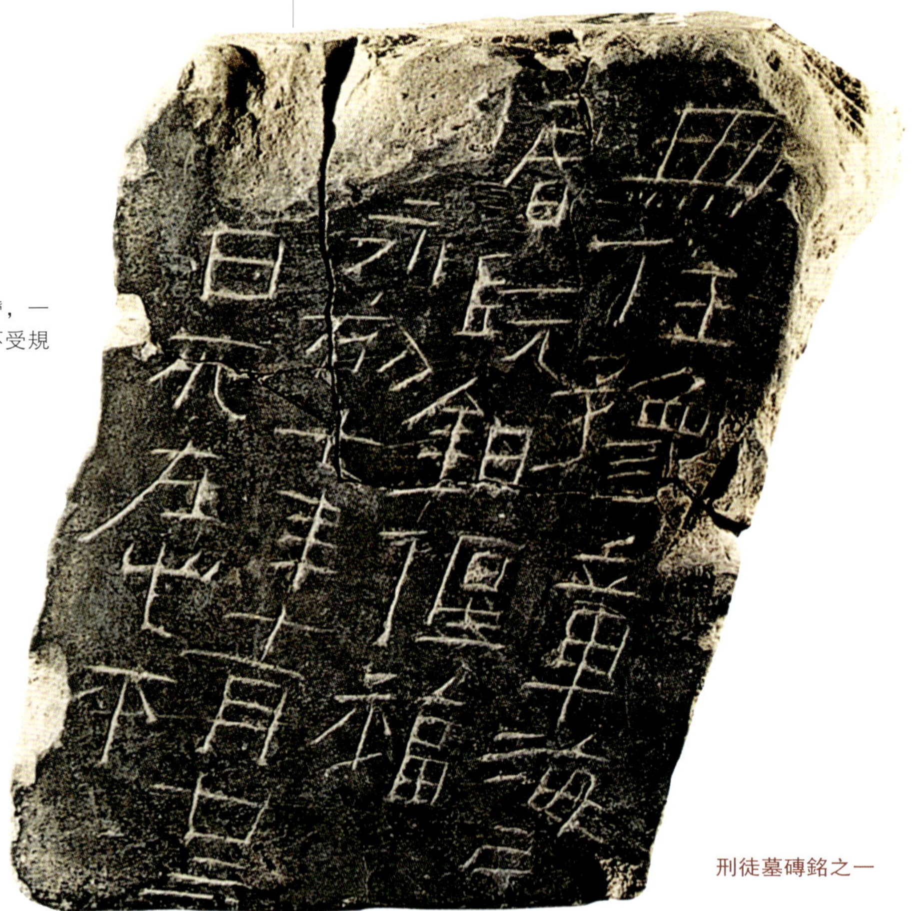

刑徒墓磚銘之一

刑徒墓磚銘之二

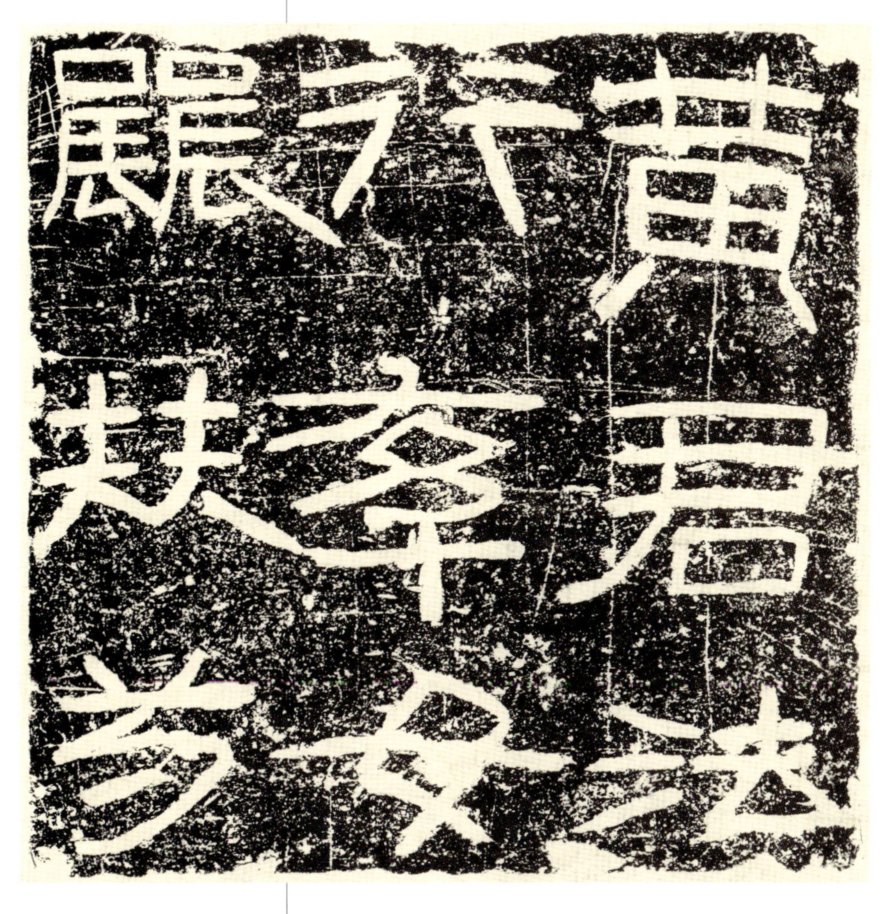

孝女墓磚

東漢

河南洛陽市三樂食品總廠第226號墓出土。

高45、寬45厘米。

刻銘三行九字。

富貴昌磚

東漢

四川成都市新都區新繁鎮出土。

高44、寬44厘米。

磚文八欄二十四字，爲“富貴昌，宜宫堂，意氣陽，宜弟兄，長相思，毋相忘，爵禄尊，壽萬年”。

現藏重慶市博物館。

爲將奈何磚

東漢

安徽亳州市曹操宗族墓元寶坑1號墓出土。

高29.5、寬15.5厘米。

此磚文爲早期狂草重要實物。

現藏安徽省亳州市博物館。

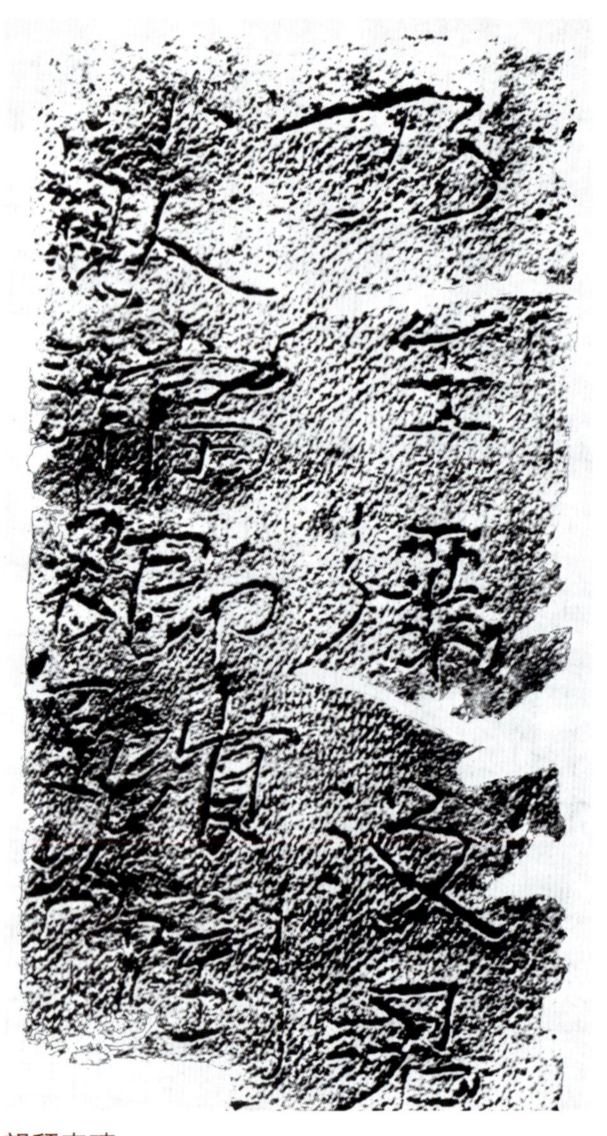

親拜喪磚

東漢

安徽亳州市曹操宗族墓元寶坑1號墓出土。

高30.5、寬15厘米。

磚文三行十六字。

現藏安徽省亳州市博物館。

大司農平斛銘

東漢
甘肅古浪縣陳家河臺子出土。
圓桶形，高24.4、口徑34.5厘米。
腹壁摹刻小篆一行十三字，刻于建武十一年（公元35年）。
現藏中國國家博物館。

延熹元年洗銘

東漢
山東蒼山縣西町村出土。
器高22、口徑42.5厘米。
底内鑄鶴魚紋及五銖錢紋，中間有範鑄陽文篆書一行七字。

常樂未央鏡銘

東漢
陝西千陽縣漢墓出土。
面徑7.3厘米。
于外圈欄與方欄之間鑄規範小篆八字："常樂未央，長毋相忘。"
現藏中國社會科學院考古研究所。

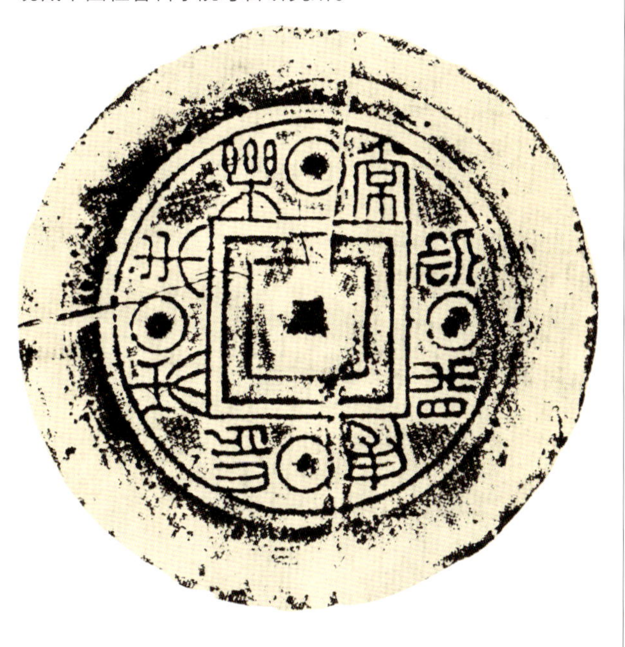

受禪表碑

三國・魏

隸書三十二行，每行四十九字。刻于黄初元年（公元220年）。此選爲局部。

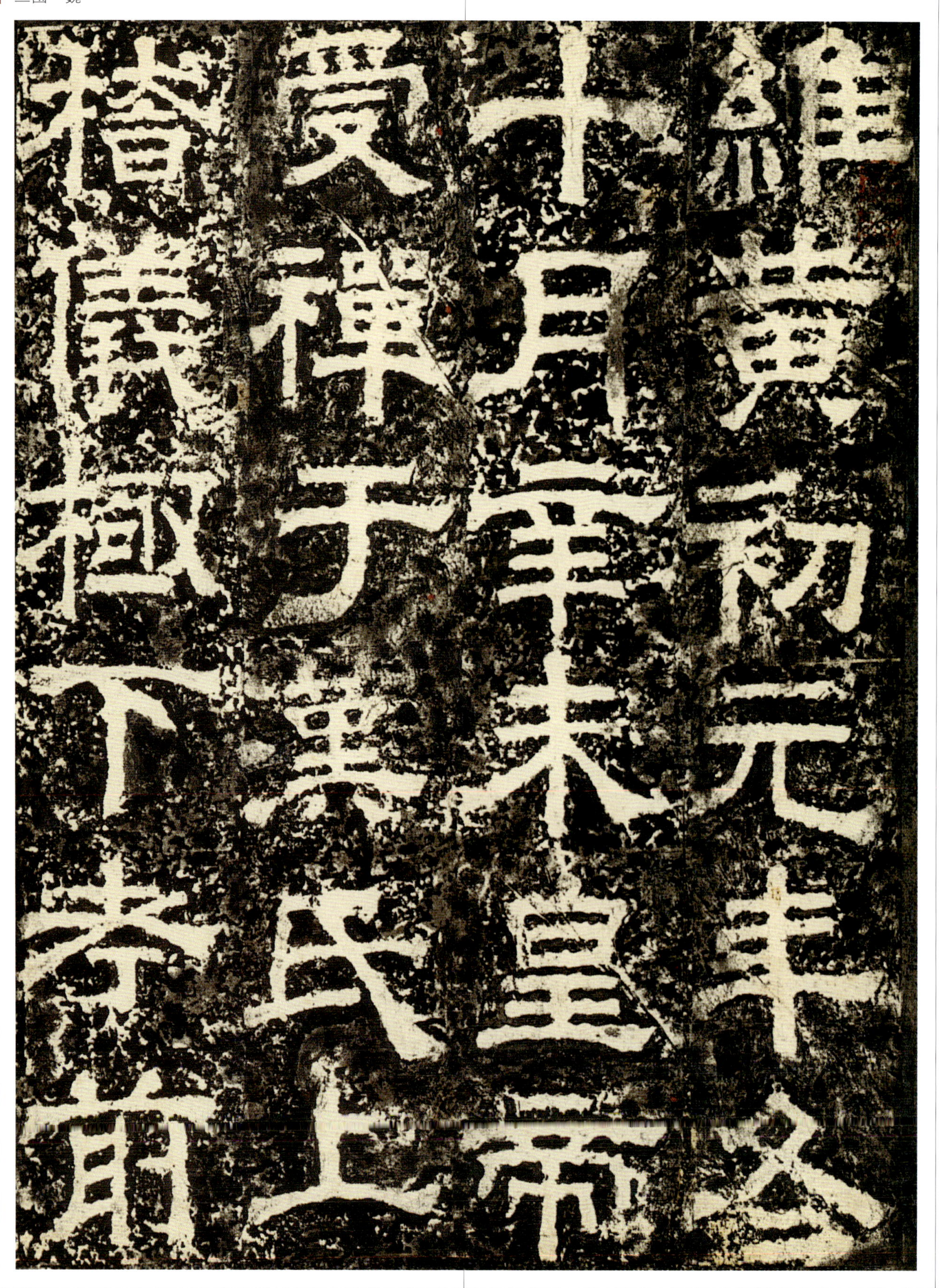

孔羨碑

三國・魏

隸書二十二行，每行四十字。刻于黄初元年（公元220年）。

碑石在山東省曲阜市孔廟同文門内。

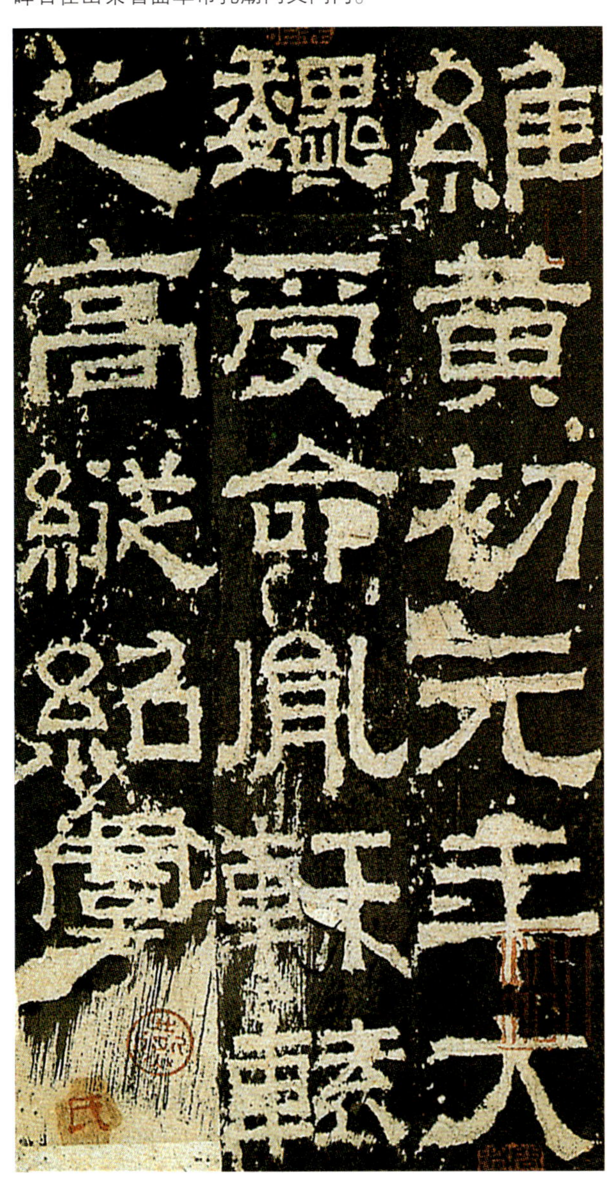

孔羨碑局部之一

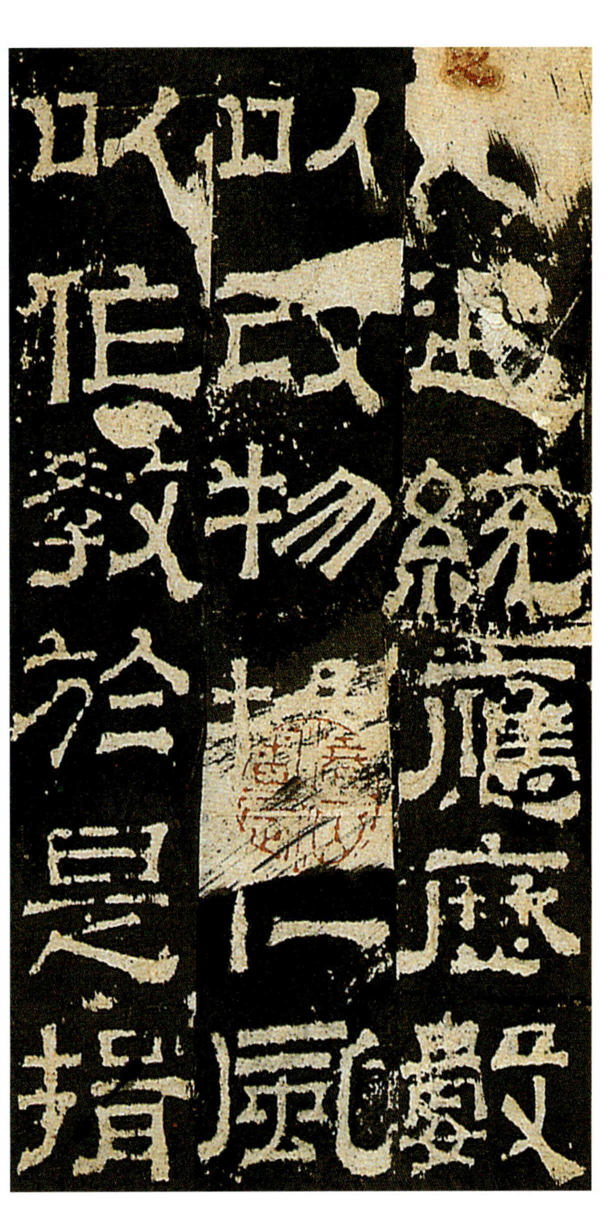

孔羨碑局部之二

上尊號碑

三國・魏

隸書三十二行，每行四十九字。此選爲局部。

現藏河南省臨潁縣繁城鎮漢獻帝廟。

黄初殘石

三國・魏

陝西合陽縣出土。

隸書，殘存四方，一方四行十三字，一方二行四字，一方三行十二字，一方二行六字半。刻于黄初五年（公元224年）。

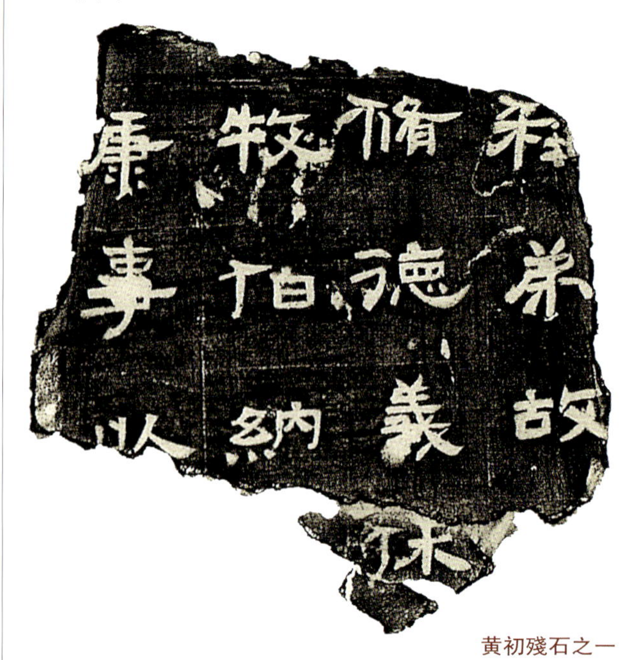

黄初殘石之一

黄初殘石之二

正始石經

三國・魏

此石經刻于三國魏正始年間（公元240－249年），後崩裂没于土中，自宋以後，常有殘石出土。

中國國家博物館、河南博物院、陝西省西安碑林博物館等藏有殘石。

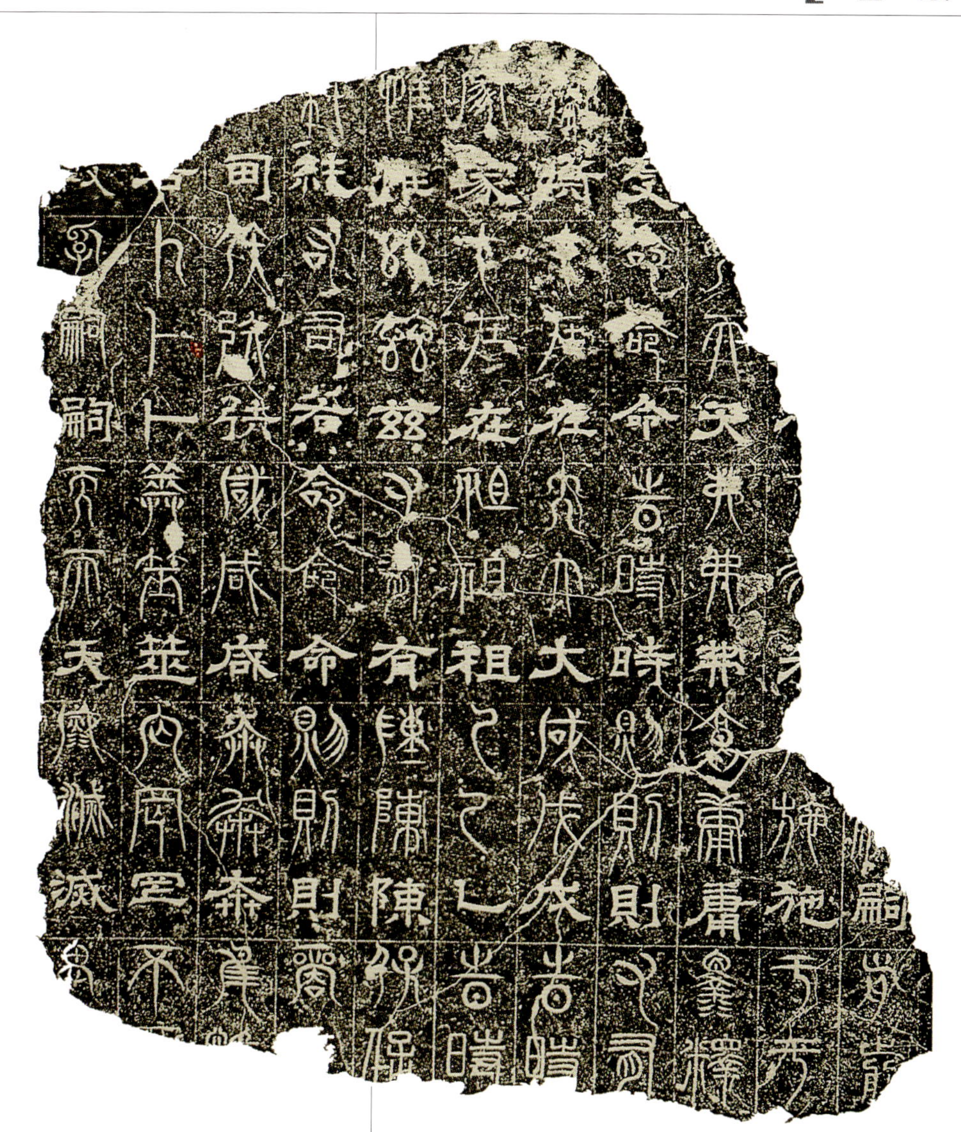

正始石經之一

正始石經之二

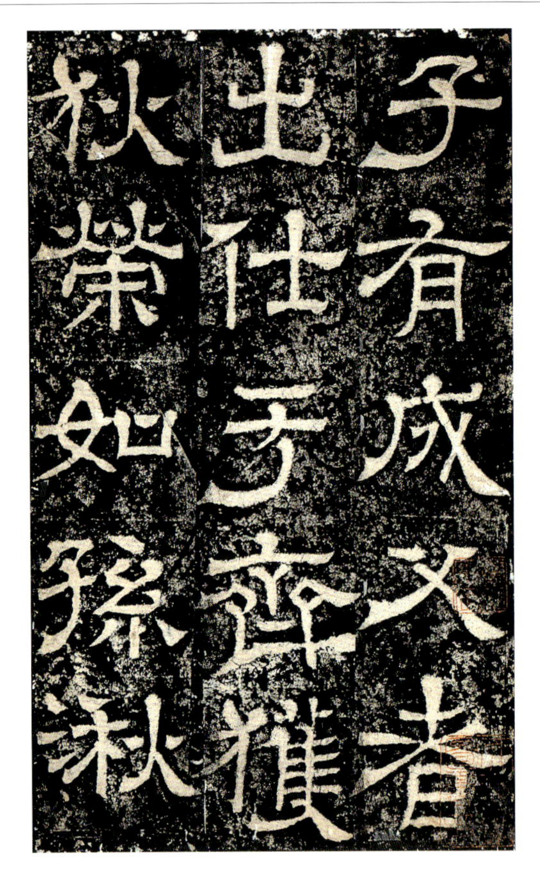

王基碑（左上圖）

三國・魏
河南洛陽市安家村出土。
刻于景元二年（公元261年）。此選爲局部。
原石現藏河南省洛陽市。

曹真碑

三國・魏
陝西西安市南門外出土。
碑已殘斷，僅存中間一部。
現藏故宫博物院。

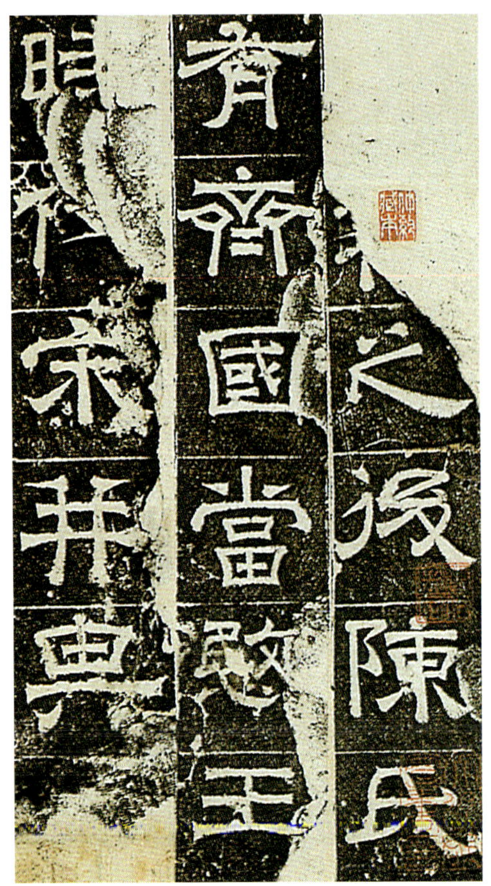

曹真碑局部之一

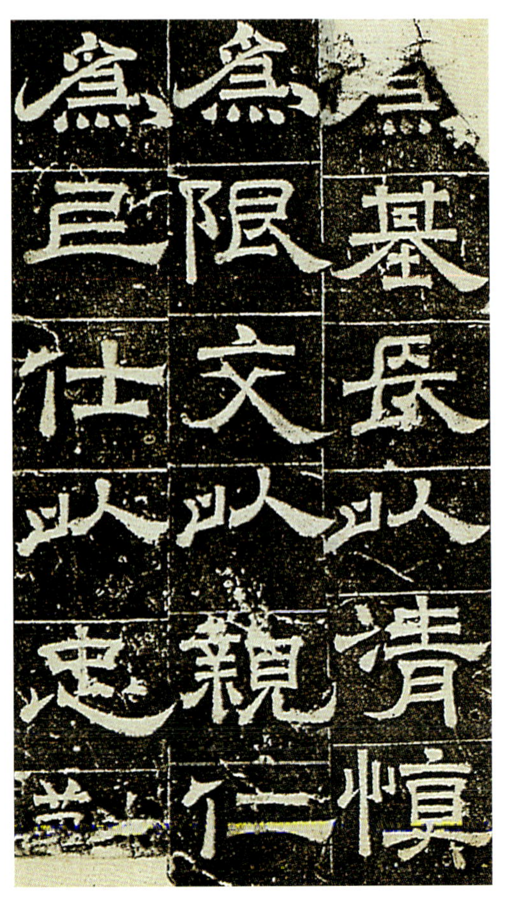

曹真碑局部之二

鮑寄神坐

三國・魏

河南洛陽市楊墳村出土。

高30.5、寬7.8厘米。

隸書一行，十一字。

現藏故宫博物院。

鮑捐神坐

三國・魏

河南洛陽市楊墳村出土。

高34.5、寬7.8厘米。

隸書一行，十三字。

現藏故宫博物院。

西鄉侯兄張君殘碑

三國・魏

河南修武縣出土。

碑陽拓片高102、寬46.5厘米，存十行，每行存十九字；碑側畫像拓片高102、寬19厘米。

現藏故宮博物院。

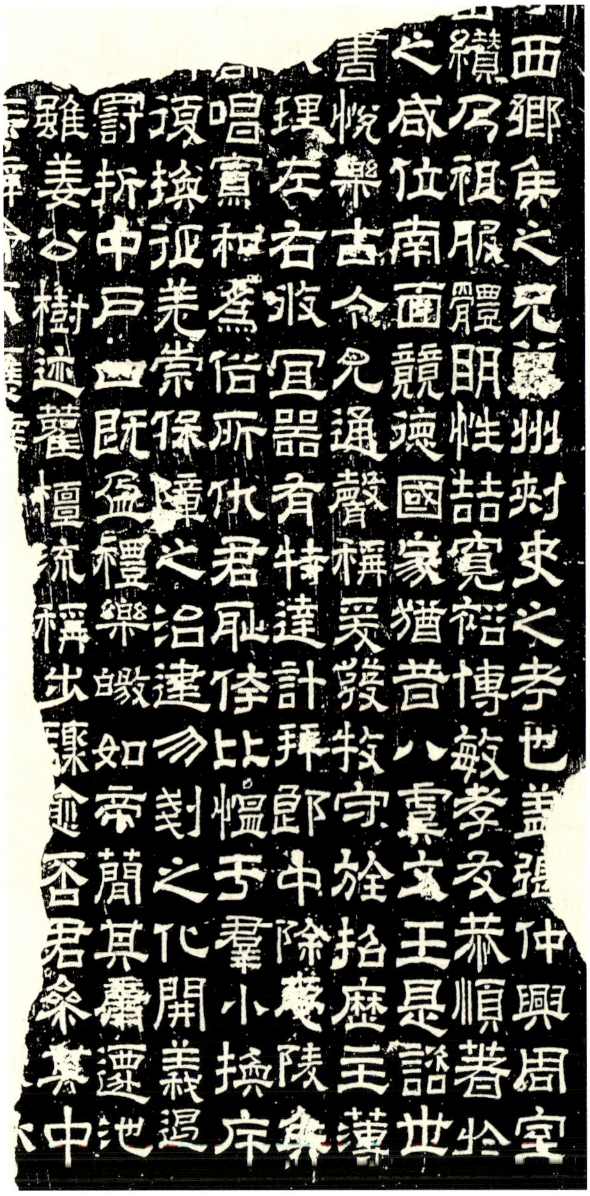

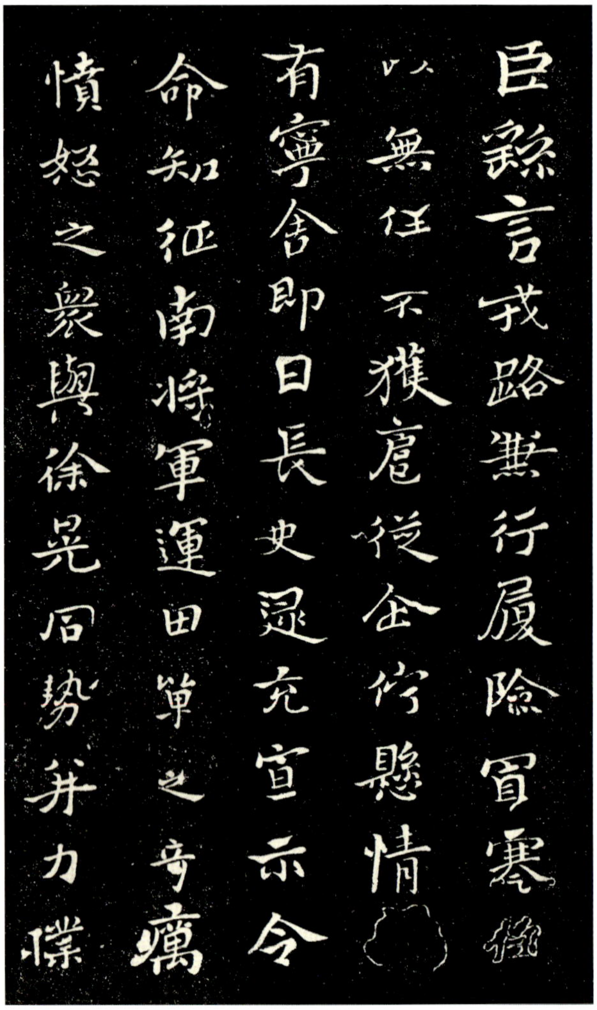

鍾　繇（公元151－230年）

潁川長社（今河南長葛東）人，字元常。曹魏立國後，進封爲定陵侯，官至太傅，人稱“鍾太傅”。工書法，博取衆長爲己所用。兼擅諸體，隸、楷最精。鍾繇在漢字由隸向楷演變的過程中起了有力的推動作用，《宣和書譜》稱之爲“楷書之祖”。真迹未能流傳至今，《宣示表》等作品均係後人臨摹收入各種法帖者。

賀捷表

三國・魏

鍾繇

小楷十二行。此表作于建安二十四年（公元219年）鍾繇六十八歲時。

此選爲《鬱岡齋帖》本局部。

薦季直表

三國・魏

鍾繇

字心高40、寬18厘米。

原墨迹爲卷裝，包括署款共十九行。原件已毀，現有照片存世。拓本爲《真賞齋帖》本。

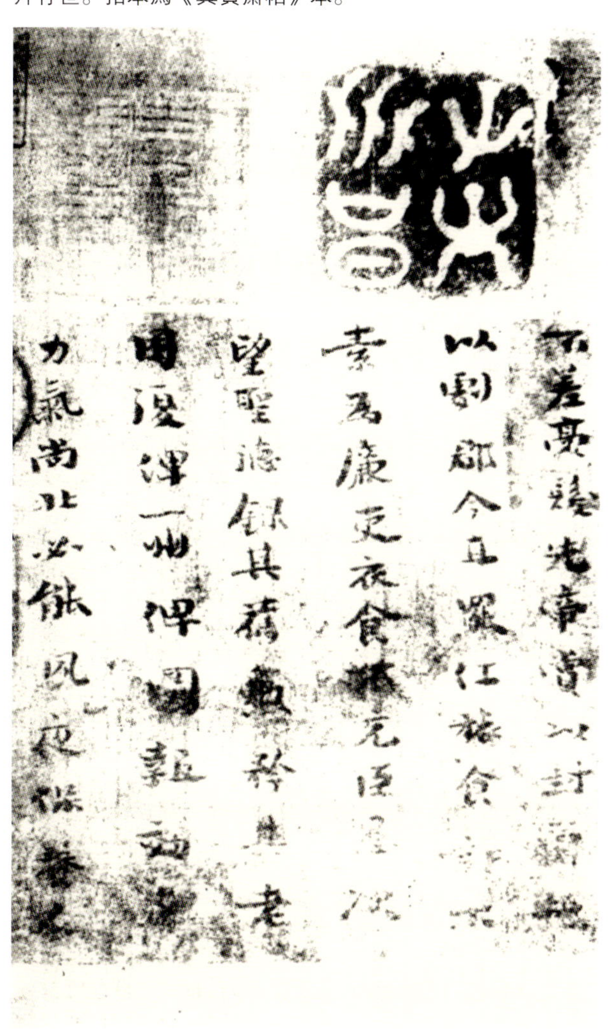

薦季直表原件照片局部

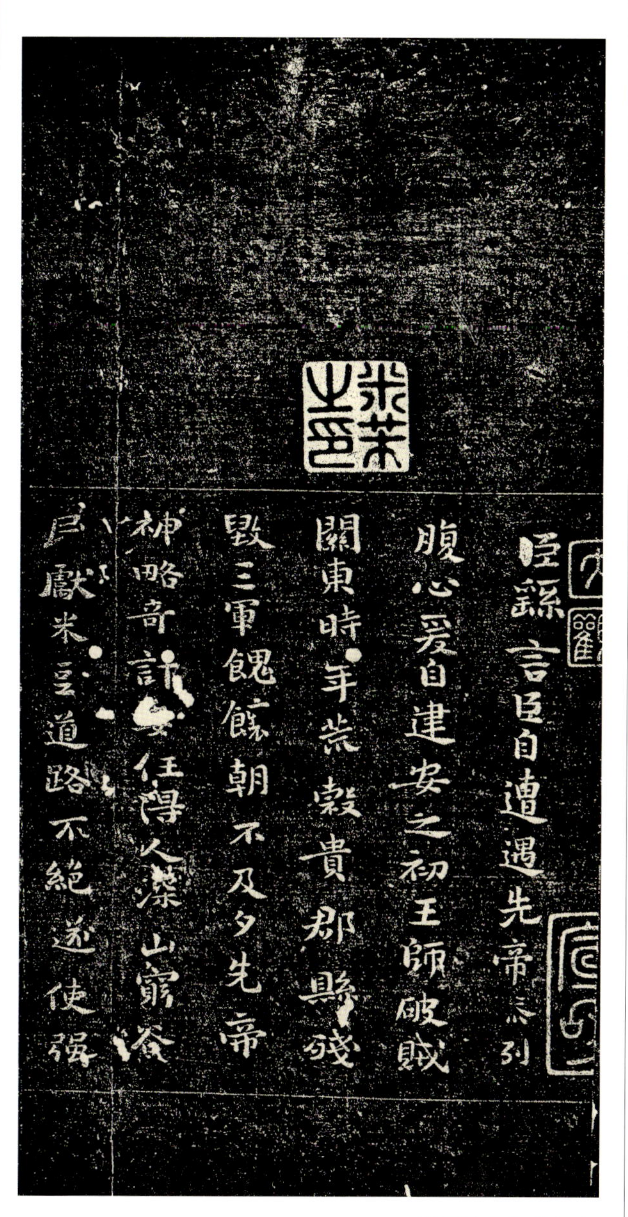

薦季直表拓片局部

宣示表

三國・魏

鍾繇

小楷十八行。傳世帖傳爲王羲之臨本。

此選爲《大觀帖》本局部。

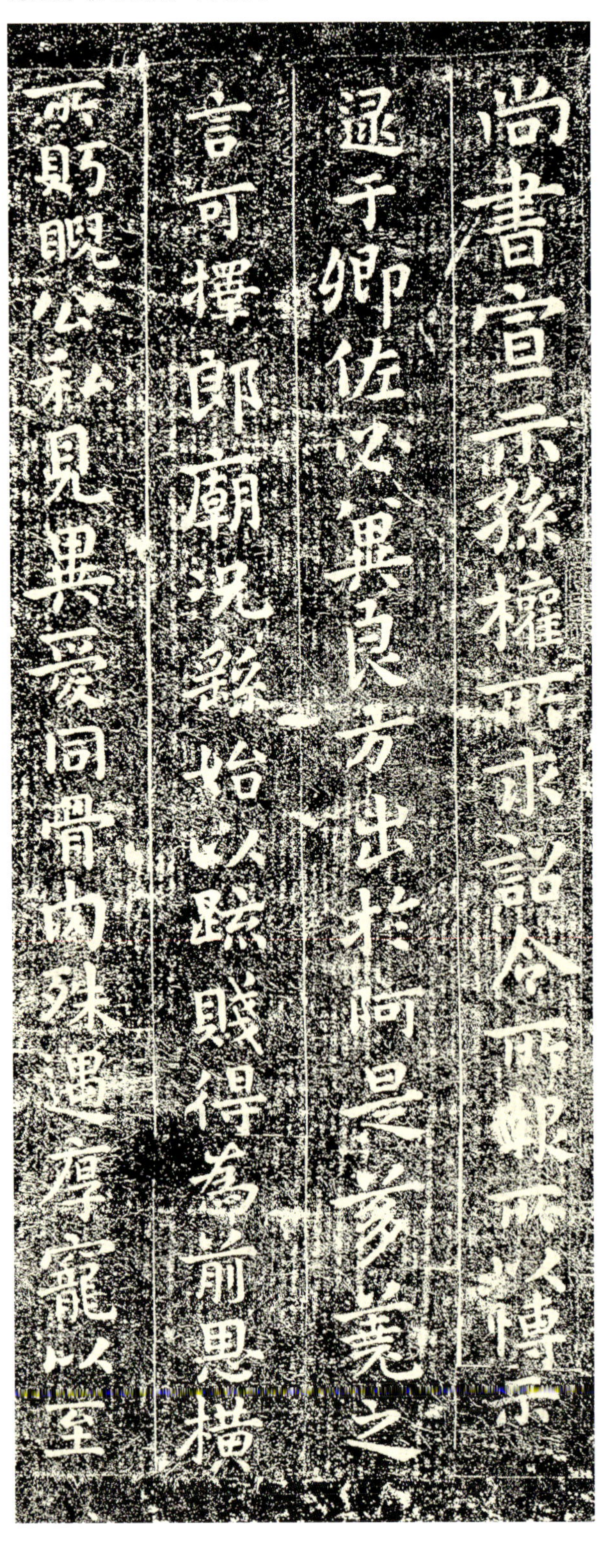
尚書宣示孫權所求詔令所報所以博示
逮于卿佐必冀良方出於阿是芻蕘之
言可擇郎廟況繇始以疏賤得爲前恩橫
所盱睨公私見異愛同骨肉殊遇厚寵以至

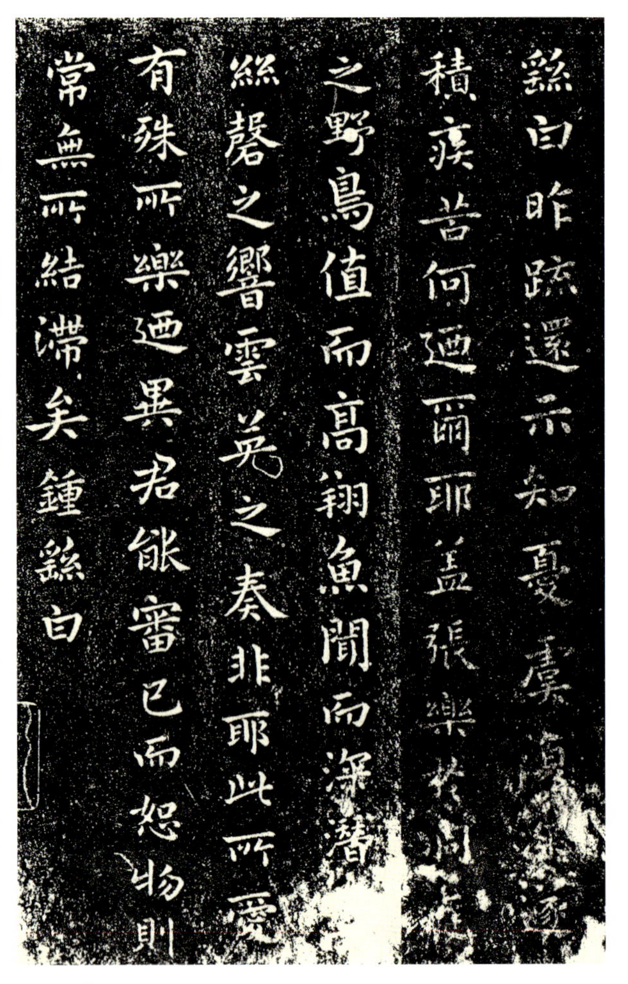
繇白昨疏還示知憂虞復深遂
積疾苦何廼爾耶蓋張樂於洞庭
之野鳥值而高翔魚聞而深潛
絲聲之響雲英之奏非耶此所愛
有殊所樂廼異君能審己而恕物則
常無所結滯矣鍾繇白

還示表

三國・魏

鍾繇

小楷六行。

此選爲《淳化閣帖》本。

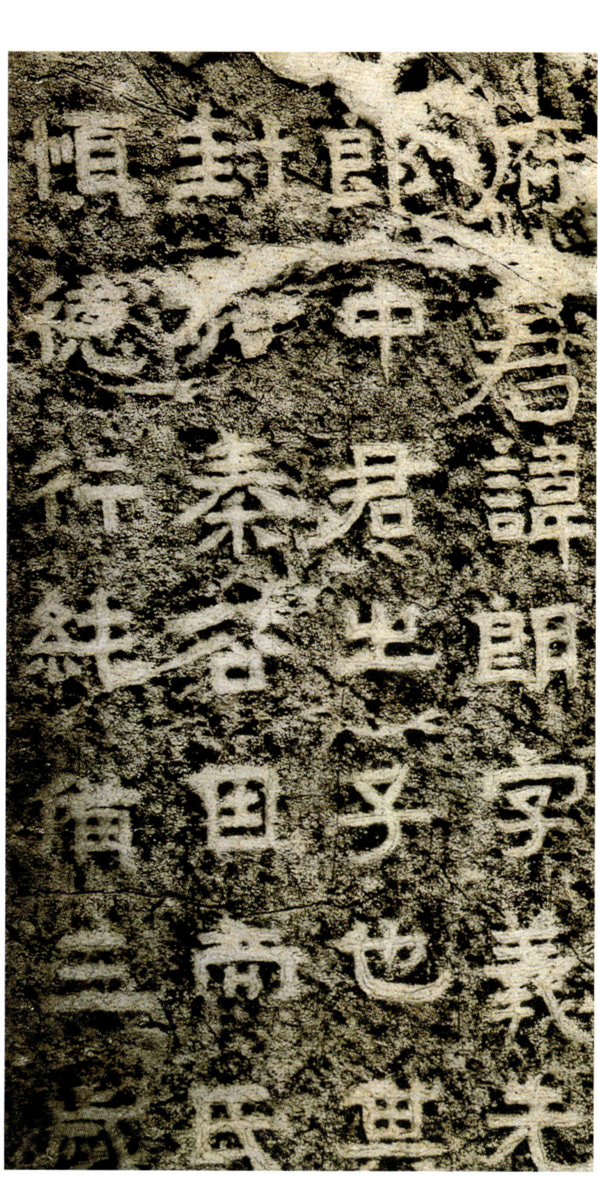

谷朗碑

三國・吴

湖南耒陽市谷府君祠出土。

楷書，存十八行，行二十四字。刻于鳳皇元年（公元272年）。此選爲局部。

禪國山碑

三國・吴

碑形微圓，篆書四面環刻，俗稱“囤碑”。此選爲局部。

原石現在江蘇省宜興市張朱鎮。

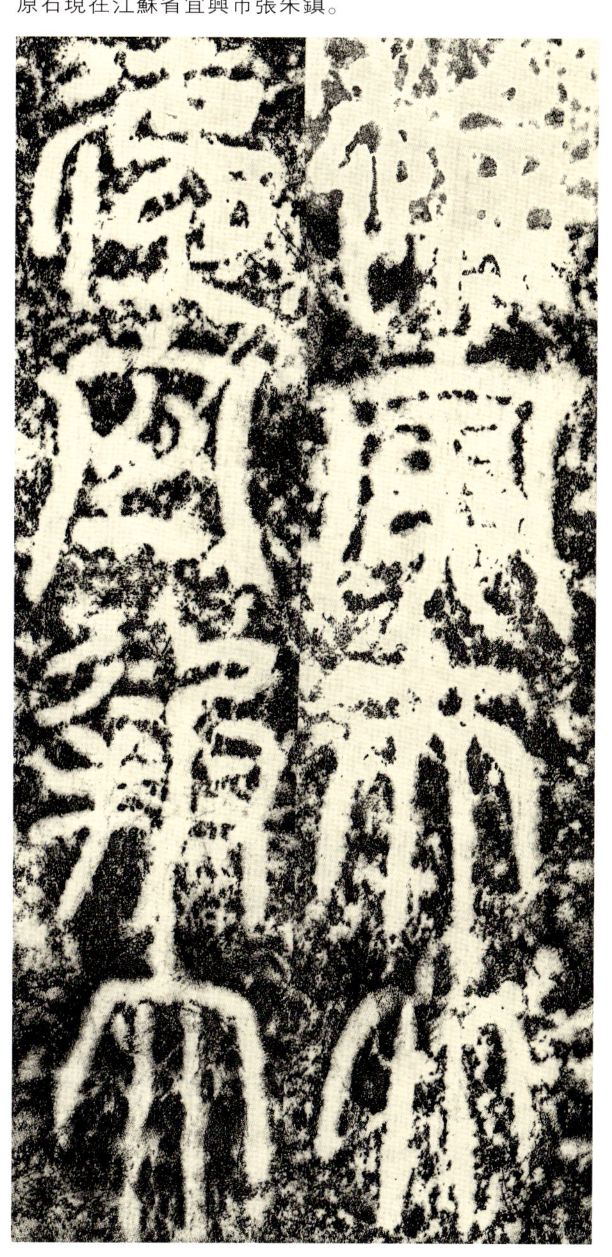

天發神讖碑

三國·吴

上段二十一行，每行五字；中段十七行，每行七字；下段十行，每行一至三字不等。刻于天璽元年（公元276年）。碑爲幢形，原刻于南京天禧寺，後毁于火。

天發神讖碑局部之一

天發神讖碑局部之二

天發神讖碑局部之三

天發神讖碑局部之四

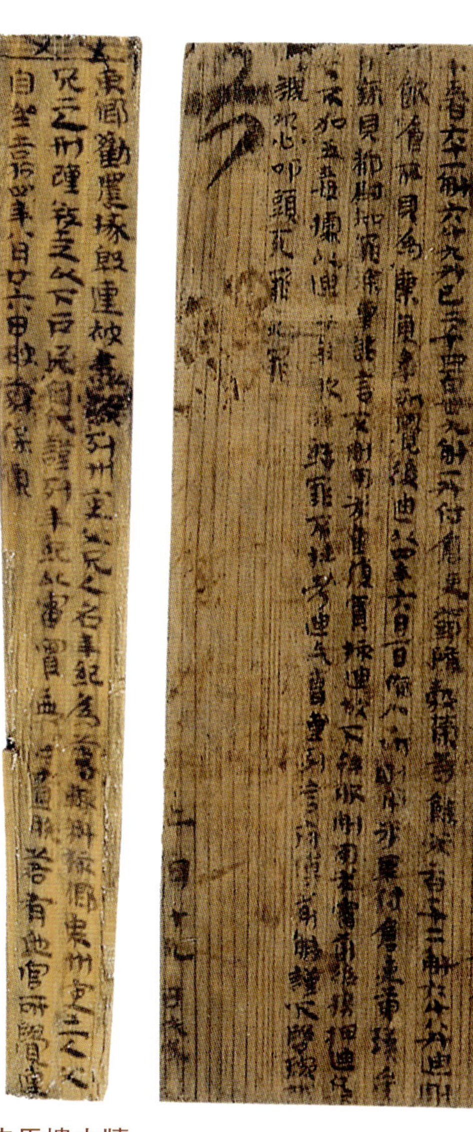

走馬樓木牘

三國・吳
湖南長沙市走馬樓街出土。
木牘一般高23–23.5、寬4–5厘米。
顏色呈黃褐色。此選其中二片。
現藏湖南省長沙市文物工作隊。

朱然木刺

三國・吳
安徽馬鞍山市雨山區朱然墓出土。
高24.8、寬3.4厘米。
此墓共出土木刺三枚，此選二枚。
現藏安徽省馬鞍山市博物館。

地券文

三國・吴

安徽當塗縣龍山橋鎮東吴墓出土。

長36.2厘米。

板狀，銅錫合金，刻文。刻于鳳皇三年（公元274年）。

現藏安徽省馬鞍山市博物館。

皇 象

生卒年不詳。廣陵江都（今江蘇揚州）人。字休明。官至侍中。工書法，八分、篆書俱精，最工章草。

急就章

三國・吴

皇象

章草體名帖。今傳拓本爲明代楊政據宋人葉夢得“潁昌本”摹刻的“松江本”。此選爲局部。

原石現藏上海市松江區博物館。

索　紞（約公元250－325年）

敦煌人。字叔紞。曾在洛陽太學學習。

道德經

三國

索紞

甘肅敦煌市莫高窟藏經洞發現。

全卷高30.5、寬208.2厘米。

紙本。書于三國吴建衡二年（公元270年）。此選爲局部。

現藏美國普林斯頓大學美術館。

道生之德畜之物形之勢成之是以萬物莫不尊道
而貴德道之尊德之貴夫莫之命而常自然故道生
之畜之長之育之成之熟養之覆之生而不有為
而不恃長而不宰是謂玄德
天下有始以為天下母既得其母以知其子既知其
子復守其母沒身不殆塞其兌閉其門終身不勤
開其兌濟其事終身不救見小曰明守柔曰強用
其光復歸其明無遺身殃是謂襲常
使我介然有知行於大道唯施是畏大道甚夷而民
好徑朝甚除田甚蕪倉甚虛服文采帶利劍厭飲食
資財有餘是謂盜誇非道哉
善建者不拔善抱者不脫子孫以祭祀不輟脩之身
其德乃真脩之家其德乃餘脩之鄉其德乃長脩之
國其德乃豐脩之天下其德乃普故以身觀身以家
觀家以鄉觀鄉以國觀國以天下觀天下吾何以知
天下之然哉以此
含德之厚比於赤子毒蟲不螫猛獸不攫鷙鳥不搏
骨弱筋柔而握固未知牝牡之合而峻作精之至也
終日號而嗌不嗄和之至也知和曰常知常曰明益
生曰祥心使氣曰強物壯則老是謂不道、早已
知者不言、者不知塞其兌閉其門挫其銳解其紛
和其光同其塵是謂玄同不可得而親不可得而疏
不可得而利不可得而害不可得而貴不可得而賤
故為天下貴
以正治國以奇用兵以無事取天下吾何以知其然
哉以此天下多忌諱而民彌貧人多利器國家滋昏
民多技巧奇物滋起法令滋彰盜賊多有故聖人
云我無為而民自化我好靜而民自正我無事而民
自富我無欲而民自樸
其政悶、其民醇、其政察、其民缺、禍兮福兮禍為
福所倚福為禍所伏孰知其極其無正耶正復為奇
善復為妖民之迷其日固久矣是以聖人方而不割
廉而不害直而不肆光而不曜
治人事天莫若嗇夫唯嗇是謂早、服、謂之重積德

道德經卷首

勝不言而善應不召而自來坦然而善謀天網恢、
疏而不失
民不畏死奈何以死懼之若使民常畏死而為奇者
吾得執而殺之孰敢常有司殺者夫代司殺者殺是
謂代大匠斲夫代大匠斲者希有不傷其手矣
民之飢以其上食稅之多是以飢民之難治以其上
之有為是以難治民之輕死以其求生之厚是以輕
死夫唯無以生為者是賢於貴生
人之生也柔弱其死也堅強萬物草木之生也柔
脆其死也枯槁故柔弱者生之徒堅強者死之徒是
以兵強則不勝木強則共強大處下柔弱處上
天之道其猶張弓乎高者抑之下者舉之有餘者損
之不足者補之天之道損有餘而補不足人之道則
不然損不足以奉有餘孰能有餘以奉天下唯有道
者是以聖人為而不恃功成而不處其不欲見賢
天下柔弱莫過於水而攻堅強者莫之能勝其無以
易之弱之勝強柔之勝剛天下莫不知莫能行故聖
人云受國之垢是謂社稷主受國之不祥是謂天下
王正言若反
和大怨必有餘怨安可以為善是以聖人執左契而
不責於人有德司契無德司徹天道無親常與善人
小國寡民使有什伯人之器而不　使民重死而不
遠徙雖有舟輿無所乘之雖有甲兵無所用之使
民復結繩而為之甘其食美其服安其居樂其俗鄰
國相望雞狗之聲相聞民至老死不相往來
信言不美、言不信善者不辯、者不善知者不博、者
不知聖人不積既為人已愈有既以與人已愈多天
下之道利而不害聖人之道為而不爭
太上玄元道德經卷終
建衡二年庚寅五月五日燉煌郡索紞寫已

道德經卷尾

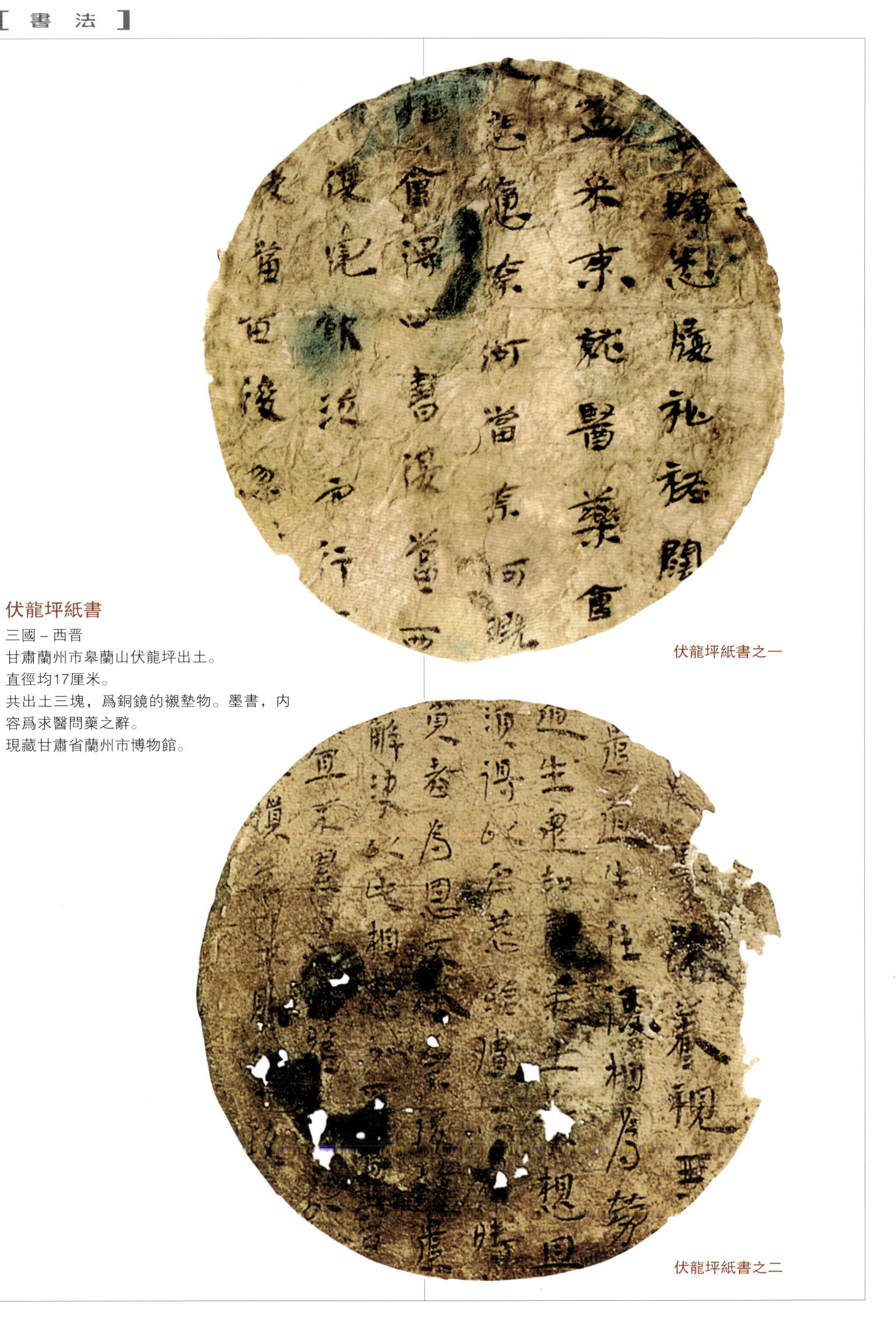

伏龍坪紙書

三國－西晋
甘肅蘭州市皋蘭山伏龍坪出土。
直徑均17厘米。
共出土三塊，爲銅鏡的襯墊物。墨書，内容爲求醫問藥之辭。
現藏甘肅省蘭州市博物館。

伏龍坪紙書之一

伏龍坪紙書之二

杜謖墓門題字

西晋

四川雙流縣出土。

拓片高169、寬63厘米。

一門有隸書七行，每行八字。另一門畫像。刻于太熙元年（公元290年）。

現藏四川博物院。

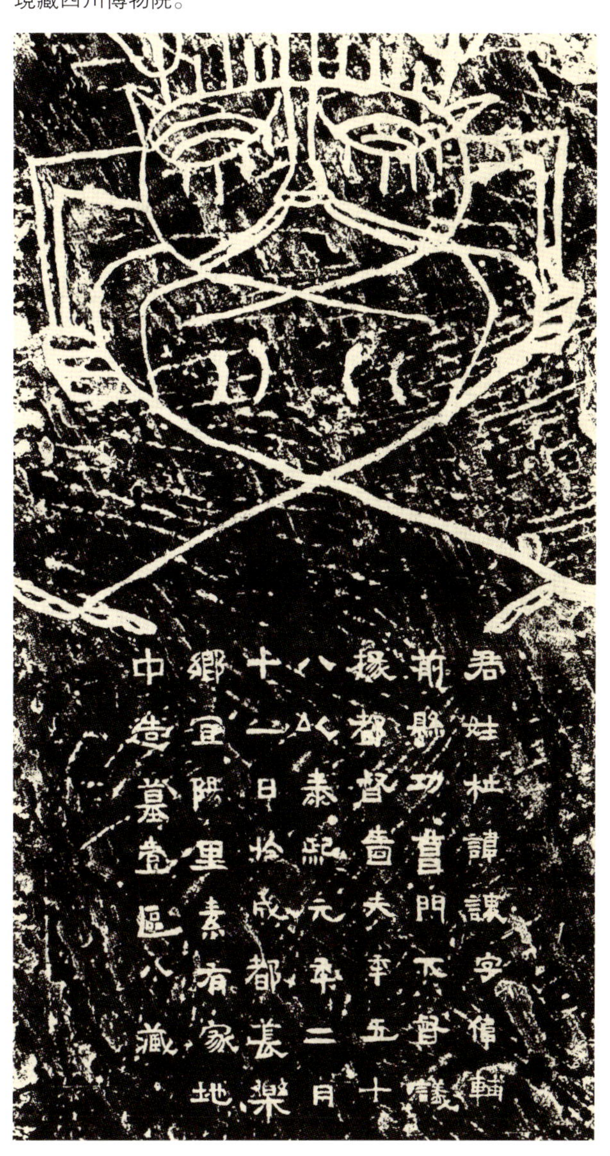

皇帝三臨辟雍頌

西晋

隸書十三行，每行五十五字。刻于咸寧四年（公元278年）。此選爲局部。

現藏河南博物院。

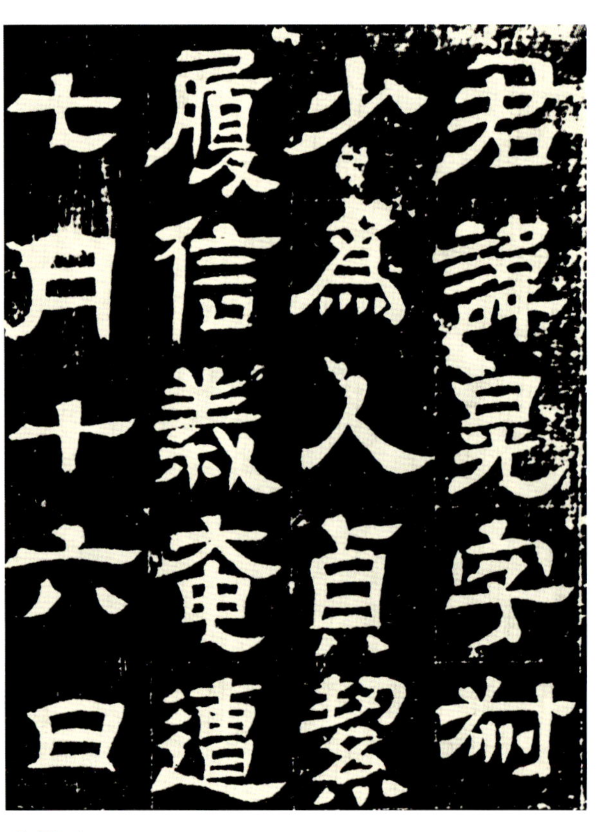

成晃碑

西晉

河南孟津縣劉家坡村出土。

高69.3、寬28.8厘米。

銘文十一行，每行十六、十八字不等。刻于元康元年（公元291年）。此選爲局部。

現藏河南省新安縣千唐志齋博物館。

郭槐柩銘

西晉

高76、寬31.2厘米。

隸書十二行，每行十五字。刻于元康六年（公元296年）。

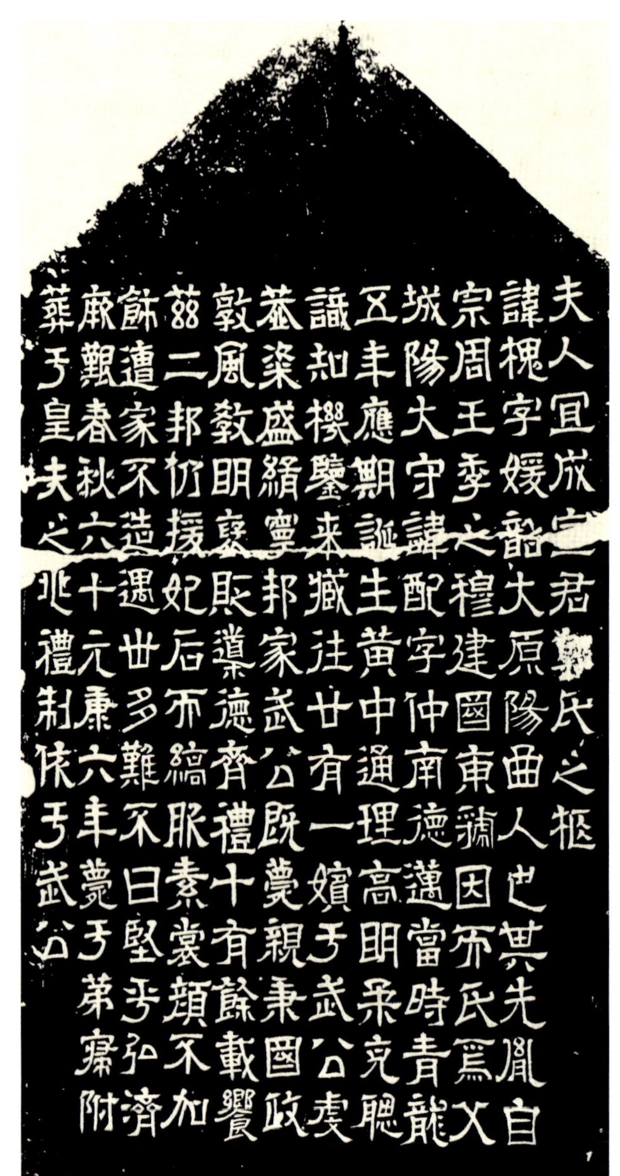

華芳墓志

西晉

北京石景山區出土。

高131、寬57厘米。

刻于永嘉六年（公元312年）。此選爲局部。

現藏北京市石刻藝術博物館。

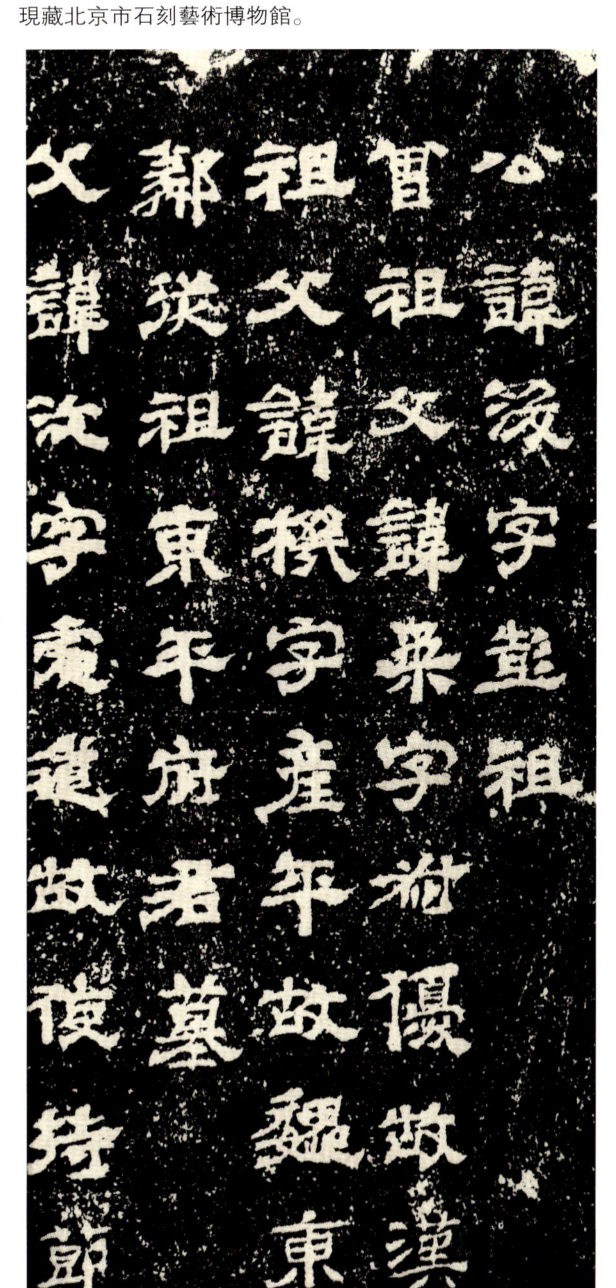

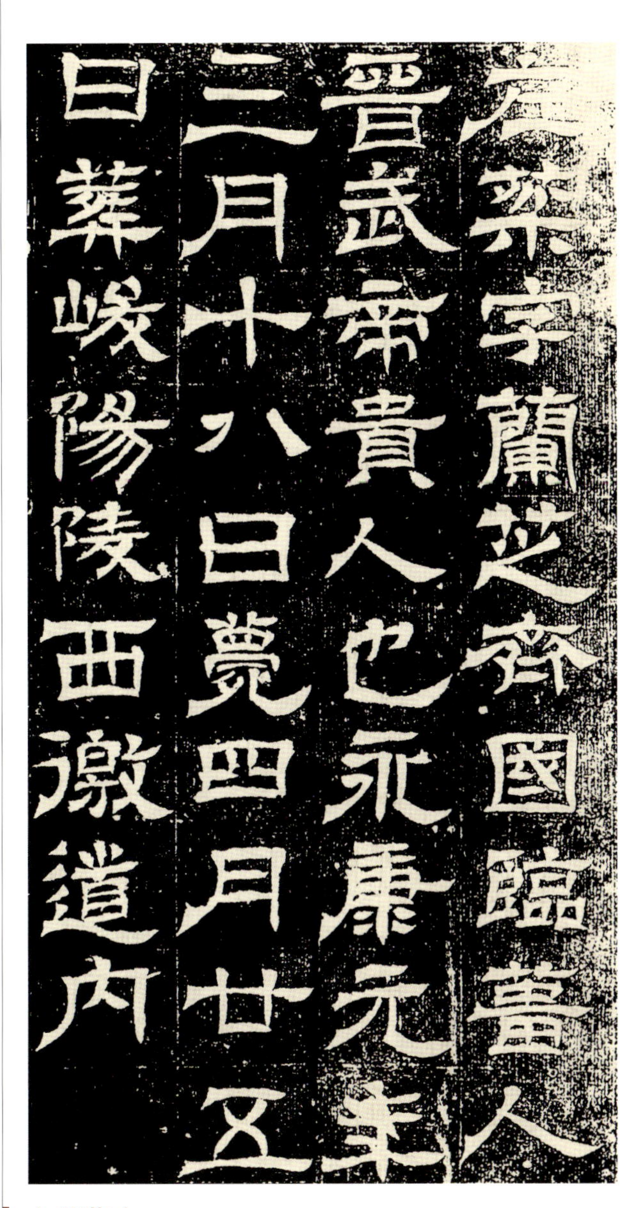

左棻墓志

西晉

河南偃師市蔡莊村出土。

隸書四行，每行十字。刻于永康元年（公元300年）。

此選爲局部。

現藏陝西省西安碑林博物館。

劉韜墓志

西晉

河南偃師市杏園莊出土。

隸書五行，滿行十三字。

現藏上海博物館。

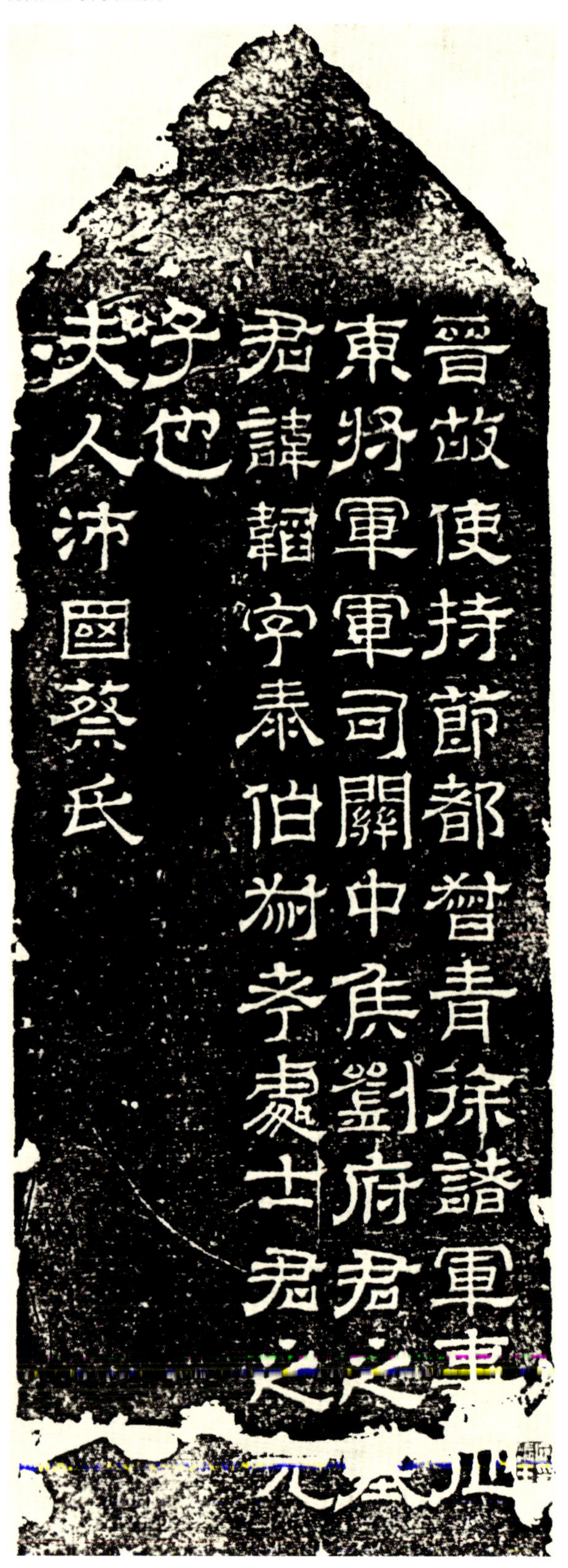

任城太守孫夫人碑

西晉

隸書二十行，每行三十七字。此選爲局部。

碑原在山東省新泰市新甫山中，後亡佚。

朱書墓券

西晋
高33.4、寬4.3厘米。
原件鉛質。
刻于泰始年間（公元265－274年）。
字體雖仍存隸意，但已具楷書規模。
現藏日本。

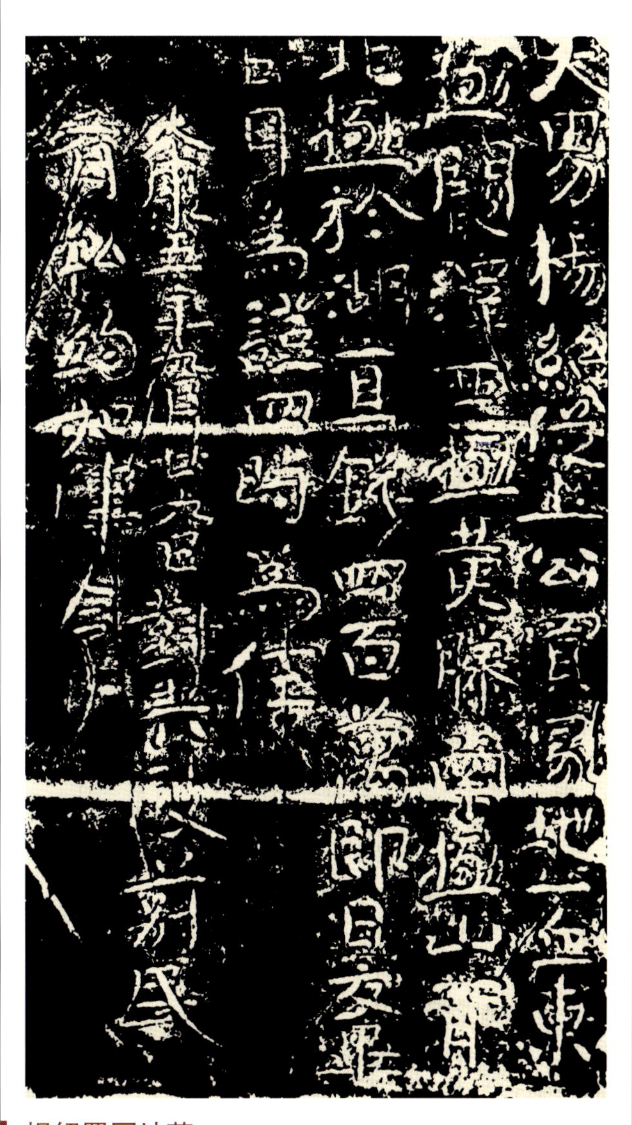

楊紹買冢地莂

西晋
陶質。文六行六十五字。書體介于隸、楷之間。刻于太康五年（公元284年）。
原物已不知下落，拓本也極爲罕見。

咸寧四年吕氏磚

西晋
安徽鳳臺縣出土。
高34.8、寬17.2厘米。
刻于咸寧四年（公元278年）。
現藏中國國家博物館。

咸寧四年吕氏磚實物局部

咸寧四年吕氏磚拓片

周君磚銘

西晋
浙江餘姚市梁輝鎮九頂山出土。
高17、寬33厘米。
銘文五行十五字，磚側面模印“太康八年己亥朔工張士所作”，太康八年爲公元287年。

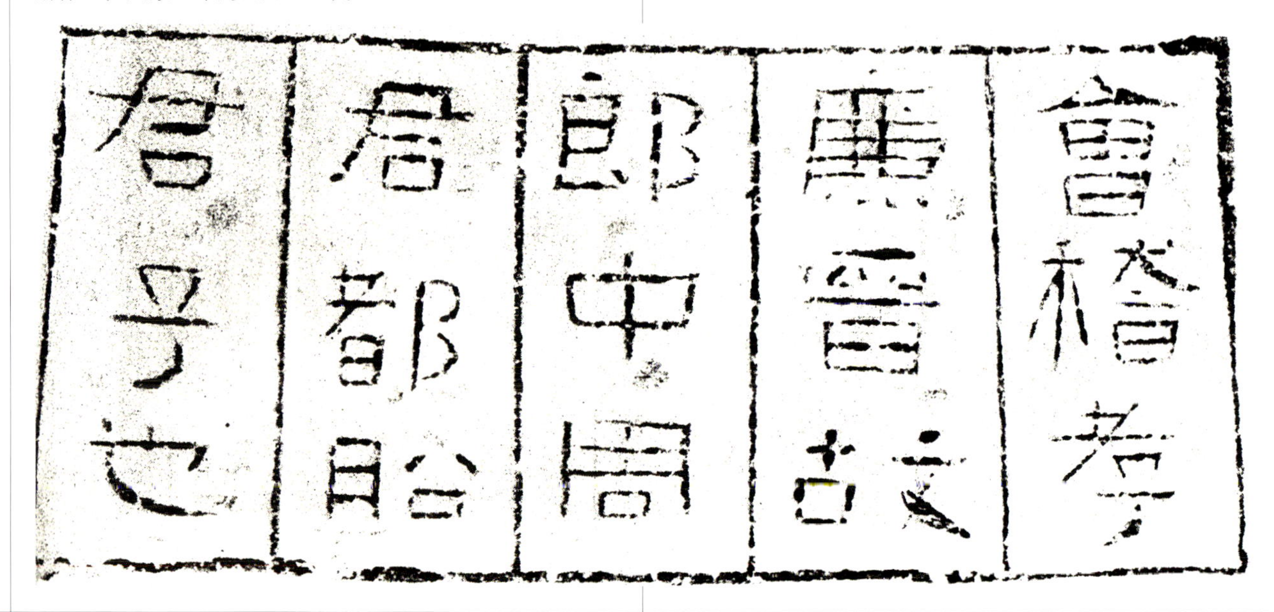

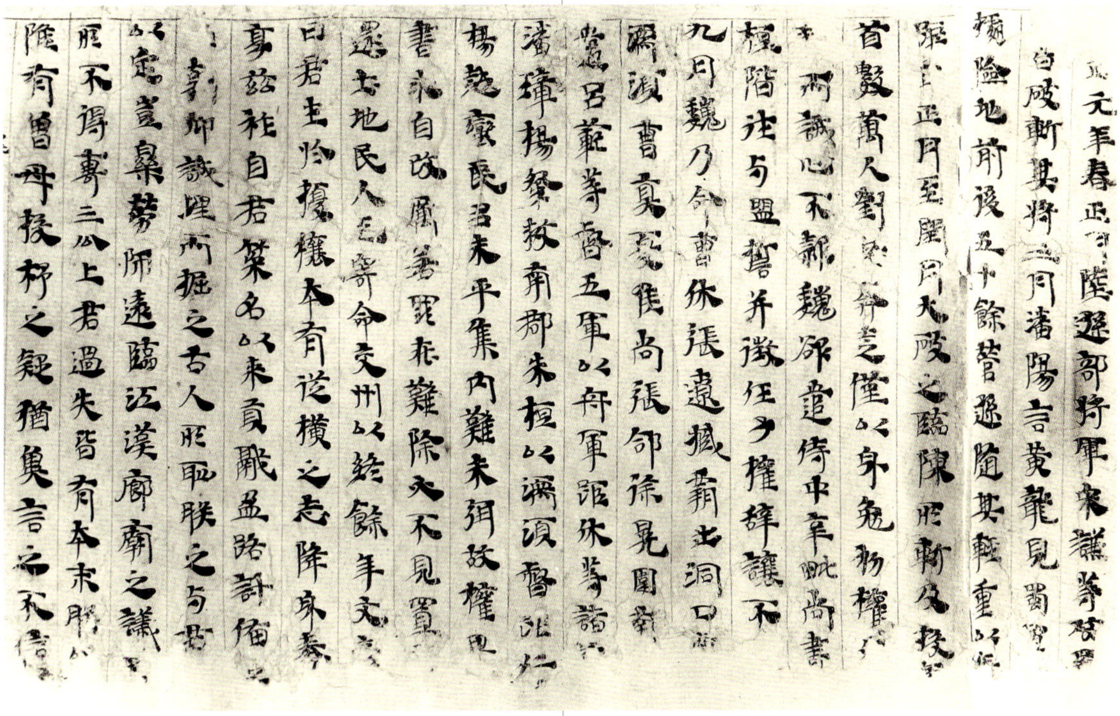

《吴志·吴主權傳》殘卷（上圖）

西晋
新疆吐魯番市安樂故城佛塔遺址出土。
殘高23、殘寬72.6厘米。
紙本。殘存四十行，五百七十字。此選爲局部。
現藏新疆維吾爾自治區博物館。

《金光明經》殘卷

西晋
新疆吐魯番市安樂故城佛塔遺址出土。
殘高26、殘寬125厘米。
紙本。此選爲局部。
現藏新疆維吾爾自治區博物館。

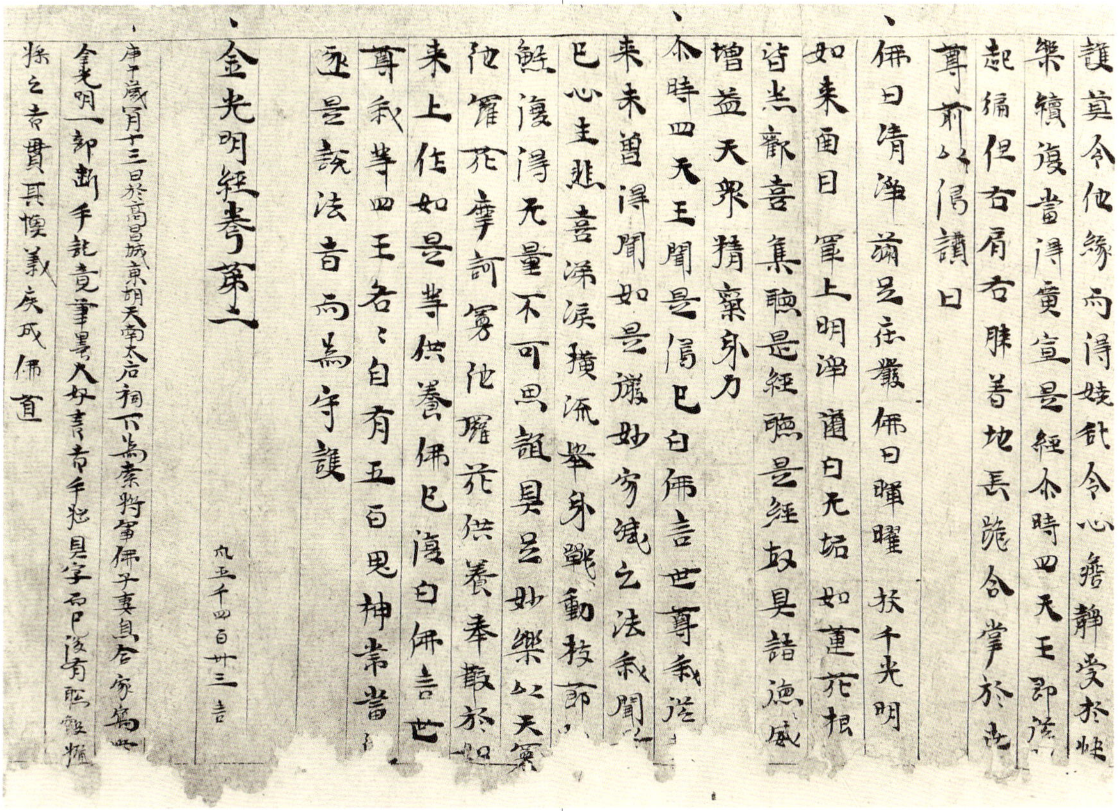

遠離於塔寺 如是等衆惡 念佛告勅故 皆當忍是事
諸聚落城邑 其有求法者 我皆到其所 說佛所囑法
我是世尊使 處衆无所畏 我當善說法 願佛安隱住
我於世尊前 諸來十方佛 發如是誓言 佛自知我心
妙法蓮花經安樂行品第十三
尒時文殊師利法王子菩薩摩訶薩白佛言世
尊是諸菩薩甚為難有敬順佛故發大誓願
於後惡世護持讀誦說是法花經世尊菩薩
摩訶薩於後惡世云何能說是經佛告文殊師
利若菩薩摩訶薩於後惡世欲說是經當安
住四法一者安住菩薩行處親近處能為衆生
演說是經文殊師利云何名菩薩摩訶薩行處
若菩薩摩訶薩住忍辱地柔和善順而不卒暴
心亦不驚又復於法无所行而觀諸法如實相亦
不行不分別是名菩薩摩訶薩行處云何名菩
薩摩訶薩親近處菩薩摩訶薩不親近國王
王子大臣官長不親近諸外道梵志尼揵子等及
造世俗文筆讚詠外書及路伽耶陀逆路伽
耶陀者亦不親近諸有凶戲相扠相撲及那羅
等種種變現之戲又不近旃陀羅及畜猪羊雞
狗田獵漁捕諸惡律儀如是等人或時來者
則為說法无所悕望又不親近求聲聞比丘比丘
尼優婆塞優婆夷亦不問訊若於房中若經
行處若在講堂中不共住止或時來者隨宜說
法无所希求文殊師利又菩薩摩訶薩不應於
女人身取能生欲想而為說法亦不樂見[illegible]

《妙法蓮華經》殘卷

西晉

新疆吐魯番市安樂故城佛塔遺址出土。

高25、殘寬158厘米。

紙本。此選爲局部。

現藏新疆維吾爾自治區博物館。

乎羅伽樓羅緊那羅摩睺羅伽人非人等及
諸小王轉輪聖王是諸大衆得未曾有歡喜
合掌一心觀佛尒時佛放眉間白毫相光照東
方万八千世界靡不周遍下至阿鼻地獄上至
阿迦貳吒天於此世界盡見彼土六趣衆生又
見彼土現在諸佛及聞諸佛所說經法并見彼
諸比丘比丘尼優婆塞優婆夷諸脩行得道者
復見諸菩薩摩訶薩種種因緣種種信解種種相
貌行菩薩道復見諸佛般涅槃者復見諸佛
般涅槃後以佛舍利起七寶塔
尒時弥勒菩薩作是念今者世尊現神變相
以何因緣而有此瑞今佛世尊入于三昧是不
可思議現希有事當以問誰誰能荅者復作此
念是文殊師利法王之子已曾親近供養過

《法華經》殘卷

西晉

高23.5、寬41.3厘米。

紙本。此選爲局部。

現藏中國國家博物館。

墨書殘紙

西晉

甘肅玉門市花海鎮畢家灘出土。

此殘紙粘于棺板之内。

現藏甘肅省文物考古研究所。

晉殘紙

西晉

新疆羅布泊樓蘭遺址出土。

現藏國外。

晉殘紙之一

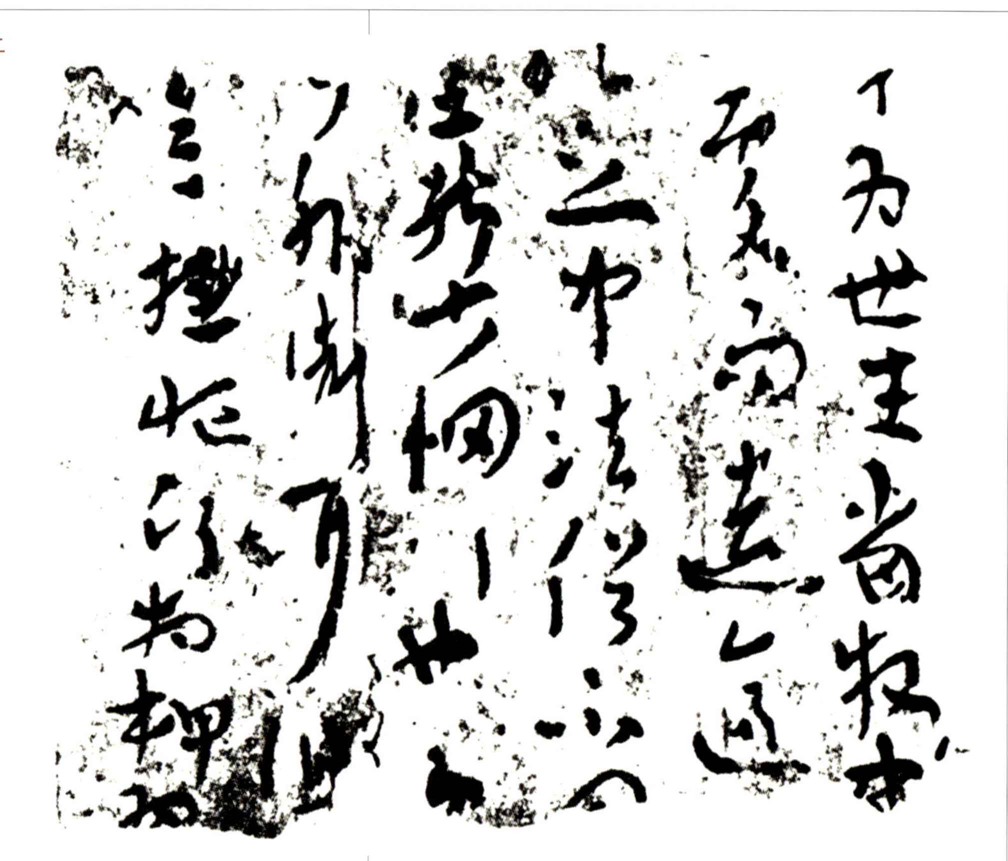

晉殘紙之二

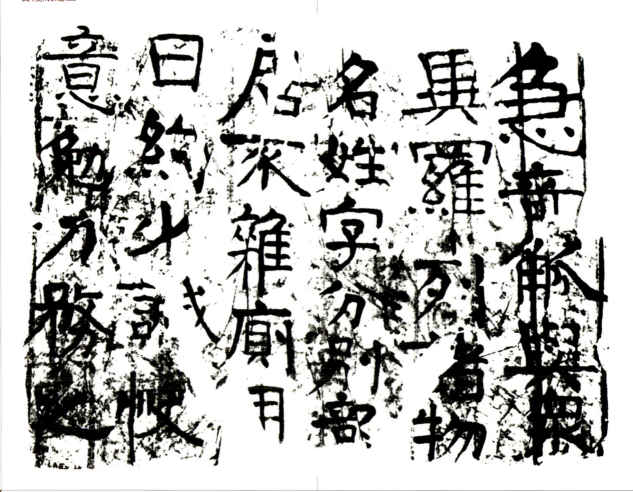

晉殘紙之三

衛　瓘（公元220－291年）

魏末晋初河東安邑（今山西夏縣西）人，字伯玉。仕魏官鎮東將軍，入晋官至太子少傅。工草書，取法張芝。

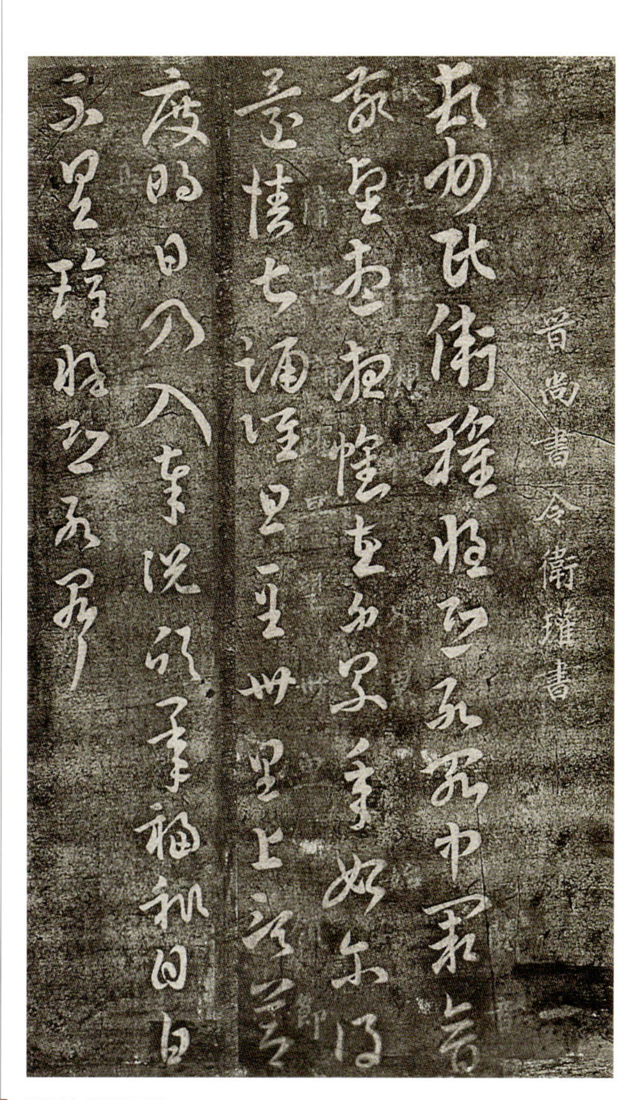

頓首州民帖

西晋

衛瓘

此選爲《大觀帖》本。

索　靖（公元239－303年）

敦煌人，字幼安。爲張芝姊孫，累世官宦。歷任尚書郎、酒泉太守等。曾官征西司馬，人稱"索征西"。工書法，善草書、八分，尤精章草。師張芝，并學韋誕。

月儀帖

西晋

索靖

此選爲《鄰蘇園帖》本局部。

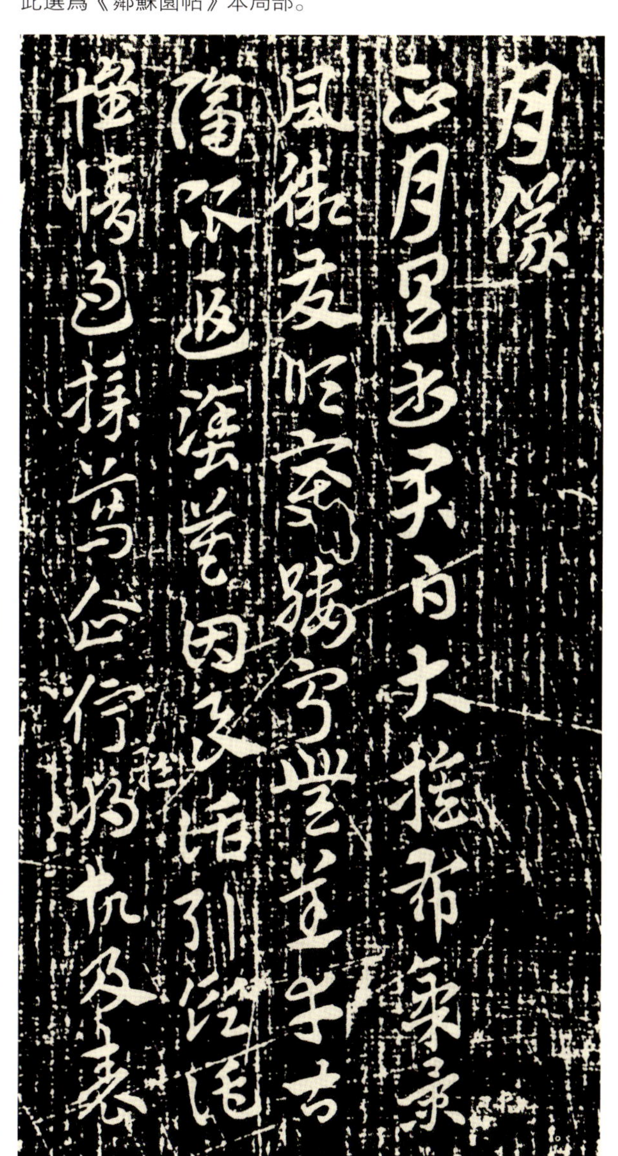

陸 機（公元261－303年）

吴郡吴縣（今江蘇蘇州）人。字士衡。吴亡入晉，爲太子洗馬、著作郎。後事成都王司馬穎，爲平原内史，世稱“陸平原”。善行書、草書，書法古拙淳雅，挺健有致。所書《平復帖》是現今流傳下來最早的名家手迹。

平復帖

西晉

陸機

高23.8、寬20.5厘米。

紙本。

現藏故宫博物院。

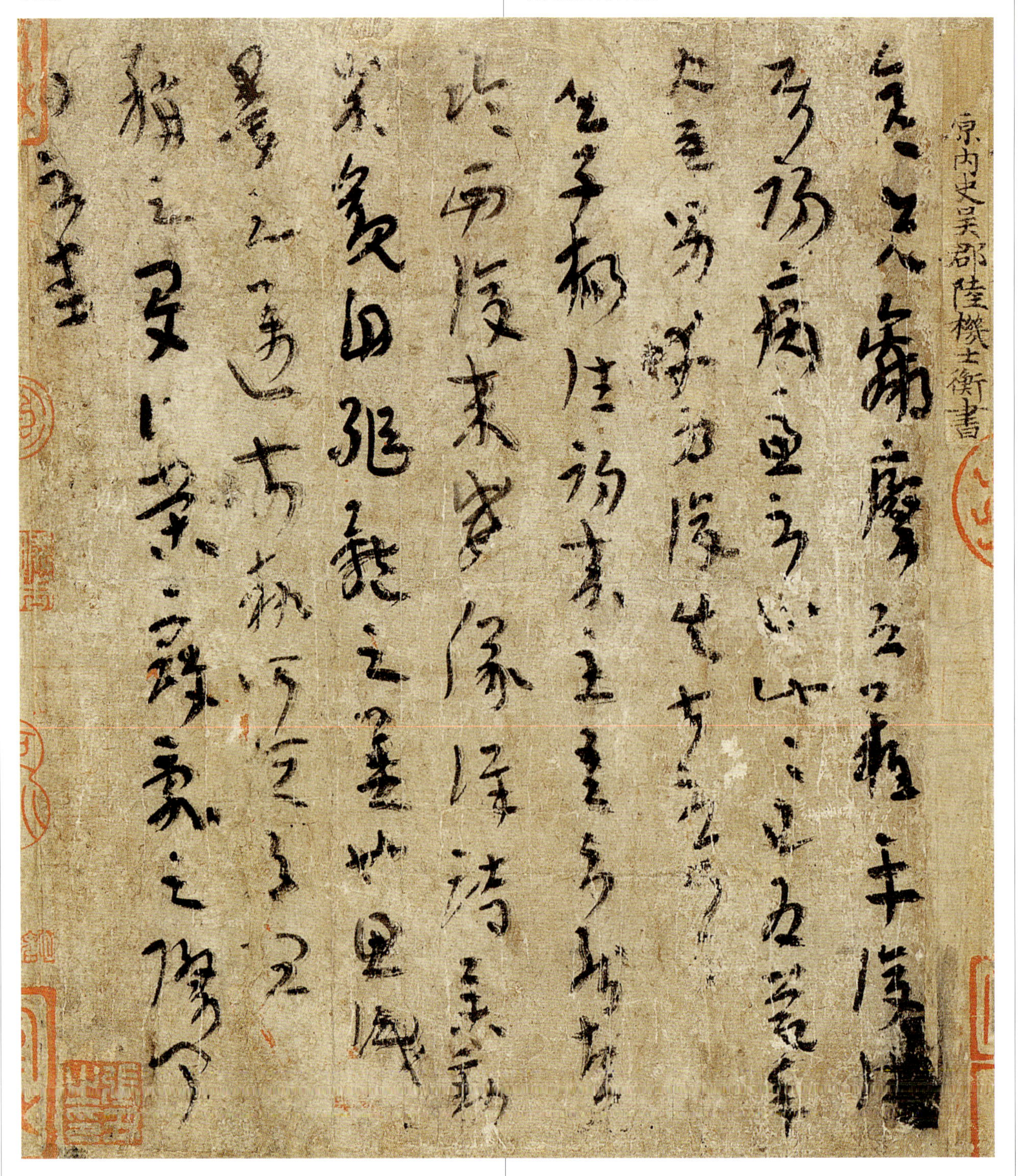

謝鯤墓志

東晉
江蘇南京市戚家山出土。
高60、寬16.5厘米。
刻字四行六十七字。刻于泰寧元年（公元323年）。
現藏江蘇省南京市博物館。

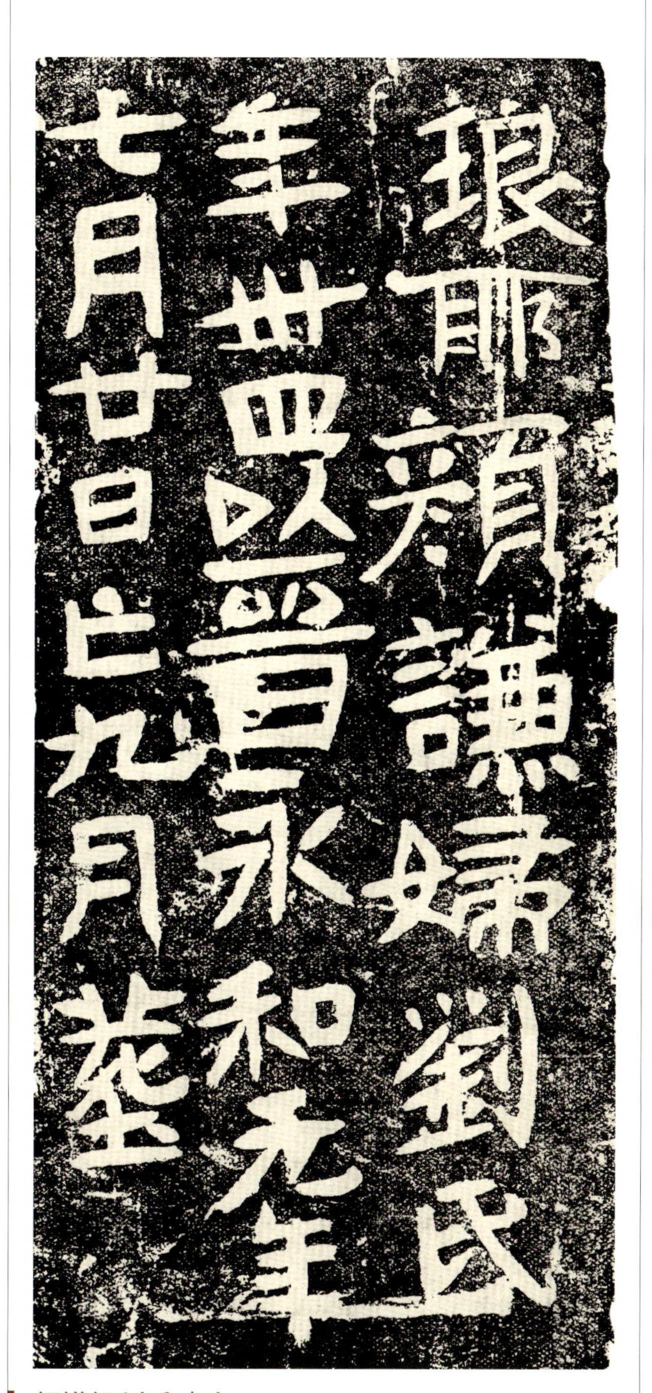

顏謙婦劉氏磚志

東晉
江蘇南京市老虎山晉墓1號墓出土。
刻于永和元年（公元345年）。
現藏江蘇省南京市博物館。

王興之夫婦墓志

東晋

江蘇南京市象山王興之墓出土。

高37.3、寬28.5厘米。

兩面鐫刻文字。用細綫分格，文十三行，每行四至十字。刻于永和四年（公元348年）。

現藏江蘇省南京市博物館。

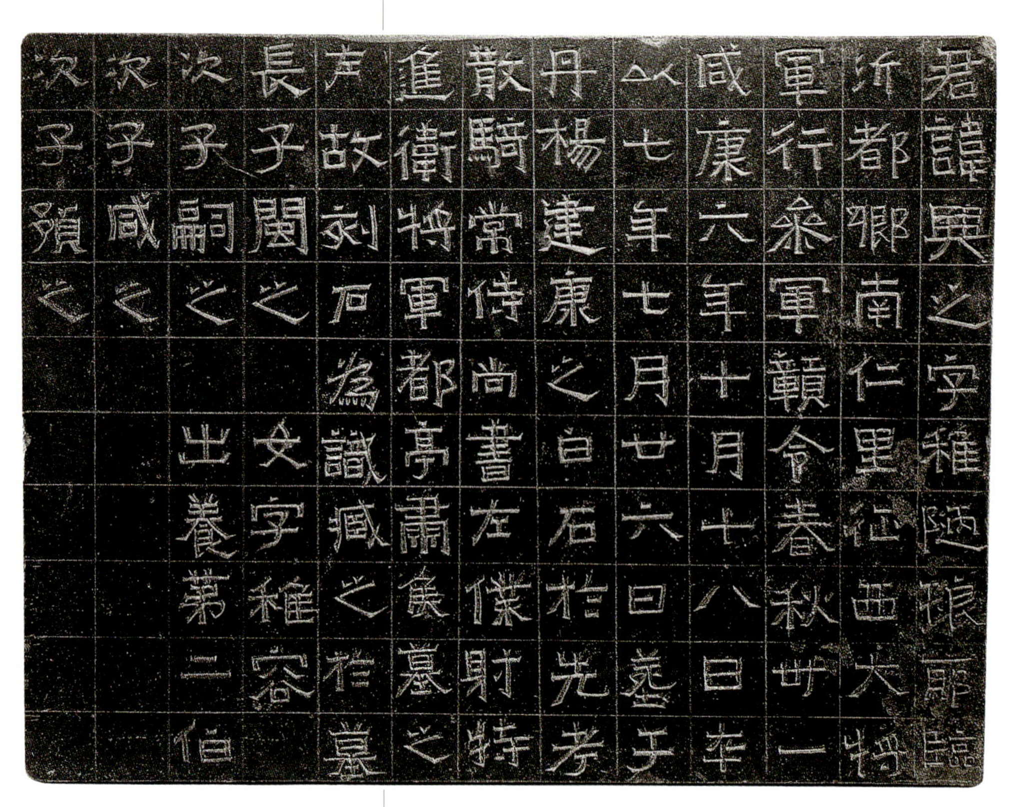

王興之夫婦墓志正面實物

王興之夫婦墓志背面實物

君諱興之字稚陋琅耶臨
沂都鄉南仁里征西大將
軍行參軍贛令春秋卅一
咸康六年十月十八日卒
以七年七月廿六日葬于
丹楊建康之白石於先考
散騎常侍尚書左僕射特
進衛將軍都亭肅侯墓之
左故刻石為識藏之於墓
長子閩之女字稚容
次子嗣之出養第二伯
次子咸之
次子預之

王興之夫婦墓志正面拓片

命婦西河界休都鄉吉遷
里宋氏名和之字秦嬴春
秋卅五永和四年十月三
日卒以其月廿二日合葬
於君柩之右
父哲字世儁使持節散騎
常侍都督秦梁二州諸軍
事冠軍將軍梁州刺史野
王公
弟延之字興祖襲封野王
公

王興之夫婦墓志背面拓片

謝氏磚志

東晉

江蘇南京市仙鶴山2號墓出土。

高50.5、寬25.2厘米。

刻文四行四十字。部分字口有塗硃痕迹。刻于永和十一年（公元355年）。

現藏江蘇省南京市博物館。

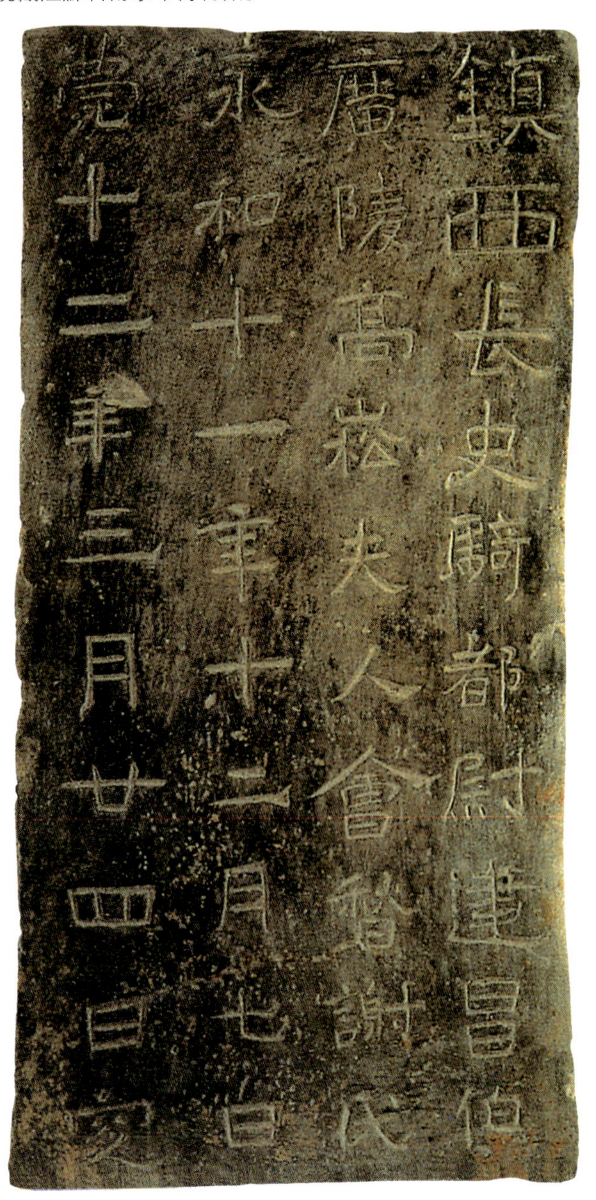

謝氏磚志實物

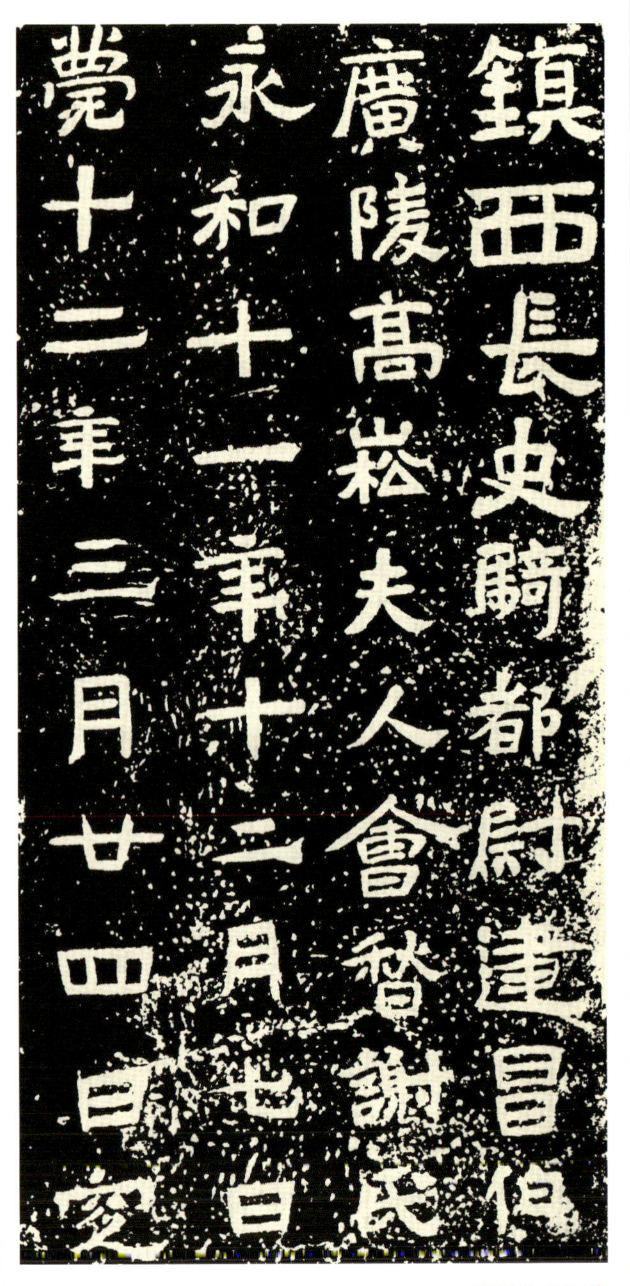

謝氏磚志拓片

李緝磚志

東晋
江蘇南京市吕家山1號墓出土。
高31.4、寬14.5–14.9厘米。
正面刻文四行三十二字，字間有界格，側面一行十一字。字口及界格内塗硃砂。刻于升平元年（公元357年）。
現藏江蘇省南京市博物館。

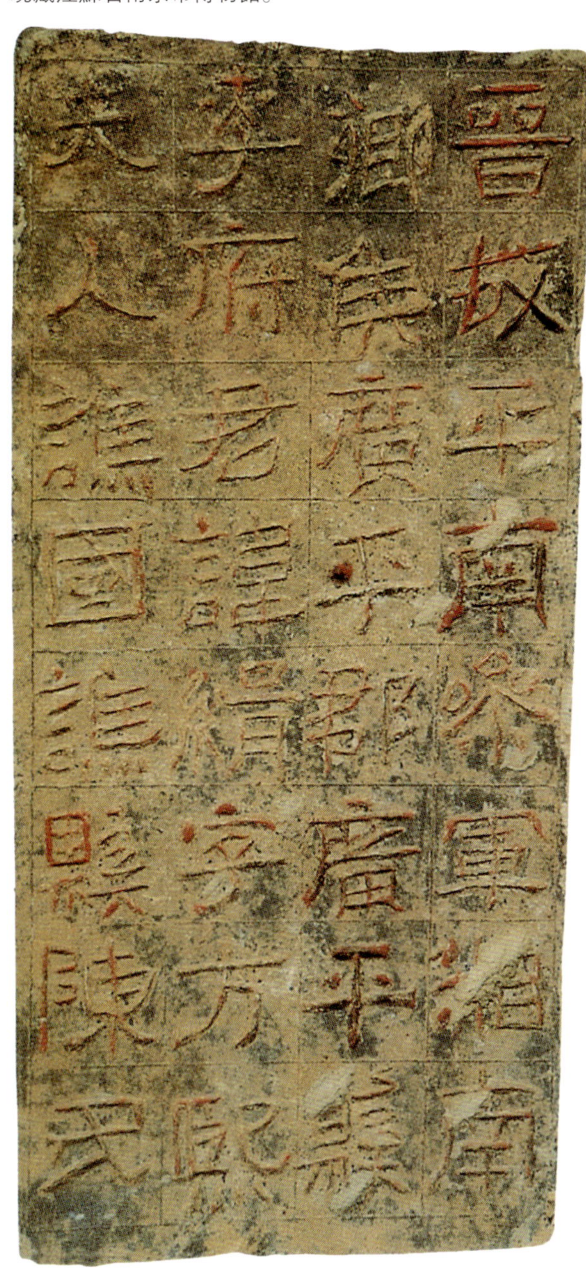

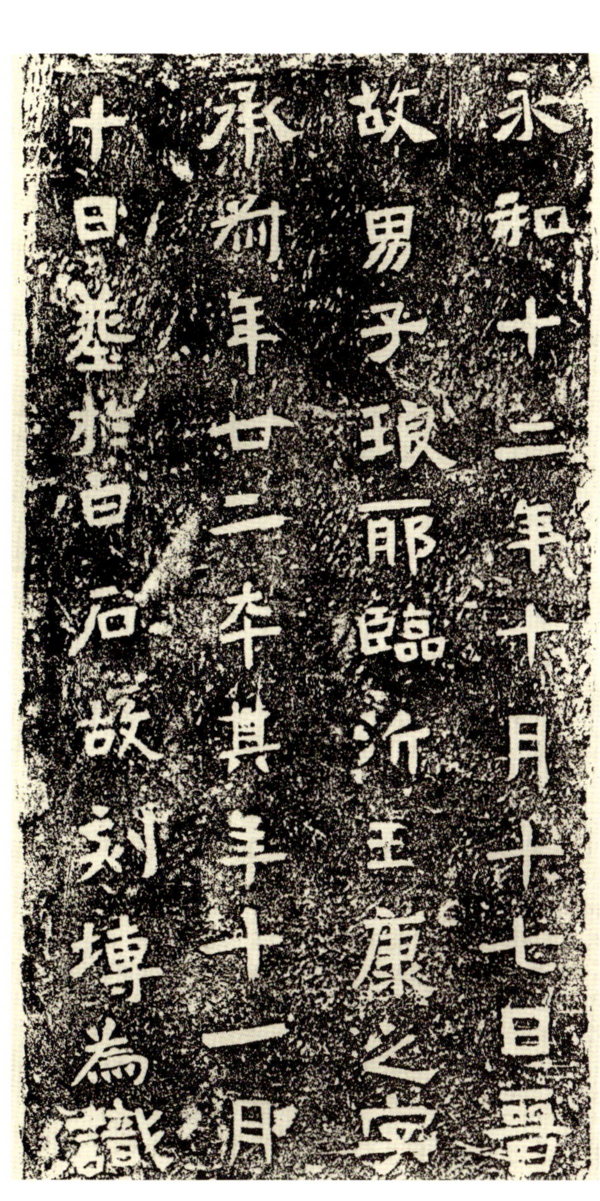

王康之磚志

東晋
江蘇南京市象山8號墓出土。
長50、寬25厘米。
志文四行四十四字。刻于永和十二年（公元356年）。
現藏江蘇省南京市博物館。

王閩之磚志

東晉
江蘇南京市象山晉墓出土。
高42.3厘米。
刻于升平二年（公元358年）。
現藏江蘇省南京市博物館。

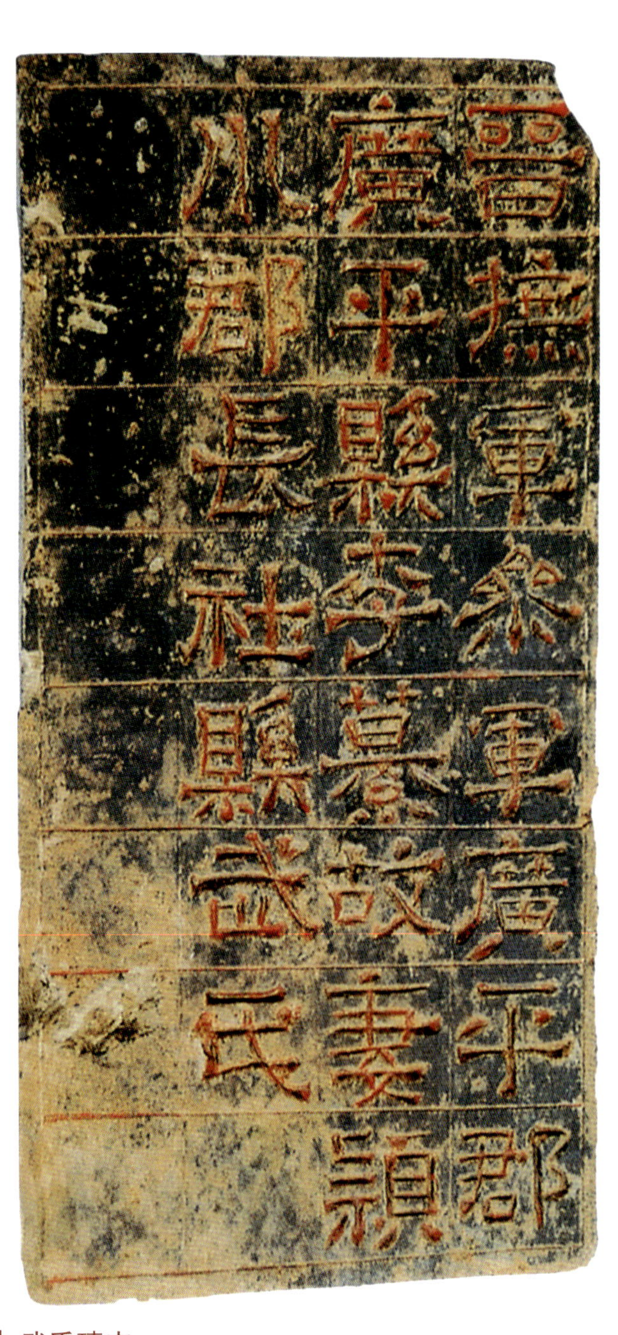

武氏磚志

東晉
江蘇南京市呂家山2號墓出土。
高30.7、寬15.1厘米。
正面刻文三行二十三字，字間有界格，側面一行十一字。字口及界格塗硃砂。刻于升平元年（公元357年）。
現藏江蘇省南京市博物館。

王丹虎磚志

東晋

江蘇南京市象山3號墓出土。

高49.5、寬25厘米。

刻于升平三年（公元359年）。

現藏江蘇省南京市博物館。

高崧磚志

東晋

江蘇南京市仙鶴山2號墓出土。

高48.1、寬24.8厘米。

刻文四行三十一字，部分字口有塗硃痕迹。刻于泰和元年（公元366年）。

現藏江蘇省南京市博物館。

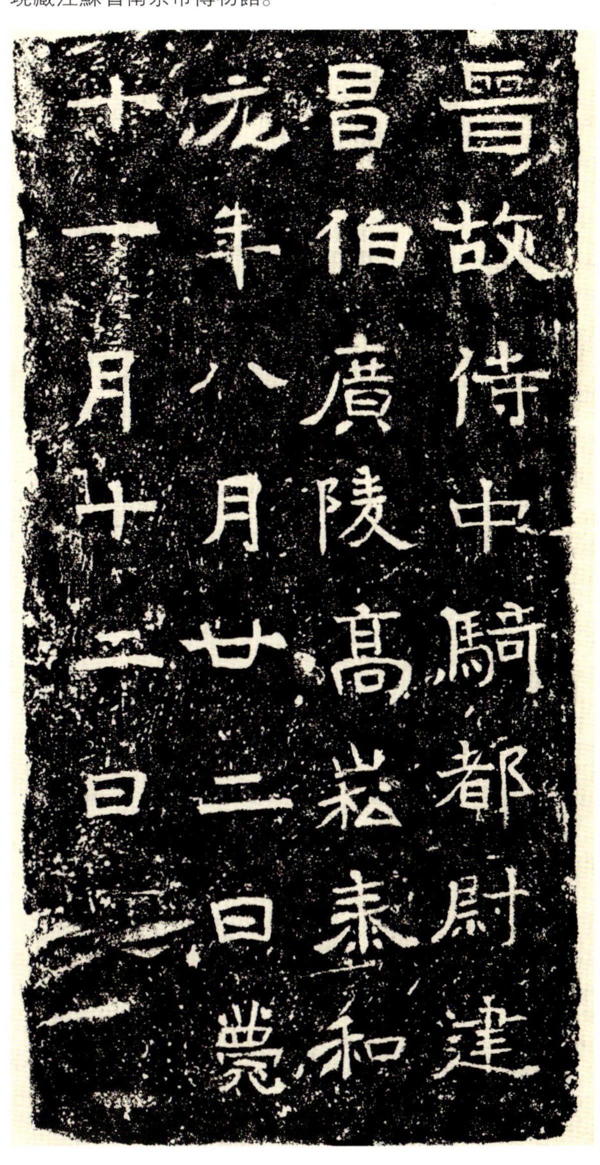

王建之墓志正面實物

王建之墓志

東晉

江蘇南京市象山9號墓出土。

高28、寬47厘米。

兩面刻，合計二百七十五字。刻于泰和六年（公元371年）。

現藏江蘇省南京市博物館。

王建之墓志正面拓片

王建之妻劉媚子墓志

東晋
江蘇南京市象山9號墓出土。
高35、寬45厘米。
陰刻十四行，共一百七十一字。刻于泰和六年（公元371年）。此選爲局部。
現藏江蘇省南京市博物館。

夏金虎磚志

東晋
江蘇南京市象山出土。
磚長50.8、寬23.7厘米。
刻于太元十七年（公元392年）。
現藏江蘇省南京市博物館。

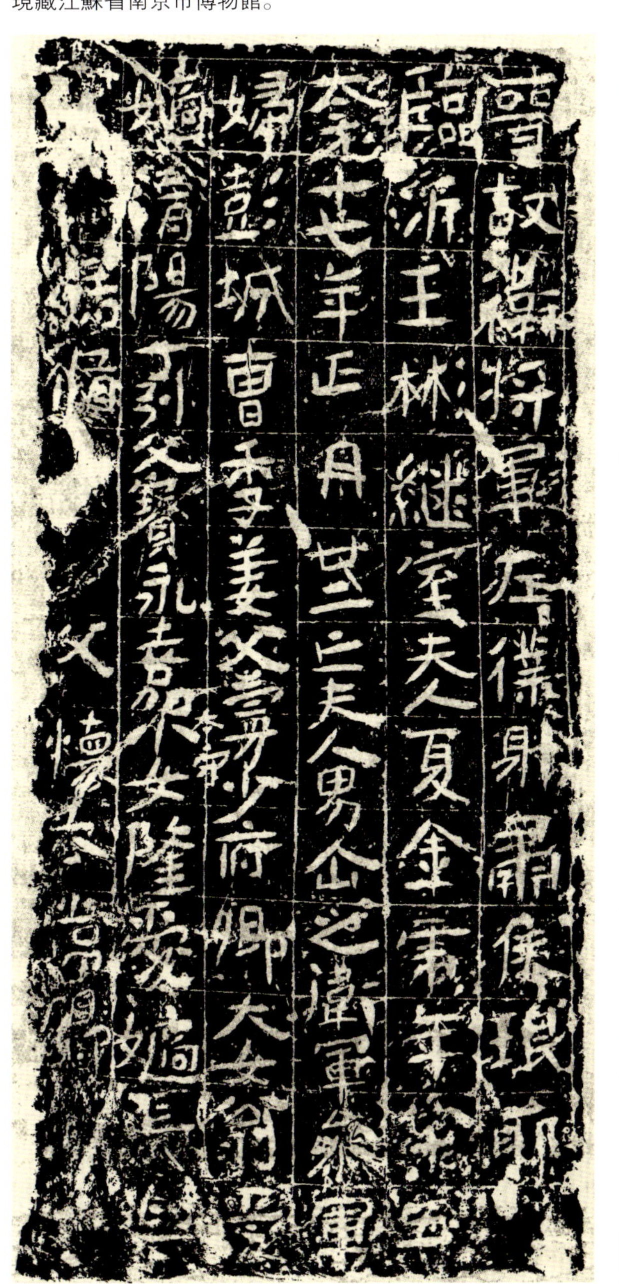

爨寶子碑

東晋
雲南曲靖市揚旗田出土。
高190、寬71厘米。
碑文十三行，每行七至三十字，另有職官題名十三行。
刻于太亨四年（公元405年）。
現藏雲南省曲靖市第一中學。

爨寶子碑局部之一

爨寶子碑局部之二

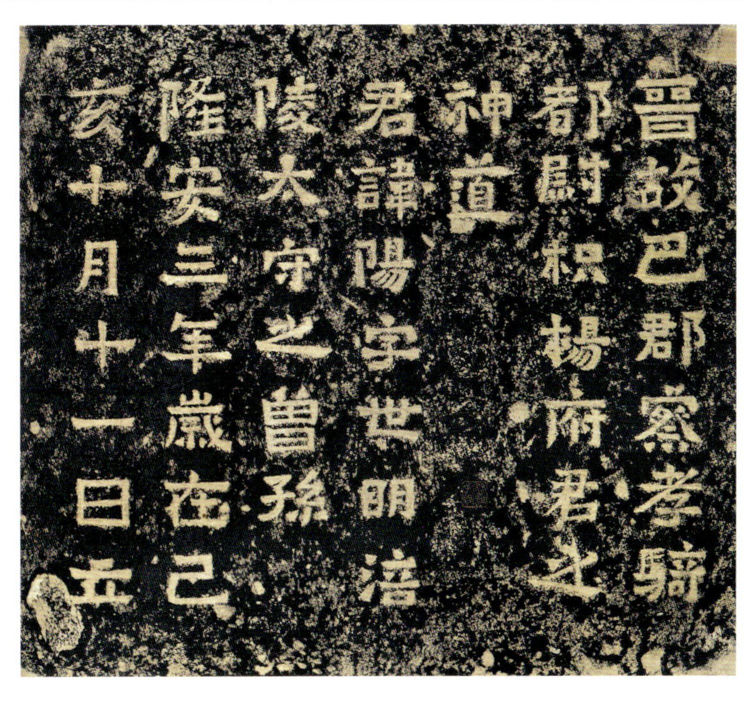

楊陽神道闕

東晉

楷書七行，每行七字，僅四十餘字。刻石原在重慶市巴南區。刻于隆安三年（公元399年）。

現藏故宫博物院。

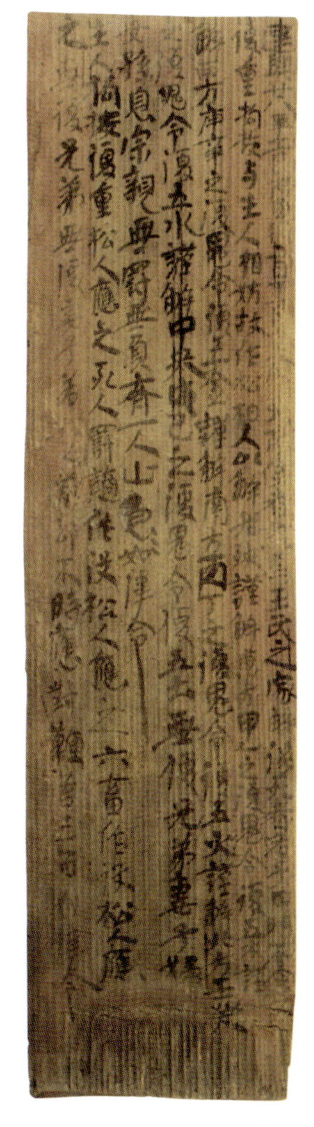

木牘

東晉

高35.8、寬9.4厘米。

木牘一片，内容爲鎮墓文，正面上部繪“松人”，正面下部和背面墨書文字。

現藏香港中文大學。

好太王碑

高句麗

原碑在吉林集安市太王鎮。

高693厘米。

碑四面刻字，共一千七百七十五字。刻于義熙十年（公元414年）。此選爲局部。

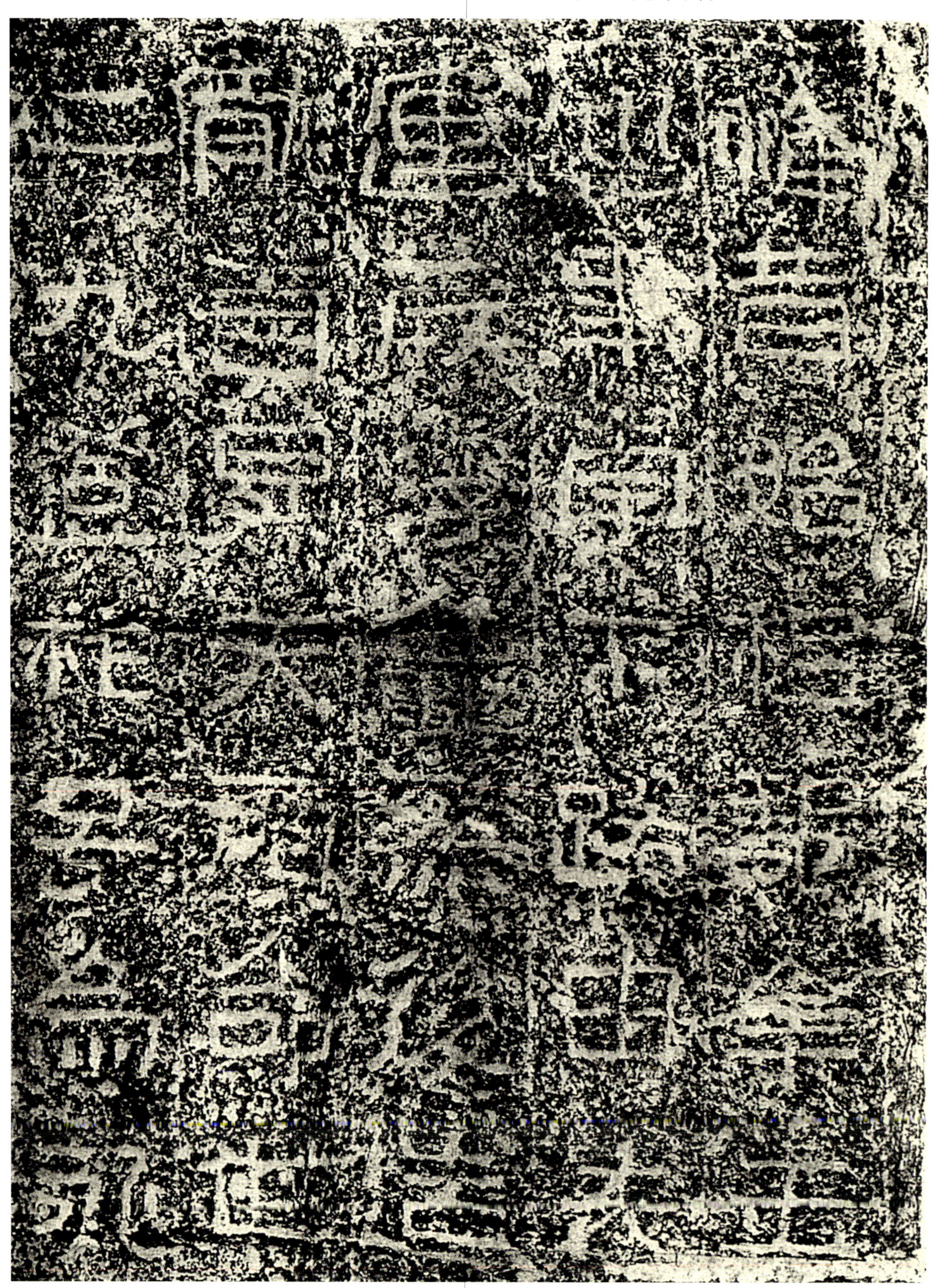

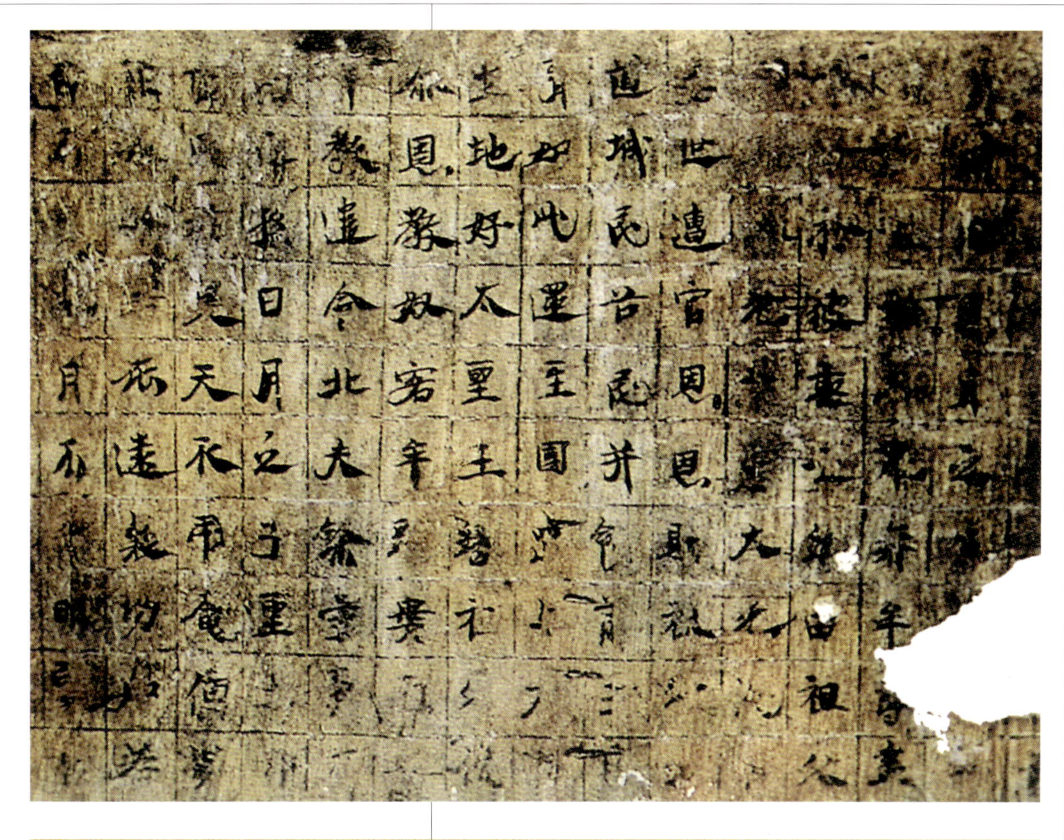

牟頭婁墓志

高句麗

位于吉林集安市通溝古墓群下解放墓區牟頭婁墓前室正壁梁枋。墨書，全文原有八百字左右。此圖爲局部。

寫經殘卷

東晉

高25.1、寬342.5厘米。

紙本。原卷首殘，僅餘八接紙，每接紙二十八行，行十九字不等。款題安弘嵩書。此選爲局部。

現藏故宫博物院。

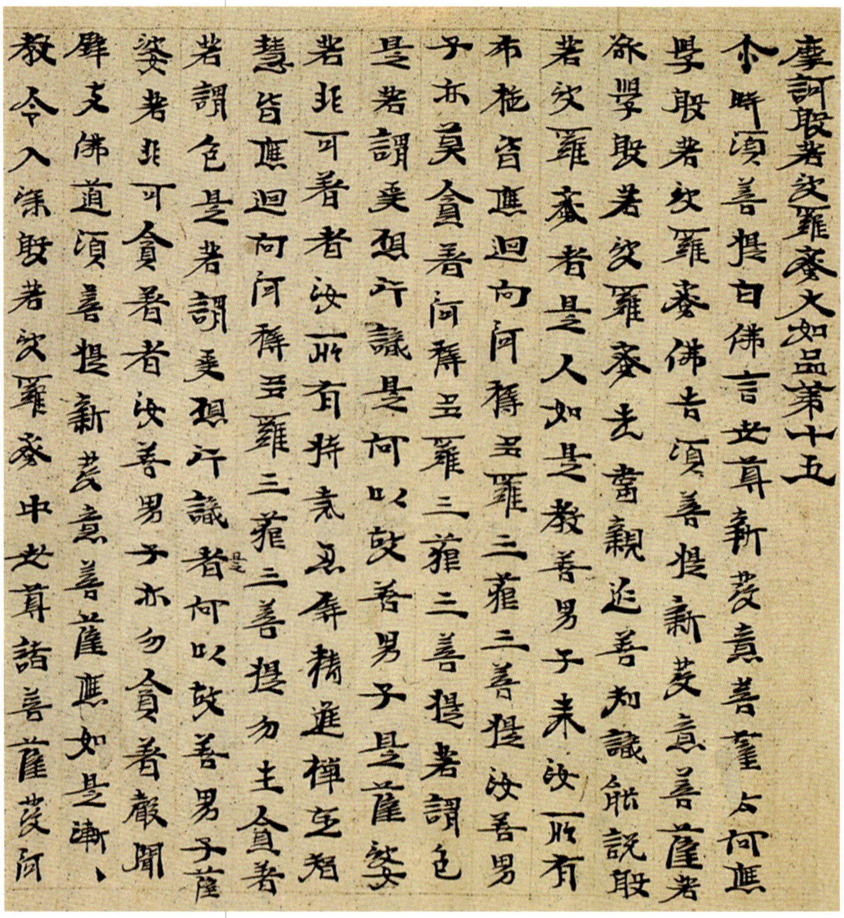

摩訶般若波羅蜜經

東晋
甘肅敦煌市莫高窟藏經洞發現。
高28、寬236厘米。
紙本。此選爲局部。
現藏中國國家圖書館。

王羲之（公元303－361，一作307－365，又作321–379年）

琅玡臨沂（今山東臨沂北）人。字逸少。幼年時隨衛夫人（衛鑠）學習書法，後向諸名家書迹學習，諸體皆精，被譽爲“書聖”。曾官居秘書郎、參軍、會稽内史、右軍將軍。

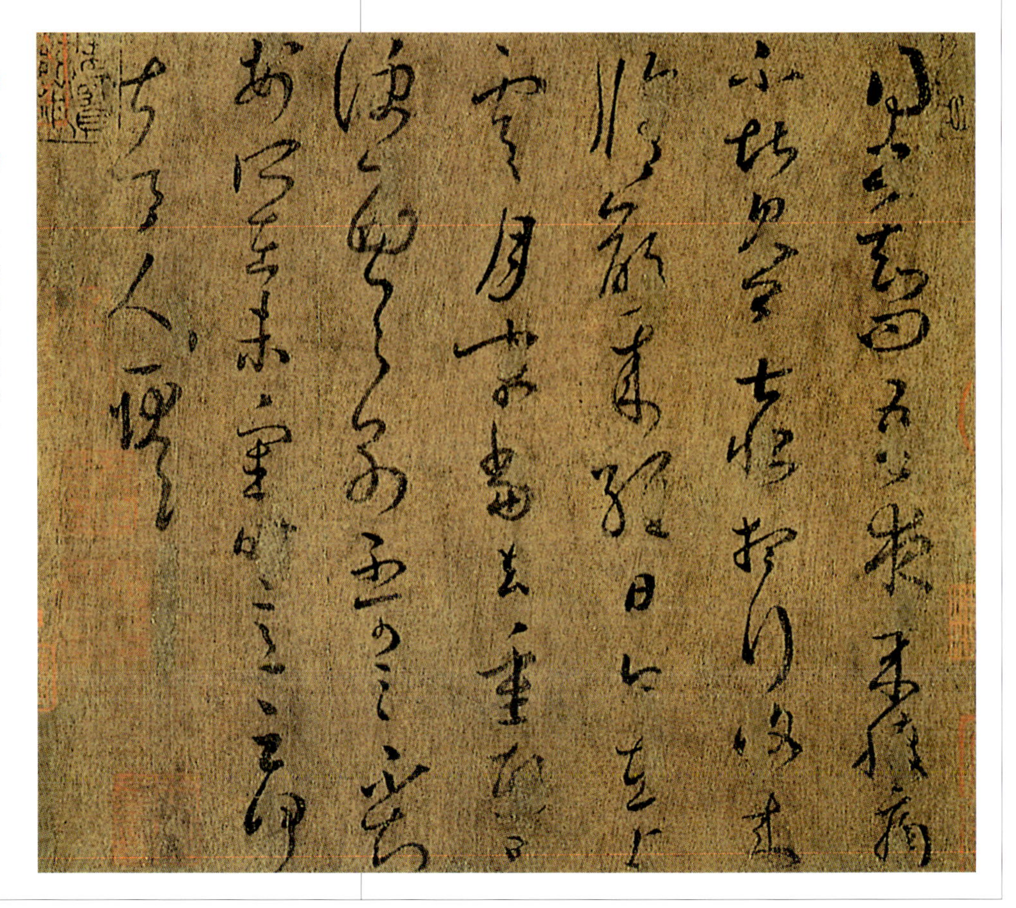

上虞帖

東晋
王羲之
高23、寬26厘米。
麻紙本。
唐摹本。
現藏上海博物館。

姨母帖

東晉

王羲之

紙本。

唐摹本。

現藏遼寧省博物館。

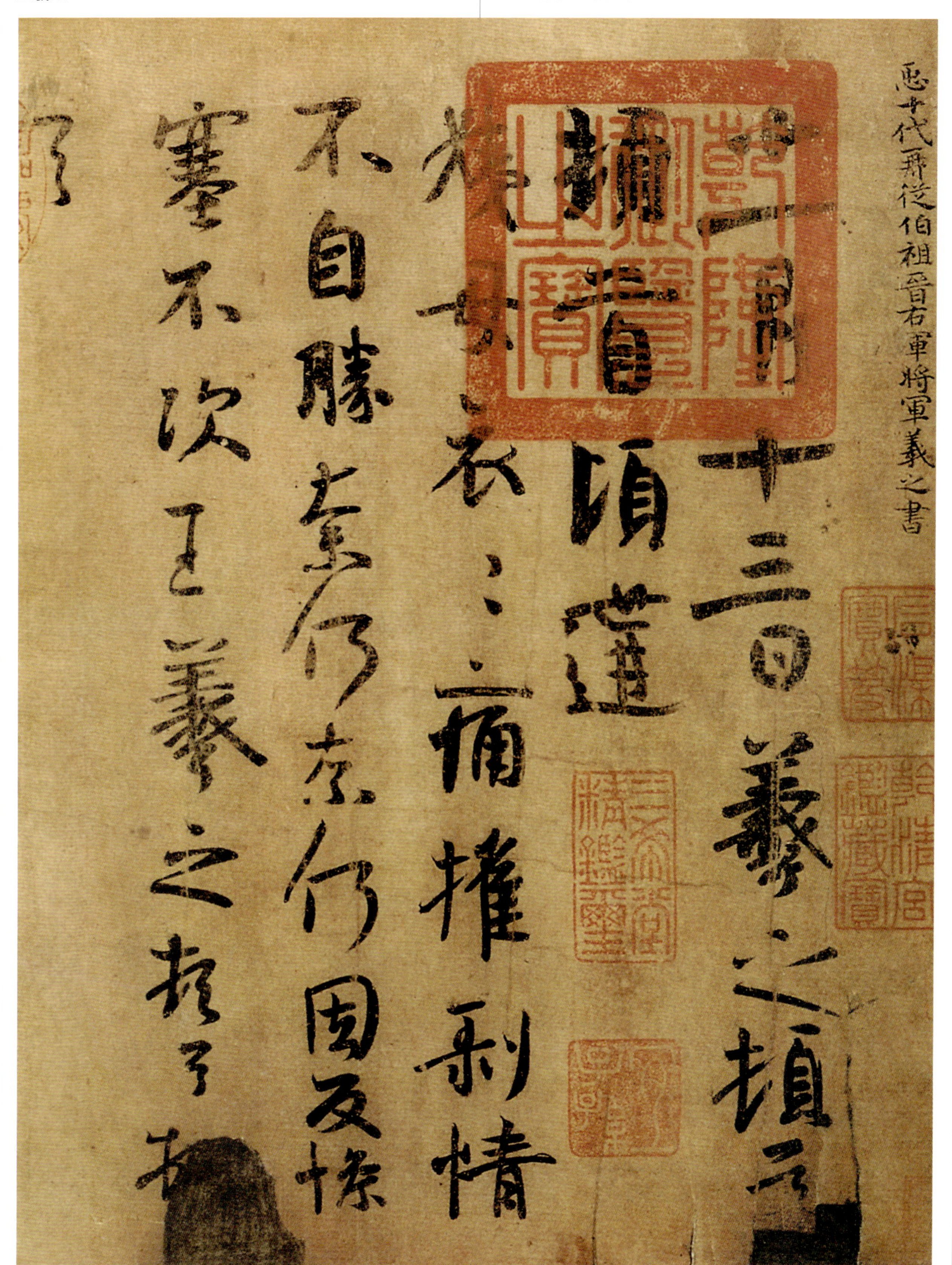
恧十代再從伯祖晉右軍將軍羲之書

十一月十三日羲之頓首頓首
頃遘
姨母哀哀痛摧剝情
不自勝奈何奈何因反惻
塞不次王羲之頓首

蘭亭序

東晋

王羲之

高24.5、寬69.9厘米。

紙本。

此選爲唐人馮承素摹本，即“神龍本”。

現藏故宫博物院。

永和九年歲在癸丑暮春之初會
于會稽山陰之蘭亭脩稧事
也群賢畢至少長咸集此地
有崇山峻領茂林脩竹又有清流激
湍暎帶左右引以為流觴曲水
列坐其次雖無絲竹管弦之
盛一觴一詠亦足以暢敘幽情
是日也天朗氣清惠風和暢仰
觀宇宙之大俯察品類之盛
所以遊目騁懷足以極視聽之
娛信可樂也夫人之相與俯仰
一世或取諸懷抱悟言一室之內
或因寄所託放浪形骸之外雖

喪亂 二謝 得示三帖

東晉

王羲之

高28.7、寬63厘米。

紙本。

唐摹本。唐時傳入日本。

現藏日本宮内廳。

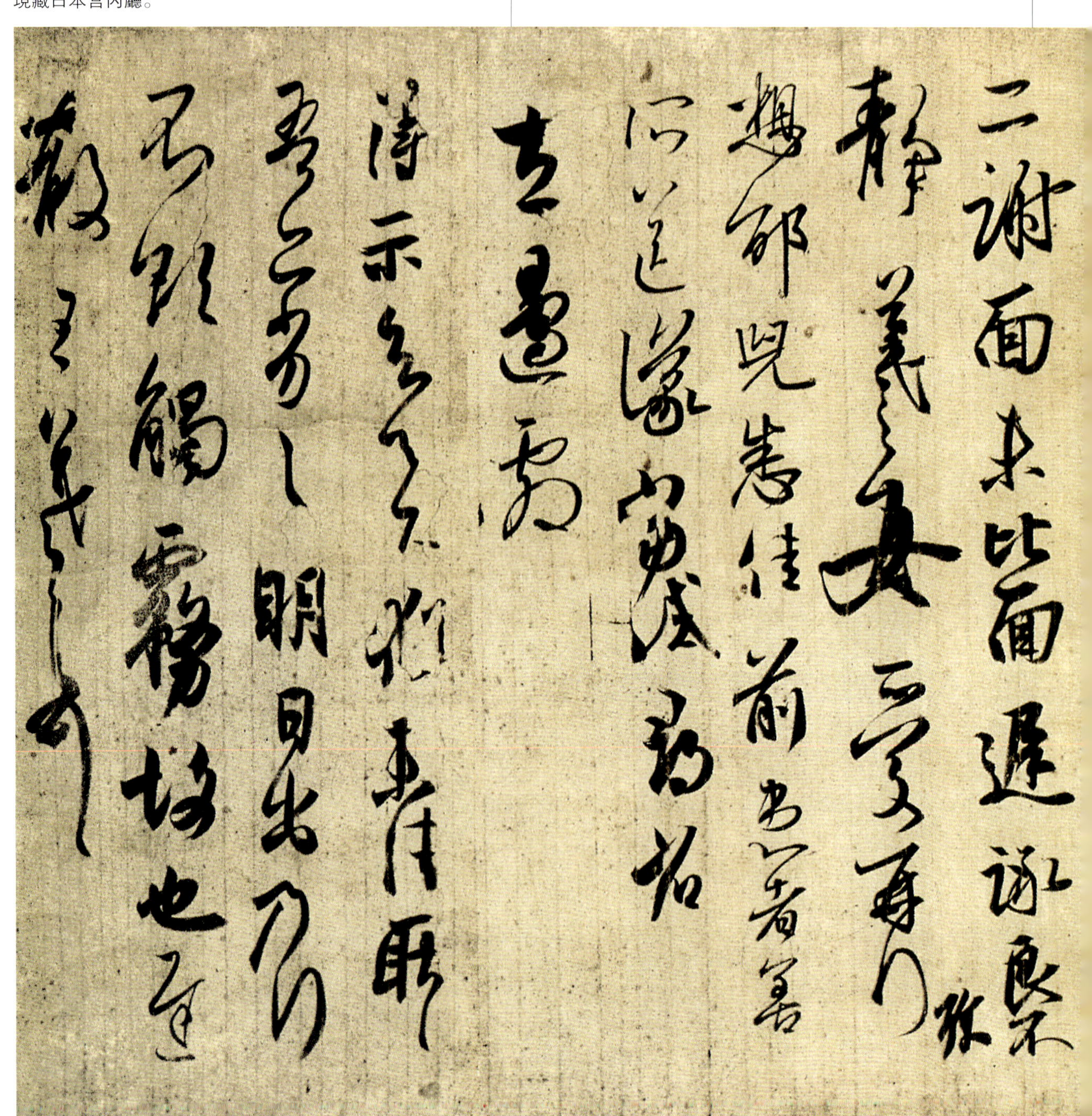

羲之頓首喪亂之極
先墓再離荼毒追
惟酷甚號慕摧絕
痛貫心肝痛當奈
何雖即修復未獲
奔馳哀毒益深奈
何臨紙感哽不知何言

頻有哀禍 孔侍中二帖

東晋

王羲之

紙本。

唐摹本。唐時傳入日本。

現藏日本前田育德會。

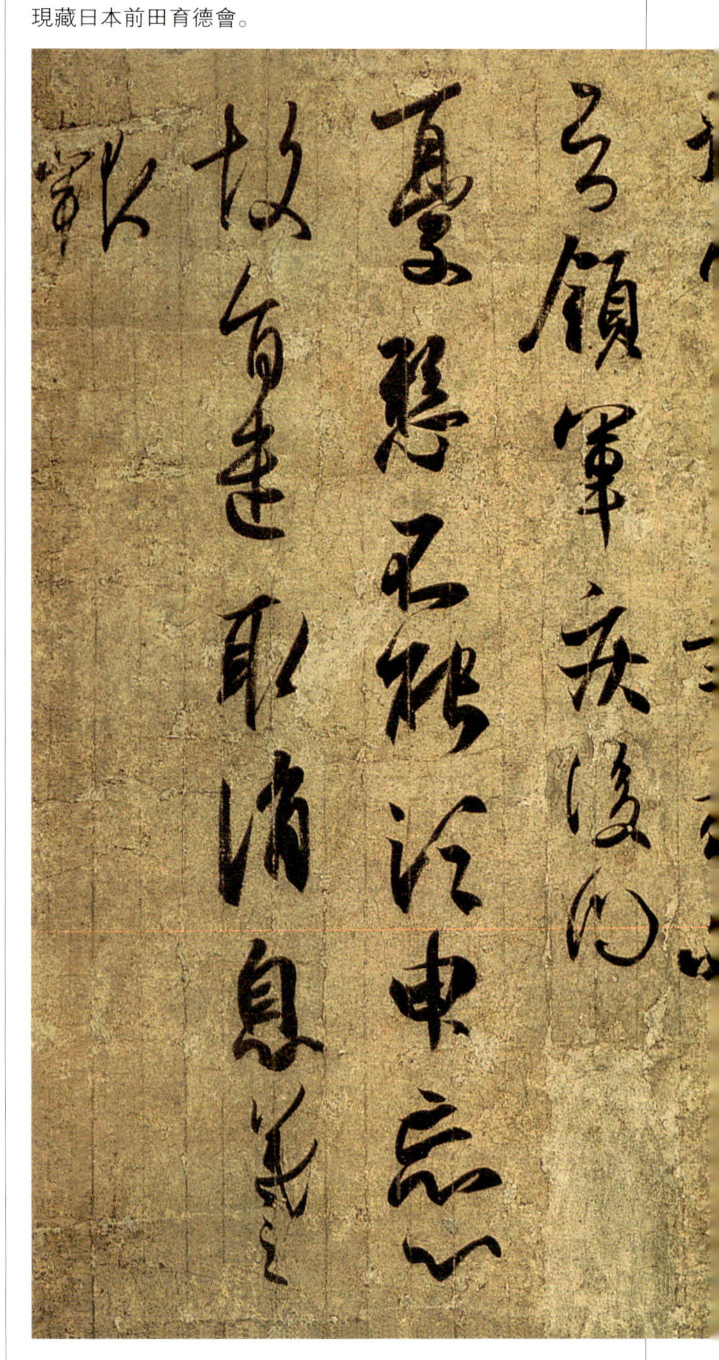

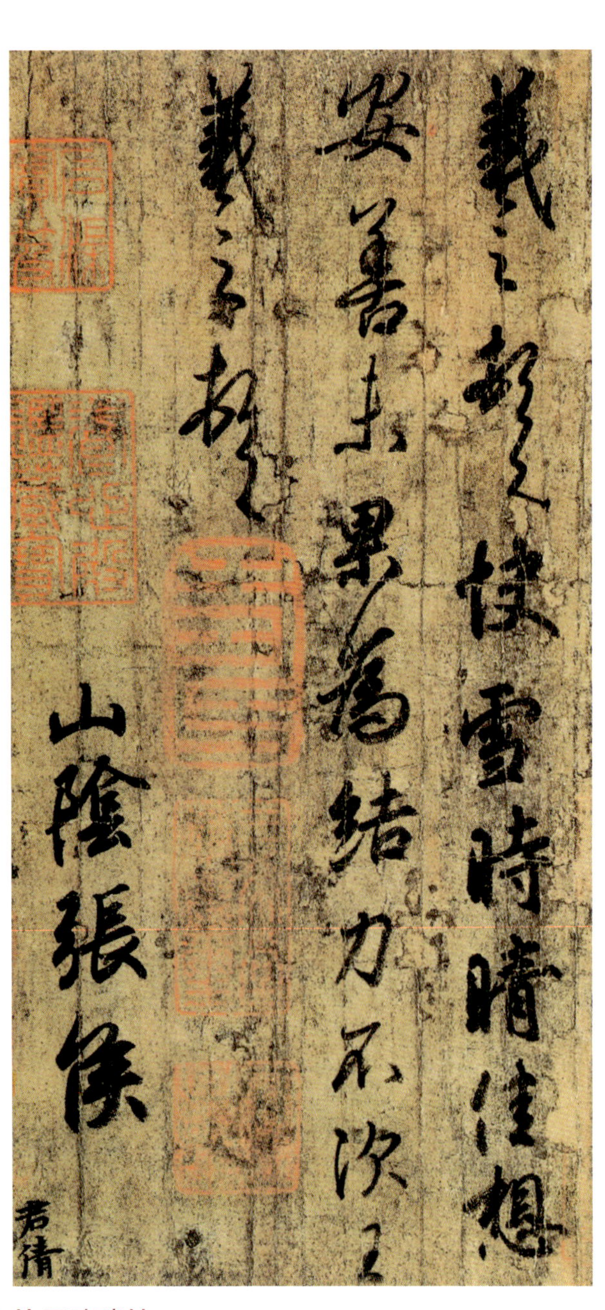

快雪時晴帖

東晋

王羲之

高23、寬14.8厘米。

紙本。

唐摹本。

現藏臺北故宮博物院。

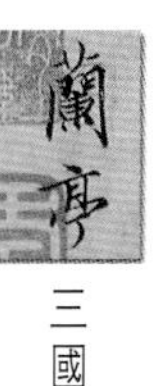

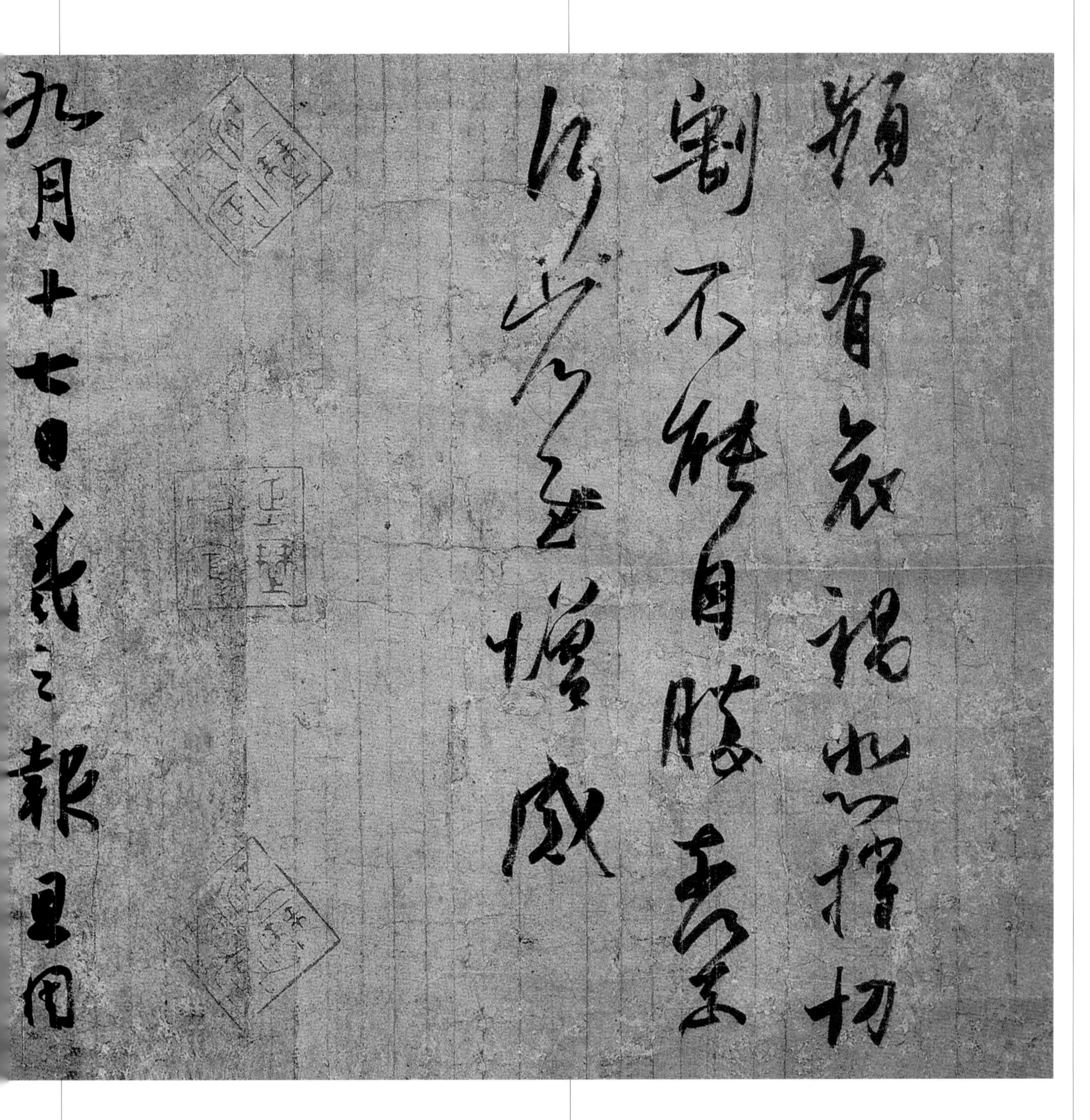

頻有哀禍悲摧切
割不能自勝奈
何奈何省慰增感
九月十七日羲之報且因

遠宦帖

東晉

王羲之

高24.8、寬21.3厘米。

紙本。

唐摹本。

現藏臺北故宮博物院。

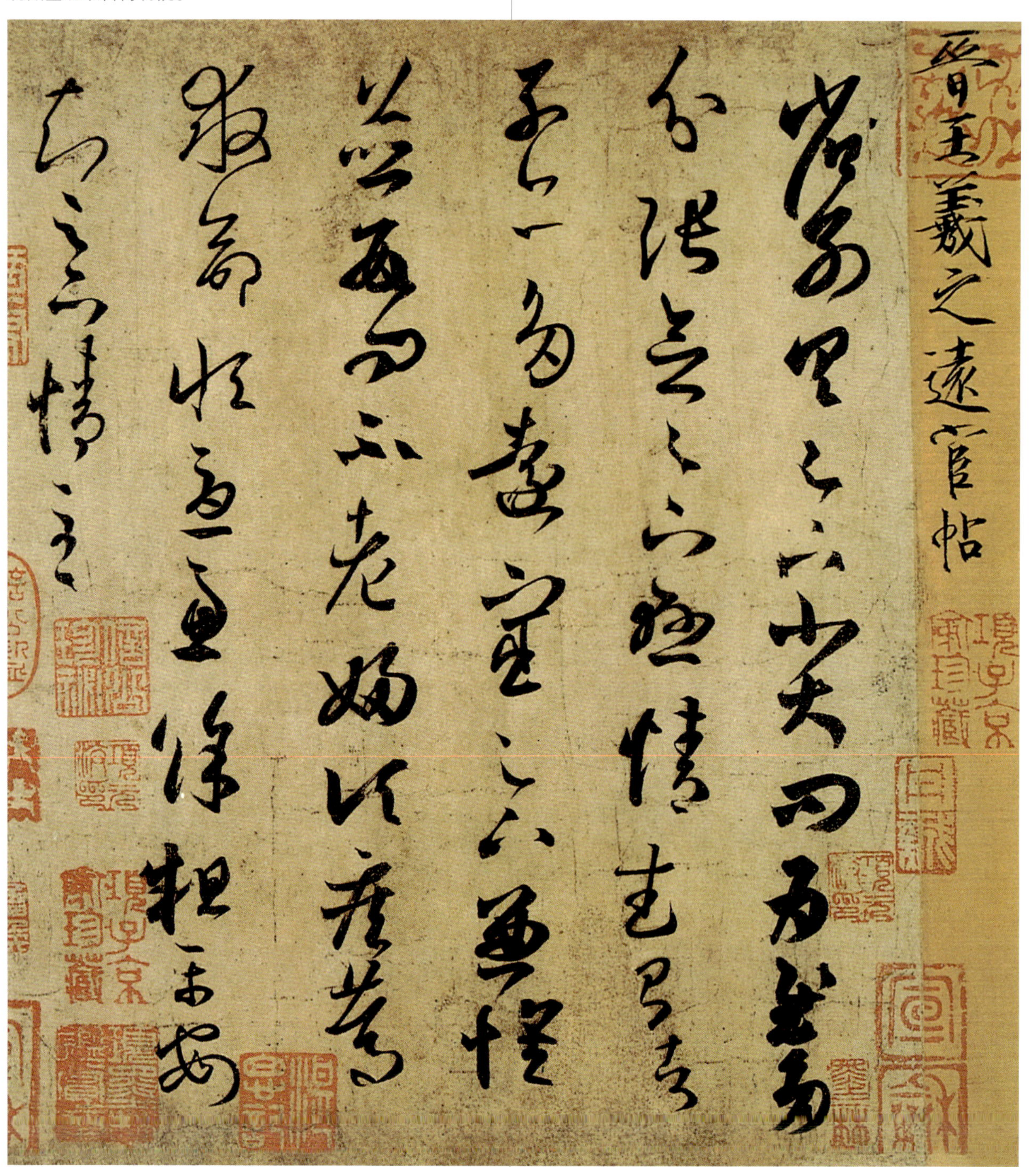

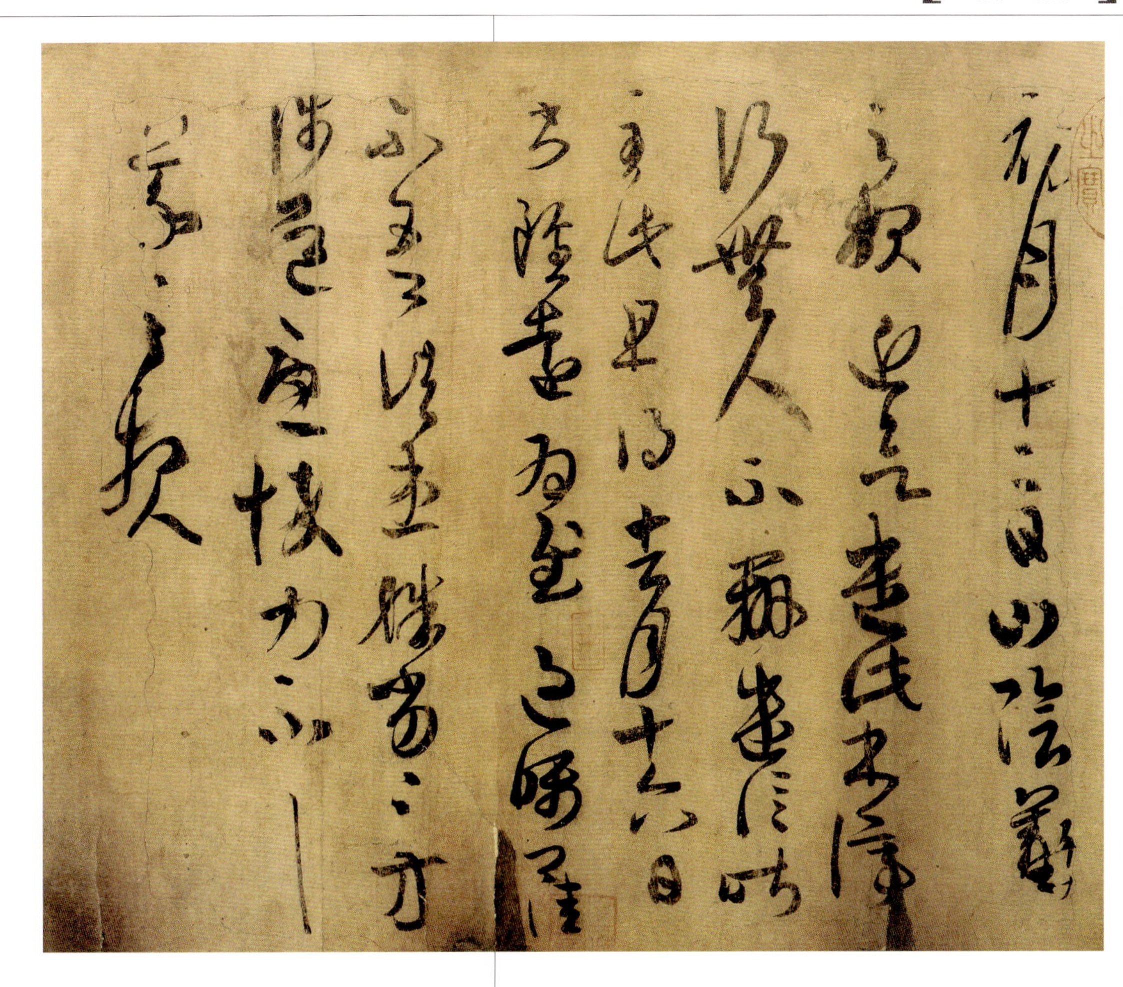

初月帖
東晋
王羲之
紙本。
唐摹本。
現藏遼寧省博物館。

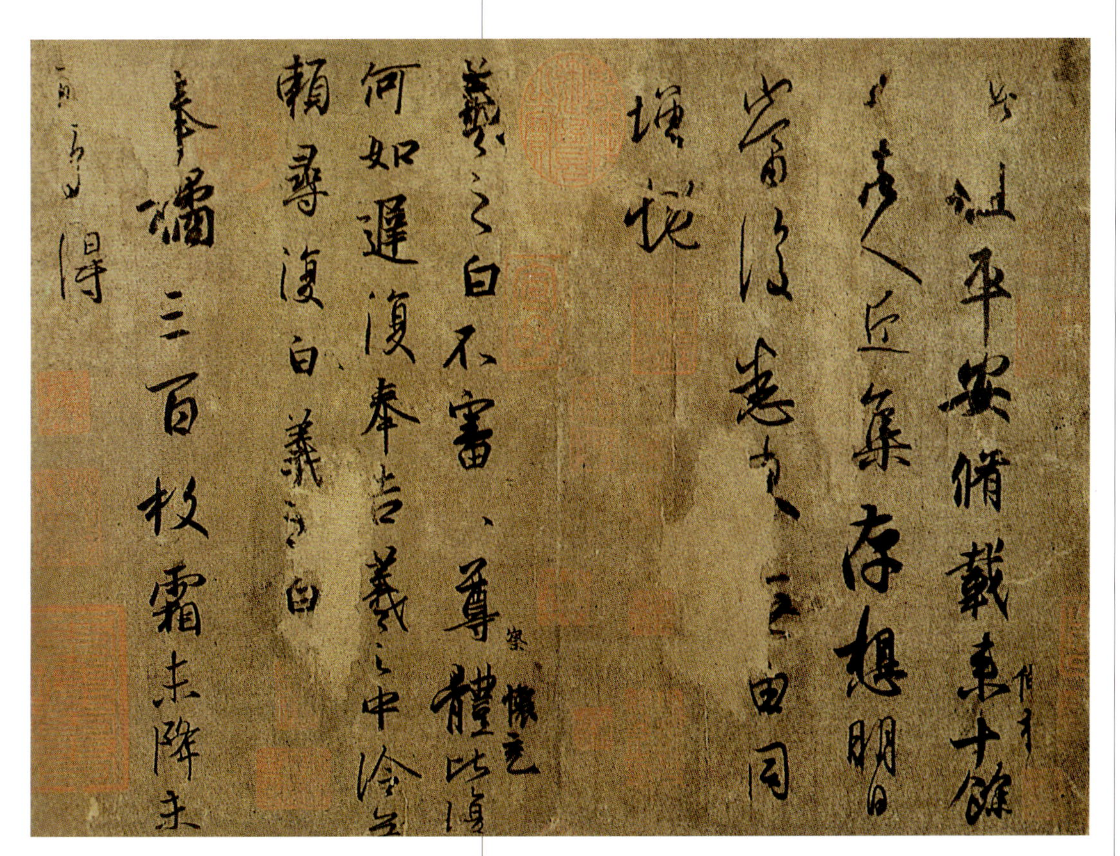

平安 何如 奉橘三帖
東晋
王羲之
高24.7、寬46.8厘米。
紙本。
唐摹本。
現藏臺北故宫博物院。

行穰帖

東晉

王羲之

高24.4、寬8.9厘米。

紙本。

唐摹本。

現藏美國普林斯頓大學美術館。

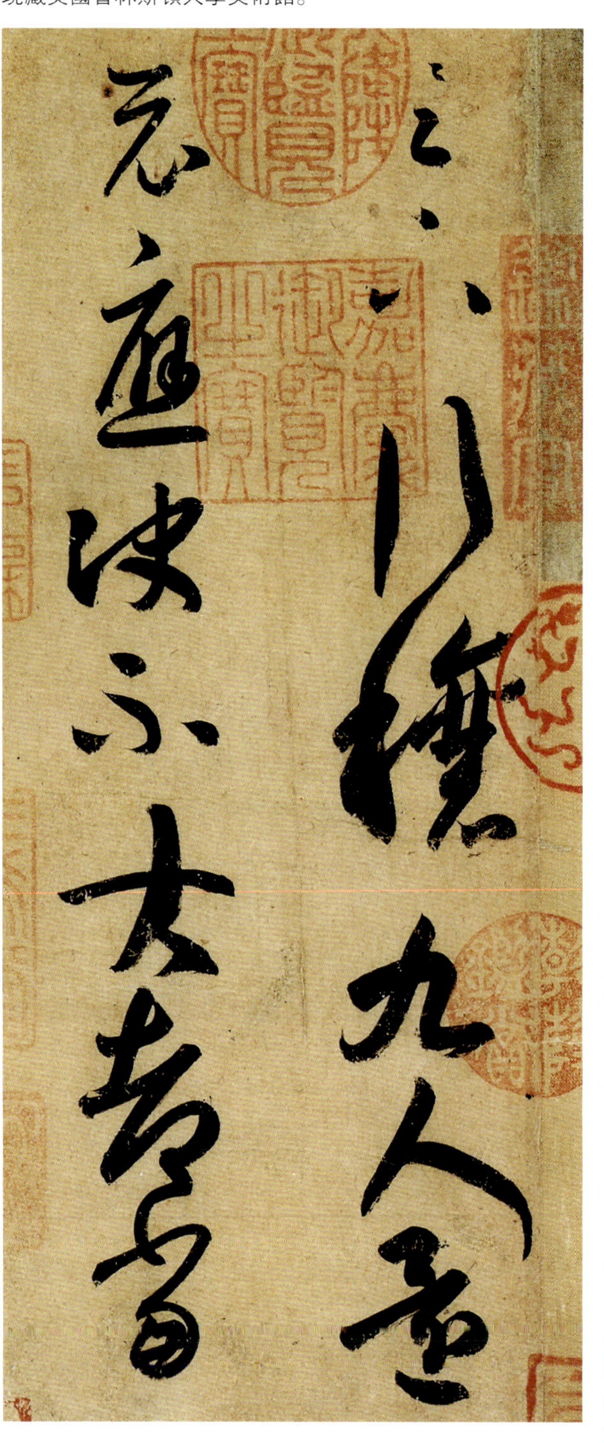

妹至帖

東晉

王羲之

高25.3、寬5.3厘米。

紙本。

唐摹本。

現藏日本私人處。

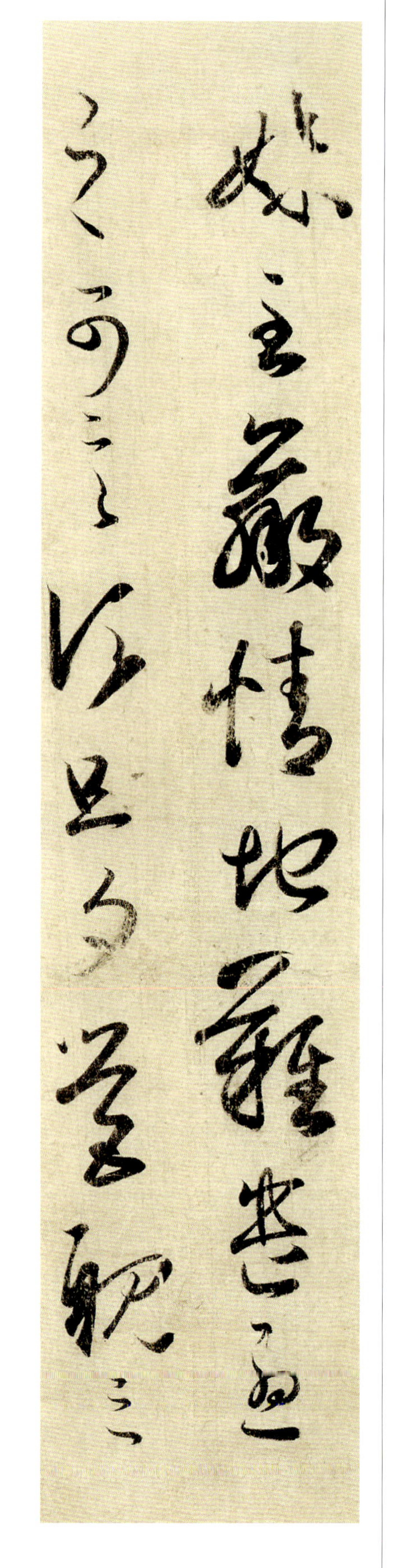

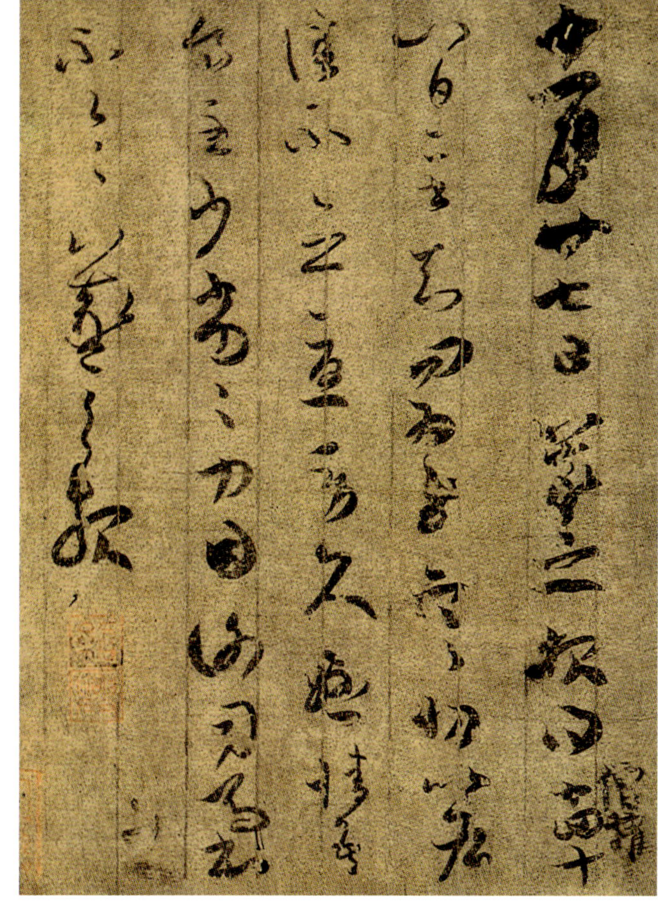

寒切帖
東晉
王羲之
高26、寬21.5厘米。
紙本。
唐摹本。
現藏天津博物館。

十七帖
東晉
王羲之
《十七帖》唐時即有十餘種摹本，宋以後輾轉摹刻本很多。此選爲宋代所拓館本。

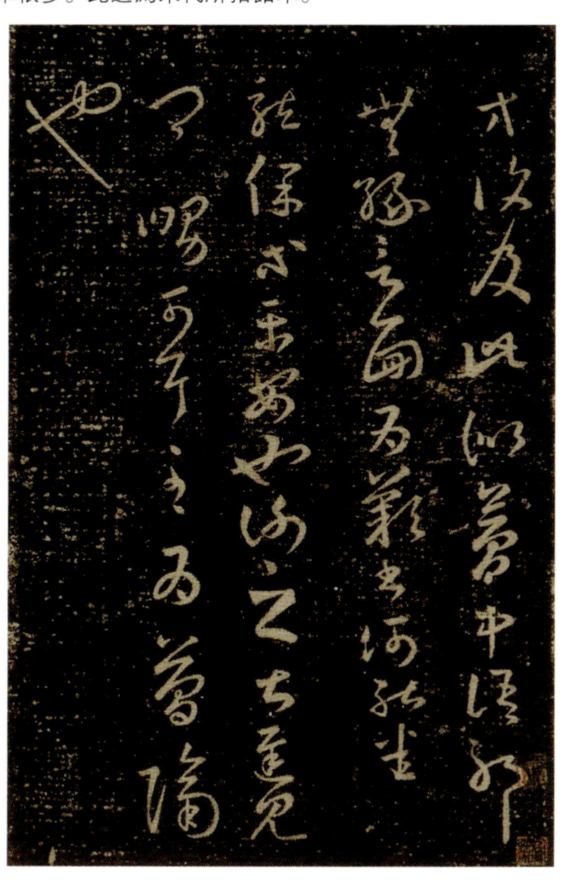

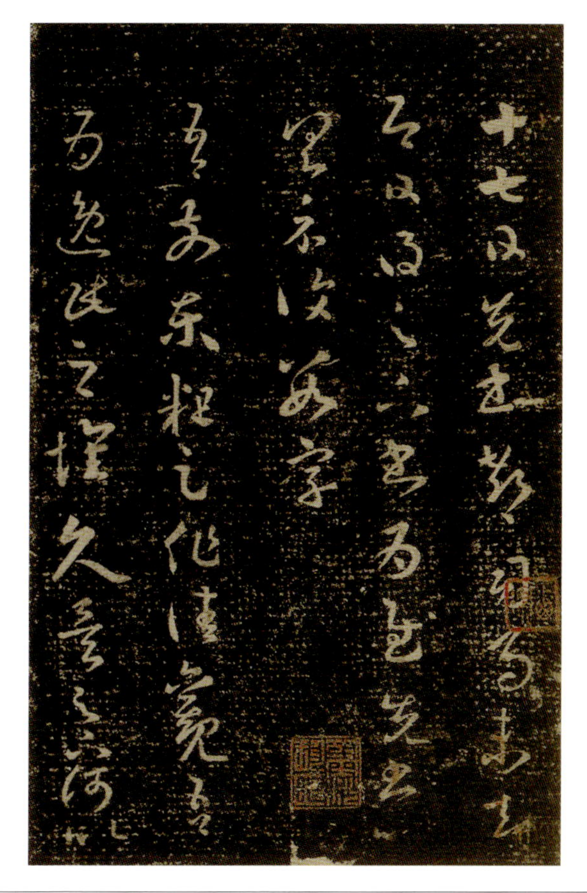

黃庭經

東晉

王羲之

此選爲《閲古堂帖》本。

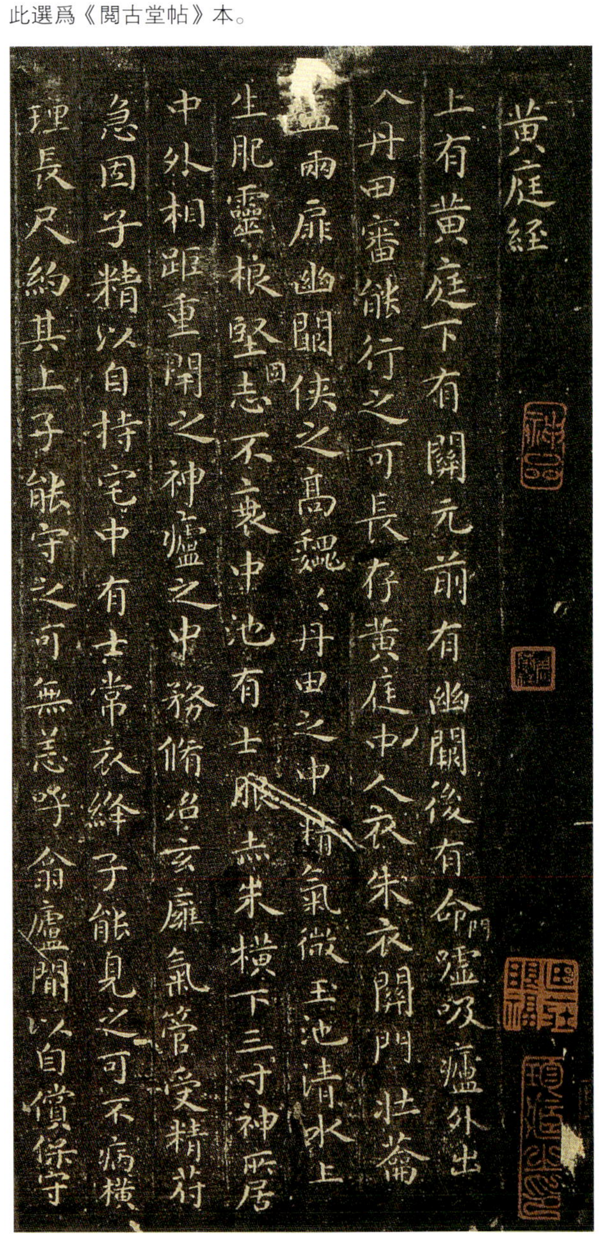

黃庭經

上有黃庭下有關元前有幽闕後有命門噓吸廬外出入丹田審能行之可長存黃庭中人衣朱衣關門壯籥蓋兩扉幽闕俠之高巍巍丹田之中精氣微玉池清水上生肥靈根堅志不衰中池有士服赤朱橫下三寸神所居中外相距重閉之神廬之中務脩治玄膺氣管受精符急固子精以自持宅中有士常衣絳子能見之可不病橫理長尺約其上子能守之可無恙呼翕廬間以自償保守

世人多以樂毅不時拔莒即墨

論之

夫求古賢之意宜以大者遠者先之必迂迴

而難通然後已焉可也今樂氏之趣或者其

未盡乎而多劣之是使前賢失指於將來

不亦惜哉觀樂生遺燕惠王書其殆庶乎

樂毅論

東晉

王羲之

此選爲《餘清齋帖》本。

王徽之

生卒年不詳。琅玡臨沂（今山東臨沂北）人。字子猷，王羲之之子，曾官黄門侍郎。

新月帖

東晋

王徽之

紙本。

唐摹本。

現藏遼寧省博物館。

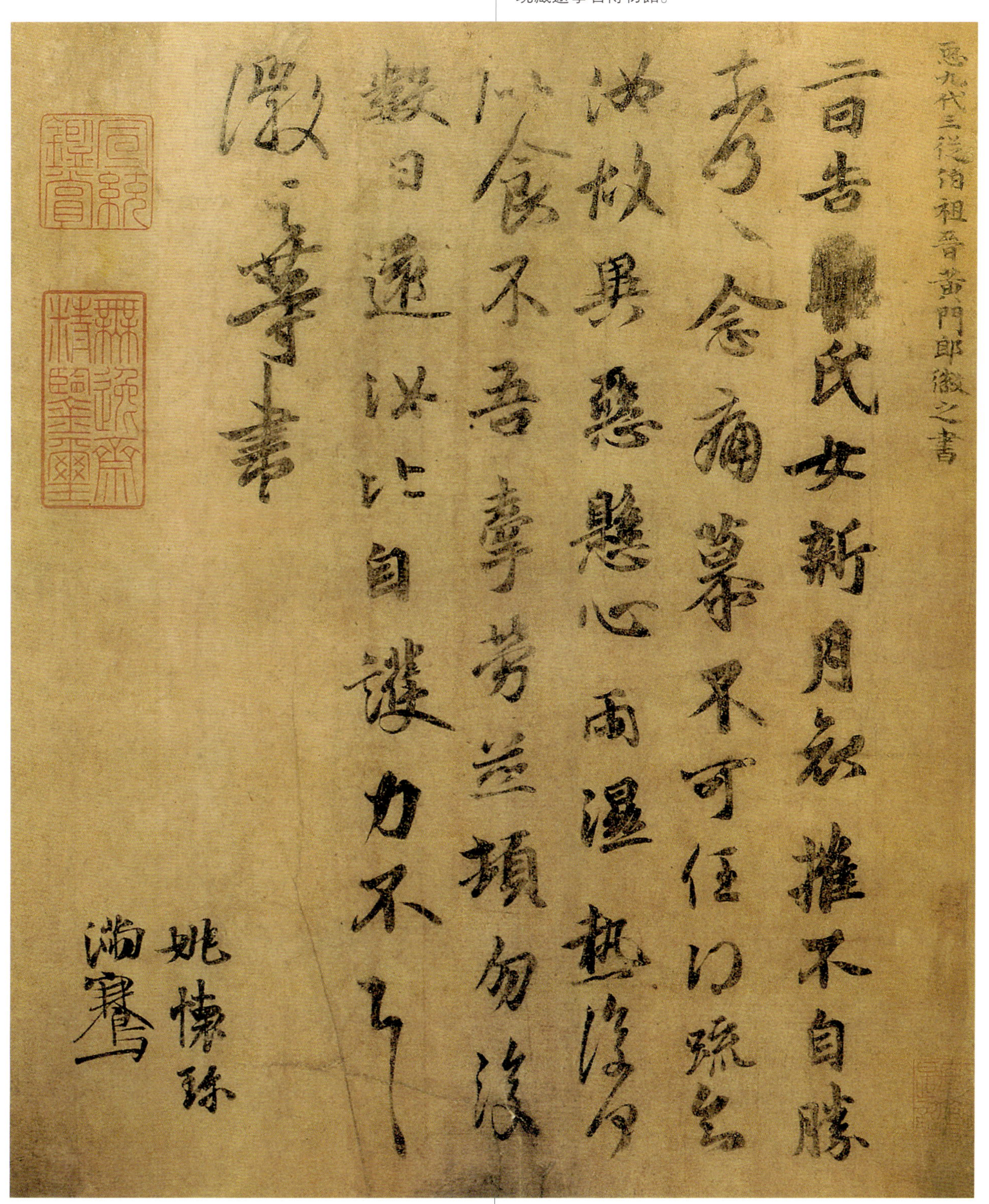

王獻之（公元344－386年）

琅玡臨沂（今山東臨沂北）人。字子敬，小字官奴，羲之第七子。官至中書令。獻之爲羲之最幼子，書法造詣則超絶諸兄，與其父比肩，并稱“二王”，又同張芝、鍾繇及其父合稱書中“四賢”。兼精諸體，幼學于父，表現出非凡的書法才能和創造精神，在前人基礎上另創新法，進一步改變了古拙的書風，有“破體”之稱，對後世影響很大。

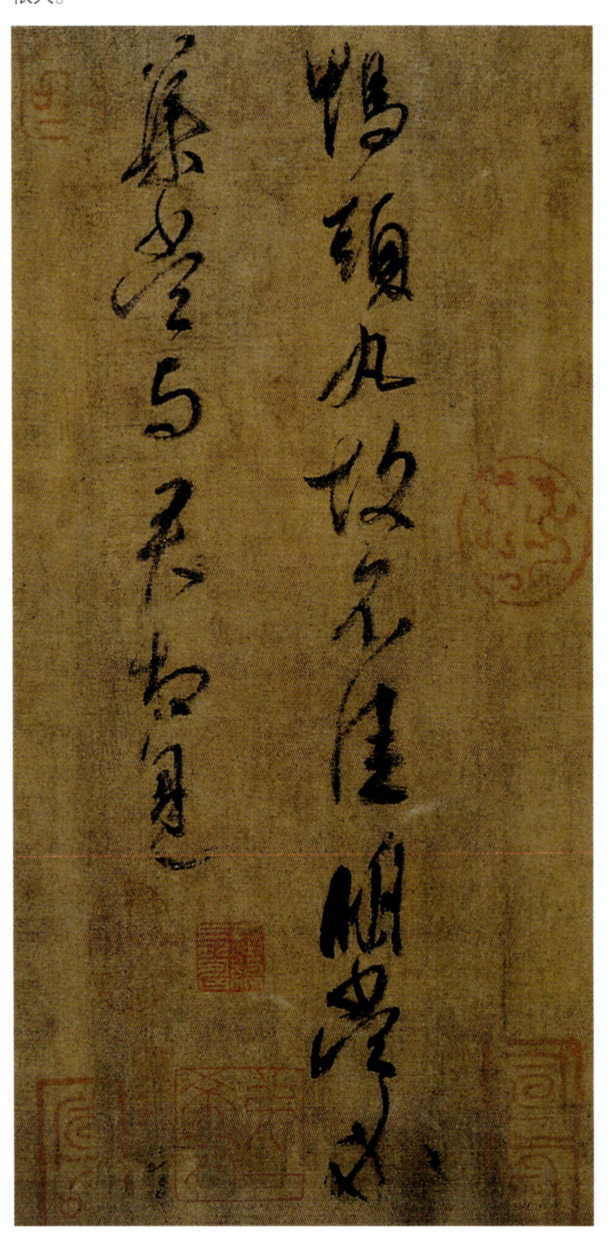

鴨頭丸帖

東晋

王獻之

高26.1、寬26.9厘米。

絹本。

唐摹本。

現藏上海博物館。

廿九日帖

東晋

王獻之

紙本。

唐摹本。

現藏遼寧省博物館。

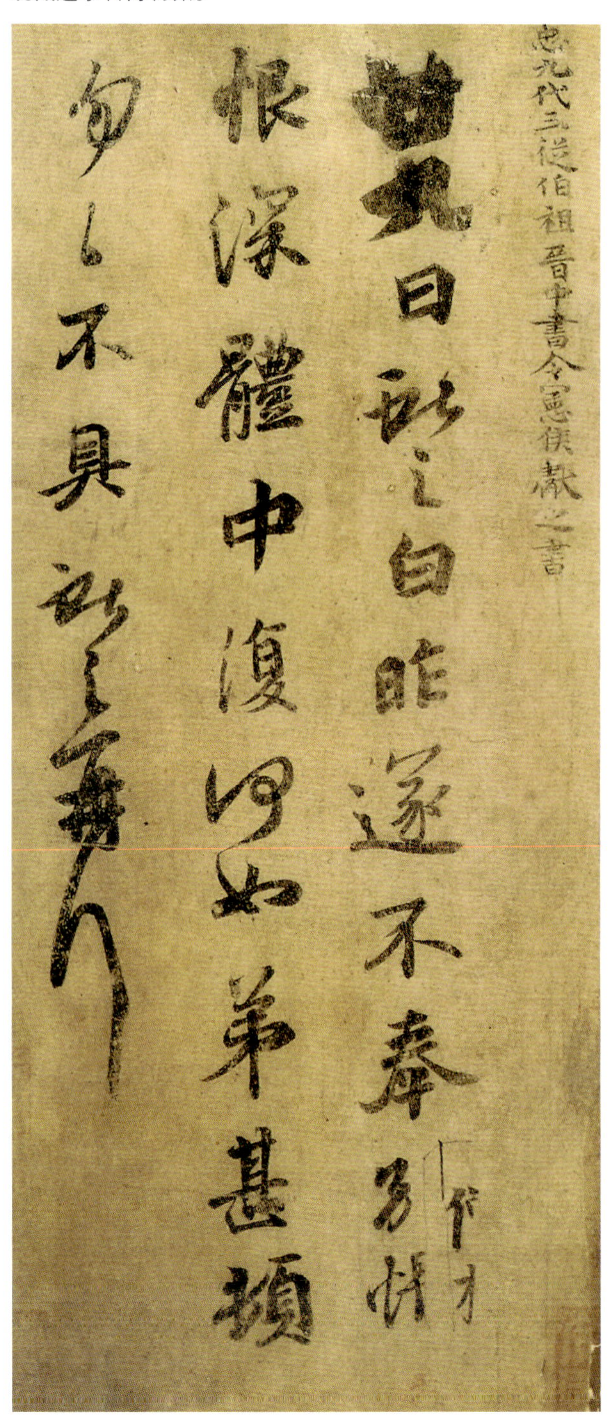

地黄湯帖

東晋

王獻之

高25.3、寬24厘米。

紙本。

唐摹本。

現藏日本東京臺東區立書道博物館。

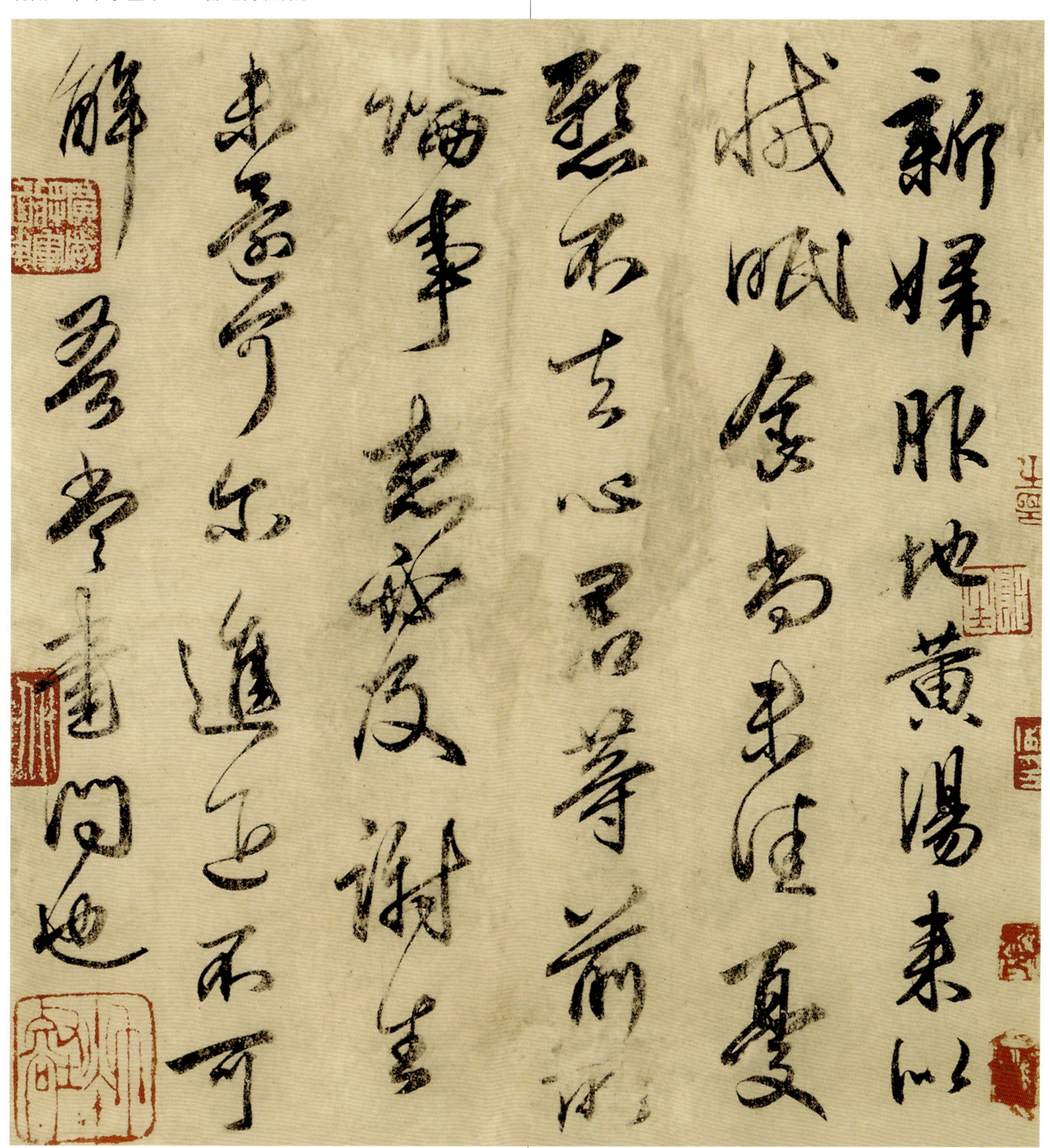

洛神賦

東晉

王獻之

原石高29.2、寬26厘米。

小楷十三行。

現藏首都博物館。

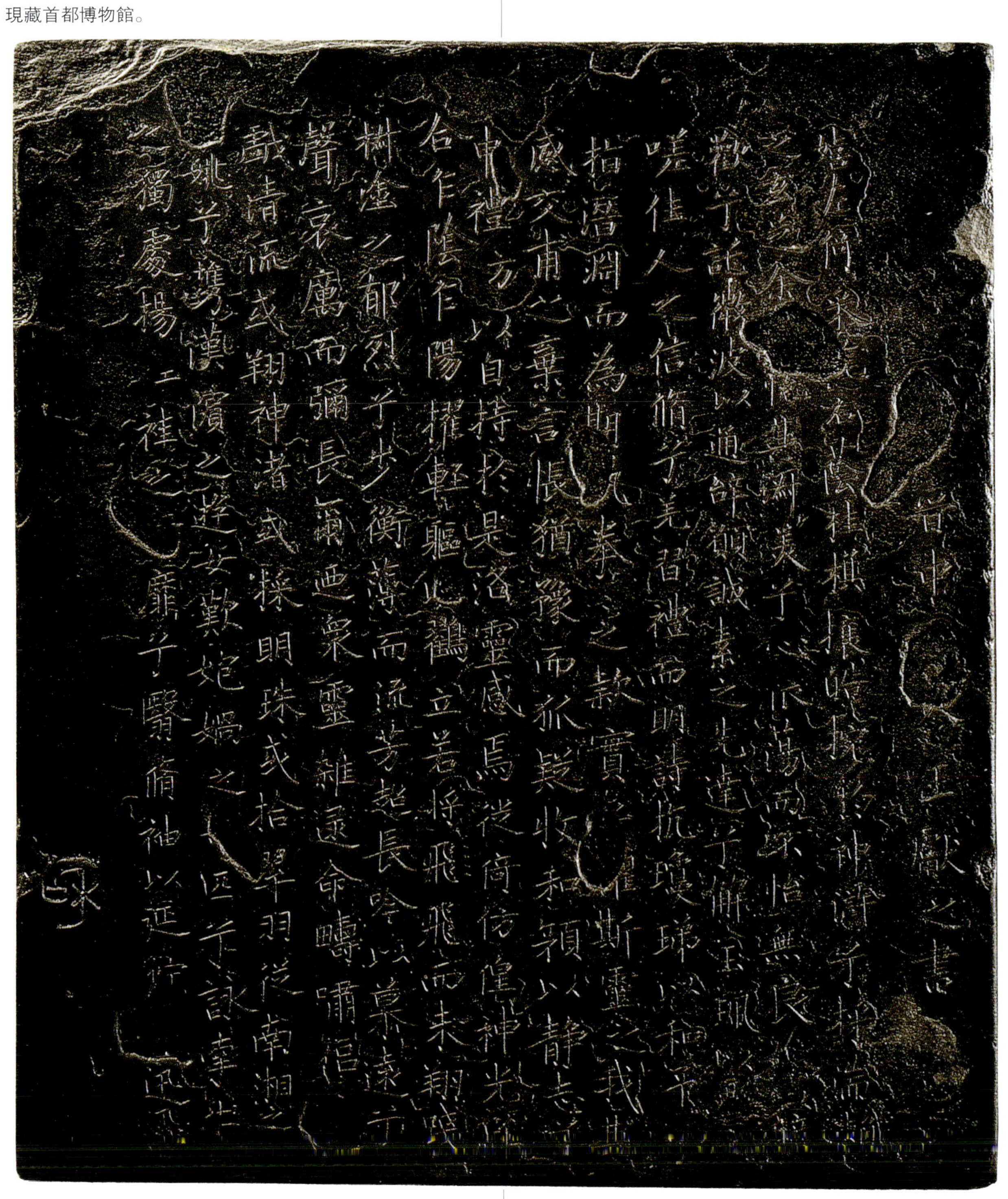

洛神賦實物

洛神賦拓片局部

王　薈

生卒年不詳。琅玡臨沂（今山東臨沂北）人。字敬父。王導第六子。官至鎮軍將軍，加散騎常侍，贈衛將軍。

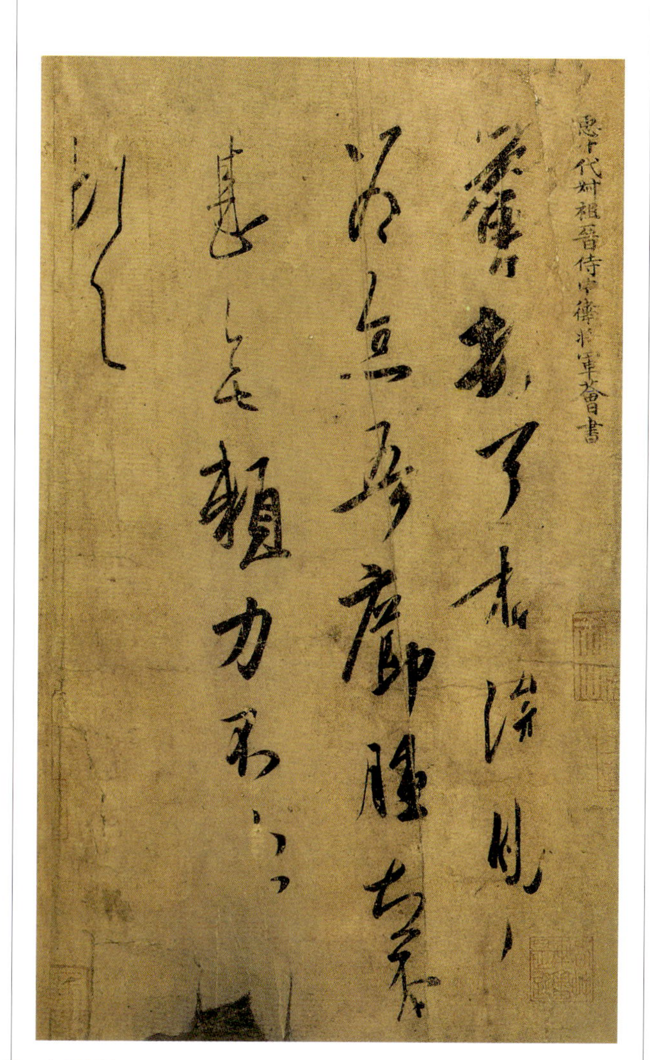

癤腫帖

東晋

王薈

紙本。

唐摹本。

現藏遼寧省博物館。

王　珣（公元350－401年）

琅玡臨沂（今山東臨沂北）人。字元琳。官至尚書令、衛將軍，加散騎常侍，謚獻穆。工文章，善書法。

伯遠帖

東晉

王珣

高25.1、寬17.2厘米。

紙本。此爲王珣所書原迹。

現藏故宫博物院。

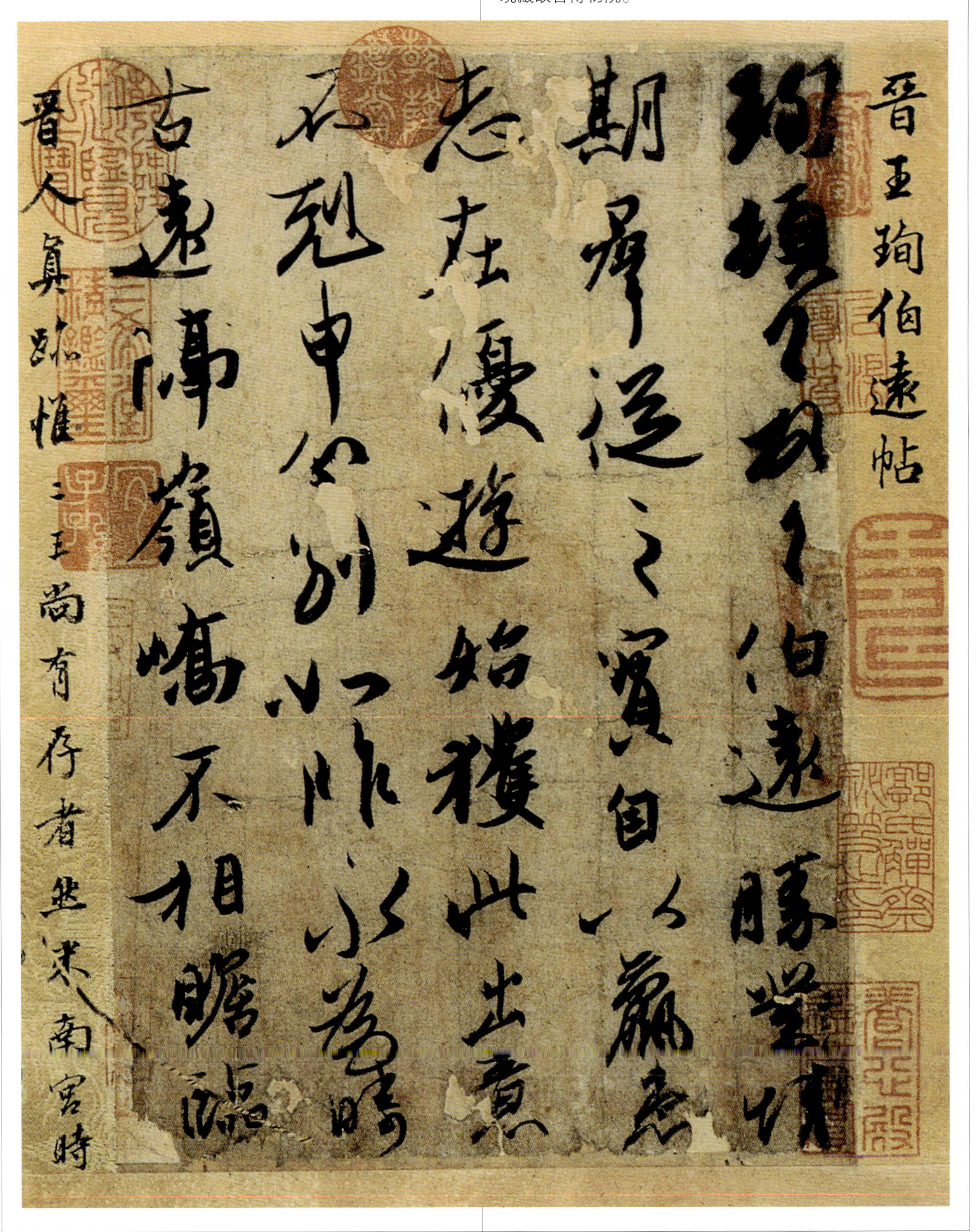

曹娥誄辭

東晋

高32.2、寬53.5厘米。

絹本。楷書二十七行，四百三十八字。書于升平二年（公元358年）。舊傳爲王羲之所書。此選爲局部。現藏遼寧省博物館。

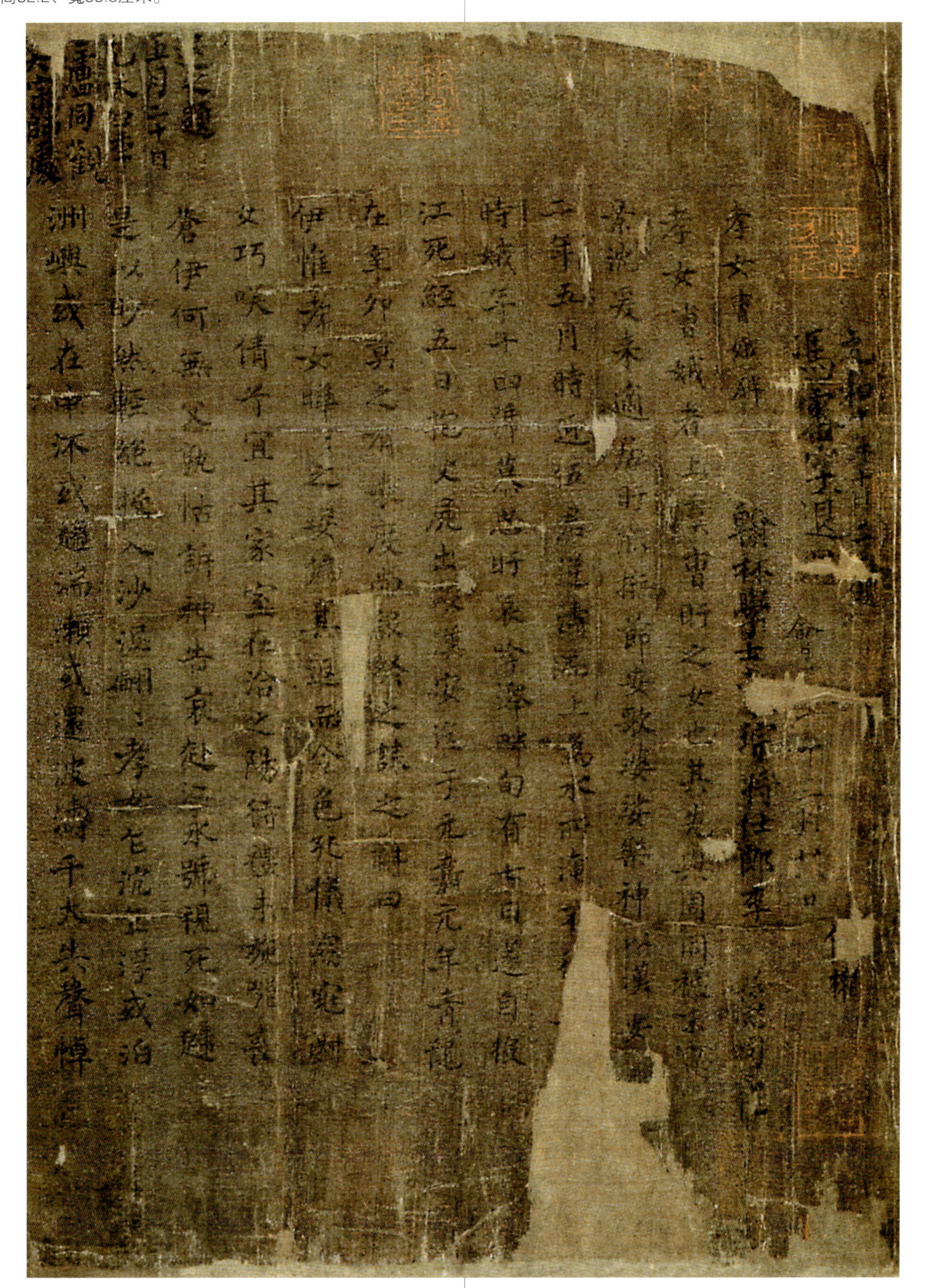

木牘

十六國・前凉
甘肅高臺縣駱駝城墓葬出土。
有前凉建興二十四年（公元336年）紀年。
現藏甘肅省高臺縣博物館。

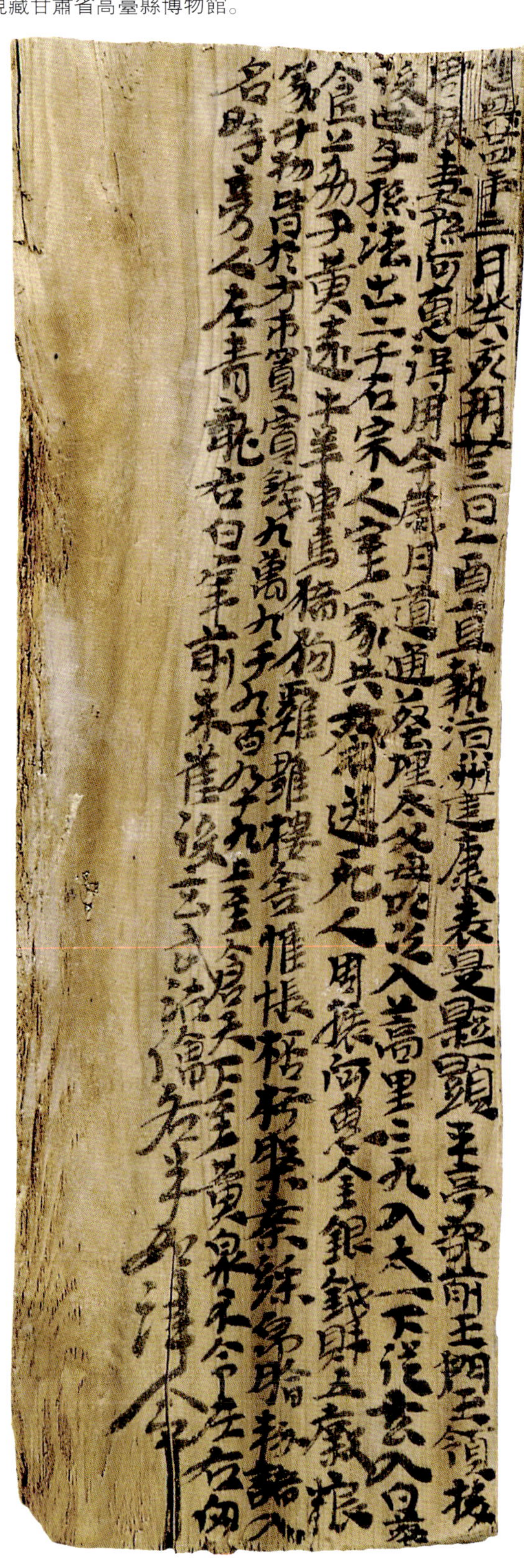

墨書殘紙

十六國・前凉
新疆羅布泊樓蘭遺址出土。
現藏國外。

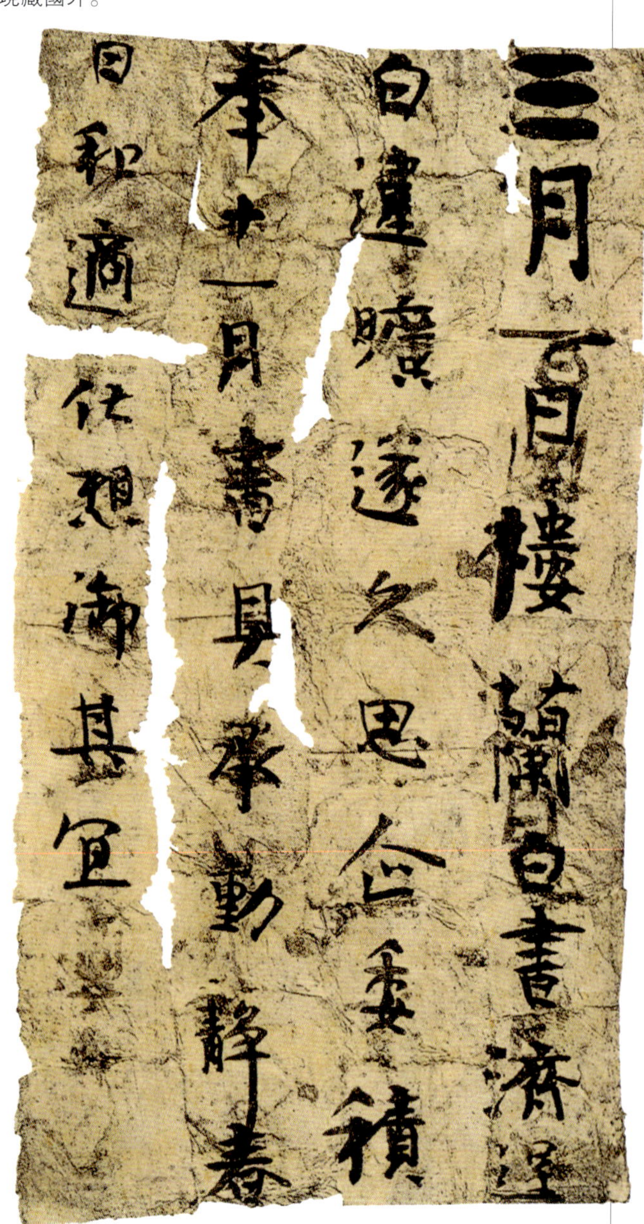

墨書殘紙之一

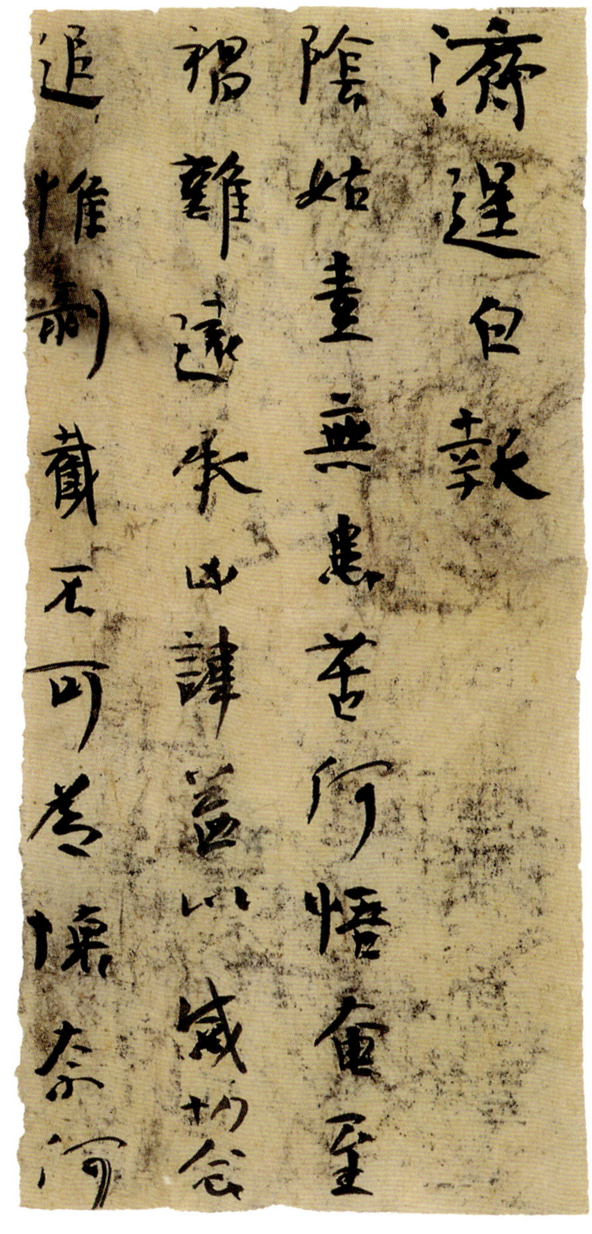

墨書殘紙之二

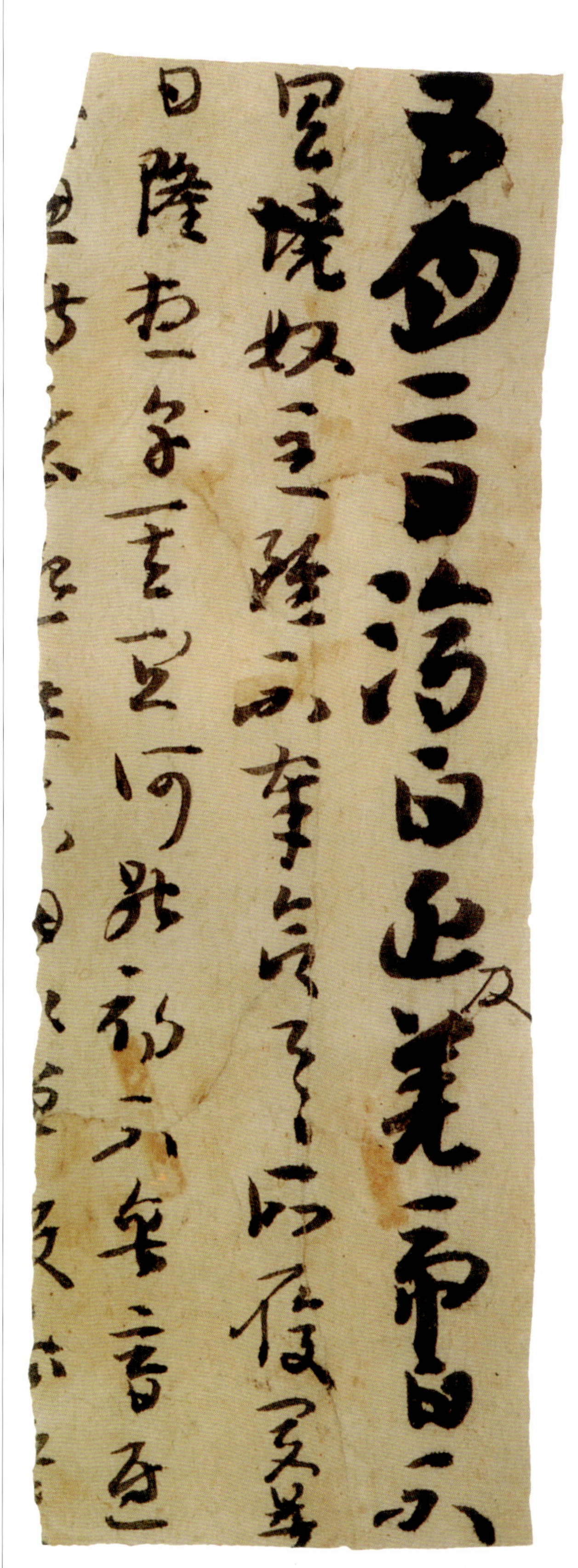

墨書殘紙之三

李柏文書

十六國・前凉

新疆出土。

上圖高23.6、寬28.5厘米；下圖高24.2、寬40厘米。

紙本。書于永樂元年（公元346年）。

現藏日本龍谷大學圖書館。

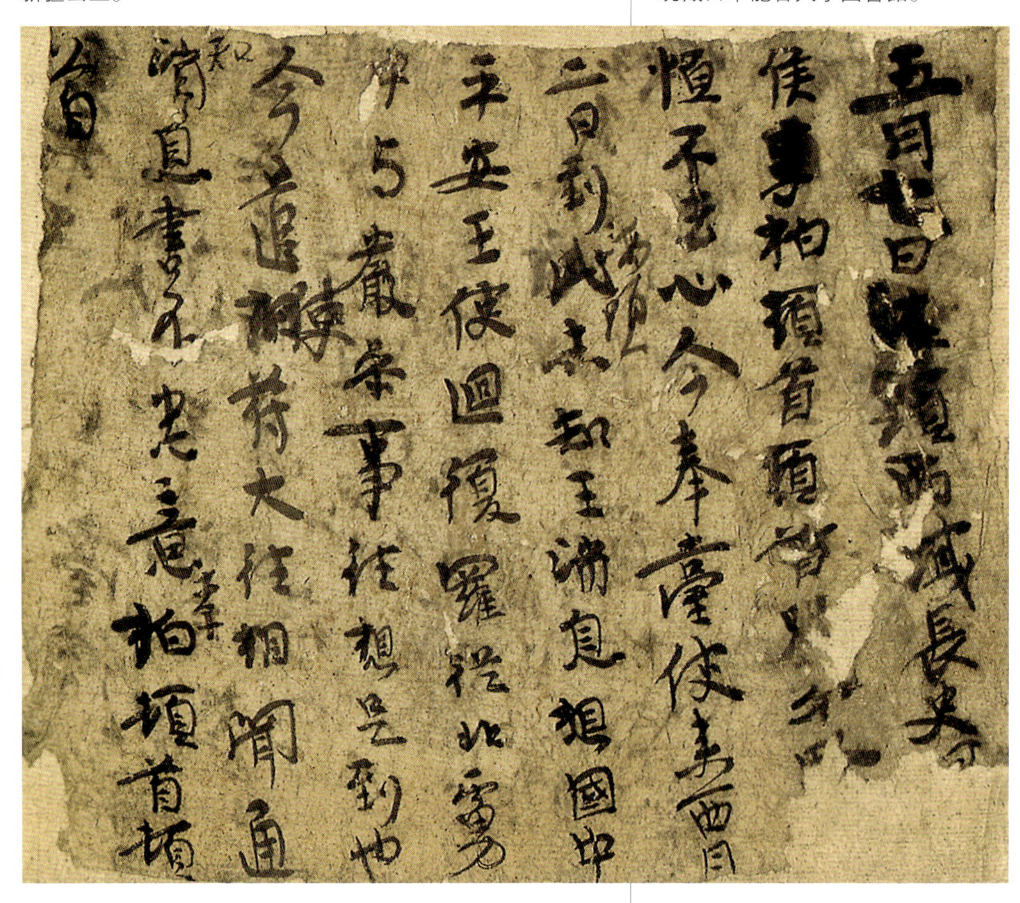

李柏文書之一

李柏文書之二

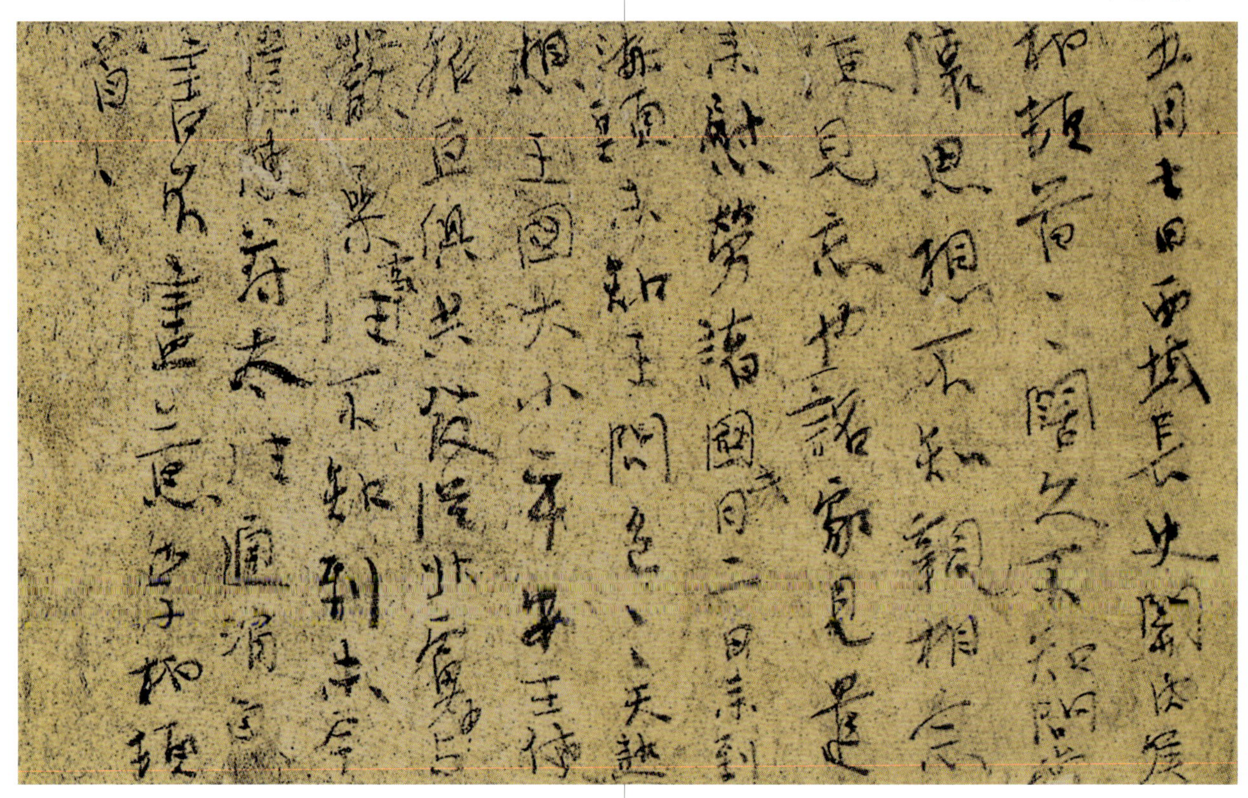

鄧太尉祠碑

十六國・前秦

隸書八行半，每行二十九字，刻于建元三年（公元367年）。此選爲局部。

現藏陝西省西安碑林博物館。

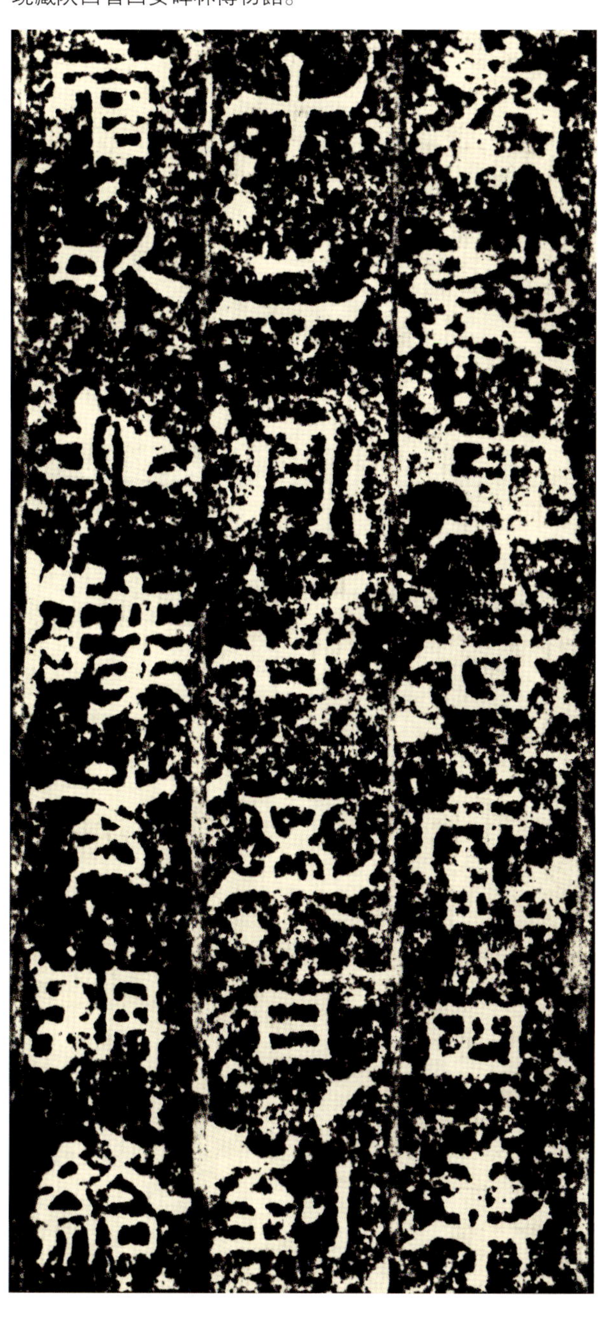

廣武將軍碑

十六國・前秦

隸書十七行，每行三十一字。刻于建元四年（公元368年）。此選爲局部。

舊在陝西白水縣史官村倉頡廟，後移置陝西省西安碑林博物館。

月一未朔廿七
日辛酉秦故遼
東太守略陽呂
憲葬於常安北
陵去城廿里

呂憲墓志

十六國・後秦
陝西西安市出土。
高36.5、寬30厘米。
隸書六行，每行六字。刻于弘始四年（公元402年）。
現藏日本東京臺東區立書道博物館。

維大夏二年歲庚申正
月丙戌朔廿八日癸丑
故建威將軍散騎侍郎
涼州都督護光烈將軍
北地尹將作大匠涼州
刺史武威田煛之銘

凉州刺史墓志

十六國・夏
内蒙古烏審旗納林河鎮郭梁村出土。
高54厘米。
隸書六行五十三字。夏國存世文字甚少。刻于龍昇二年（公元408年）。
現藏内蒙古自治區文物考古研究所。

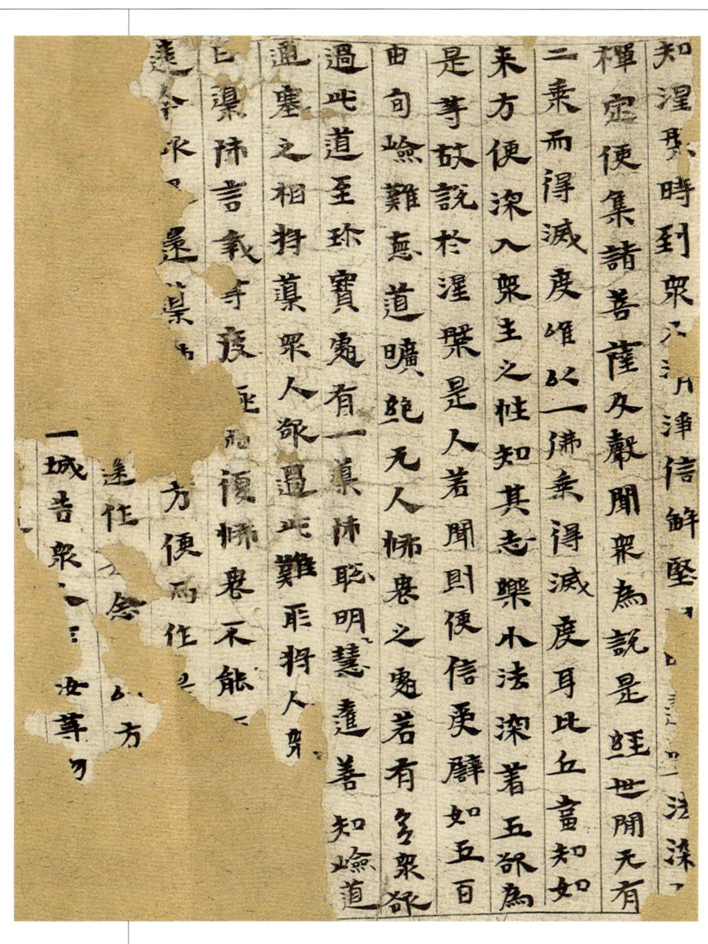

《優婆塞戒經》殘片

十六國・北凉
高27厘米。
白麻紙本。
現藏中國國家博物館。

且渠安周造寺碑

十六國・北凉
新疆吐魯番市高昌故城遺址出土。
碑高135.2、寬85.8厘米。
刻于承平三年（公元445年）。此選爲局部。
原石已毀，拓本存于中國國家博物館。

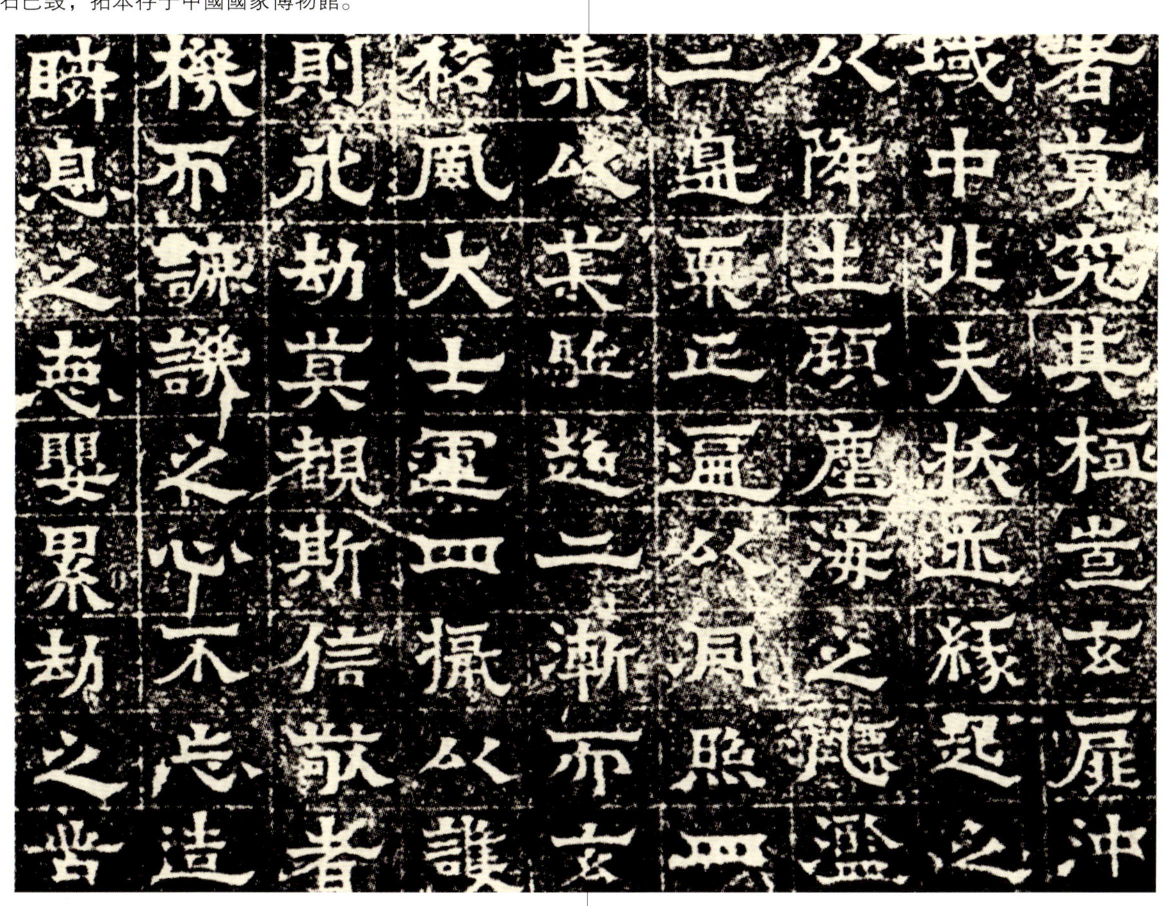

隨葬衣物疏

十六國・北凉

新疆吐魯番市阿斯塔那62號墓出土。

高24.5、寬13厘米。

書于緣禾五年（公元436年）。

現藏新疆維吾爾自治區博物館。

且渠封戴追贈令

十六國・北凉

新疆吐魯番市阿斯塔那墓葬出土。

高24.2、寬11.4厘米。

木質，墨書。書于承平十三年（公元455年）。

現藏新疆文物考古研究所。

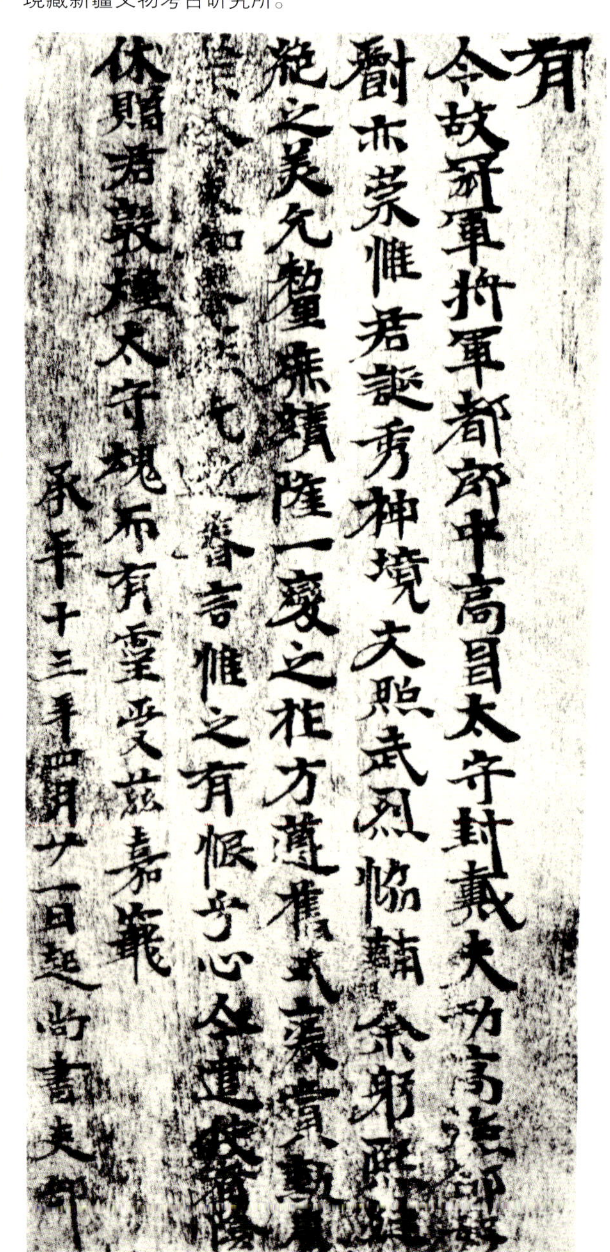

謝琉墓志磚

南朝・宋

江蘇南京市出土。

高33、寬17厘米。

分刻于六塊磚上，共六百八十一字。

刻于永初二年（公元421年）。此選爲其中之一。

現藏江蘇省南京市博物館。

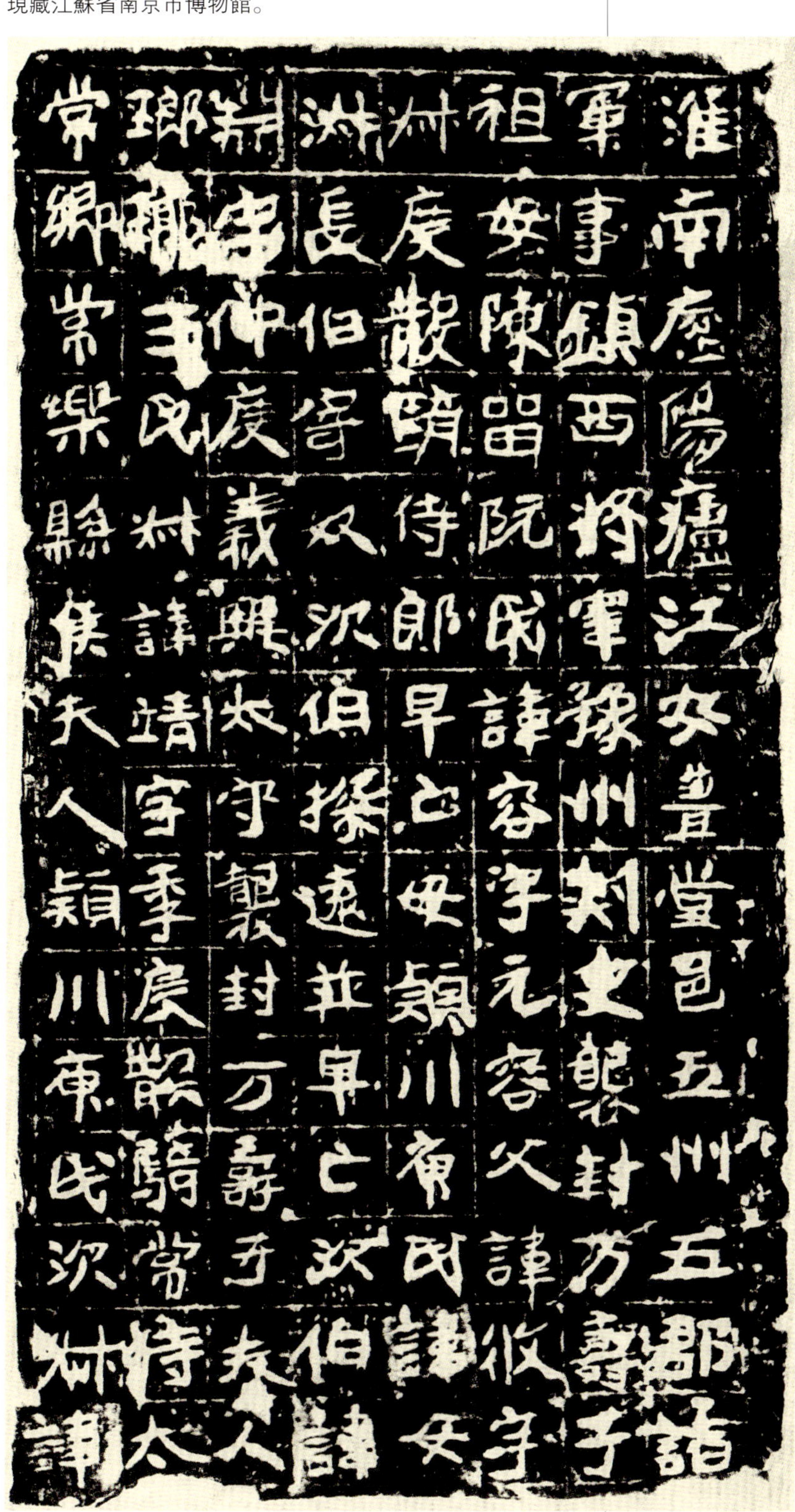

晉恭帝玄宮石碣

南朝・宋

江蘇南京市富貴山出土。

高123、寬31厘米。

刻于永初二年（公元421年）。

現藏江蘇省南京市博物館。

爨龍顔碑

南朝・宋

高338厘米。

碑文凡二十四行，每行四十五字，另有職官題名三行。刻于大明二年（公元458年）。此選爲局部。

原石現存雲南省陸良縣貞元堡。

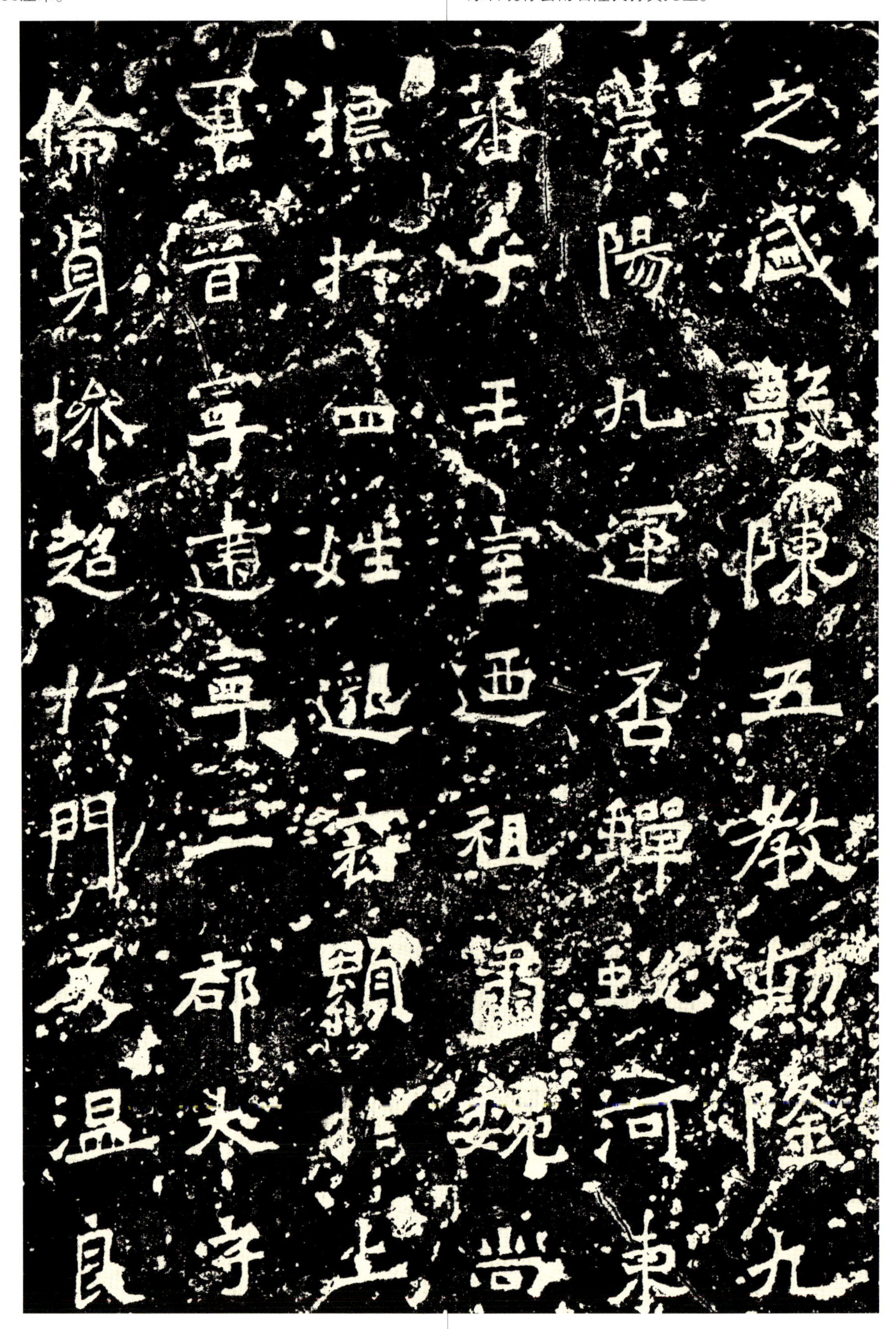

王佛女買地券磚

南朝・宋

江蘇徐州市龜山出土。

拓片高35、寬18厘米。

刻于元嘉九年（公元432年）。

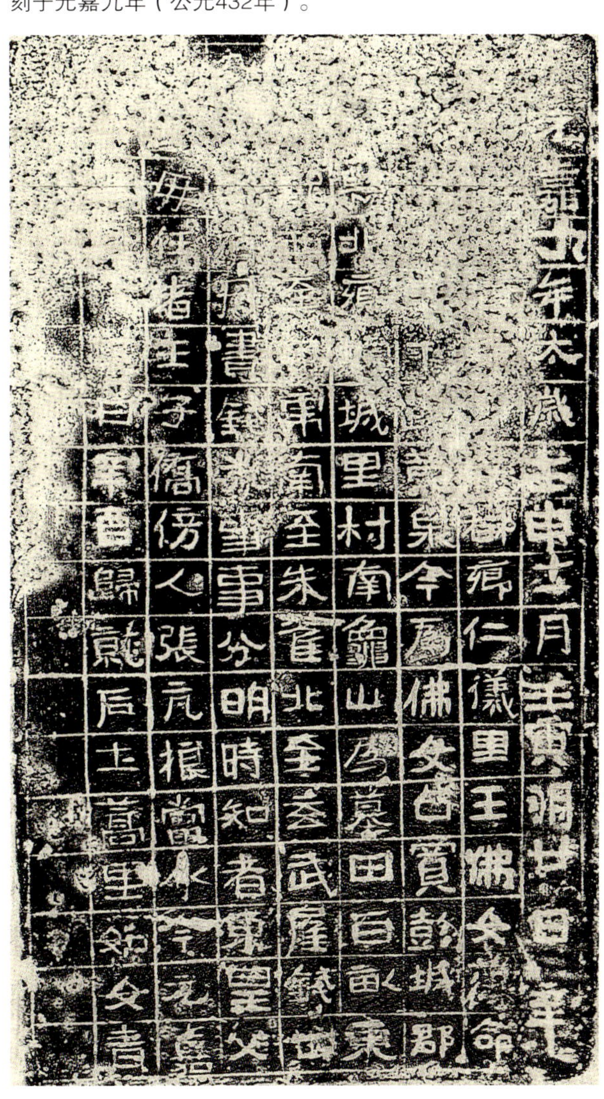

劉懷民墓志

南朝・宋

山東青州市出土。

刻于大明八年（公元464年）。此選爲局部。

文氏石表

南朝·宋

發現于重慶忠縣烏陽鎮臨江村。

刻于泰始五年（公元469年）。

現藏重慶市忠縣文物保護管理所。

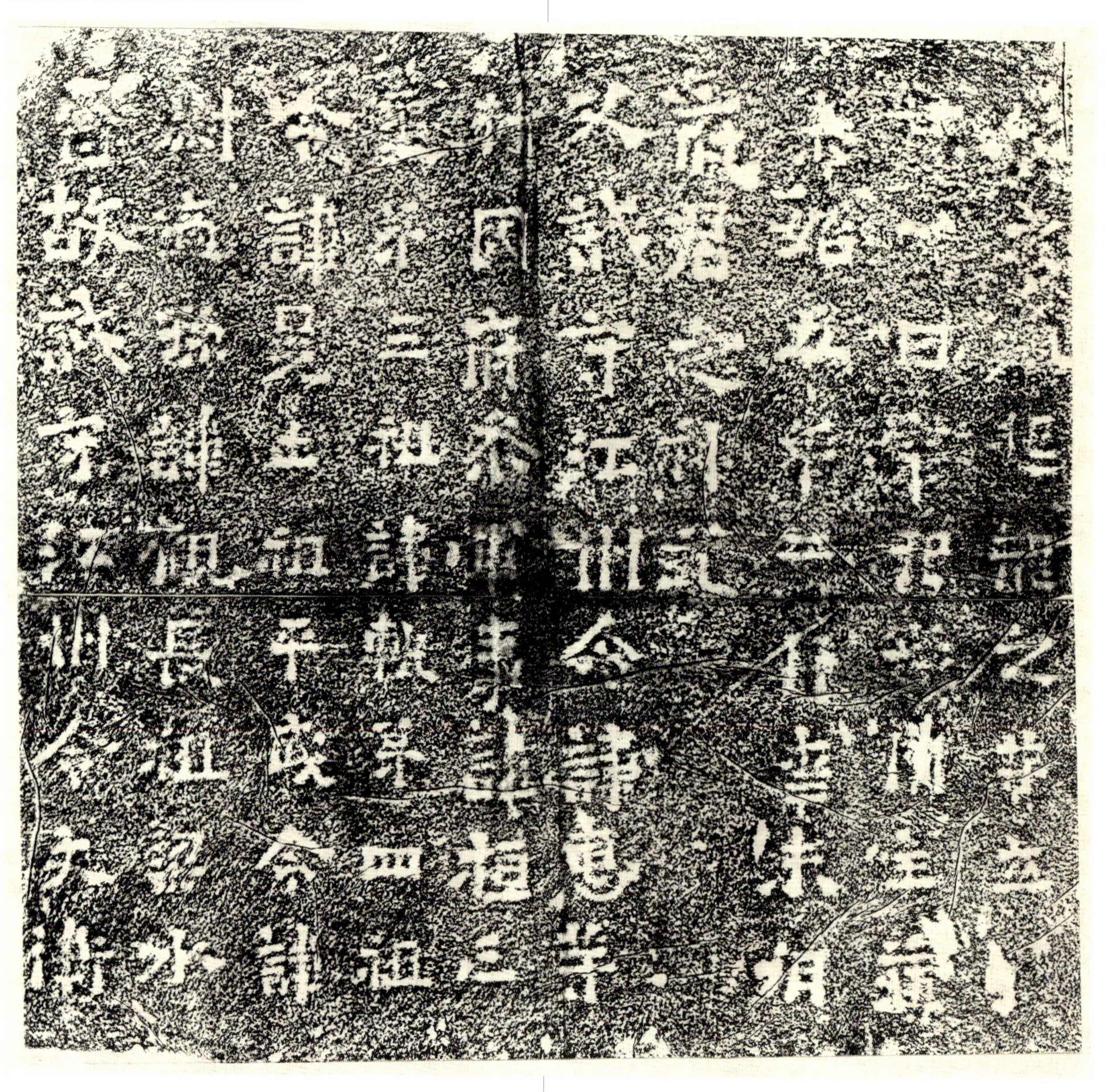

劉岱墓志

南朝・齊

江蘇句容市袁巷鎮小龍口出土。

高65、寬55厘米。

刻于永明五年（公元487年）。此選爲局部。

現藏江蘇省鎮江博物館。

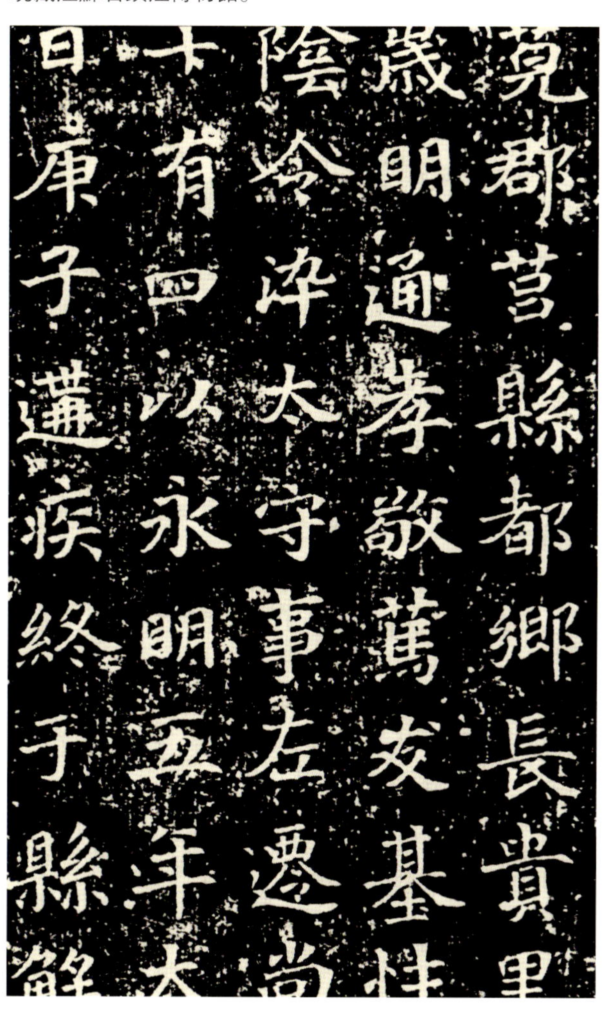

王僧虔（公元426－485年）

琅玡臨沂（今山東臨沂北）人。字簡穆，王羲之四世族孫。仕宋、齊二朝，官至侍中、丹陽尹。喜文史，通音律，工書法。書名重于當時，影響及于唐宋。著有《論書》、《筆意贊》等。

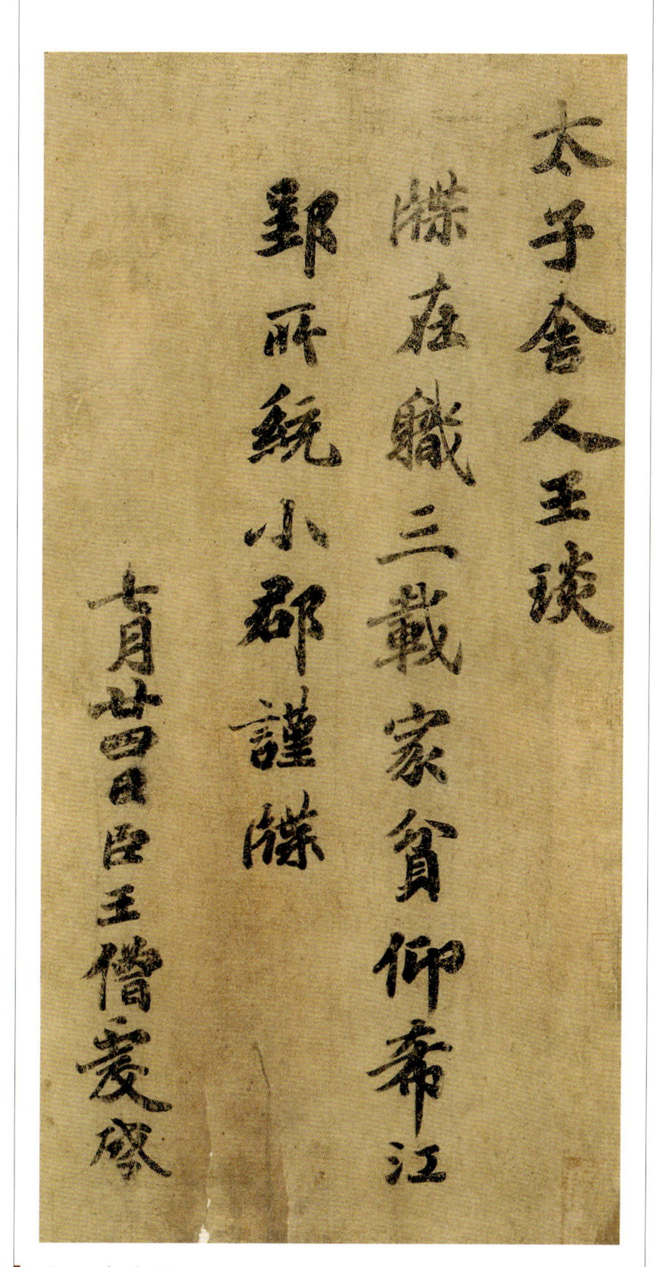

太子舍人帖

南朝・齊

王僧虔

紙本。

唐摹本。

現藏遼寧省博物館。

王　慈（公元451－491年）

琅玡臨沂（今山東臨沂北）人，字伯寶，王僧虔之子。

得柏酒 尊體安和 郭桂陽三帖

南朝・齊
王慈
紙本。
唐摹本。
現藏遼寧省博物館。

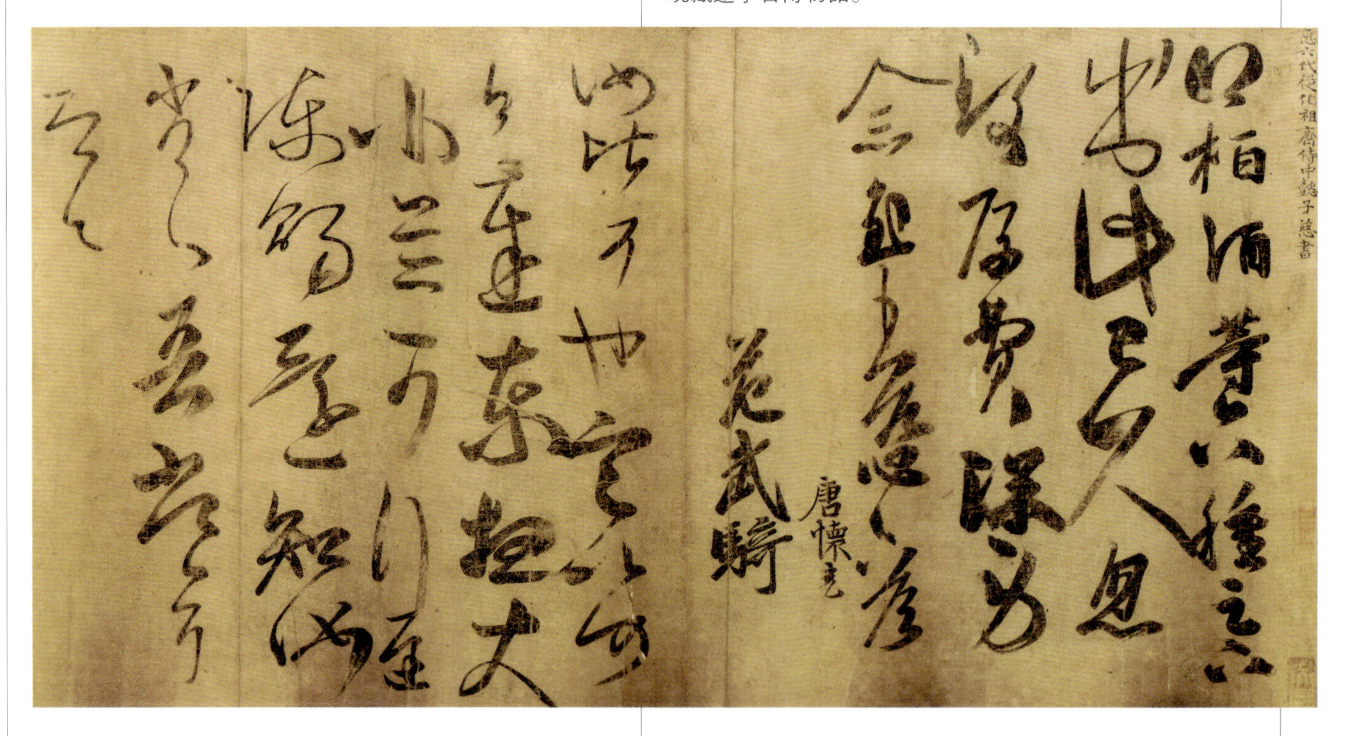

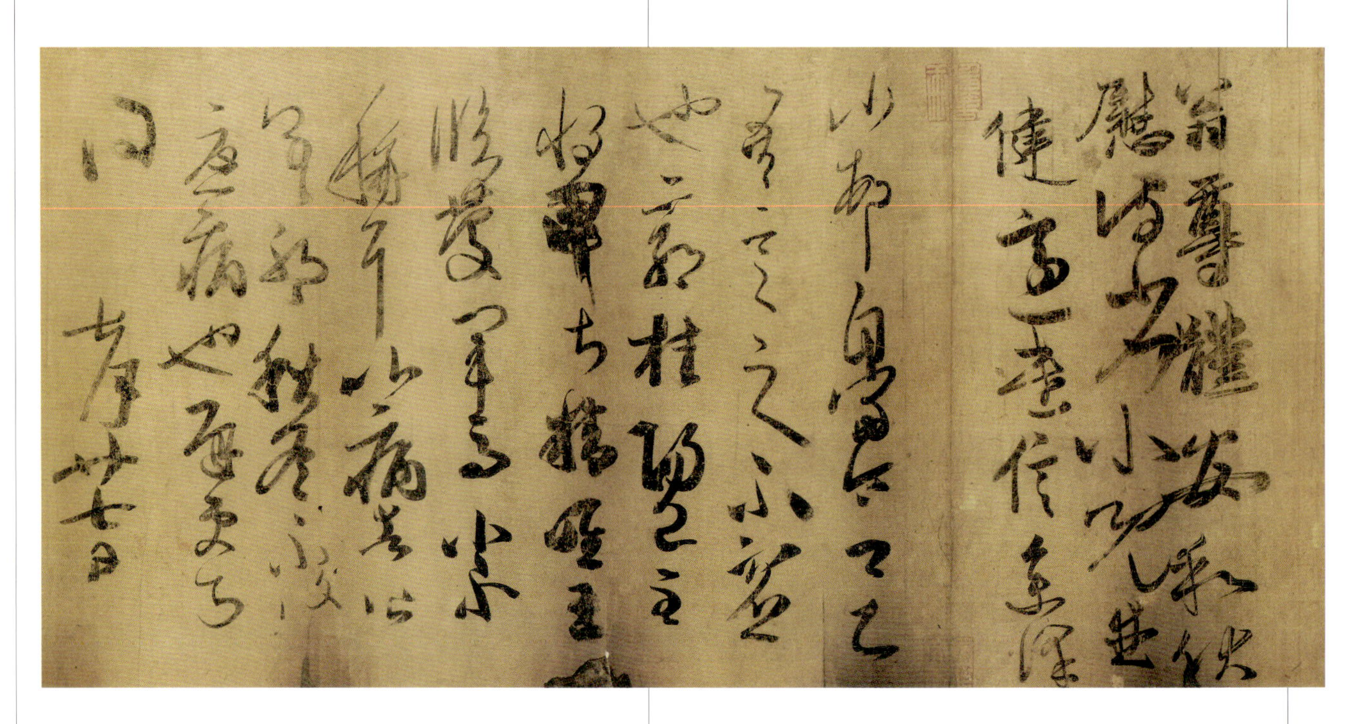

王 志

生卒年不詳。琅玡臨沂（今山東臨沂北）人。字次道，王僧虔之子。工書法，善草隸。

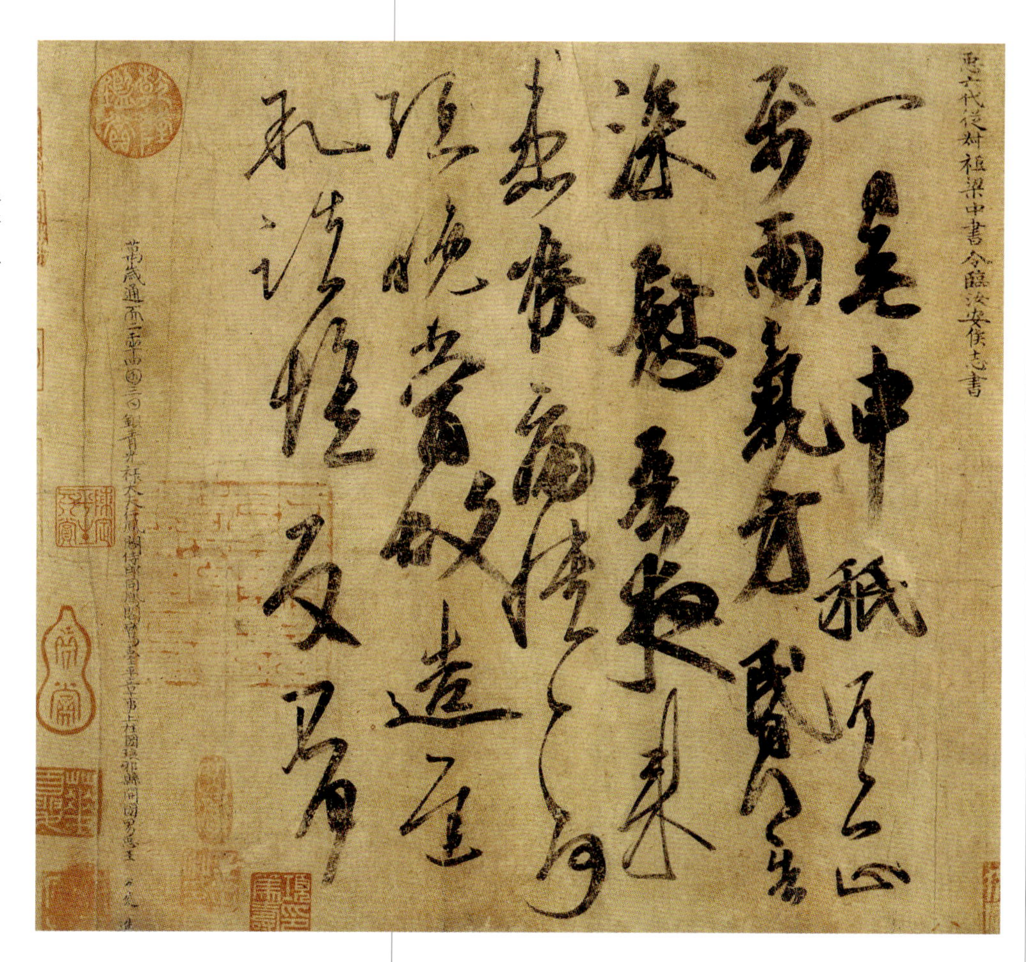

一日無申帖

南朝・齊
王志
紙本。
唐摹本。
現藏遼寧省博物館。

十方興法雲 普覆諸法界 雨大甘露法 饒益諸群生
隨應受化者 為彼說深法 聞者不恐怖 究竟成菩提
譬如大龍王 名曰大莊嚴 先布密重雲 然後降大雨
或十二十日 乃至百千日 雨水等一味 眾生故不同
究竟至如來 大辯之彼岸 或說十法門 乃至百千門
或說八万四 乃至无量行 如來不生念 我分別法界
譬如海龍王 名曰娑伽羅 先興密重雲 彌覆四天下
普雨一切處 各各悉不同 龍王心平等 亦无有增愛
寂勝亦如是 无上法龍王 興起大悲雲 普覆於一切
為道場菩薩 甘大甘露法 隨其所應化 如來心平等
華嚴經卷第廿九
梁普通四年太歲 卯四月正法无盡藏寫

華嚴經卷第廿九

南朝・梁
新疆吐魯番市出土。
高21.2、寬103厘米。
紙本。書于普通四年（公元523年）。
現藏日本東京臺東區立書道博物館。

王慕韶墓志

南朝・梁

江蘇南京市太平門外張家庫出土。

高49、寬64厘米。

刻于天監十三年（公元514年）。此選爲局部。

現藏江蘇省南京市博物館。

蕭敷妃王氏墓志

南朝・梁

原石久佚。刻于普通元年（公元520年）。此選爲局部。

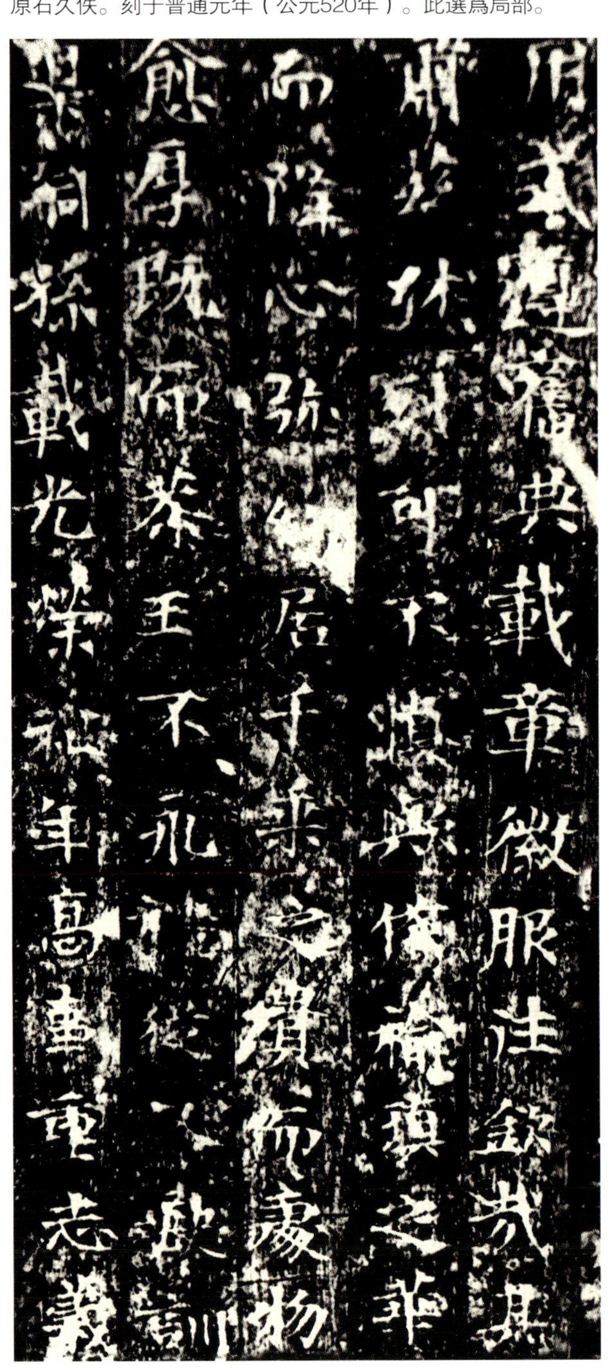

蕭憺碑

南朝・梁

楷書三十六行，每行八十六字，現多漫漶，可辨者約三分之一。
刻于普通四年（公元523年）。
現藏江蘇省南京市博物館。

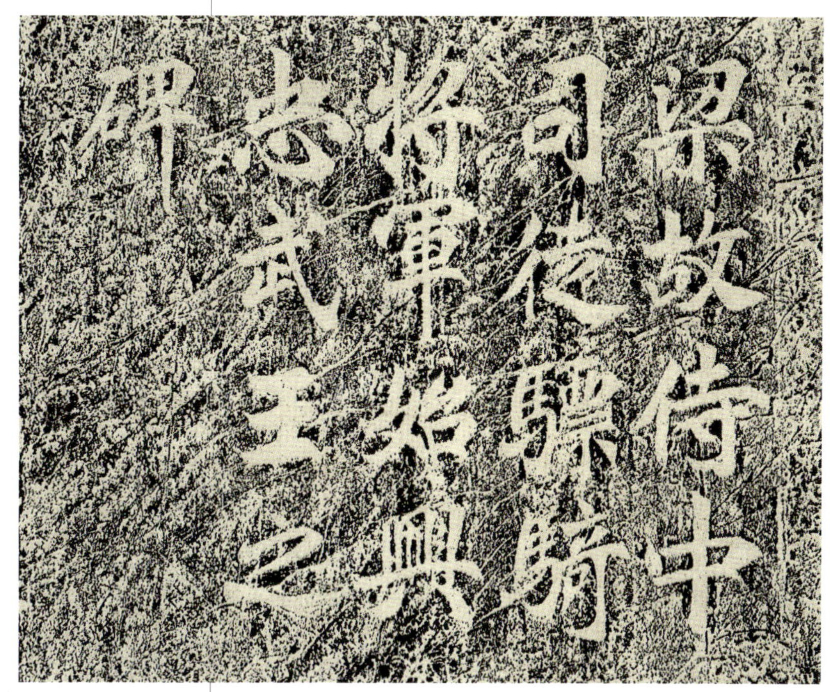

蕭憺碑碑額

蕭憺碑碑文局部

瘞鶴銘

南朝·梁

共計八十八字。原刻在江蘇鎮江市焦山西麓崖石上，爲雷擊而崩落長江，現殘石尚存，陳列在江蘇省鎮江市寶墨軒碑廊大院的碑亭中。

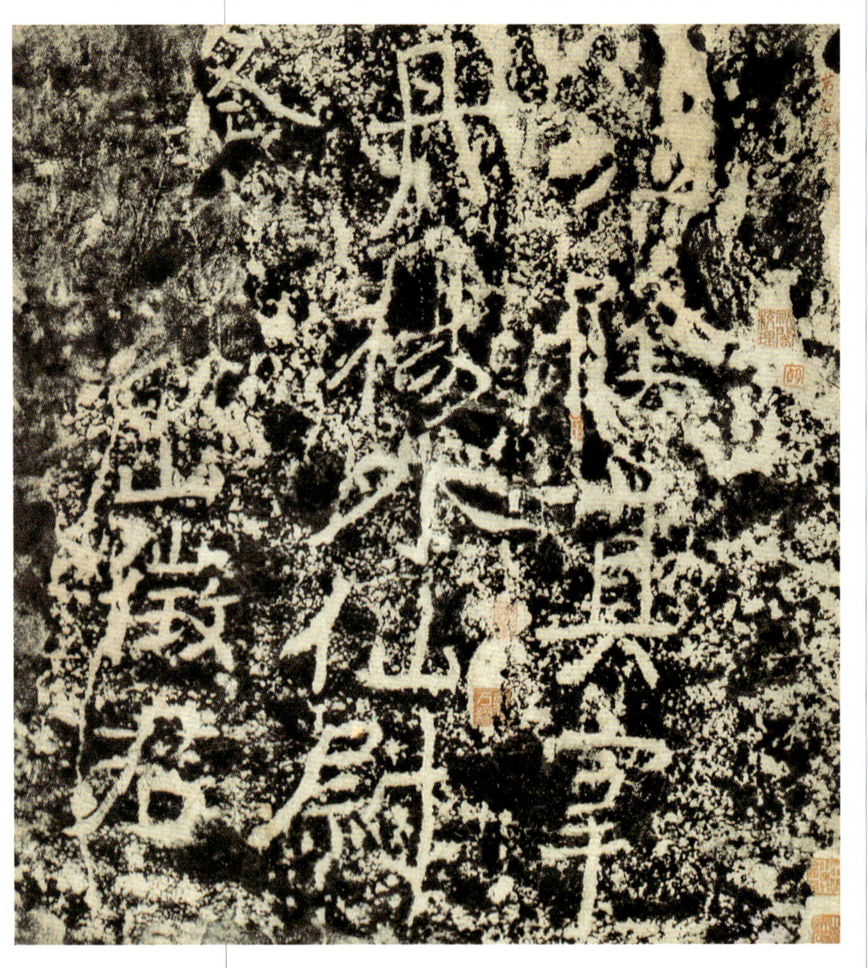

瘞鶴銘局部之一

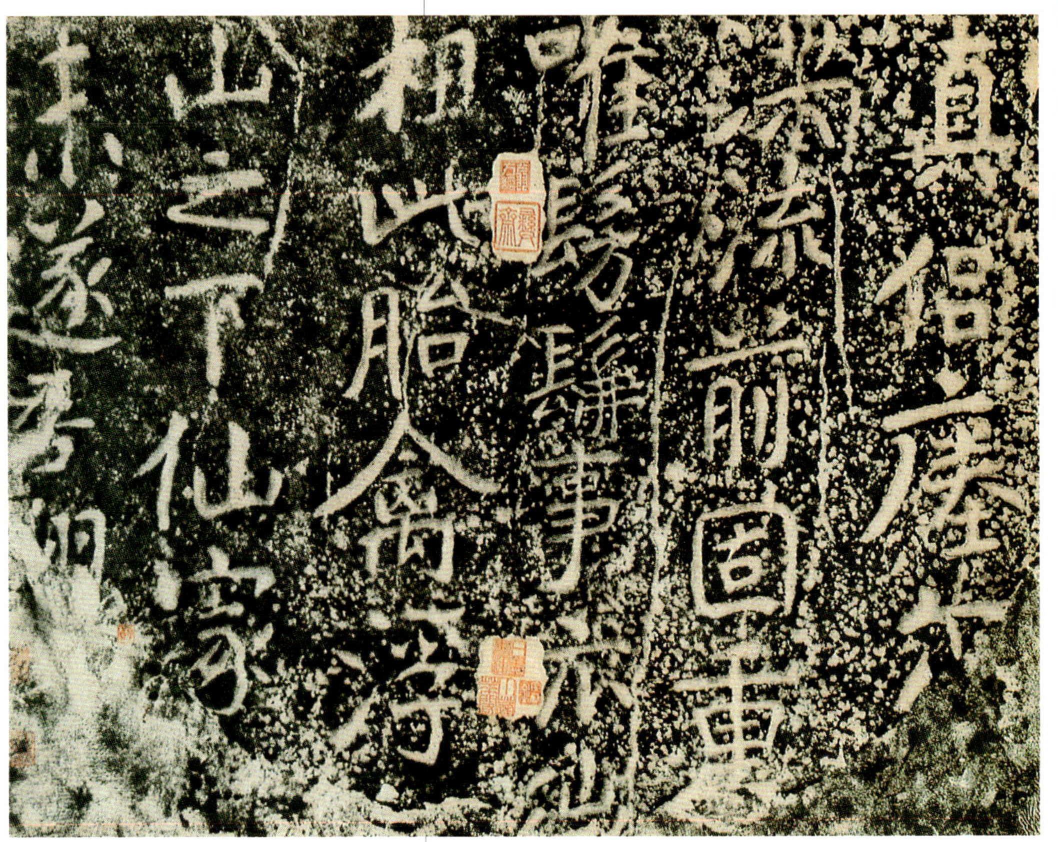

瘞鶴銘局部之二

程虔神道碑

南朝・梁
湖北襄樊市出土。
高56.2、寬30.5厘米。
刻于太清三年（公元549年）。

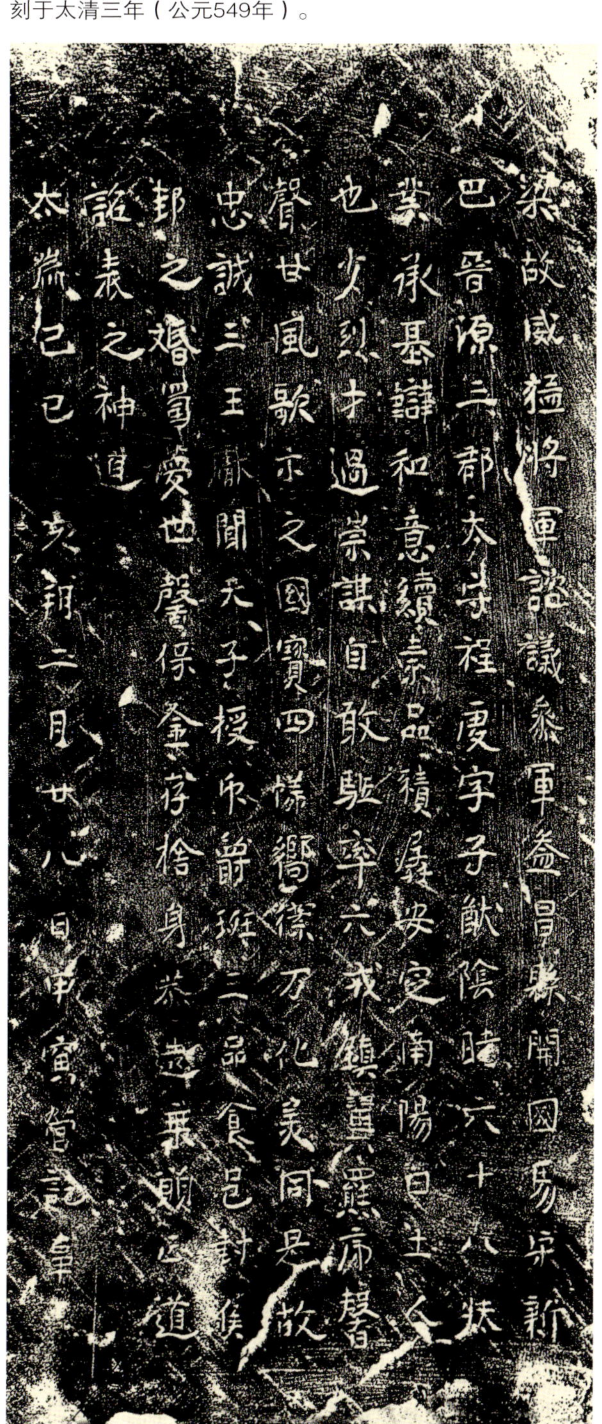

衛和墓志

南朝・陳
高35、寬34厘米。
志文十二行，每行十二至十六字。刻于太建二年（公元570年）。此選爲局部。

嘎仙洞祝文刻石

北魏

位于内蒙古鄂倫春自治旗嘎仙洞。

内容是受皇帝之命，朝廷大員到此地祭祀拓跋族祖先，刻祝文記載此事。刻于太平真君四年（公元443年）。此選爲局部。

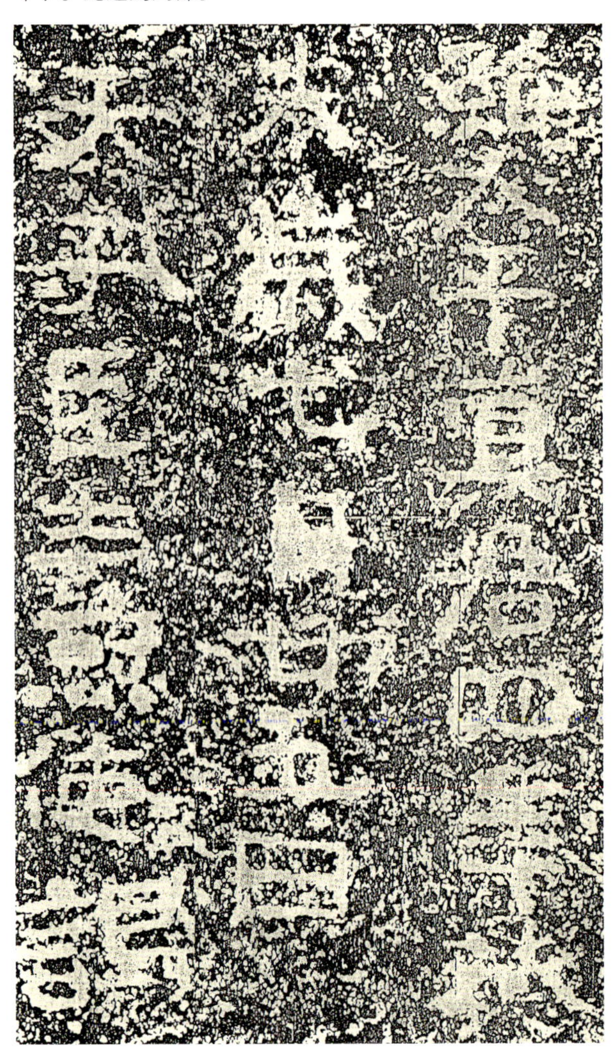

太武帝東巡碑

北魏

河北易縣出土。

楷書十四行，每行二十四字。刻于太延三年（公元437年）。此選爲局部。

中岳嵩高靈廟碑

北魏

刻于太安二年（公元456年）。此選爲局部。

現藏河南省登封市中岳廟。

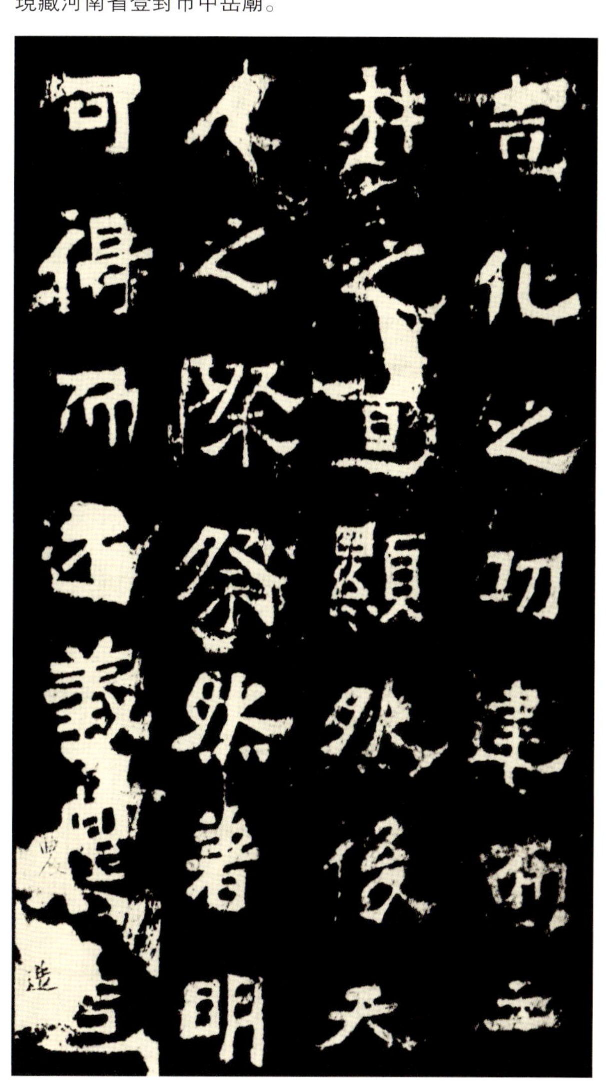

韓弩真妻王億變墓碑

北魏

山西大同市發現。

碑額篆書八字，碑身爲隸楷書七行。刻于興安三年（公元454年）。

皇帝南巡之頌碑額

皇帝南巡之頌

北魏

山西靈丘縣筆架山出土。

此碑殘缺嚴重，碑陽僅存一百七十三字，記北魏文成帝南巡定、相、冀州的活動、見聞和樹碑經過；碑陰存二千四百餘字，皆爲隨行官員的官爵和姓名。

現藏山西省靈丘縣文物局。

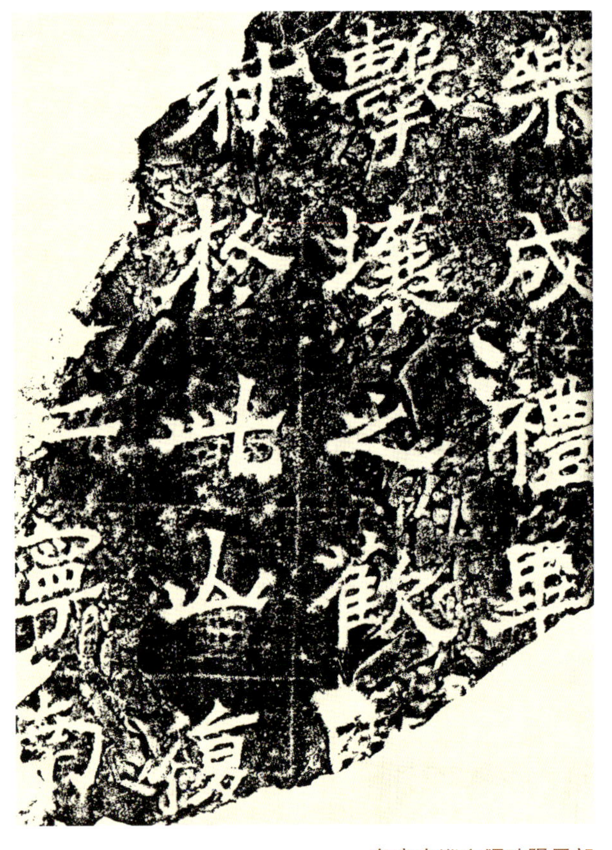

皇帝南巡之頌碑陽局部

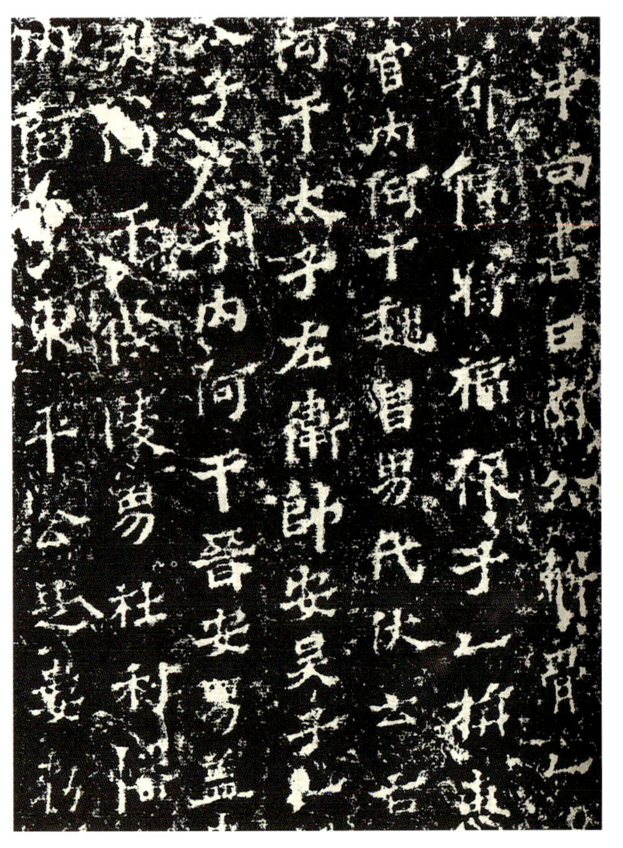

皇帝南巡之頌碑陰局部

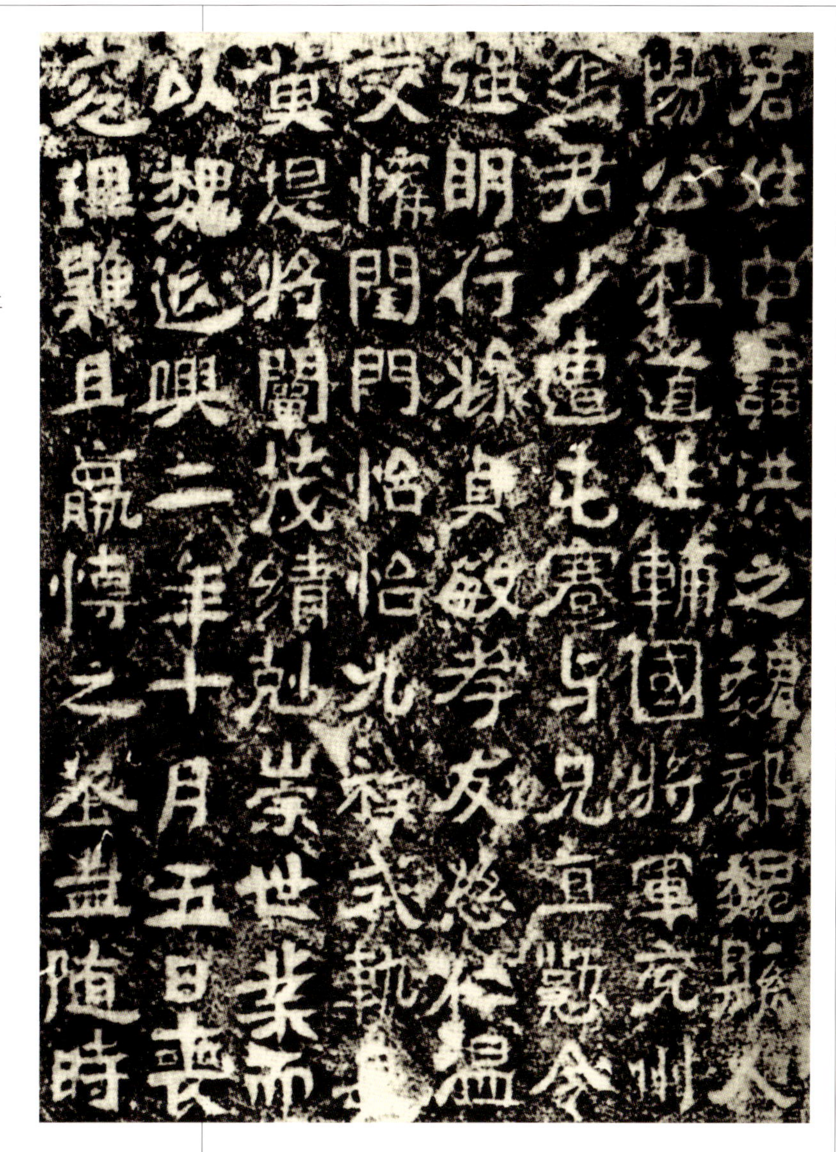

申洪之墓志

北魏

山西大同市桑乾河南岸出土。

墓志中含魏碑體字三行。刻于延興二年（公元472年）。此圖爲局部。

現藏山西省大同市博物館。

五十四人造像記

北魏

位于山西大同市雲岡石窟第11窟東壁。

刻于太和七年（公元483年）。

欽文姬辰墓志

北魏

山西大同市石家寨村司馬金龍墓出土。

高30、寬28厘米。

志文兩面刻，正面八行，背面四行。刻于延興四年（公元474年）。此選爲正面。

現藏山西省大同市博物館。

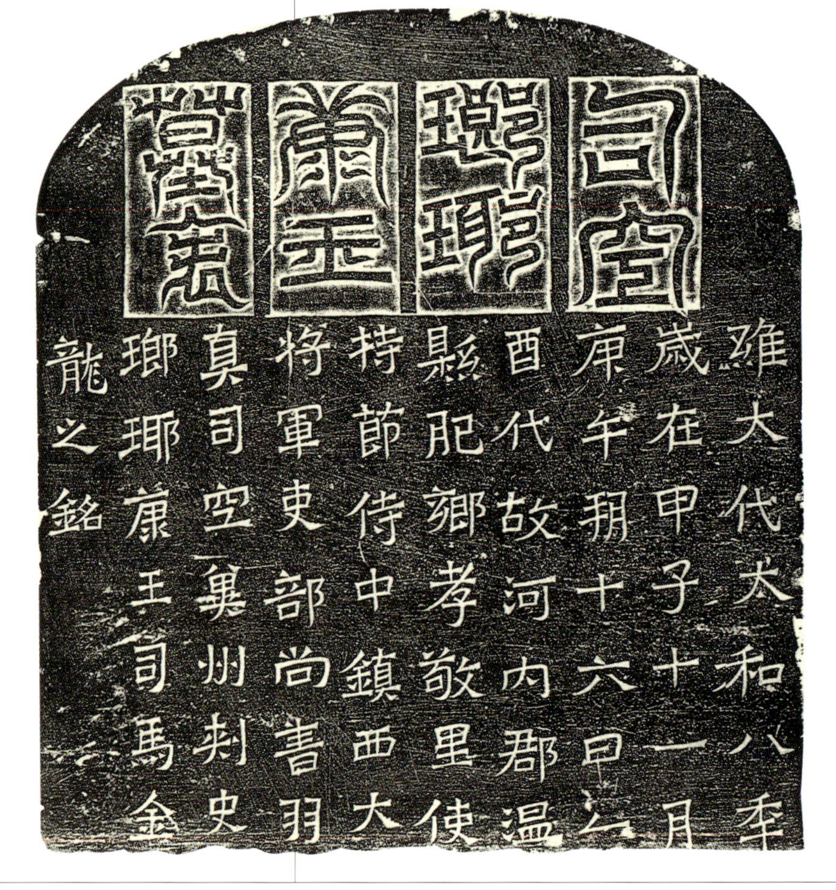

司馬金龍墓志

北魏

山西大同市石家寨村司馬金龍墓出土。

高64.2、寬45.7厘米。

刻于太和八年（公元484年）。

此選爲局部。

現藏山西省大同市博物館。

丘穆亮妻尉遲氏造像記

北魏

刻于河南洛陽市龍門石窟古陽洞北壁。

原石高65、寬33厘米。

楷書七行，每行十六字。刻于太和十九年（公元495年）。此選爲局部。

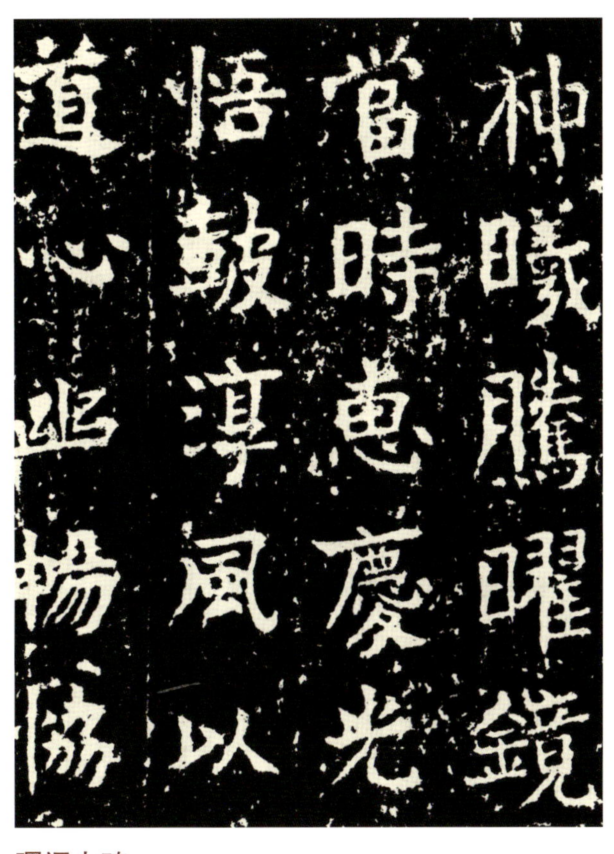

暉福寺碑

北魏

原在陝西澄城縣北寺村寺内。

楷書二十四行，每行四十四字。刻于太和十二年（公元488年）。此選爲局部。

現藏陝西省西安碑林博物館。

姚伯多道教造像碑發願文

北魏
原存于陝西銅川市耀州區文正書院。
碑殘高137、寬70厘米。
四面刻文，正面現存六百二十四字。刻于太和二十年（公元496年）。此圖爲局部。
現藏陝西省藥王山博物館。

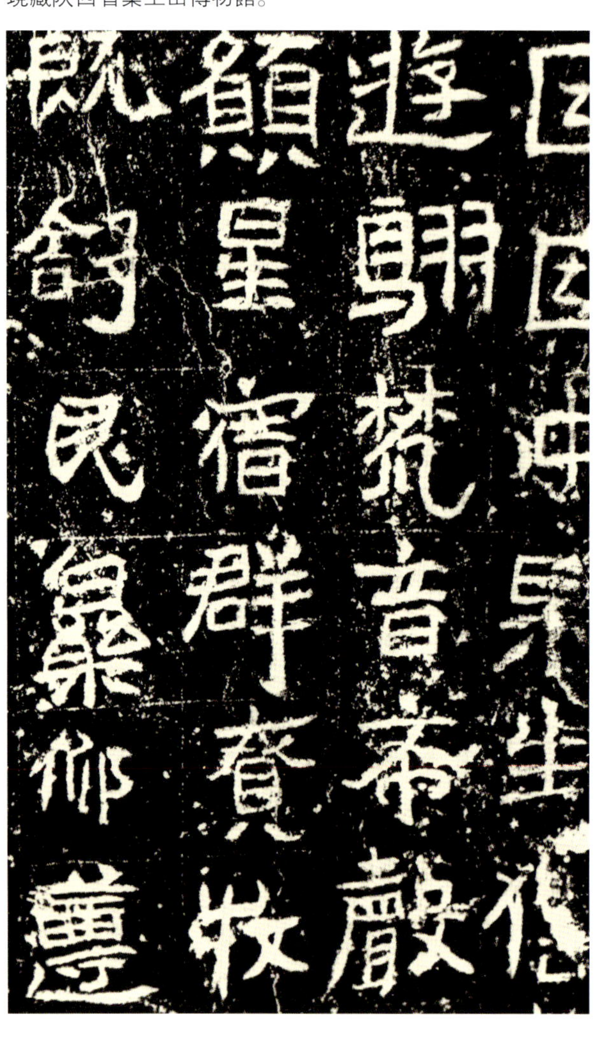

元景造像記

北魏
石高100、寬130厘米。
楷書二十四行，每行二十一字。刻于太和二十二年（公元498年）。此選爲局部。
現藏遼寧省義縣。

始平公造像記

北魏

刻于河南洛陽市龍門石窟古陽洞北壁。

原石高75、寬39厘米。

楷書十行，每行二十字，北魏朱義章書。刻于太和二十二年（公元498年）。

始平公造像記碑額

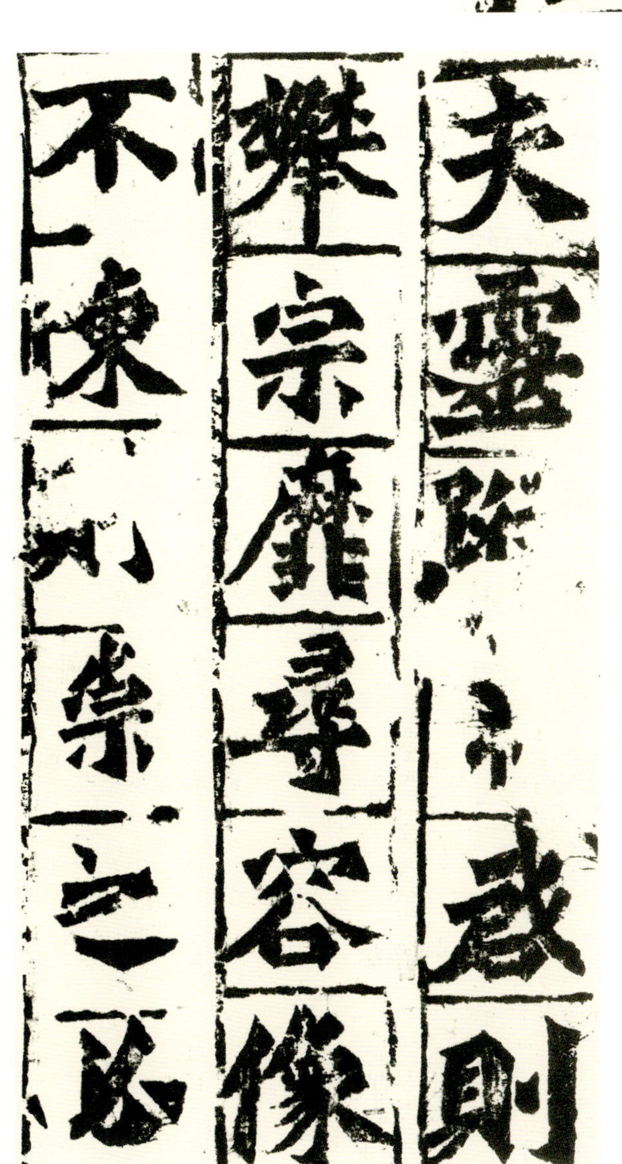

始平公造像記局部之一

始平公造像記局部之二

元詳造像記

北魏
刻于河南洛陽市龍門石窟古陽洞。
拓片高80、寬40厘米。
楷書九行，每行十八字。刻于太和二十二年（公元498年）。此選爲局部。

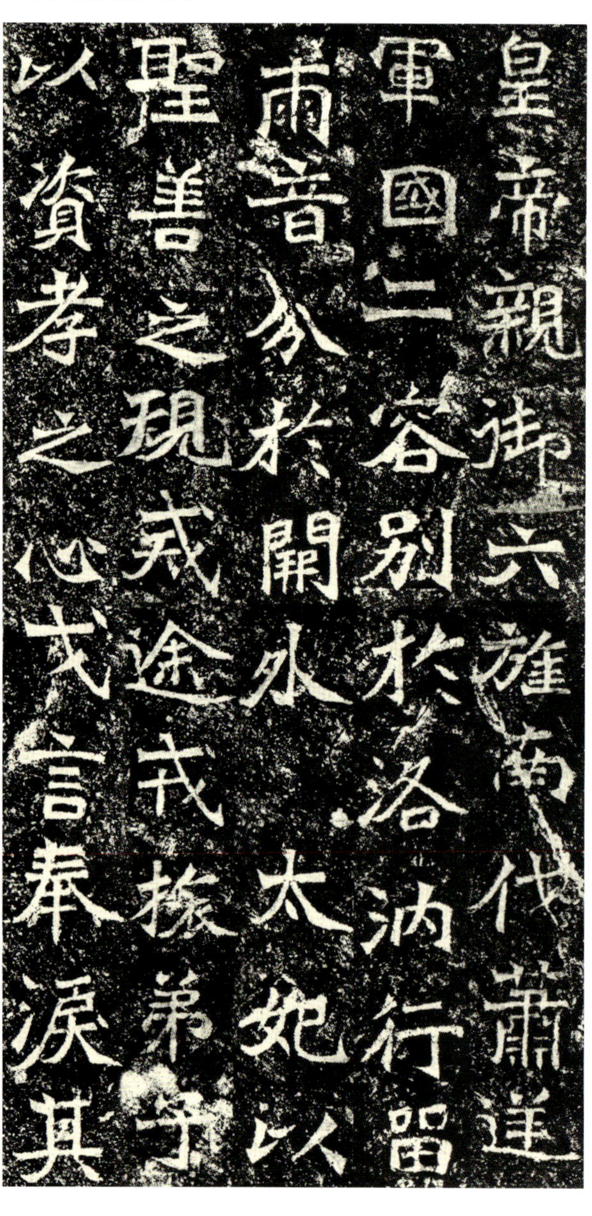

韓顯宗墓志

北魏
河南洛陽市出土。
全志拓片高56、寬33厘米。
刻于太和二十三年（公元499年）。此選爲局部。
現藏河南省開封市孔廟。

元羽墓志

北魏

河南洛陽市南陳莊出土。

高55、寬51.2厘米。

楷書十三行，每行十五字。刻于景明二年（公元501年）。此選爲局部。

現藏中國國家博物館。

穆亮墓志

北魏

河南洛陽市南陳莊出土。

高65.4、寬58.8厘米。

楷書二十二行，每行二十二字。刻于景明三年（公元502年）。此選爲局部。

現藏陝西省西安碑林博物館。

孫秋生造像記

北魏

刻于河南洛陽市龍門石窟古陽洞南壁。

原石高104、寬49厘米。

楷書十五行，每行三十八至三十九字。刻于景明三年（公元502年）。

孫秋生造像記碑額

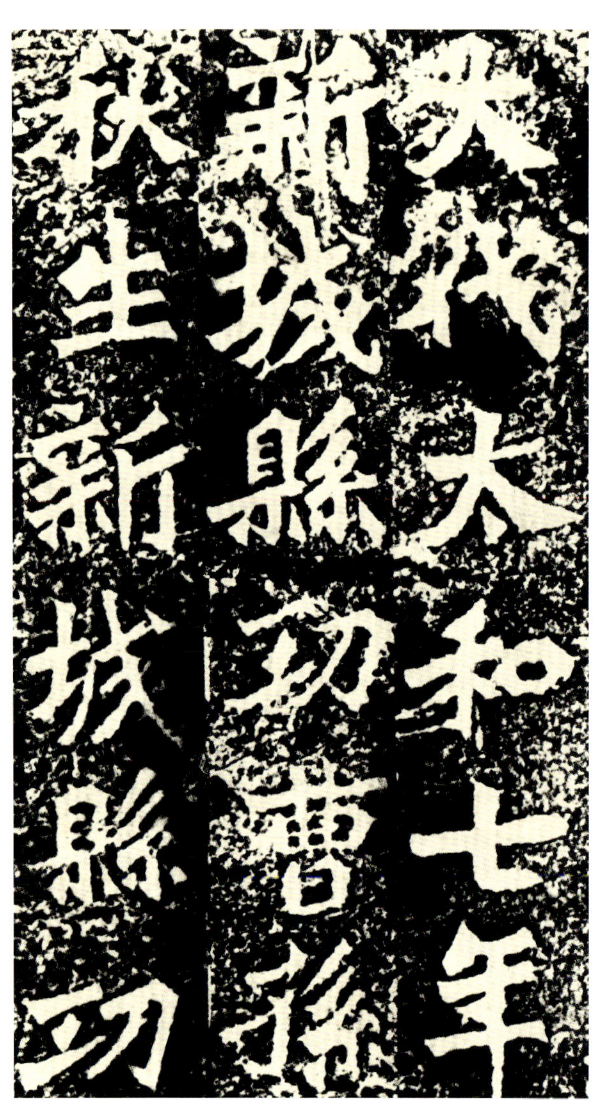

孫秋生造像記局部之一

孫秋生造像記局部之二

楊大眼造像記

北魏

刻于河南洛陽市龍門石窟古陽洞。

原石高75、寬40厘米。

楷書十一行，每行二十三字。刻于景明正始之際（公元500－508年）。

楊大眼造像記局部之一

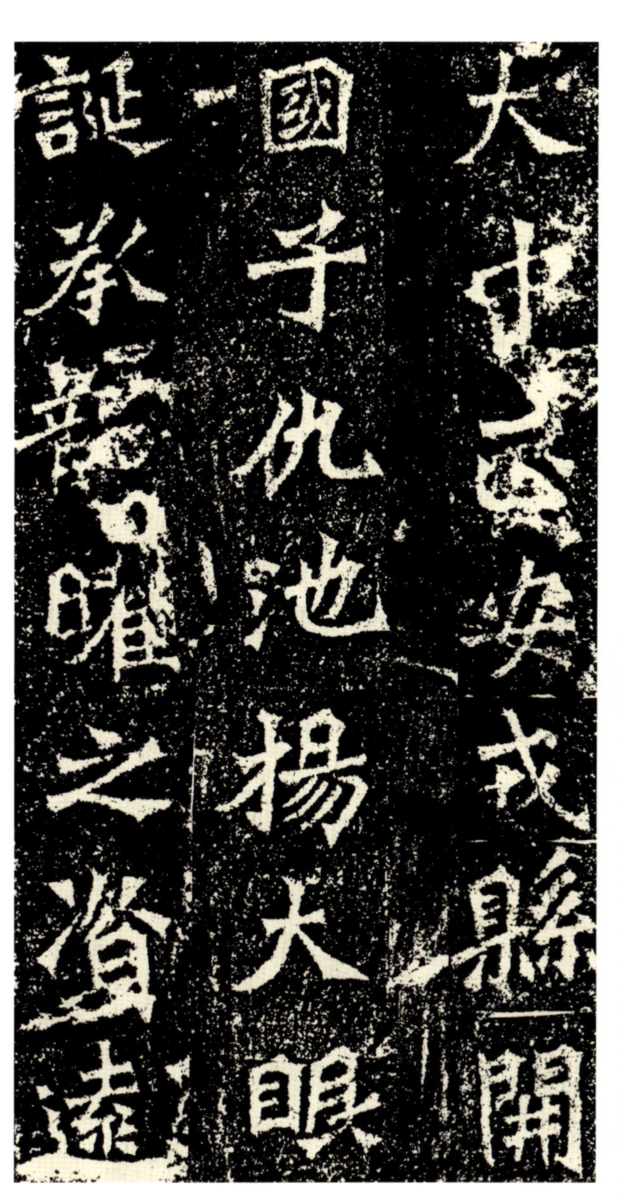

楊大眼造像記局部之二

李伯欽墓志

北魏
河北臨漳縣出土。
高48、寬48厘米。
楷書二十行，滿行二十字。刻于景明三年（公元502年）。此選爲局部。

太妃侯造像記

北魏
刻于河南洛陽市龍門石窟古陽洞。
拓片高24、寬80厘米。
楷書二十二行，每行六字。刻于景明四年（公元503年）。此選爲局部。

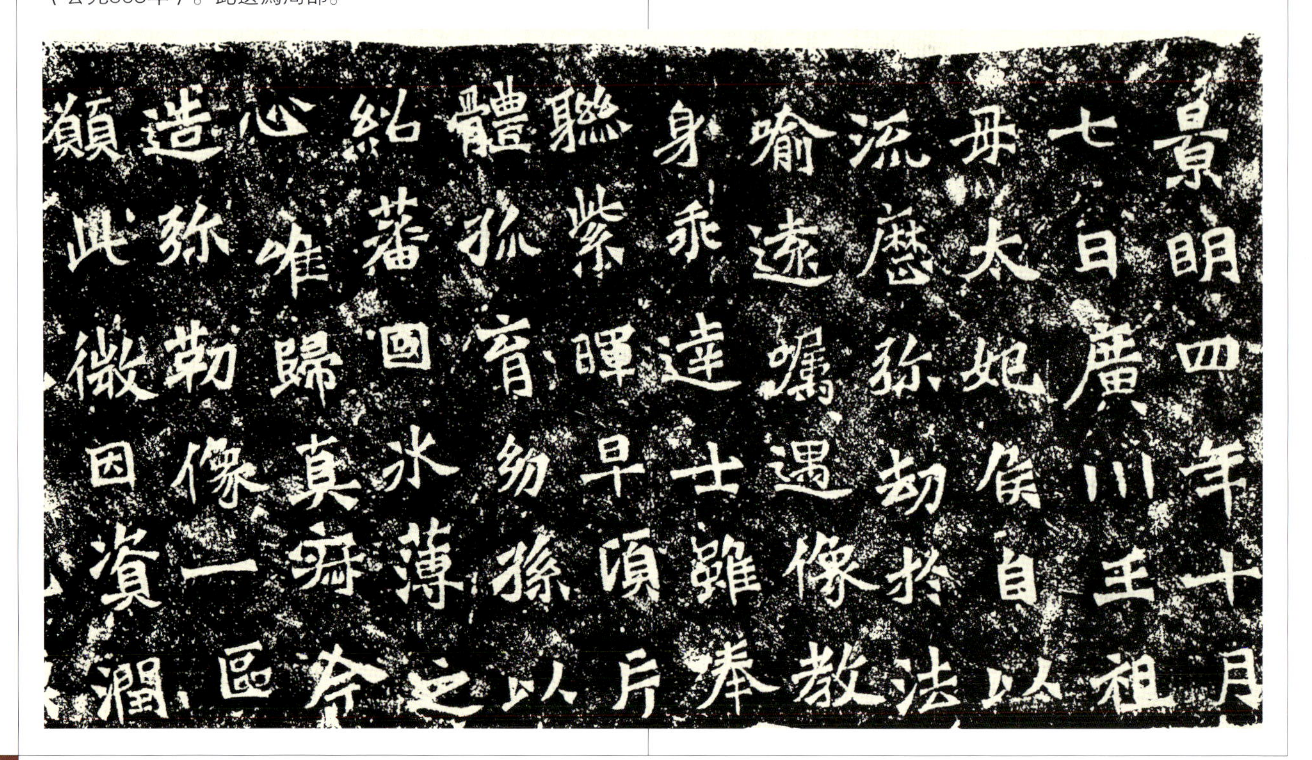

魏靈藏造像記

北魏

刻于河南洛陽市龍門石窟古陽洞北壁。

楷書十行，每行二十三字。

刻于景明年間（公元500－503年）。此選爲局部。

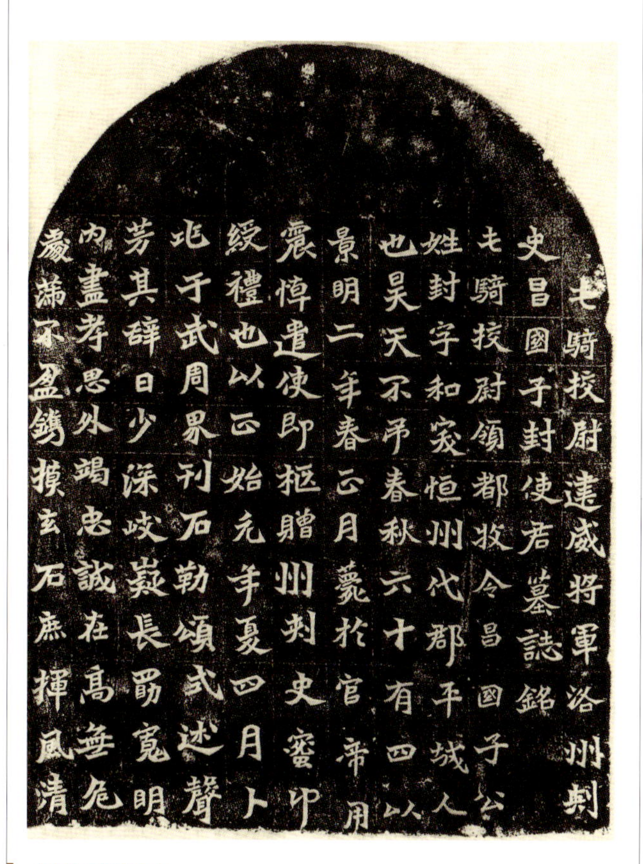

屯騎校尉建威將軍洛州刺
史昌國子封使君墓誌銘
屯騎校尉領都牧令昌國子公
姓封字和突恒州代郡平城人
也昊天不弔春秋六十有四以
景明二年春正月甍於官帝用
震悼遣使即柩贈州刺史蜜印
綬禮也以正始元年夏四月卜
兆于武周界刊石勒頌式述聲
芳其辭曰少深岐嶷長罰寬明
内盡孝思外竭忠誠在高無危
處滿不盈鑴撲玄石庶揮風清

封和突墓志

北魏

山西大同市小站村出土。

志文十二行。刻于正始元年（公元504年）。

現藏山西省大同市博物館。

元淑墓志（右上圖）

北魏

山西大同市東王莊出土。

楷書二十行。刻于永平元年（公元508年）。此選爲局部。

現藏山西省大同市博物館。

石門銘

北魏

刻于陝西漢中市石門摩崖。

高175、寬215厘米。

楷書二十八行，每行二十二字，字徑4-8厘米。刻于永平二年（公元509年）。此選爲局部。

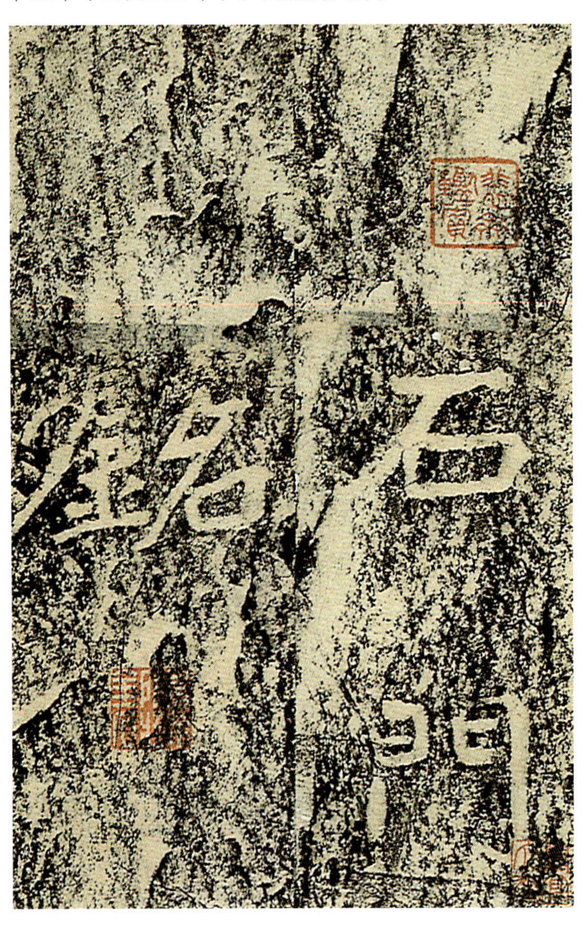

石門銘局部之一

石門銘局部之二

鄭道昭（公元？－516年）

榮陽開封（今河南開封南）人。字僖伯，自號中岳先生。官至秘書監。

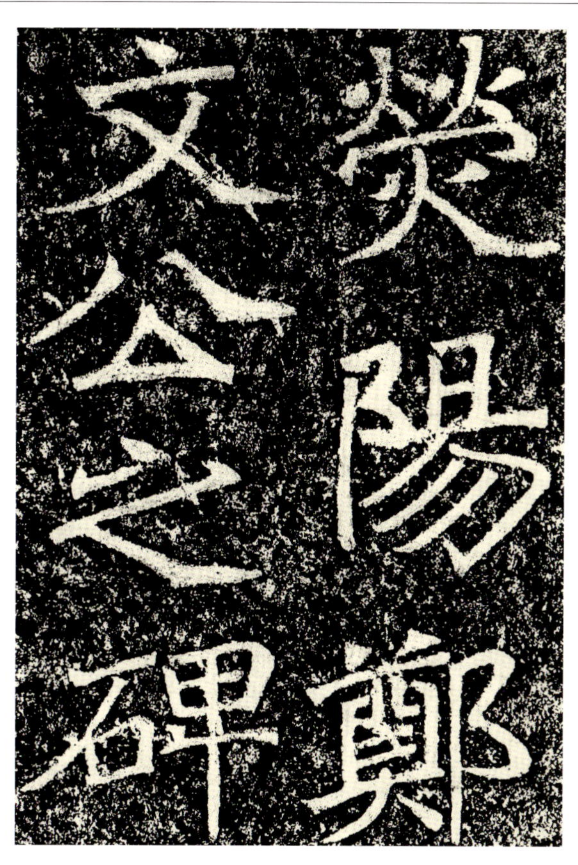

鄭文公碑下碑碑額

鄭文公碑

北魏

鄭道昭

此碑同一內容刊于二處，山東平度市天柱山者爲上碑，萊州市雲峰山者爲下碑。

刻于永平四年（公元511年）。

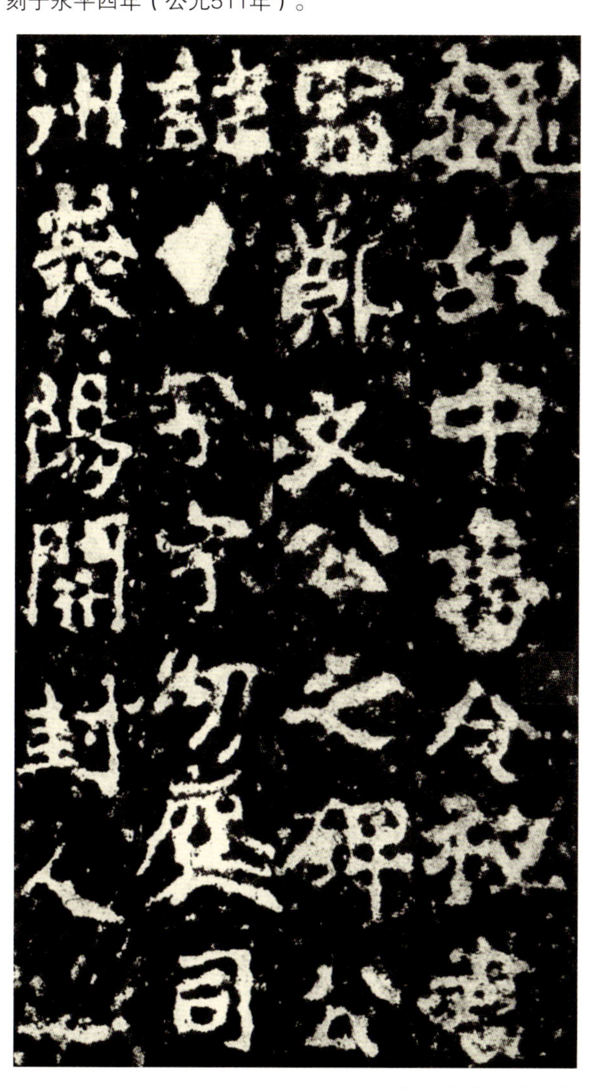

鄭文公碑上碑局部

鄭文公碑下碑局部

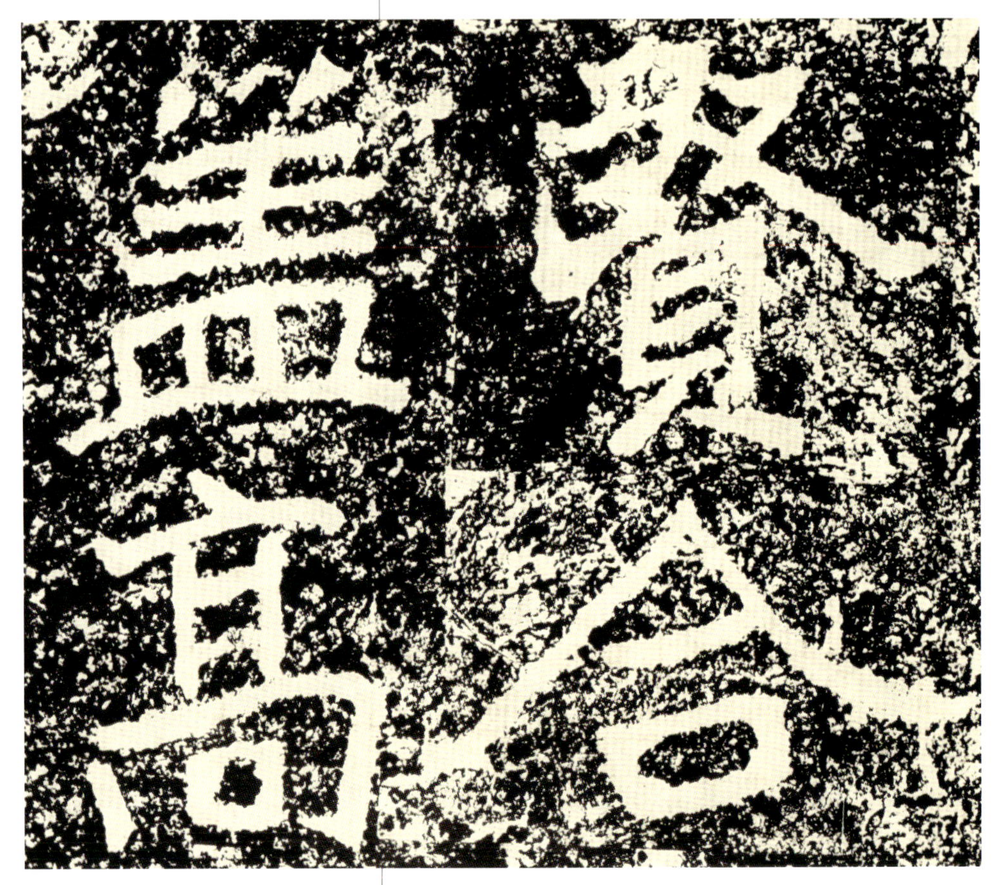

論經書詩

北魏

鄭道昭

刻于山東萊州市雲峰山山陰。

爲"雲峰山刻石"之一種，摩崖刻石。楷書二十行，每行二十一字，前十行和後二行因石勢字數七至二十不等。刻于永平四年（公元511年）。此選爲局部。

神人子題字

北魏

鄭道昭

刻于山東萊州市雲峰山。

字寬8.5–11、高6–9.5厘米。

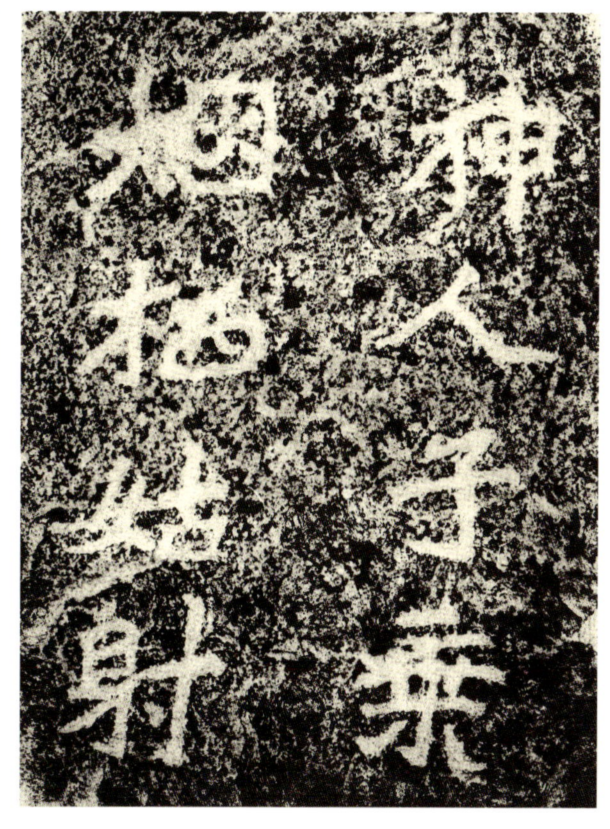

山門題字

北魏

鄭道昭

刻于山東萊州市雲峰山。

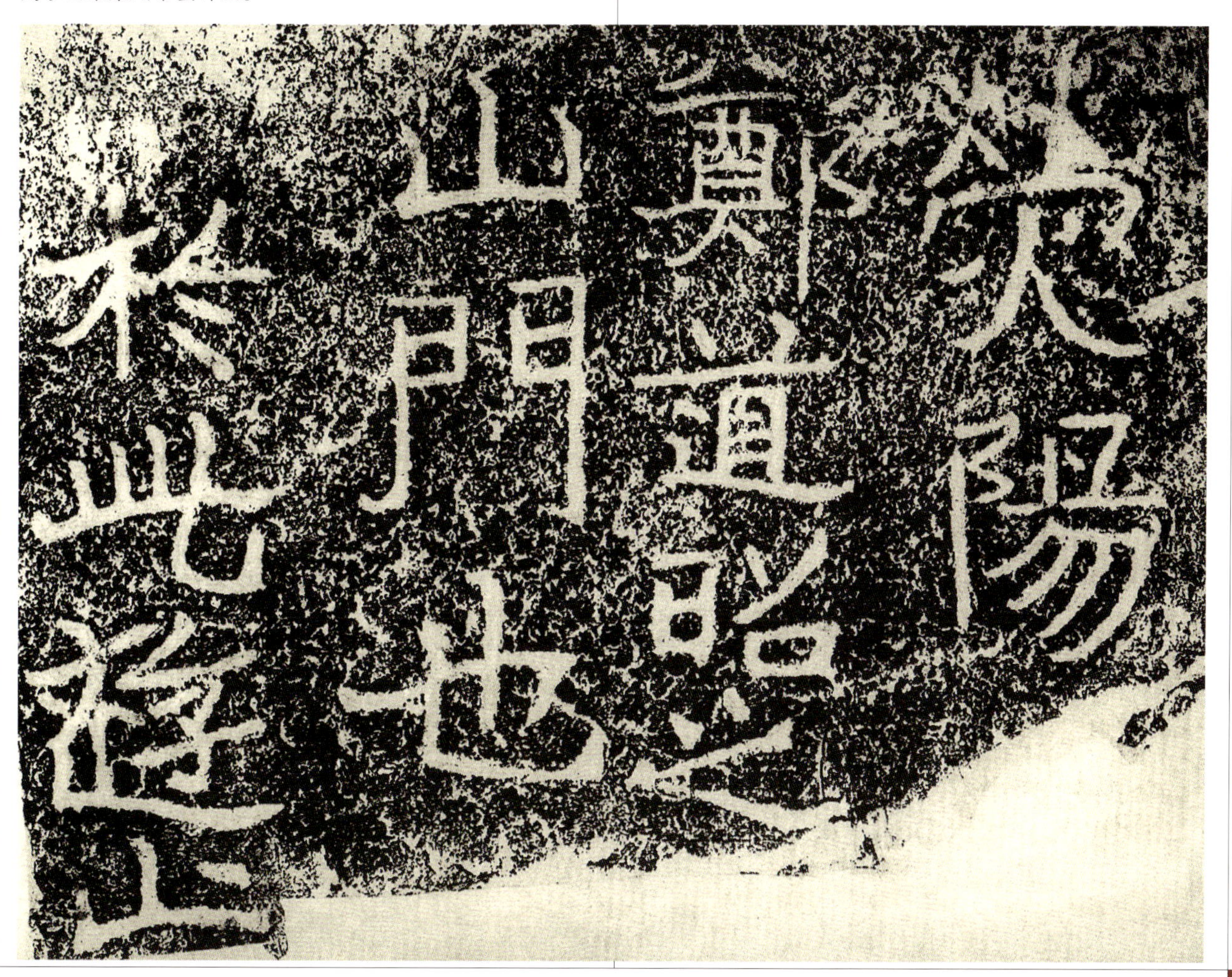

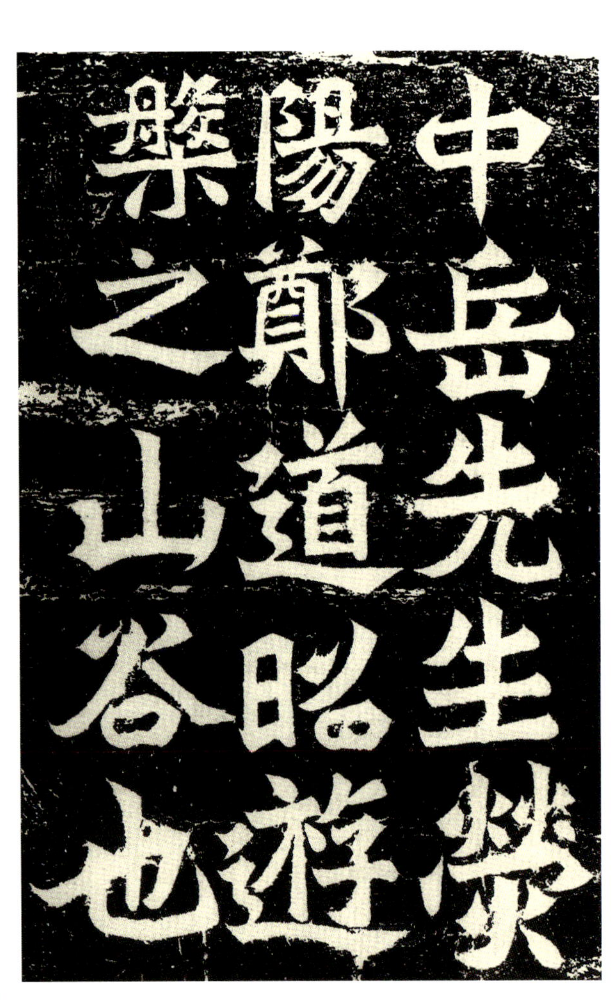

游槃題字

北魏

刻于山東青州市玲瓏山。

字徑在30厘米以上。

白駒谷題字

北魏

刻于山東青州市玲瓏山。

字徑在35厘米以上。

司馬紹墓志

北魏

河南孟津縣出土。

原石久佚。拓片高58、寬48厘米。

楷書十七行，每行二十二字。刻于永平四年（公元511年）。此選爲局部。

元詮墓志

北魏

河南洛陽市伯樂凹村出土。

全志拓片高80、寬76厘米。

楷書二十二行，每行二十三字。刻于延昌元年（公元512年）。此選爲局部。

現藏上海博物館。

元顯儁墓志

北魏
河南洛陽市出土。
高82、寬50厘米。
楷書十九行，每行二十一字。刻于延昌二年（公元513年）。此選爲局部。
現藏南京博物院。

維大魏延昌二年歲次癸
甲申故處士元君墓誌銘
君諱顯儁河南洛陽人也若
鳳之美固以瓊峯万里祕鑿
景穆皇帝之曾孫鎮北將軍

孟敬訓墓志

北魏
河南孟州市八里葛村出土。
高76、寬76厘米。
楷書二十一行，每行二十一字。刻于延昌三年（公元514年）。此選爲局部。
現藏北京大學圖書館。

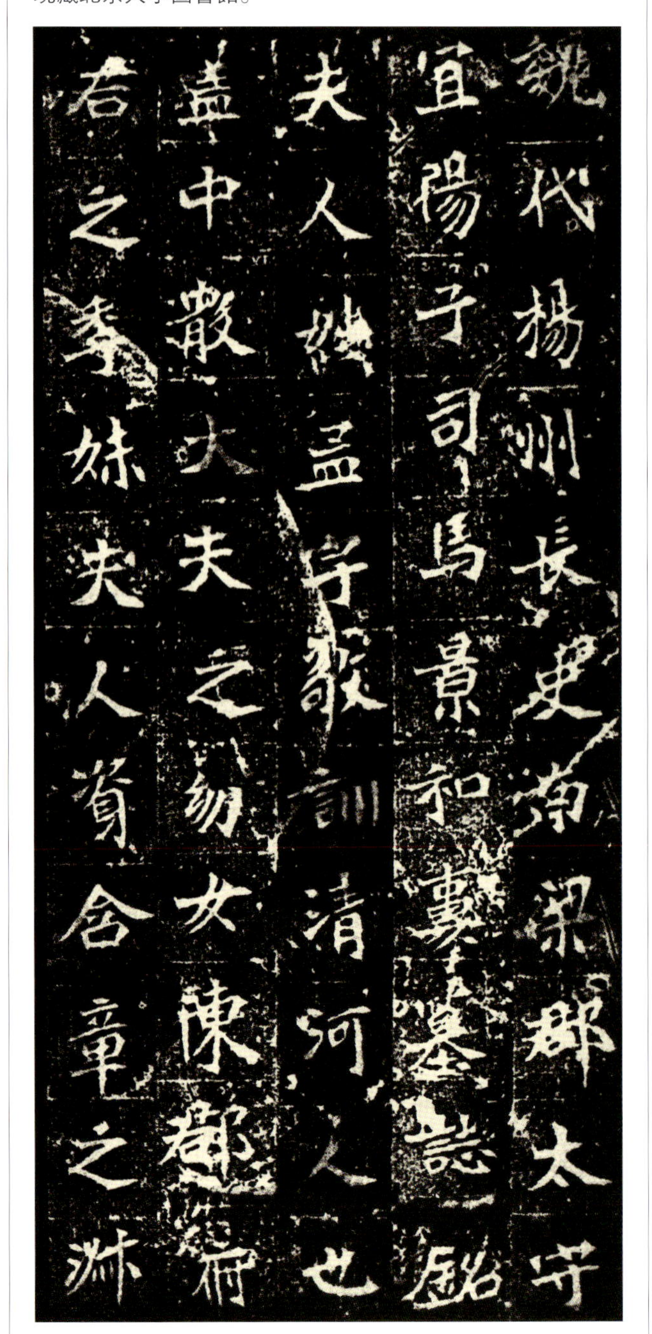
魏代楊州長史南梁郡太守
宜陽子司馬景和妻墓誌銘
夫人姓孟字敬訓清河人也
壽中散大夫之幼女陳郡府
君之季妹夫人資含章之淑

元珍墓志

北魏

河南洛陽市北陳莊南陵出土。

高71.4、寬66.6厘米。

楷書二十五行，每行二十七字。刻于延昌三年（公元514年）。此選爲局部。

魏故尚書左僕射驃騎大
公諱孫字金雀河南洛陽
南將軍肆州刺史襄陽公
亂申豹變烈氣陵霄世号

山暉墓志

北魏

河南洛陽市後溝村出土。

全志高33、寬34厘米。

楷書十五行，每行十五字。刻于延昌四年（公元515年）。此選爲局部。

現藏陜西省西安碑林博物館。

儁忽相襲方振南濵永申逺翮
空文奄摧梁拮春秋世有一年
延昌四年三月甲辰朔十八日
空之於北芒山恒州使君墓之東
鄉傳之来世其辭曰

刁遵墓志

北魏
河北南皮縣出土。
高74、寬64.2厘米。
楷書二十八行，每行三十字。刻于熙平二年（公元517年）。此選爲局部。

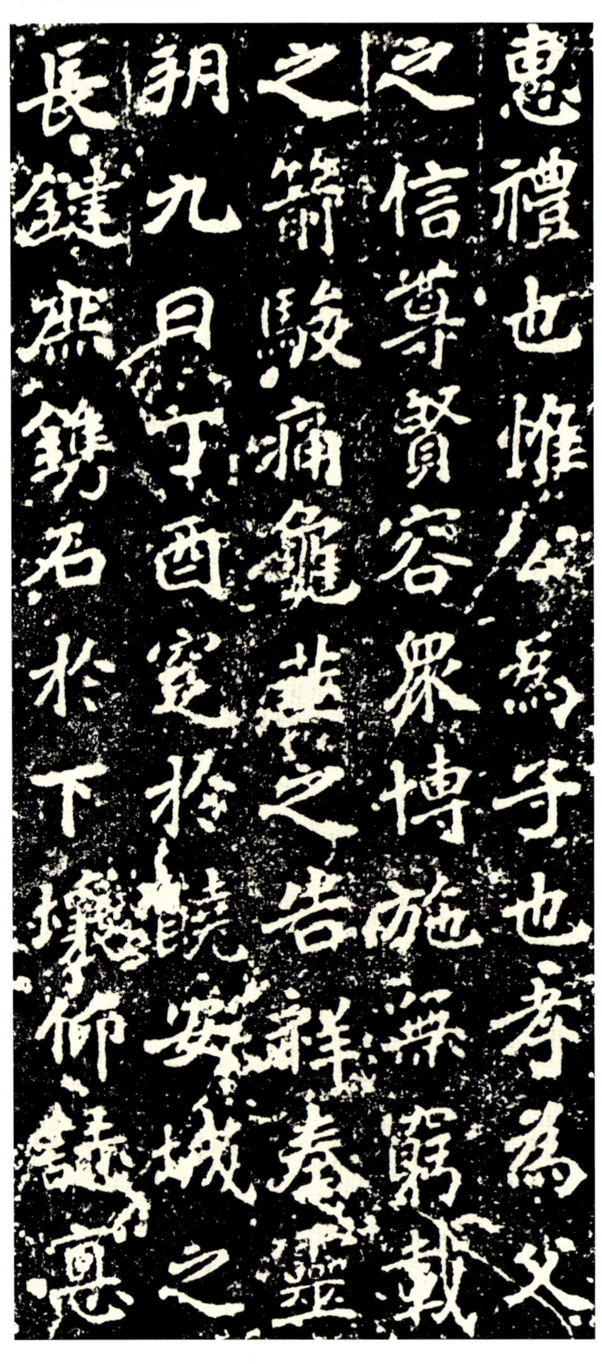

崔敬邕墓志

北魏
河北安平縣出土。
刻于熙平二年（公元517年）。此選爲局部。
石已毀佚。

元譿墓志

北魏
河南洛陽市安駕溝村出土。
全志拓片高61、寬62厘米。
楷書十六行，每行十五字。刻于神龜三年（公元520年）。此選爲局部。
現藏河南省圖書館。

秀起瑤璋內暎英華外
彼秋月昺昺獨舊如彼
雲翻己摧銷光祕響暑
靡奠酒空臺九京佇想

表中堅將軍昌
子世欄忠謹冠
婉之譽聦警逸

穆玉容墓志

北魏
河南洛陽市南陳莊出土。
高48、寬48.7厘米。
楷書二十行，每行二十字。刻于神龜二年（公元519年）。此選爲局部。
現藏陝西省西安碑林博物館。

劉阿素墓志

北魏
河南洛陽市南石村出土。
全志高45、寬36厘米。
楷書十三行，每行十六字。刻于正光元年（公元520年）。此選爲局部。
現藏陝西省西安碑林博物館。

司馬昞墓志

北魏
河南孟州市出土。
刻于正光元年（公元520年）。此選爲局部。
原石久佚。

辛祥墓志

北魏

山西太原市東太堡出土。

高74、寬76厘米。

志文三十四行，滿行三十三字。

刻于神龜三年（公元520年）。此選爲局部。

現藏山西博物院。

司馬顯姿墓志

北魏

河南洛陽市伯樂凹村出土。

全志拓片高67、寬67厘米。

楷書二十一行，每行二十二字。刻于正光二年（公元521年）。此選爲局部。

張猛龍碑

北魏
碑高280、寬123厘米。
碑陽楷書二十四行，每行四十六字。刻于正光三年（公元522年）。此選爲局部。
現藏山東省曲阜市孔廟。

馬鳴寺根法師碑

北魏
山東廣饒縣大王橋出土。
碑高145、寬81厘米。
楷書二十二行，每行三十字。刻于正光四年（公元523年）。此選爲局部。
現藏山東省石刻藝術博物館。

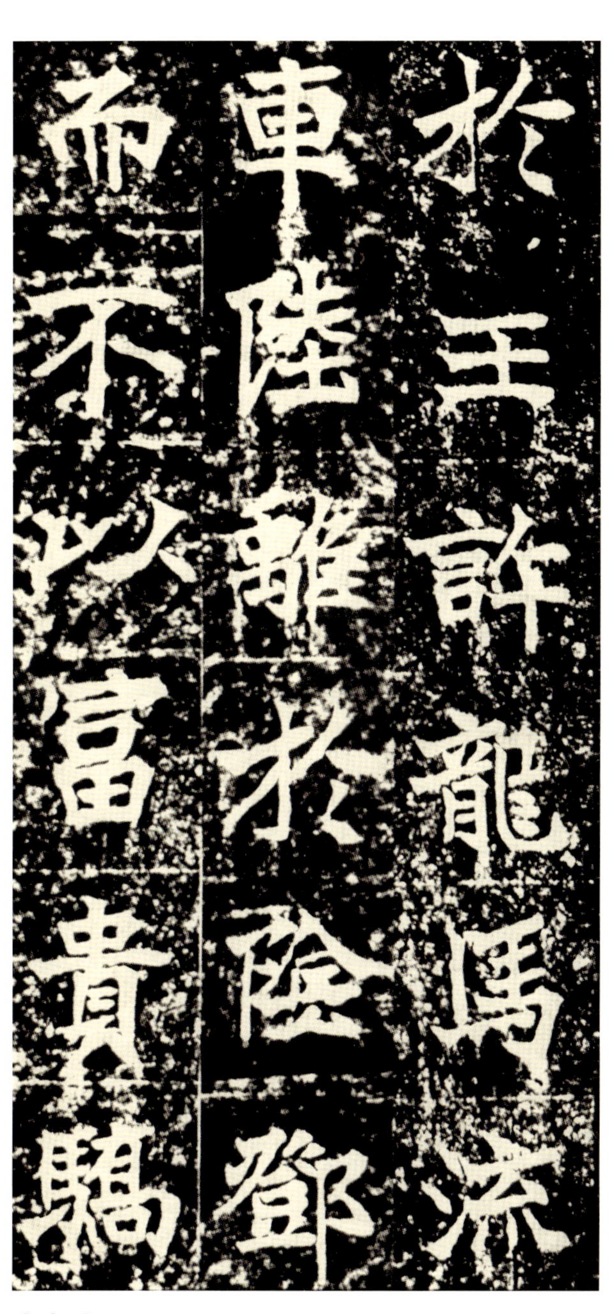

高貞碑

北魏

原在山東德州市衛河第三屯。

楷書二十四行，每行十六字。刻于正光四年（公元523年）。此選爲局部。

常季繁墓志

北魏

河南洛陽市出土。

高62.7、寬62厘米。

楷書二十六行，每行二十六字。刻于正光四年（公元523年）。此選爲局部。

原石現藏日本。

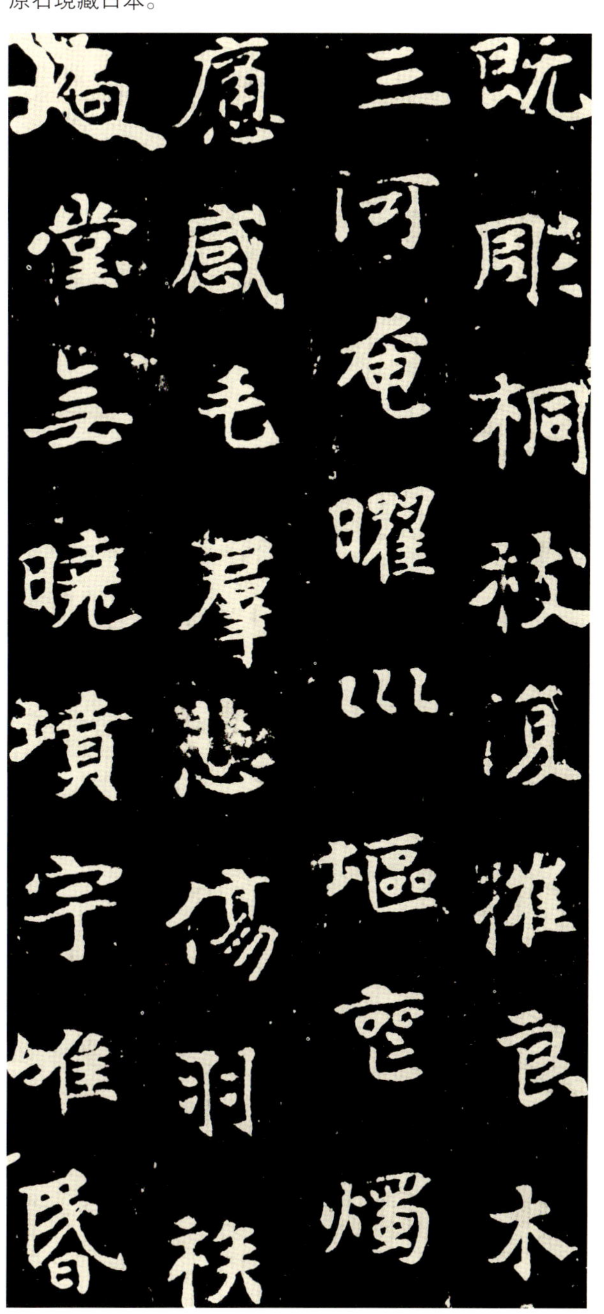

鞠彦雲墓志

北魏

山東龍口市出土。

拓片高26、寬28厘米。

楷書十四行，每行二十三字。刻于正光四年（公元523年）。此選爲局部。

現藏山東省博物館。

鮮于仲兒墓志

北魏

河南洛陽市馬溝村出土。

全志高50.5、寬57厘米。

楷書十八行，每行二十字。刻于孝昌二年（公元526年）。此選爲局部。

現藏陝西省西安碑林博物館。

于仙姬墓志

北魏

河南洛陽市出土。

拓片高45、寬36.5厘米。

刻于孝昌二年（公元526年）。此選爲局部。

現藏陝西省西安碑林博物館。

李謀墓志

北魏

山東安丘市出土。

石高75.5、寬49厘米。

此石作碑形，有額有距，而額題作墓志，應是兩晋時碑式墓志形制的孑遺。刻于孝昌二年（公元526年）。此選爲局部。

現藏山東省圖書館。

張玄墓志

北魏

楷書二十行，每行二十字。刻于普泰元年（公元531年）。此選爲局部。

原石已佚。傳世僅存剪裱孤本。

元文墓志

北魏

河南洛陽市出土。

全志拓片高53.5、寬53厘米。

書體介于隸楷之間，文十七行，每行十九字。刻于太昌元年（公元532年）。此選爲局部。

木板漆畫題記

北魏

山西大同市石家寨村司馬金龍墓出土。

墨書。書于太和八年（公元484年）。此圖爲局部。

現藏山西省大同市博物館。

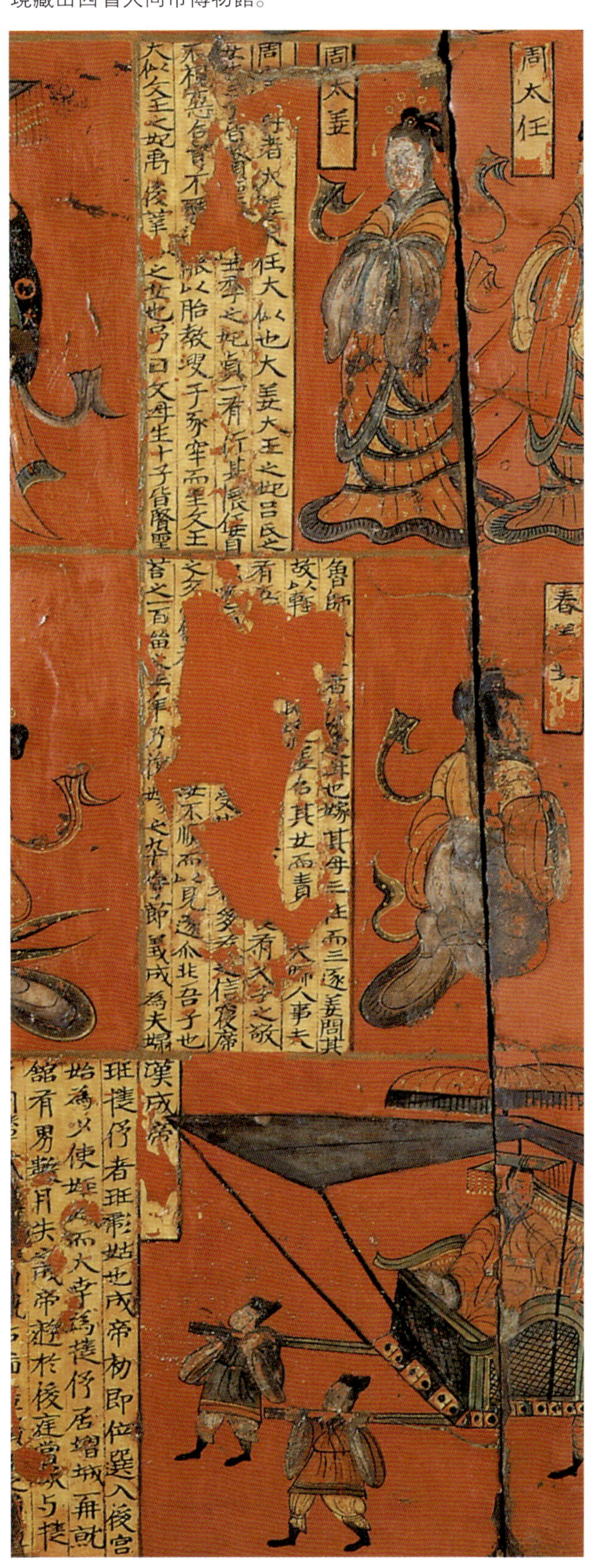

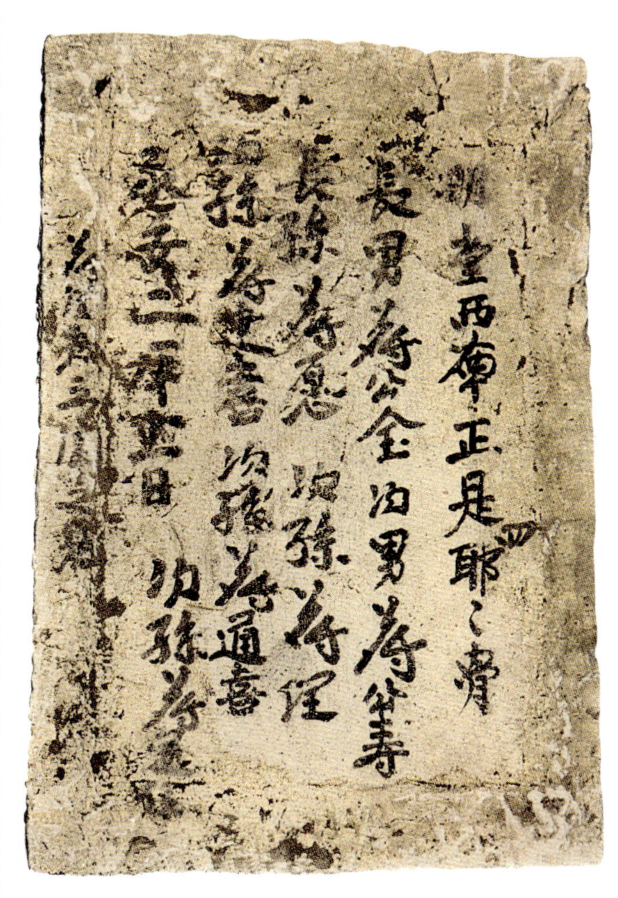

石棺墨書

北魏

傳山西大同市出土。

高40、寬28厘米。

墨書于石棺蓋上，書于永安二年（公元529年）。此石棺爲遷葬斂骨之棺。

壹角支押衙王清[illegible]酒半瓮十八日支伊州使酒壹斗支[illegible]
貳斗支氾[illegible]酒壹角供[illegible]門樓[illegible]當人[illegible]陸月供酒半瓮調曲[illegible]
酒壹瓮十九日孔目官[illegible]西州文字酒貳斗拾陸日供南山[illegible]
貳斗[illegible]貳拾日[illegible]新[illegible]伍日計用酒壹瓮肆斗支[illegible]
索[illegible]酒壹斗廿一日南城設伊州使酒貳斗伍升設[illegible]
百姓酒壹瓮廿三日城南園設甘州使酒壹瓮廿三日支[illegible]
落子僧兩日酒壹斗又價酒壹斗支門樓[illegible]匠酒壹[illegible]
瓮廿四日支賀義[illegible]酒壹角廿五日看甘州使酒貳斗伍[illegible]
升又看伊州使酒伍升廿七日[illegible]落子僧酒貳斗廿
八日支[illegible]匠酒壹斗同日[illegible]匠酒伍升[illegible]曲神酒伍升
馬院神酒伍升支于闐去押衙吴[illegible]子酒壹瓮[illegible]
日城南園設工匠酒壹瓮支氾[illegible]定酒壹斗索子匠

歸義軍衙府酒破歷

北魏

甘肅敦煌市莫高窟藏經洞發現。

紙本。此選爲局部。

現藏敦煌研究院。

大慈如來十月廿四日告疏

北魏

甘肅敦煌市莫高窟藏經洞發現。

紙本。

現藏敦煌研究院。

大慈如来十月廿四日　告疏
告閻浮地内諸衆人民長[illegible]
九年頭應著白蘭加此濟渡
散[illegible]高縄鎮坐[illegible]等人民盡是吾[illegible]
衣服四月八日常出教化諸衆生[illegible]
布施一食要敕者盡聽見吾功德[illegible]
是勤著得吾書惠而不傳者死入地[illegible]
有脱期著傳与他人者皆得无量无
、賢者見之莫亭吾不[illegible]
勸佛一心敬礼稱十方諸佛一心牟尼佛自[illegible]
稱世尊一心礼拜稽首和事言吾去之後一
坐好為沙門弾為尼僧五道應[illegible]
弥勒貧王汗吾形軀毀経法時閻浮地[illegible]
教化河東河西當各出裸水冶一億人[illegible]
為昔諸佛法者門無断依著有問知者[illegible]
莫演[illegible]功德无量告諸賢者咸使聞[illegible]
出治百病
興安三年五月十日[illegible]
傳教人[illegible]

薩摩訶薩滅除有餘有餘有三一者煩惱餘報
二者餘業三者餘有善男子云何名為煩惱餘
報若有衆生習近貪欲是報熟故墮於地獄從
地獄出受畜生身所謂鴿雀鴛鴦鸚鵡耆婆婆
舍利伽鳥青雀魚鱉獼猴獐鹿若得人身受黄
門形女人二根无根婬女若得出家犯初重戒
是名餘報復次善男子若有衆生以惡重心習
近瞋恚是報熟故墮於地獄從地獄出受畜生
身所謂毒蛇具四種毒見毒觸毒齧毒嚙毒師
子虎狼熊羆猫狸鷹鷂之屬若得人身具足十
二諸惡律儀若得出家犯第二重戒是名餘報

大般涅槃經第二十四

北魏

甘肅敦煌市莫高窟藏經洞發現。

紙本。此選爲局部。

現藏敦煌研究院。

華嚴經卷第一册

北魏

甘肅敦煌市莫高窟藏經洞發現。

高24.6、寬817.5厘米。

紙本。書于延昌二年（公元513年）。

此選爲局部。

現藏故宫博物院。

大方廣佛華嚴經入法界品第卅四卷第卅一
爾時佛在舍衛城祇樹給孤獨園大子
閣講堂與五百菩薩摩訶薩俱普賢菩
殊師利菩薩為上首冠光幢菩薩須彌山幢
菩薩寶幢菩薩无导幢菩薩華幢菩薩離垢
幢菩薩日光幢菩薩正幢菩薩離塵幢菩薩
明淨幢菩薩大地瑞嚴菩薩寶瑞嚴菩薩大
慧瑞嚴菩薩金剛焰瑞嚴菩薩離垢瑞嚴菩
薩法日瑞嚴菩薩功德山瑞嚴菩薩焰光瑞
嚴菩薩普妙德瑞嚴菩薩大地藏菩薩虛空
藏菩薩蓮華藏菩薩寶藏菩薩日藏菩薩淨
德藏菩薩法印藏菩薩明淨藏菩薩臍藏菩
薩蓮華藏菩薩善德眼菩薩普見眼菩薩清
淨眼菩薩離垢眼菩薩无导菩薩普眼菩薩

高諶墓志

東魏

山東德州市出土。

楷書二十五行，每行二十七字。刻于元象二年（公元539年）。此選爲局部。

原石久佚。

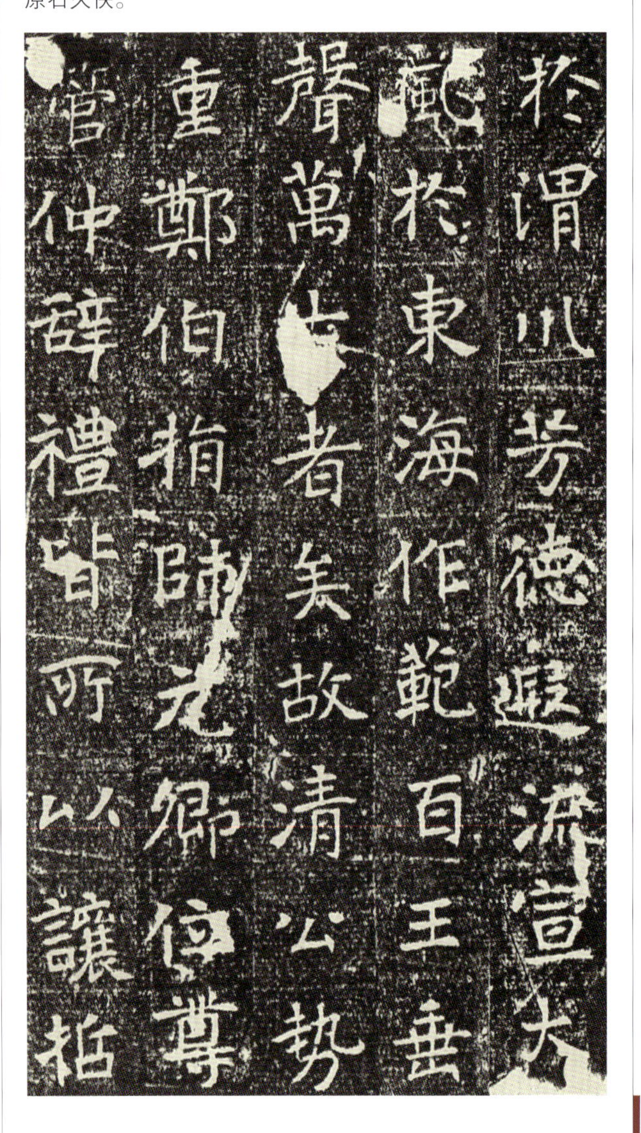

劉懿墓志

東魏

山西忻州市出土。

高58.2、寬58.5厘米。

志文三十二行，滿行三十三字。刻于興和二年（公元540年）。此選爲局部。

現藏山西博物院。

敬使君碑

東魏

河南長葛市出土。

楷書二十六行，每行五十一字。刻于興和二年（公元540年）。此選爲局部。

現藏河南省長葛市陘山書院。

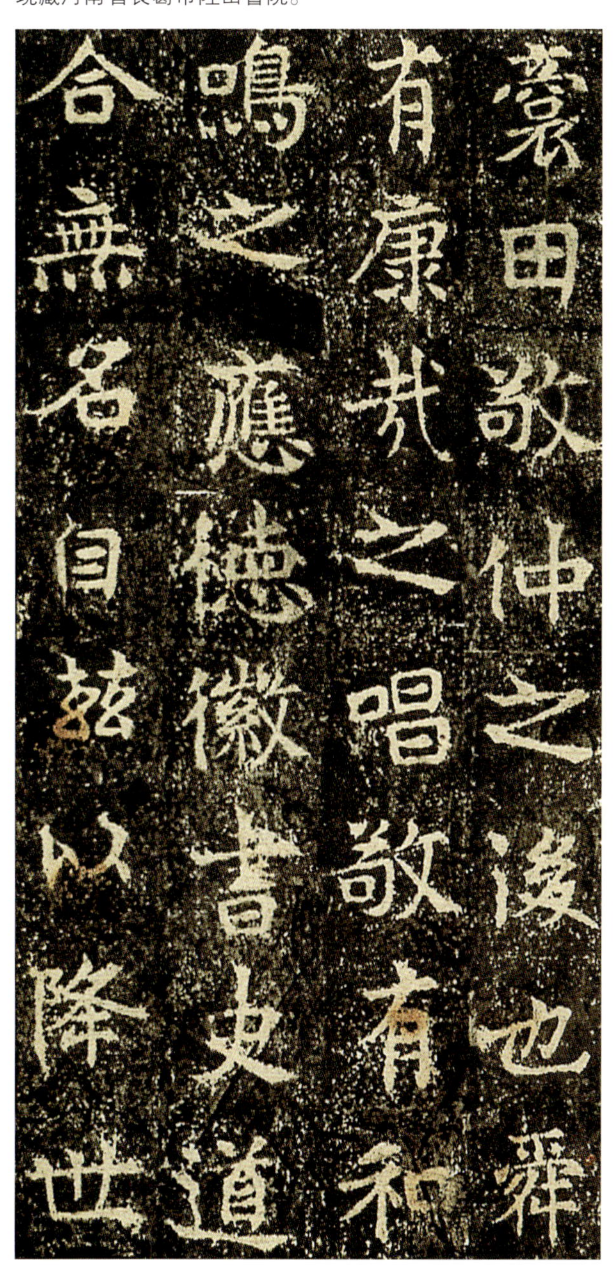

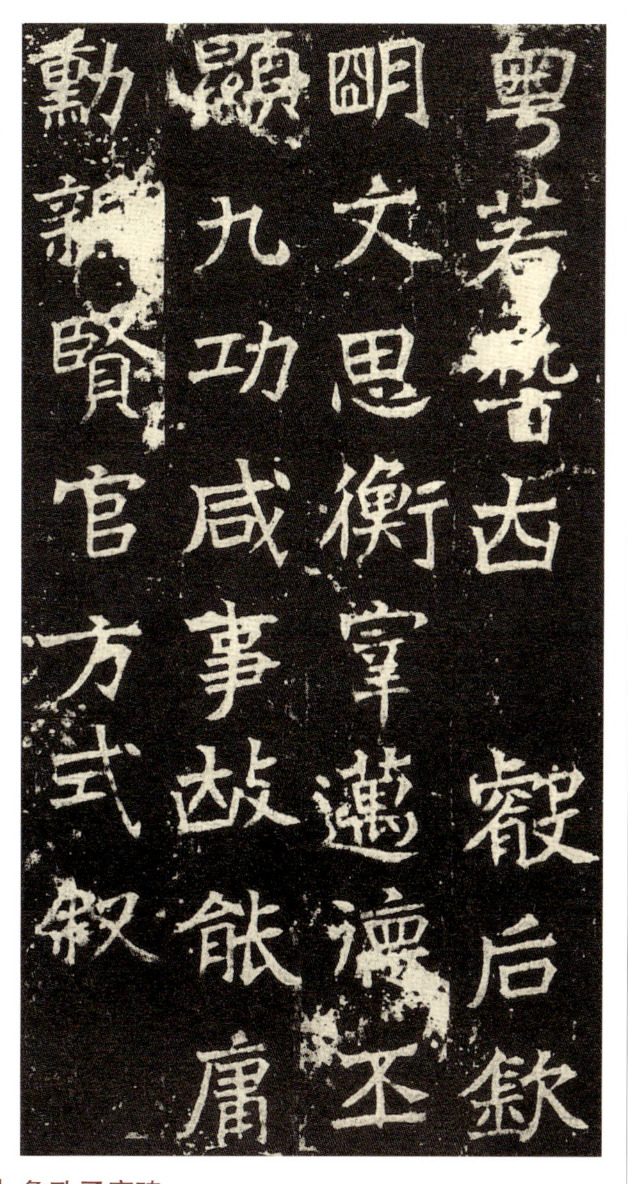

魯孔子廟碑

東魏

碑立于山東曲阜市孔廟。

楷書雜篆隸，二十五行，每行五十一字。刻于興和三年（公元541年）。此選爲局部。

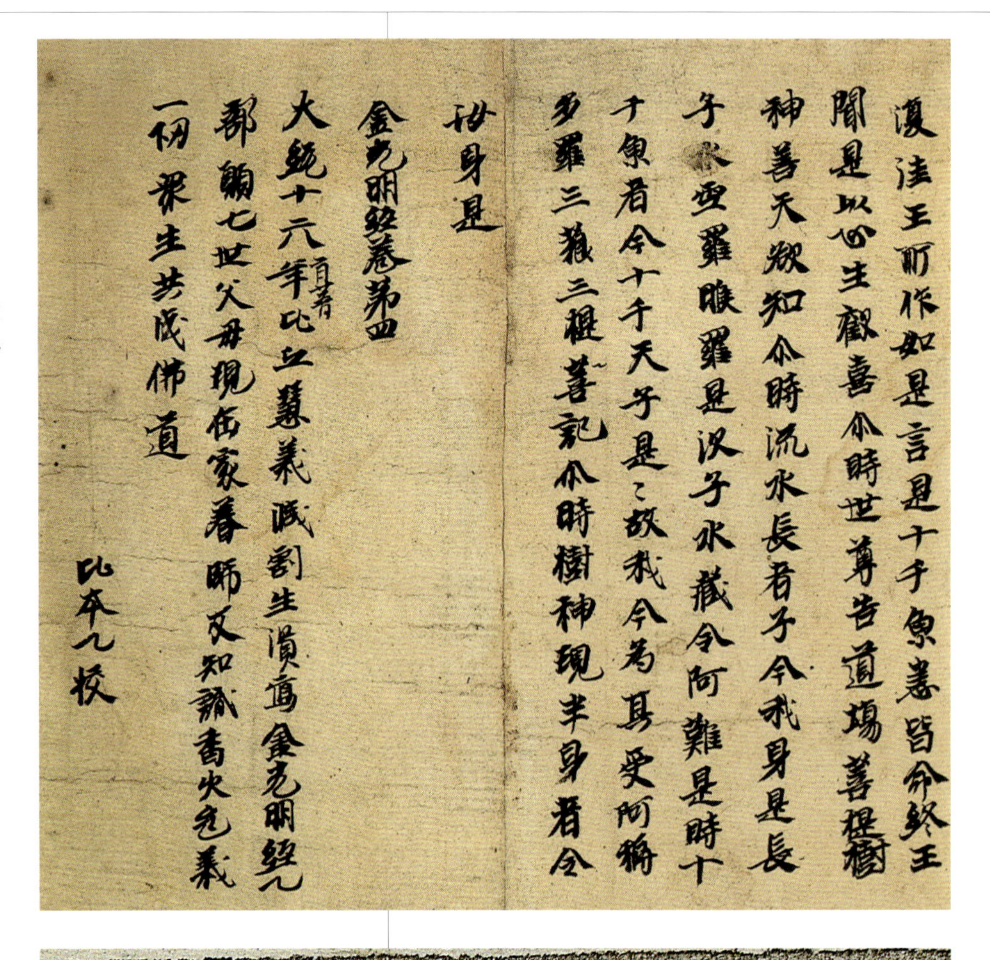

金光明經卷第四

西魏

高27.5、寬209厘米。紙本。書于大統十六年（公元550年）。此選爲局部。

現藏日本私人處。

姜纂造像記

北齊

河南偃師市出土。

楷書十五行，每行二十字。刻于天統元年（公元565年）。此選爲局部。

金剛經

北齊

刻于山東泰安市泰山經石峪摩崖。

字徑二尺左右，書體介于隸楷之間。現殘存文字九百多字。

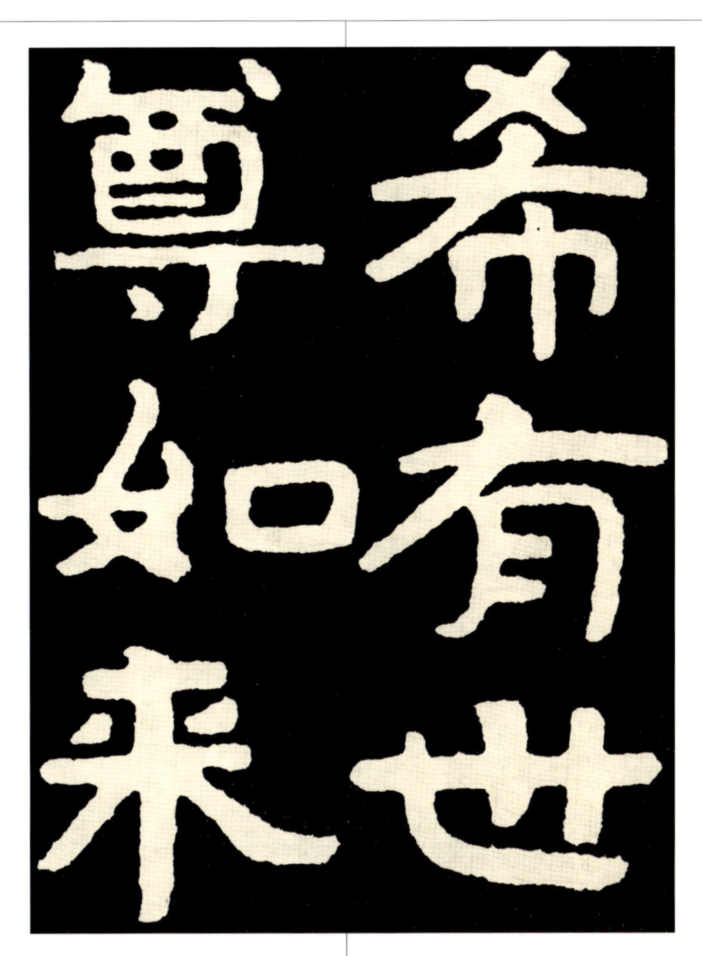

金剛經局部之一

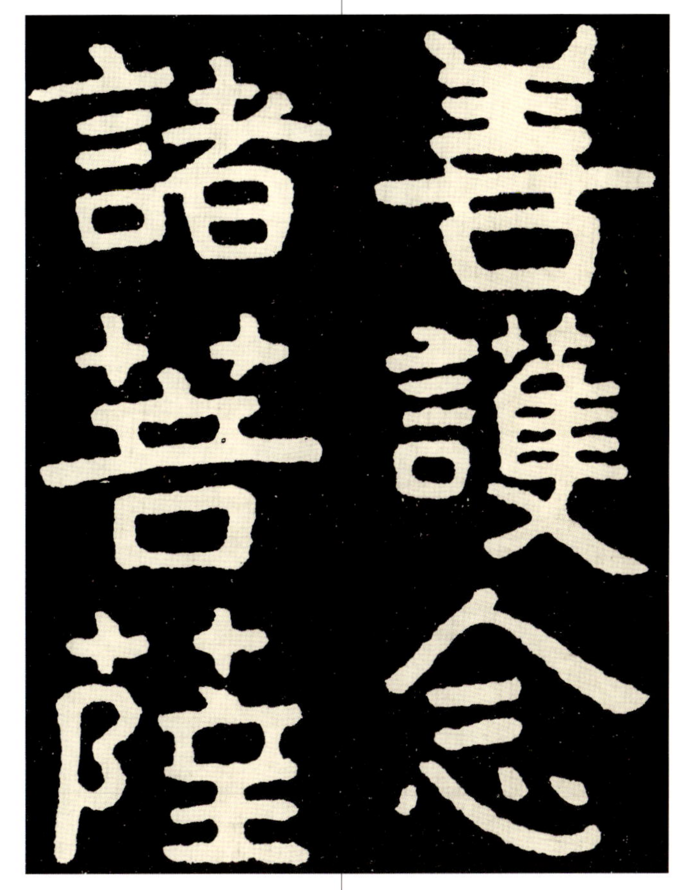

金剛經局部之二

文殊般若經碑碑額

文殊般若經碑

北齊

碑原立于山東汶上縣白石鎮水牛山。

高200、寬70厘米。

書體楷有隸意，文十行，每行三十字。

現藏山東省汶上縣中都博物館。

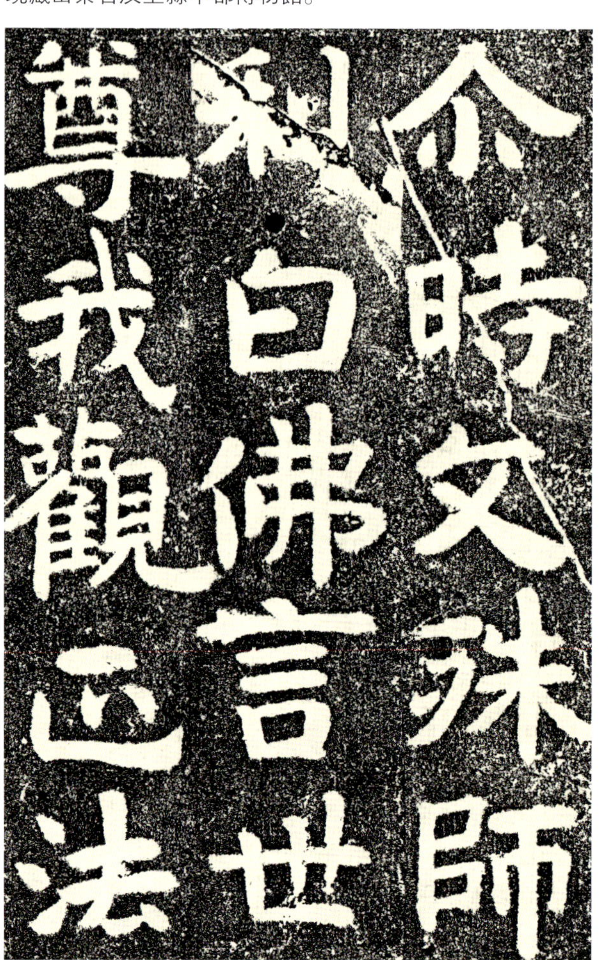

文殊般若經碑碑文局部

袁月璣墓志

北齊

河北出土。

高51、寬52厘米。

楷書二十三行。共六百零七字。此選爲局部。

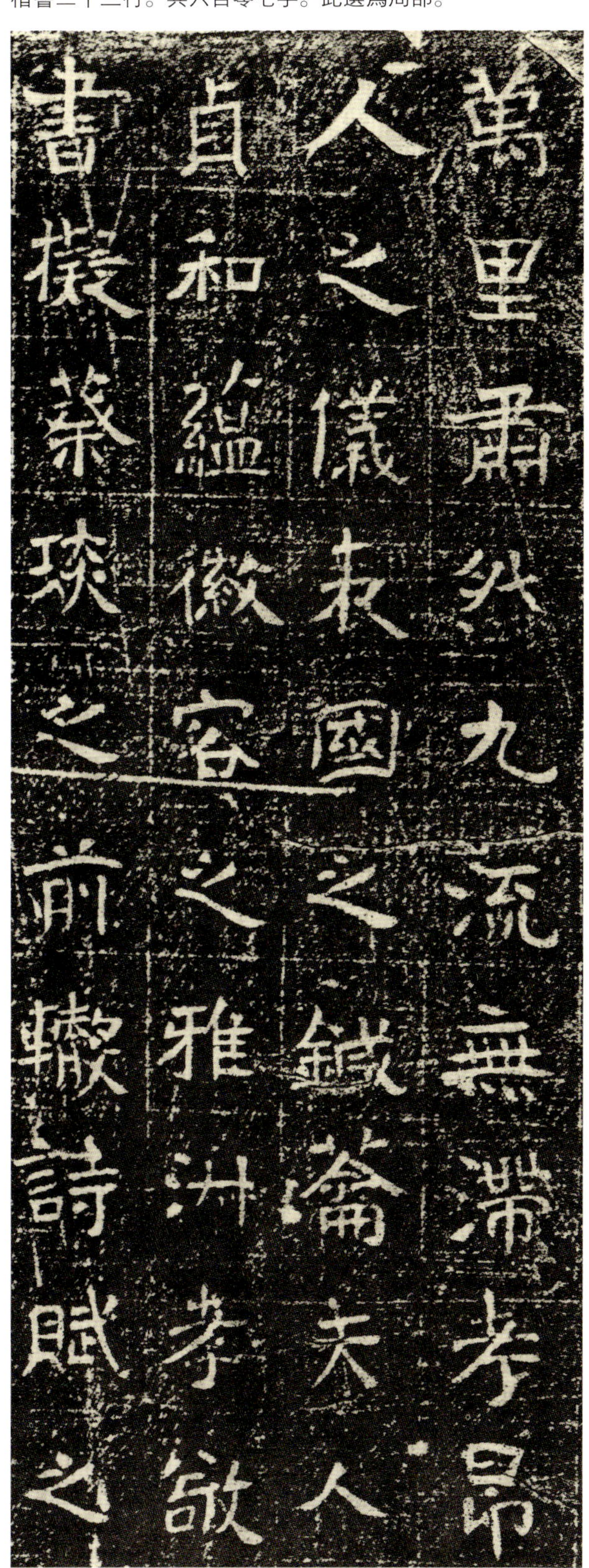

王感孝頌

北齊

碑在山東肥城市孝堂山石室。

梁恭之書。刻于武平元年（公元570年）。此選爲局部。

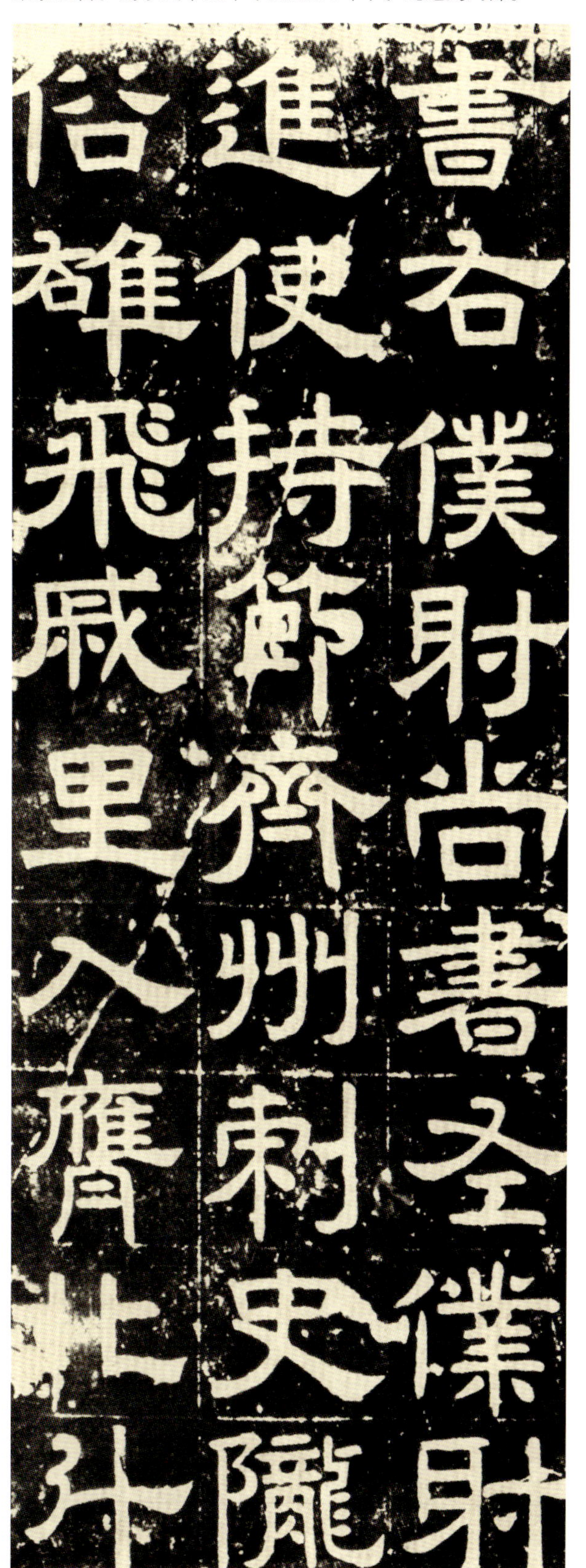

朱岱林墓志

北齊

山東壽光市出土。

楷書四十行，每行三十四字。刻于武平二年（公元571年）。此選爲局部。

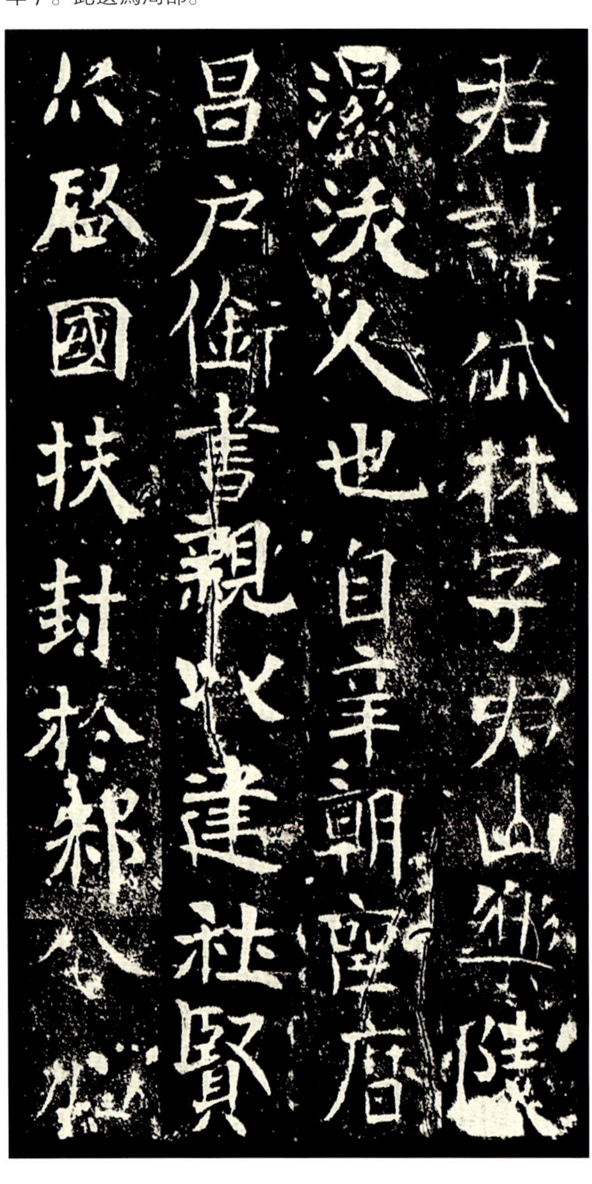

唐邕寫經記

北齊

原石現在河北磁縣鼓山北響堂寺。

書體隸有楷意，文二十行，每行三十四字。刻于武平三年（公元572年）。此選爲局部。

趙文淵

北周時人。生卒年不詳。南陽宛（今河南南陽）人。一説天水（今屬甘肅）人。後因避唐高祖諱，改爲文深，字德本。以書法聞名于世，爲北周書學博士。

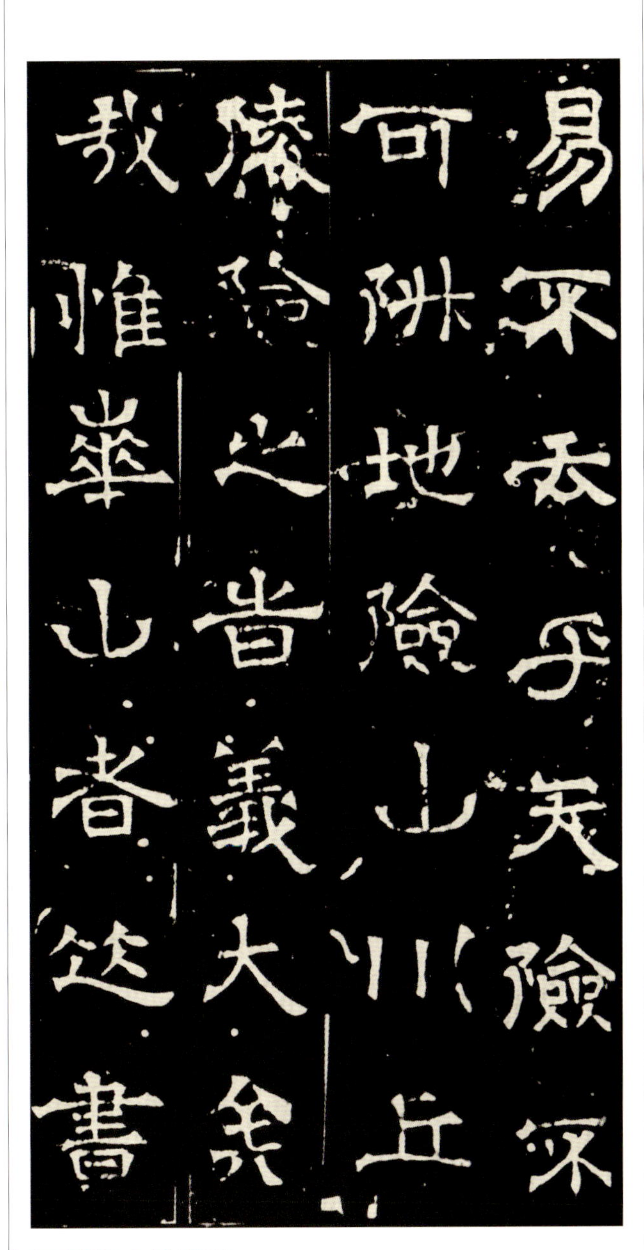

西岳華山神廟碑

北周

趙文淵

碑原在陝西華陰市華岳廟，立于天和二年（公元567年）。此選爲局部。

現藏陝西省西安碑林博物館。

張僧妙碑

北周

陝西銅川市耀州區出土。

刻于天和五年（公元570年）。此選爲局部。

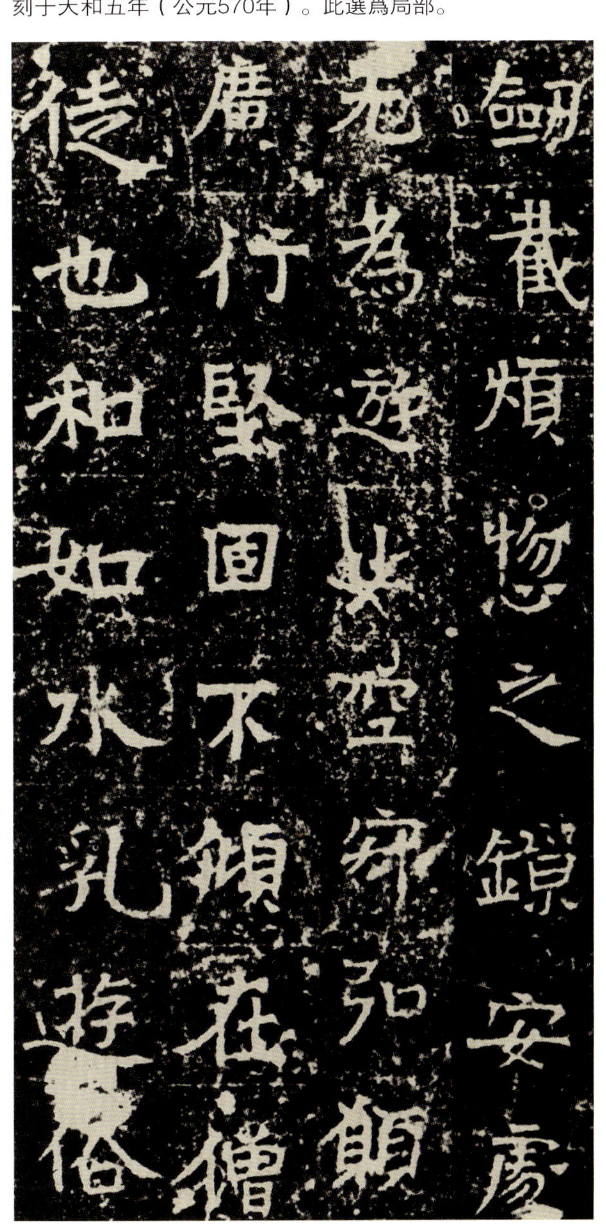

崔宣靖墓志（上圖）

北周

河北平山縣出土。

高43、寬45厘米。

楷書十六行，每行十六字。刻于大象元年（公元579年）。此選爲局部。

大般涅槃經

北周

全卷高25.5、寬571.9厘米。

紙本。有建德二年（公元573年）題記。此選爲局部。

現藏故宫博物院。

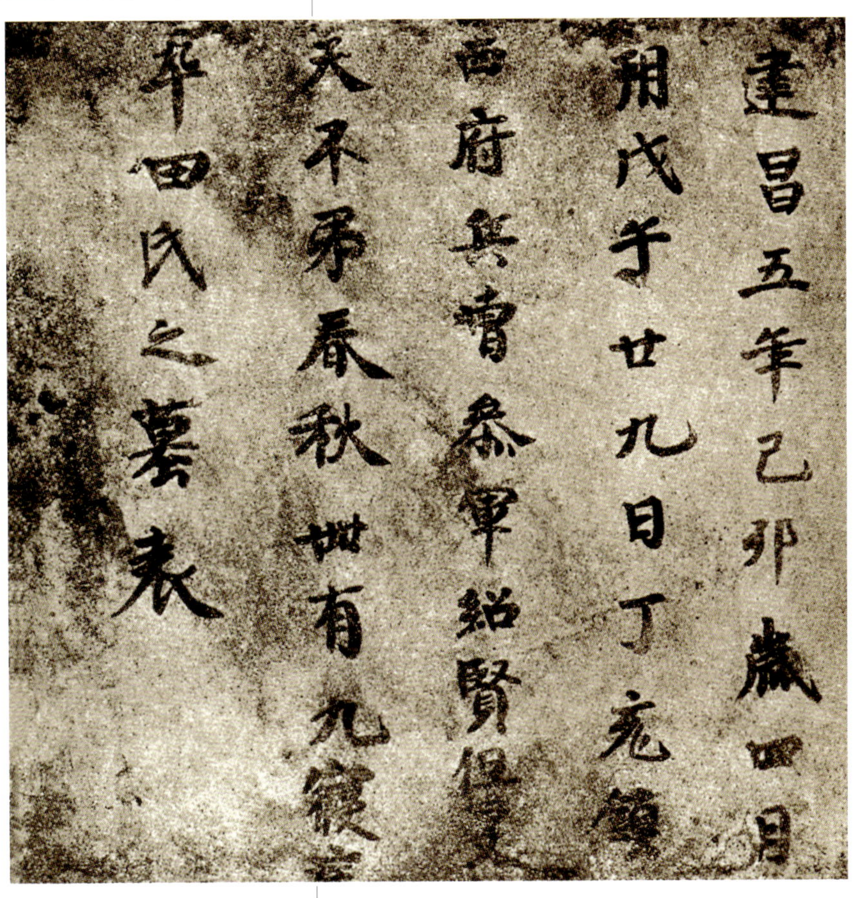

田紹賢墓表

麴氏高昌
新疆吐魯番市交河故城雅爾湖墓葬出土。
高34、寬34厘米。
磚質，墨書。書于高昌建昌五年（公元559年）。
現藏故宮博物院。

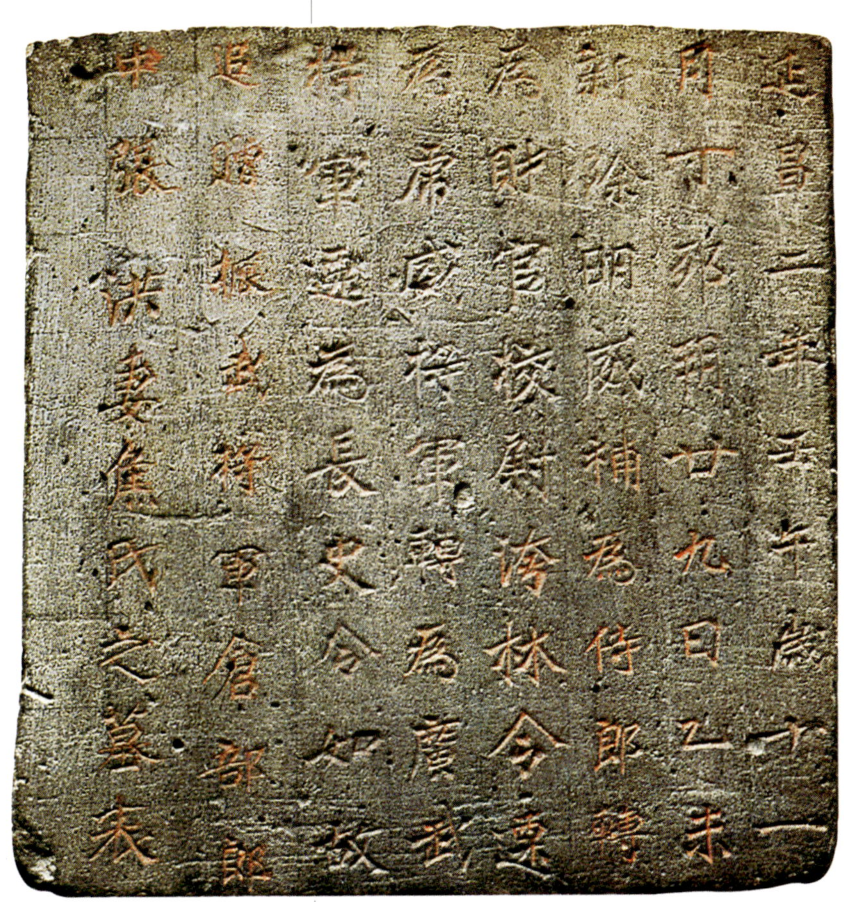

張洪妻焦氏墓表

麴氏高昌
新疆吐魯番市阿斯塔那墓葬出土。
高42、寬42厘米。
磚質，陰刻字填硃。刻于高昌延昌二年（公元562年）。
現藏新疆維吾爾自治區博物館。

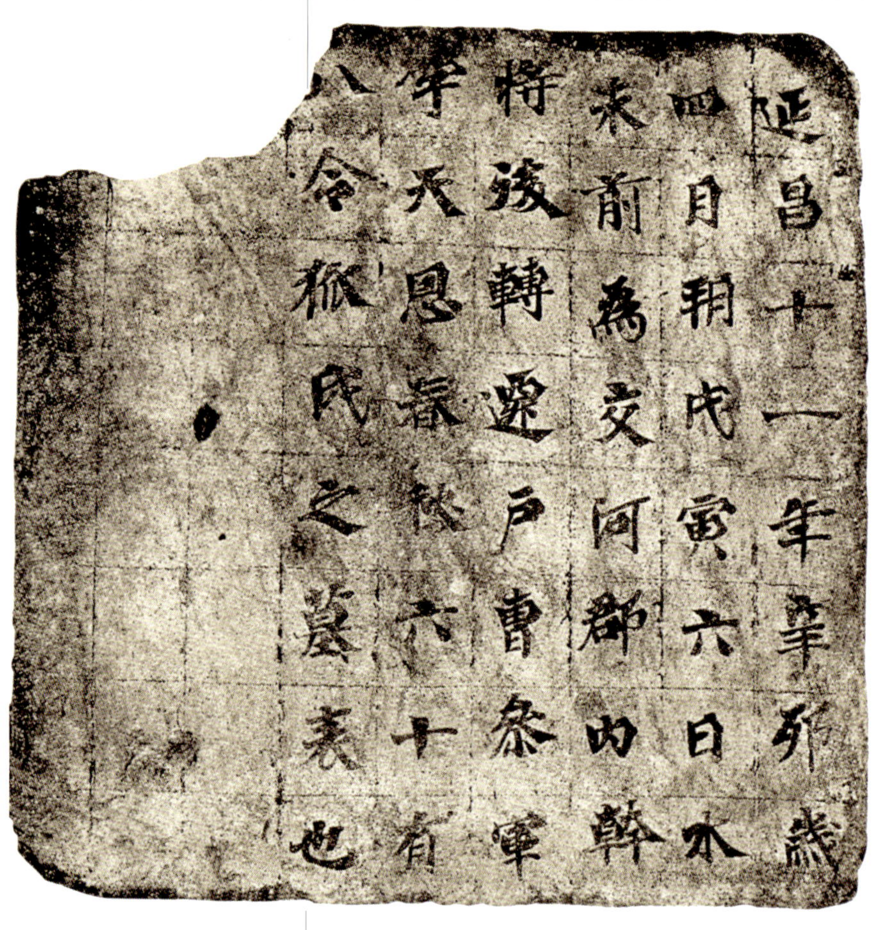

令狐天恩墓表

麴氏高昌

新疆吐魯番市交河故城雅爾湖墓葬出土。

高41.6、寬41厘米。

磚質，墨書。書于高昌延昌十一年（公元571年）。

現藏故宮博物院。

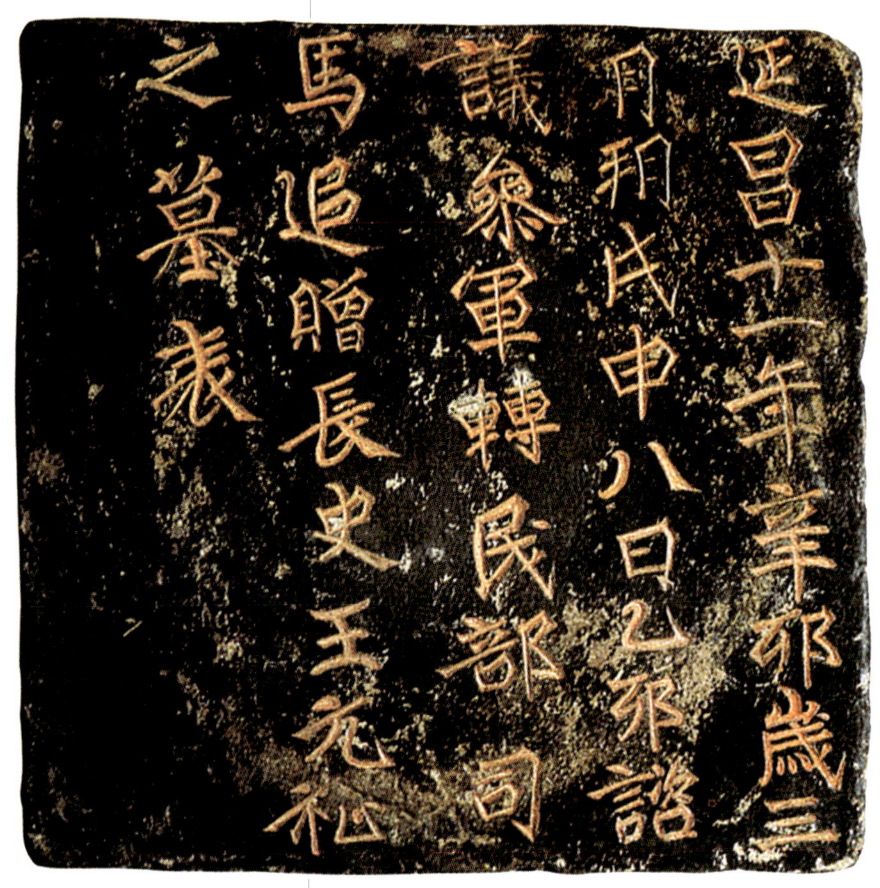

王亢祉墓表

麴氏高昌

新疆吐魯番市阿斯塔那墓葬出土。

高38.5、寬40厘米。

磚質，陰刻字填硃。刻于高昌延昌十一年（公元571年）。

現藏英國倫敦大英博物館。

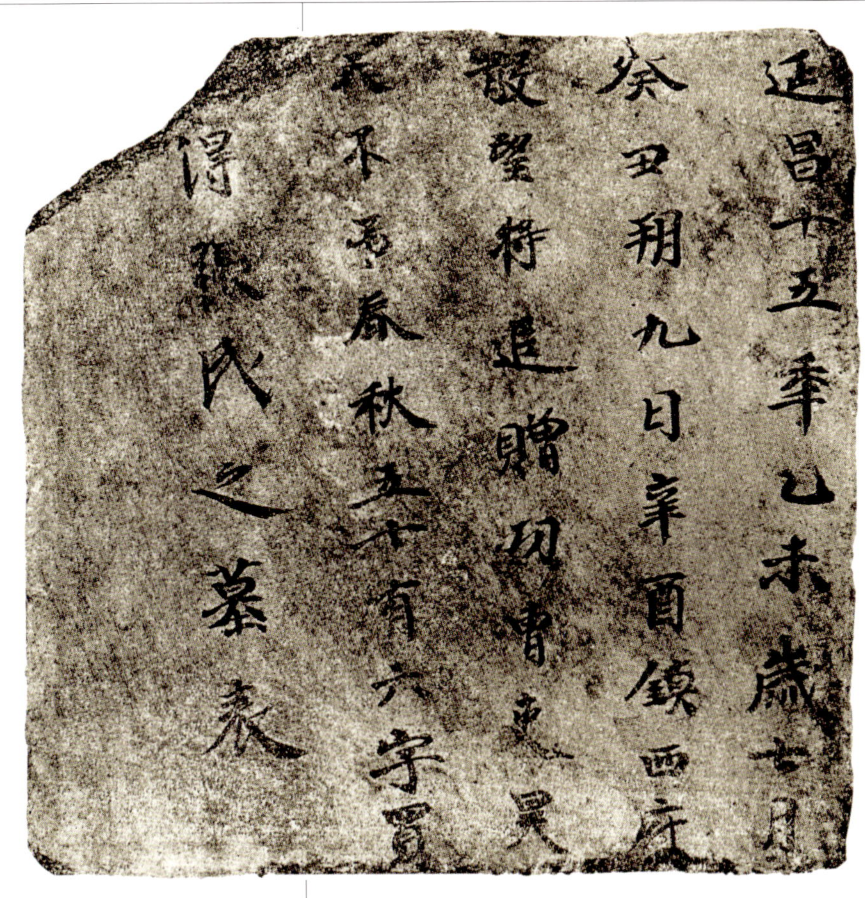

張買得墓表

麴氏高昌
新疆吐魯番市交河故城雅爾湖墓葬出土。
高36、寬36厘米。
磚質，墨書。書于高昌延昌十五年（公元575年）。
現藏故宮博物院。

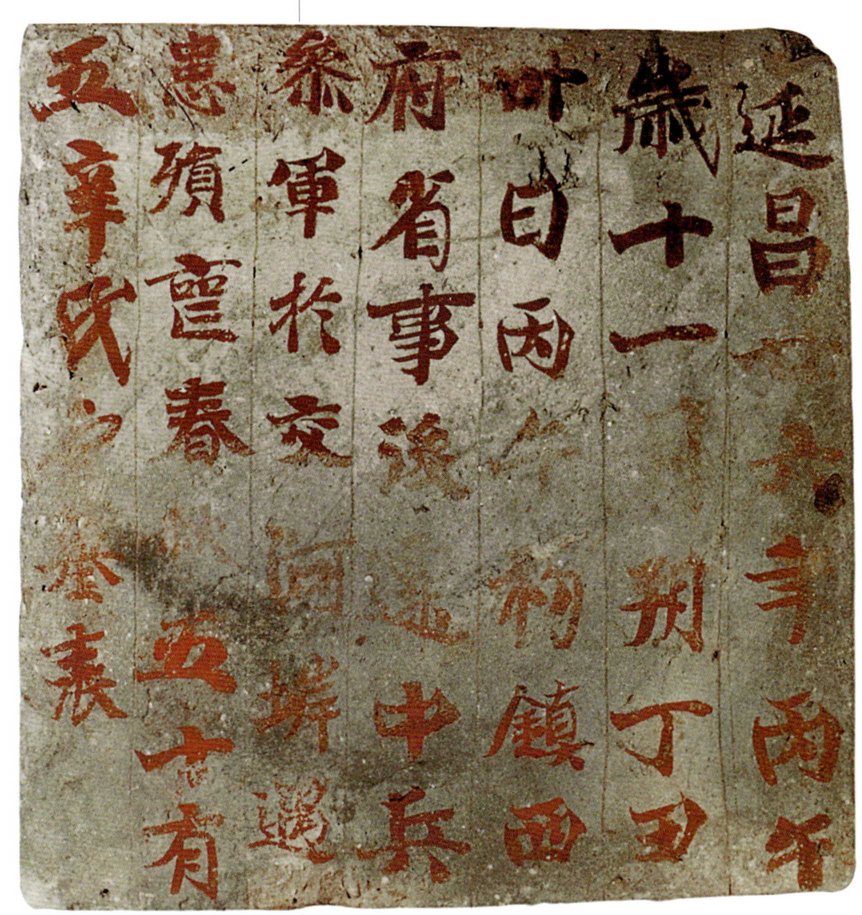

中兵參軍辛氏墓表

麴氏高昌
新疆吐魯番市交河故城雅爾湖墓葬出土。
高32、寬32厘米。
磚質，白粉地，朱書。書于高昌延昌二十六年（公元586年）。
現藏故宮博物院。